KB085251

올쏘
내신强자
고등 생활과 윤리

| 구성과 특징

올쏘 내신强(강)자의 효과적인 학습법

1단계 핵심 개념 정리

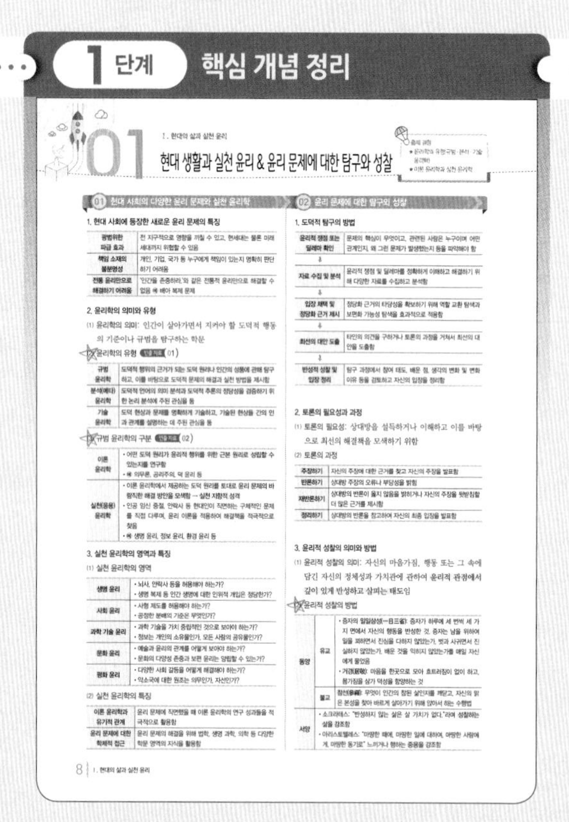

▲ 학교 시험에 자주 나오는 핵심 개념을 강별로 일목요연하게 정리하였습니다. 출제 빈도가 가장 높은 **빈출 자료**와 연계된 중요한 핵심 개념은 유심히 학습하되, 빈출 특강의 자료와 함께 보는 것을 잊지 마세요!

2단계 빈출 특강

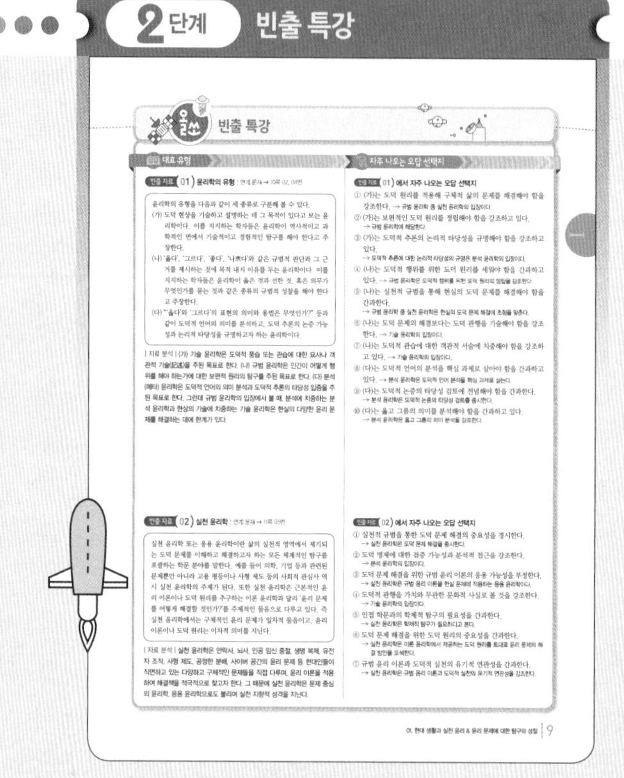

▲ 시험에 자주 출제되는 지도, 도표, 제시문 등의 **빈출 자료**를 꼼꼼하게 분석하여 정리하였습니다. 빈출 자료와 연계하여 **자주 나오는 오답 선택지**를 제시하였으니 빈출 개념과 자료의 출제 패턴을 익히도록 하세요.

올쏘 내신강자의 4단계 학습 시스템으로

시험을 대비하면 내신 1등급을 달성할 수 있습니다!

3단계 시험에 꼭 나오는 문제

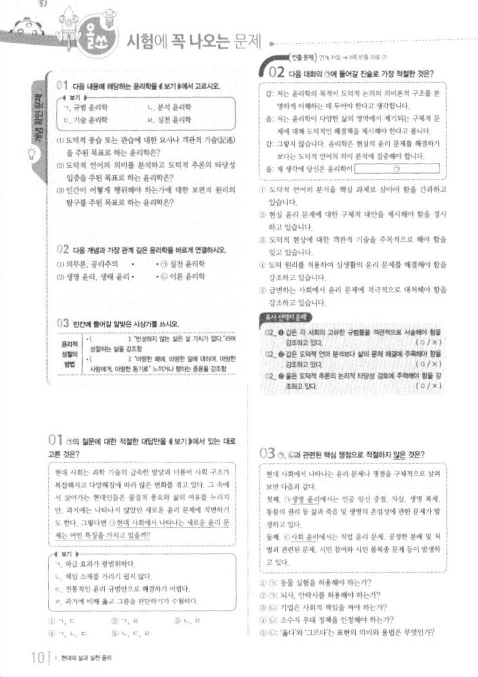

▲ 학교 시험의 출제 유형을 분석하여 시험에 꼭 나오는 빈출 문제로만 구성하였습니다. 빈출 자료를 활용한 **빈출 문제**는 꼭 풀어 보고 실전 감각을 키우도록 하세요!

4단계 상위 4% 문제

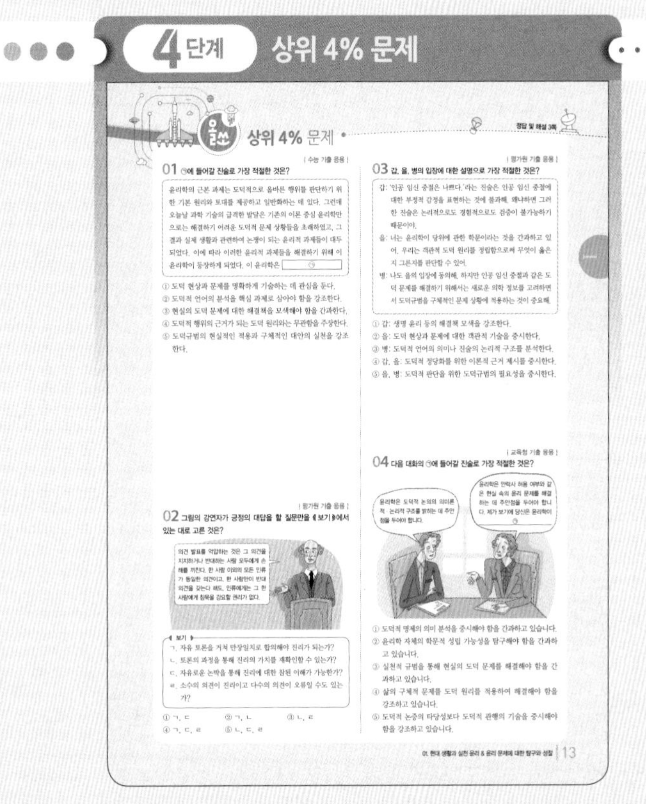

▲ 학교 시험에서 한두 문항씩 반드시 출제되는 고난도 문제를 풀지 못하면 내신 1등급을 받을 수 없습니다. 변별력 높은 **상위 4% 문제**를 통해 내신 1등급을 꼭 달성하세요!

정답 및 해설

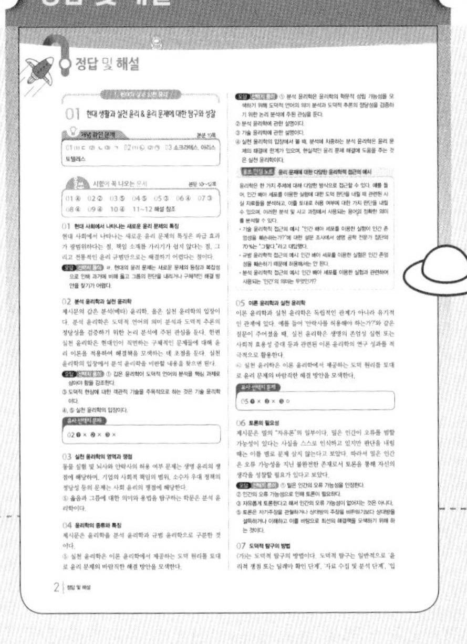

◀ 문항별로 자세하고 친절한 해설을 제공하였고, **자료 분석**과 **올쏘 만점 노트**를 통해 문제에 제시된 자료에 대한 이해와 꼭 알아야 하는 핵심 개념들을 보충할 수 있습니다.

Contents | 차례

IV

과학과 윤리

문화와 윤리

평화와 공존의 윤리

Comparison Table | 교과서 단원 비교

올쏘 내신强(강)자와 내 교과서 단원 찾기

강명	올쏘 내신강자	미래엔	천재교육	비상교육	금성출판사	지학사
Ⅰ. 현대의 삶과 실천 윤리						
01 현대 생활과 실천 윤리 & 윤리 문제에 대한 탐구와 성찰	**8~13**	12~19 32~41	12~21 34~43	10~19 32~41	10~19 30~39	12~21 34~41
02 현대 윤리 문제에 대한 접근	**14~21**	20~31	22~33	20~31	20~29	22~33
Ⅱ. 생명과 윤리						
03 삶과 죽음의 윤리	**22~29**	46~55	46~57	46~55	42~53	46~55
04 생명 윤리	**30~35**	56~65	58~69	56~66	54~65	56~65
05 사랑과 성 윤리	**36~41**	66~75	70~79	67~75	66~75	66~75
Ⅲ. 사회와 윤리						
06 직업과 청렴의 윤리	**42~49**	80~89	82~93	80~90	78~89	80~89
07 사회 정의와 윤리	**50~61**	90~99	94~105	91~102	90~103	90~99
08 국가와 시민의 윤리	**62~69**	100~109	106~115	103~113	104~113	100~109

강명	올쏘 내신강자	미래엔	천재교육	비상교육	금성출판사	지학사
Ⅳ. 과학과 윤리						
09 과학 기술과 윤리	**70~75**	114~123	118~127	118~127	116~125	114~123
10 정보 사회와 윤리	**76~81**	124~133	128~137	128~137	126~135	124~133
11 자연과 윤리	**82~93**	134~145	138~149	138~149	136~147	134~143
Ⅴ. 문화와 윤리						
12 예술과 대중문화 윤리	**94~99**	150~159	152~163	154~162	150~159	148~157
13 의식주 윤리와 윤리적 소비	**100~105**	160~169	164~173	163~172	160~169	158~167
14 다문화 사회의 윤리	**106~111**	170~179	174~183	173~181	170~181	168~177
Ⅵ. 평화와 공존의 윤리						
15 갈등 해결과 소통의 윤리 & 민족 통합의 윤리	**112~117**	184~203	186~205	186~207	184~203	182~201
16 지구촌 평화의 윤리	**118~127**	204~213	206~215	208~217	204~213	202~211

01 현대 생활과 실천 윤리 & 윤리 문제에 대한 탐구와 성찰

출제 경향
★윤리학의 유형(규범·분석·기술 윤리학)
★이론 윤리학과 실천 윤리학

01 현대 사회의 다양한 윤리 문제와 실천 윤리학

1. 현대 사회에 등장한 새로운 윤리 문제의 특징

광범위한 파급 효과	전 지구적으로 영향을 끼칠 수 있고, 현세대는 물론 미래 세대까지 위협할 수 있음
책임 소재의 불분명성	개인, 기업, 국가 등 누구에게 책임이 있는지 명확히 판단하기 어려움
전통 윤리만으로 해결하기 어려움	'인간을 존중하라.'와 같은 전통적 윤리만으로 해결할 수 없음 ㉠ 배아 복제 문제

2. 윤리학의 의미와 유형

(1) 윤리학의 의미: 인간이 살아가면서 지켜야 할 도덕적 행동의 기준이나 규범을 탐구하는 학문

(2) 윤리학의 유형 빈출 자료 01

규범 윤리학	도덕적 행위의 근거가 되는 도덕 원리나 인간의 성품에 관해 탐구하고, 이를 바탕으로 도덕적 문제의 해결과 실천 방법을 제시함
분석(메타) 윤리학	도덕적 언어의 의미 분석과 도덕적 추론의 정당성을 검증하기 위한 논리 분석에 주된 관심을 둠
기술 윤리학	도덕 현상과 문제를 명확하게 기술하고, 기술된 현상들 간의 인과 관계를 설명하는 데 주된 관심을 둠

(3) 규범 윤리학의 구분 빈출 자료 02

이론 윤리학	• 어떤 도덕 원리가 윤리적 행위를 위한 근본 원리로 성립할 수 있는지를 연구함 • ㉠ 의무론, 공리주의, 덕 윤리 등
실천(응용) 윤리학	• 이론 윤리학에서 제공하는 도덕 원리를 토대로 윤리 문제의 바람직한 해결 방안을 모색함 → 실천 지향적 성격 • 인공 임신 중절, 안락사 등 현대인이 직면하는 구체적인 문제를 직접 다루며, 윤리 이론을 적용하여 해결책을 적극적으로 찾음 • ㉠ 생명 윤리, 정보 윤리, 환경 윤리 등

3. 실천 윤리학의 영역과 특징

(1) 실천 윤리학의 영역

생명 윤리	• 뇌사, 안락사 등을 허용해야 하는가? • 생명 복제 등 인간 생명에 대한 인위적 개입은 정당한가?
사회 윤리	• 사형 제도를 허용해야 하는가? • 공정한 분배의 기준은 무엇인가?
과학 기술 윤리	• 과학 기술을 가치 중립적인 것으로 보아야 하는가? • 정보는 개인의 소유물인가, 모든 사람의 공유물인가?
문화 윤리	• 예술과 윤리의 관계를 어떻게 보아야 하는가? • 문화의 다양성 존중과 보편 윤리는 양립할 수 있는가?
평화 윤리	• 다양한 사회 갈등을 어떻게 해결해야 하는가? • 약소국에 대한 원조는 의무인가, 자선인가?

(2) 실천 윤리학의 특징

이론 윤리학과 유기적 관계	윤리 문제에 직면했을 때 이론 윤리학의 연구 성과들을 적극적으로 활용함
윤리 문제에 대한 학제적 접근	윤리 문제의 해결을 위해 법학, 생명 과학, 의학 등 다양한 학문 영역의 지식을 활용함

02 윤리 문제에 대한 탐구와 성찰

1. 도덕적 탐구의 방법

윤리적 쟁점 또는 딜레마 확인	문제의 핵심이 무엇이고, 관련된 사람은 누구이며 어떤 관계인지, 왜 그런 문제가 발생했는지 등을 파악해야 함
↓	
자료 수집 및 분석	윤리적 쟁점 및 딜레마를 정확하게 이해하고 해결하기 위해 다양한 자료를 수집하고 분석함
↓	
입장 채택 및 정당화 근거 제시	정당화 근거의 타당성을 확보하기 위해 역할 교환 탐색과 보편화 가능성 탐색을 효과적으로 적용함
↓	
최선의 대안 도출	타인의 의견을 구하거나 토론의 과정을 거쳐서 최선의 대안을 도출함
↓	
반성적 성찰 및 입장 정리	탐구 과정에서 참여 태도, 배운 점, 생각의 변화 및 변화 이유 등을 검토하고 자신의 입장을 정리함

2. 토론의 필요성과 과정

(1) 토론의 필요성: 상대방을 설득하거나 이해하고 이를 바탕으로 최선의 해결책을 모색하기 위함

(2) 토론의 과정

주장하기	자신의 주장에 대한 근거를 찾고 자신의 주장을 발표함
반론하기	상대방 주장의 오류나 부당성을 밝힘
재반론하기	상대방의 반론이 옳지 않음을 밝히거나 자신의 주장을 뒷받침할 더 많은 근거를 제시함
정리하기	상대방의 반론을 참고하여 자신의 최종 입장을 발표함

3. 윤리적 성찰의 의미와 방법

(1) 윤리적 성찰의 의미: 자신의 마음가짐, 행동 또는 그 속에 담긴 자신의 정체성과 가치관에 관하여 윤리적 관점에서 깊이 있게 반성하고 살피는 태도임

(2) 윤리적 성찰의 방법

동양	유교	• 증자의 일일삼성(一日三省): 증자가 하루에 세 번씩 세 가지 면에서 자신의 행동을 반성한 것. 증자는 남을 위하여 일을 꾀하면서 진심을 다하지 않았는가, 벗과 사귀면서 진실하지 않았는가, 배운 것을 익히지 않았는가를 매일 자신에게 물었음 • 거경(居敬): 마음을 한곳으로 모아 흐트러짐이 없이 하고, 몸가짐을 삼가 덕성을 함양하는 것
	불교	참선(參禪): 무엇이 인간의 참된 삶인지를 깨닫고, 자신의 맑은 본성을 찾아 바르게 살아가기 위해 앉아서 하는 수행법
서양		• 소크라테스: "반성하지 않는 삶은 살 가치가 없다."라며 성찰하는 삶을 강조함 • 아리스토텔레스: "마땅한 때에, 마땅한 일에 대하여, 마땅한 사람에게, 마땅한 동기로" 느끼거나 행하는 중용을 강조함

빈출 특강

대표 유형

빈출 자료 01 윤리학의 유형 | 연계 문제 → 10쪽 02, 04번

> 윤리학의 유형을 다음과 같이 세 종류로 구분해 볼 수 있다.
> (가) 도덕 현상을 기술하고 설명하는 데 그 목적이 있다고 보는 윤리학이다. 이를 지지하는 학자들은 윤리학이 역사적이고 과학적인 면에서 기술적이고 경험적인 탐구를 해야 한다고 주장한다.
> (나) '옳다', '그르다', '좋다', '나쁘다'와 같은 규범적 판단과 그 근거를 제시하는 것에 목적 내지 이유를 두는 윤리학이다. 이를 지지하는 학자들은 윤리학이 옳은 것과 선한 것, 혹은 의무가 무엇인가를 묻는 것과 같은 종류의 규범적 성찰을 해야 한다고 주장한다.
> (다) "'옳다'와 '그르다'의 표현의 의미와 용법은 무엇인가?" 등과 같이 도덕적 언어의 의미를 분석하고, 도덕 추론의 논증 가능성과 논리적 타당성을 규명하고자 하는 윤리학이다.

| 자료 분석 | (가) 기술 윤리학은 도덕적 풍습 또는 관습에 대한 묘사나 객관적 기술(記述)을 주된 목표로 한다. (나) 규범 윤리학은 인간이 어떻게 행위를 해야 하는가에 대한 보편적 원리의 탐구를 주된 목표로 한다. (다) 분석(메타) 윤리학은 도덕적 언어의 의미 분석과 도덕적 추론의 타당성 입증을 주된 목표로 한다. 그런데 규범 윤리학의 입장에서 볼 때, 분석에 치중하는 분석 윤리학과 현상의 기술에 치중하는 기술 윤리학은 현실의 다양한 윤리 문제를 해결하는 데에 한계가 있다.

자주 나오는 오답 선택지

빈출 자료 01 에서 자주 나오는 오답 선택지

① (가)는 도덕 원리를 적용해 구체적 삶의 문제를 해결해야 함을 강조한다. → 규범 윤리학 중 실천 윤리학의 입장이다.
② (가)는 보편적인 도덕 원리를 정립해야 함을 강조하고 있다.
→ 규범 윤리학에 해당한다.
③ (가)는 도덕적 추론의 논리적 타당성을 규명해야 함을 강조하고 있다.
→ 도덕적 추론에 대한 논리적 타당성의 규명은 분석 윤리학의 입장이다.
④ (나)는 도덕적 행위를 위한 도덕 원리를 세워야 함을 간과하고 있다. → 규범 윤리학은 도덕적 행위를 위한 도덕 원리의 정립을 강조한다.
⑤ (나)는 실천적 규범을 통해 현실의 도덕 문제를 해결해야 함을 간과한다.
→ 규범 윤리학 중 실천 윤리학은 현실의 도덕 문제 해결에 초점을 맞춘다.
⑥ (나)는 도덕 문제의 해결보다는 도덕 관행을 기술해야 함을 강조한다. → 기술 윤리학의 입장이다.
⑦ (나)는 도덕적 관습에 대한 객관적 서술에 치중해야 함을 강조하고 있다. → 기술 윤리학의 입장이다.
⑧ (다)는 도덕적 언어의 분석을 핵심 과제로 삼아야 함을 간과하고 있다. → 분석 윤리학은 도덕적 언어 분석을 핵심 과제로 삼는다.
⑨ (다)는 도덕적 논증의 타당성 검토에 전념해야 함을 간과한다.
→ 분석 윤리학은 도덕적 논증의 타당성 검토를 중시한다.
⑩ (다)는 옳고 그름의 의미를 분석해야 함을 간과하고 있다.
→ 분석 윤리학은 옳고 그름의 의미 분석을 강조한다.

빈출 자료 02 실천 윤리학 | 연계 문제 → 11쪽 05번

> 실천 윤리학 또는 응용 윤리학이란 삶의 실천적 영역에서 제기되는 도덕 문제를 이해하고 해결하고자 하는 모든 체계적인 탐구를 포괄하는 학문 분야를 말한다. 예를 들어 의학, 기업 등과 관련된 문제뿐만 아니라 고용 평등이나 사형 제도 등의 사회적 관심사 역시 실천 윤리학의 주제가 된다. 또한 실천 윤리학은 근본적인 윤리 이론이나 도덕 원리를 추구하는 이론 윤리학과 달리 '윤리 문제를 어떻게 해결할 것인가?'를 주제적인 물음으로 다루고 있다. 즉 실천 윤리학에서는 구체적인 윤리 문제가 일차적 물음이고, 윤리 이론이나 도덕 원리는 이차적 의미를 지닌다.

| 자료 분석 | 실천 윤리학은 안락사, 뇌사, 인공 임신 중절, 생명 복제, 유전자 조작, 사형 제도, 공정한 분배, 사이버 공간의 윤리 문제 등 현대인들이 직면하고 있는 다양하고 구체적인 문제들을 직접 다루며, 윤리 이론을 적용하여 해결책을 적극적으로 찾고자 한다. 그 때문에 실천 윤리학은 문제 중심의 윤리학, 응용 윤리학으로도 불리며 실천 지향적 성격을 지닌다.

빈출 자료 02 에서 자주 나오는 오답 선택지

① 실천적 규범을 통한 도덕 문제 해결의 중요성을 경시한다.
→ 실천 윤리학은 도덕 문제 해결을 중시한다.
② 도덕 명제에 대한 검증 가능성과 분석적 접근을 강조한다.
→ 분석 윤리학의 입장이다.
③ 도덕 문제 해결을 위한 규범 윤리 이론의 응용 가능성을 부정한다.
→ 실천 윤리학은 규범 윤리 이론을 현실 문제에 적용하는 응용 윤리학이다.
④ 도덕적 관행을 가치와 무관한 문화적 사실로 볼 것을 강조한다.
→ 기술 윤리학의 입장이다.
⑤ 인접 학문과의 학제적 탐구의 필요성을 간과한다.
→ 실천 윤리학은 학제적 탐구가 필요하다고 본다.
⑥ 도덕 문제 해결을 위한 도덕 원리의 중요성을 간과한다.
→ 실천 윤리학은 이론 윤리학에서 제공하는 도덕 원리를 토대로 윤리 문제의 해결 방안을 모색한다.
⑦ 규범 윤리 이론과 도덕적 실천의 유기적 연관성을 간과한다.
→ 실천 윤리학은 규범 윤리 이론과 도덕적 실천의 유기적 연관성을 강조한다.

올쏘 시험에 꼭 나오는 문제

개념 확인 문제

01 다음 내용에 해당하는 윤리학을 《보기》에서 고르시오.

《 보기 》
ㄱ. 규범 윤리학　　ㄴ. 분석 윤리학
ㄷ. 기술 윤리학　　ㄹ. 실천 윤리학

(1) 도덕적 풍습 또는 관습에 대한 묘사나 객관적 기술(記述)을 주된 목표로 하는 윤리학은?
(2) 도덕적 언어의 의미를 분석하고 도덕적 추론의 타당성 입증을 주된 목표로 하는 윤리학은?
(3) 인간이 어떻게 행위해야 하는가에 대한 보편적 원리의 탐구를 주된 목표로 하는 윤리학은?

02 다음 개념과 가장 관계 깊은 윤리학을 바르게 연결하시오.

(1) 의무론, 공리주의 •　　• ㉠ 실천 윤리학
(2) 생명 윤리, 생태 윤리 •　　• ㉡ 이론 윤리학

03 빈칸에 들어갈 알맞은 사상가를 쓰시오.

윤리적 성찰의 방법	•(　　　　): "반성하지 않는 삶은 살 가치가 없다."라며 성찰하는 삶을 강조함 •(　　　　): "마땅한 때에, 마땅한 일에 대하여, 마땅한 사람에게, 마땅한 동기로" 느끼거나 행하는 중용을 강조함

01 ㉠의 질문에 대한 적절한 대답만을 《보기》에서 있는 대로 고른 것은?

현대 사회는 과학 기술의 급속한 발달과 더불어 사회 구조가 복잡해지고 다양해짐에 따라 많은 변화를 겪고 있다. 그 속에서 살아가는 현대인들은 물질적 풍요와 삶의 여유를 누리지만, 과거에는 나타나지 않았던 새로운 윤리 문제에 직면하기도 한다. 그렇다면 ㉠현대 사회에서 나타나는 새로운 윤리 문제는 어떤 특징을 가지고 있을까?

《 보기 》
ㄱ. 파급 효과가 광범위하다.
ㄴ. 책임 소재를 가리기 쉽지 않다.
ㄷ. 전통적인 윤리 규범만으로 해결하기 어렵다.
ㄹ. 과거에 비해 옳고 그름을 판단하기가 수월하다.

① ㄱ, ㄷ　② ㄱ, ㄹ　③ ㄴ, ㄹ
④ ㄱ, ㄴ, ㄷ　⑤ ㄴ, ㄷ, ㄹ

(빈출 문제) 연계 자료 → 9쪽 빈출 자료 01

02 다음 대화의 ㉠에 들어갈 진술로 가장 적절한 것은?

갑: 저는 윤리학의 목적이 도덕적 논의의 의미론적 구조를 분명하게 이해하는 데 두어야 한다고 생각합니다.
을: 저는 윤리학이 다양한 삶의 영역에서 제기되는 구체적 문제에 대해 도덕적인 해결책을 제시해야 한다고 봅니다.
갑: 그렇지 않습니다. 윤리학은 현실의 윤리 문제를 해결하기보다는 도덕적 언어의 의미 분석에 집중해야 합니다.
을: 제 생각에 당신은 윤리학이 [　　㉠　　]

① 도덕적 언어의 분석을 핵심 과제로 삼아야 함을 간과하고 있습니다.
② 현실 윤리 문제에 대한 구체적 대안을 제시해야 함을 경시하고 있습니다.
③ 도덕적 현상에 대한 객관적 기술을 주목적으로 해야 함을 잊고 있습니다.
④ 도덕 원리를 적용하여 실생활의 윤리 문제를 해결해야 함을 강조하고 있습니다.
⑤ 급변하는 사회에서 윤리 문제에 적극적으로 대처해야 함을 강조하고 있습니다.

유사 선택지 문제

02_ ❶ 갑은 각 사회의 고유한 규범들을 객관적으로 서술해야 함을 강조하고 있다. (○ / ×)
02_ ❷ 갑은 도덕적 언어 분석보다 삶의 문제 해결에 주목해야 함을 강조하고 있다. (○ / ×)
02_ ❸ 을은 도덕적 추론의 논리적 타당성 검토에 주력해야 함을 강조하고 있다. (○ / ×)

03 ㉠, ㉡과 관련된 핵심 쟁점으로 적절하지 않은 것은?

현대 사회에서 나타나는 윤리 문제나 쟁점을 구체적으로 살펴보면 다음과 같다.
첫째, ㉠생명 윤리에서는 인공 임신 중절, 자살, 생명 복제, 동물의 권리 등 삶과 죽음 및 생명의 존엄성에 관한 문제가 발생하고 있다.
둘째, ㉡사회 윤리에서는 직업 윤리 문제, 공정한 분배 및 처벌과 관련된 문제, 시민 참여와 시민 불복종 문제 등이 발생하고 있다.

① ㉠: 동물 실험을 허용해야 하는가?
② ㉠: 뇌사, 안락사를 허용해야 하는가?
③ ㉡: 기업은 사회적 책임을 져야 하는가?
④ ㉡: 소수자 우대 정책을 인정해야 하는가?
⑤ ㉡: '옳다'와 '그르다'는 표현의 의미와 용법은 무엇인가?

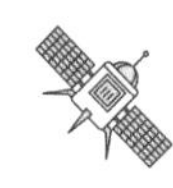

(빈출 문제) 연계 자료 → 9쪽 빈출 자료 01

04 다음은 윤리학을 분류한 것이다. ㉠~㉢에 대한 설명으로 옳은 것은?

> ■ ㉠분석 윤리학
> ■ 규범 윤리학
> • ㉡이론 윤리학: 의무론, 공리주의, 덕 윤리 등
> • ㉢실천 윤리학: 생명 윤리, 정보 윤리, 생태 윤리 등

① ㉠은 윤리학의 학문적 성립 가능성을 부정한다.
② ㉡은 도덕적 언어의 의미 분석을 주된 관심사로 본다.
③ ㉢은 도덕적 관습에 대한 객관적 기술을 강조한다.
④ ㉠은 ㉢보다 현실적인 윤리 문제 해결을 강조한다.
⑤ ㉢은 ㉡을 토대로 구체적인 윤리 문제의 해결책을 모색한다.

(빈출 문제) 연계 자료 → 9쪽 빈출 자료 02

05 다음은 서술형 평가 문제와 학생 답안이다. 학생 답안의 ㉠~㉤ 중 옳지 않은 것은?

서술형 평가

◉ 문제: 이론 윤리학과 실천 윤리학에 대해 서술하시오.

◉ 학생 답안

㉠ 이론 윤리학은 어떤 도덕 원리가 윤리적 행위를 위한 근본 원리로 성립할 수 있는지 연구한다. ㉡ 대표적으로 의무론, 공리주의 등이 있다. 한편 ㉢ 실천 윤리학은 이론 윤리학이 제공하는 도덕 원리와는 무관하게 윤리 문제의 바람직한 해결 방안을 모색한다. 이를 위해 ㉣ 실천 윤리학은 현대인이 직면하는 구체적인 문제들을 직접 다루며, 해결책을 적극적으로 찾는다. 이 때문에 ㉤ 실천 윤리학은 실천 지향적 성격을 지닌다.

① ㉠  ② ㉡  ③ ㉢ ④ ㉣ ⑤ ㉤

유사 선택지 문제

05_ ❶ 이론 윤리학은 윤리학이 도덕적 문제 해결에는 관심을 가지지 말아야 함을 강조한다. (○ / ×)

05_ ❷ 이론 윤리학은 도덕적 행위를 위한 도덕 원리를 세워야 함을 간과하고 있다. (○ / ×)

05_ ❸ 실천 윤리학은 도덕규범의 현실적 적용과 구체적인 대안의 실천을 강조한다. (○ / ×)

06 다음 사상가가 긍정의 대답을 할 질문으로 가장 적절한 것은?

> 일체의 토론을 차단하는 것은 인간의 절대 무오류성을 가정하는 것이다. 하지만 인간은 끊임없이 잘못 판단하고 잘못 행동하면서 살아간다. 우리 인류는 스스로의 과오로부터 벗어나지 못한다는 사실을 이론적으로는 항상 명심하고 있다. 하지만 불행하게도 실제로 자신이 판단을 내릴 때에는 이를 거의 문제 삼지 않는다. 왜냐하면 자신이 과오를 범할 수 있는 가능성에 대해 어떤 예방책이 필요하다고 생각하거나 또는 자기가 지극히 확실하다고 느끼는 의견이 자신도 범할 수 있는 과오의 사례일지도 모른다는 가정을 스스로 받아들이는 사람은 거의 없기 때문이다.

① 인간은 오류를 저지를 가능성이 없는가?
② 인간의 무오류성으로 인해 토론이 필요한가?
③ 자유로운 토론은 인간의 무오류성을 보장하는가?
④ 인간은 불완전한 존재로서 오류 가능성을 지니는가?
⑤ 토론은 자기주장을 관철하거나 타인의 주장을 비판하기 위해 하는 것인가?

07 (가)의 ㉠~㉤ 중에서, (나)의 탐색을 적용할 단계로 가장 적절한 것은?

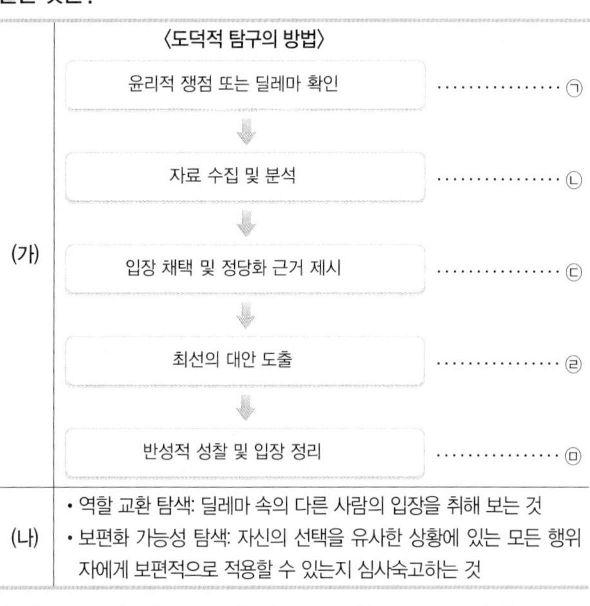

① ㉠ ② ㉡  ③ ㉢  ④ ㉣  ⑤ ㉤ 

08 다음 토론의 과정에 대한 옳은 설명만을 《보기》에서 고른 것은?

ⓐ 주장하기 ➡ ⓑ 반론하기 ➡ ⓒ 재반론하기 ➡ ⓓ 정리하기

《 보기 》
ㄱ. ⓐ는 상대방 주장의 오류나 부당성을 밝히는 단계이다.
ㄴ. ⓑ는 상대방의 반론이 옳지 않음을 밝히거나 자신의 주장에 대한 더 많은 근거를 제시하는 단계이다.
ㄷ. ⓒ는 자신의 주장에 대한 근거를 찾고 자신의 주장을 발표하는 단계이다.
ㄹ. ⓓ는 상대방의 반론을 참고하여 자신의 최종 입장을 발표하는 단계이다.

① ㄱ　② ㄴ　③ ㄷ
④ ㄹ　⑤ ㄴ, ㄹ

[09~10] 다음 글을 읽고 물음에 답하시오.

㉠윤리적 성찰의 방법은 다양하다. 일반적으로 윤리적 성찰은 어떻게 살아야 할 것인지를 고민하고 자신을 도덕적인 관점에서 반성적으로 검토하는 것이다. 이를 통해 우리는 자신의 내면과 외면을 모두 응시하면서 자신의 존재를 자각하고 자기중심적 삶의 한계를 극복하고자 노력할 수 있다. 우리가 도덕적인 관점에서 반성을 할 때에는 끊임없이 자신을 향해 다음과 같은 질문을 던져야 한다. [㉡]

09 ㉠과 관련하여 불교에서 제시하는 방법으로 가장 적절한 것은?

① 때와 장소를 고려하지 않고 자신의 욕망대로 실천한다.
② 일일삼성(一日三省)을 하루의 삶을 성찰하는 지침으로 삼는다.
③ 거경(居敬)을 통해 마음을 한곳으로 모아 흐트러짐이 없도록 한다.
④ 자신의 맑은 본성을 찾아 바르게 살아가도록 앉아서 참선(參禪)을 한다.
⑤ "반성하지 않는 삶은 살 가치가 없다."라는 성인의 말씀에 따라 반성하며 산다.

10 ㉡에 들어갈 적절한 질문만을 《보기》에서 있는 대로 고른 것은?

《 보기 》
ㄱ. 이대로 살아도 괜찮은가?
ㄴ. 바르게 산다는 것은 무엇인가?
ㄷ. 내가 생각하고 믿는 것들이 정당한가?
ㄹ. 지금도 성인(聖人)은 존재하는가?

① ㄱ, ㄴ　② ㄱ, ㄹ　③ ㄷ, ㄹ
④ ㄱ, ㄴ, ㄷ　⑤ ㄴ, ㄷ, ㄹ

서술형 문제

11 다음은 토론의 과정이다. 표를 보고 물음에 답하시오.

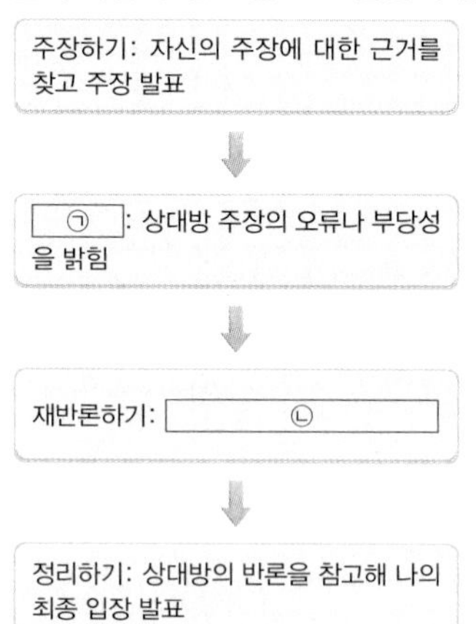

(1) ㉠에 들어갈 토론의 과정을 쓰시오.

(2) ㉡에 들어갈 의미를 서술하시오.

12 다음 표를 보고 물음에 답하시오.

동양	유교	• 증자의 [㉠]: 증자가 하루에 세 번씩 세 가지 면에서 자신의 행동을 반성한 것. 증자는 남을 위하여 일을 꾀하면서 진심을 다하지 않았는가, 벗과 사귀면서 진실하지 않았는가, 배운 것을 익히지 않았는가를 자신에게 물었음 • 거경(居敬): [㉡]
	불교	참선(參禪): 무엇이 인간의 참된 삶인지를 깨닫고, 자신의 맑은 본성을 찾아 바르게 살아가기 위해 앉아서 하는 수행법

(1) ㉠에 들어갈 알맞은 용어를 쓰시오.

(2) ㉡에 들어갈 내용을 서술하시오.

올쏘 상위 4% 문제

정답 및 해설 3쪽

| 수능 기출 응용 |

01 ㉠에 들어갈 진술로 가장 적절한 것은?

> 윤리학의 근본 과제는 도덕적으로 올바른 행위를 판단하기 위한 기본 원리와 토대를 제공하고 일반화하는 데 있다. 그런데 오늘날 과학 기술의 급격한 발달은 기존의 이론 중심 윤리학만으로는 해결하기 어려운 도덕적 문제 상황들을 초래하였고, 그 결과 실제 생활과 관련하여 논쟁이 되는 윤리적 과제들이 대두되었다. 이에 따라 이러한 윤리적 과제들을 해결하기 위해 이 윤리학이 등장하게 되었다. 이 윤리학은 [㉠]

① 도덕 현상과 문제를 명확하게 기술하는 데 관심을 둔다.
② 도덕적 언어의 분석을 핵심 과제로 삼아야 함을 강조한다.
③ 현실의 도덕 문제에 대한 해결책을 모색해야 함을 간과한다.
④ 도덕적 행위의 근거가 되는 도덕 원리와는 무관함을 주장한다.
⑤ 도덕규범의 현실적인 적용과 구체적인 대안의 실천을 강조한다.

| 평가원 기출 응용 |

02 그림의 강연자가 긍정의 대답을 할 질문만을 《보기》에서 있는 대로 고른 것은?

《 보기 》
ㄱ. 자유 토론을 거쳐 만장일치로 합의해야 진리가 되는가?
ㄴ. 토론의 과정을 통해 진리의 가치를 재확인할 수 있는가?
ㄷ. 자유로운 논박을 통해 진리에 대한 참된 이해가 가능한가?
ㄹ. 소수의 의견이 진리이고 다수의 의견이 오류일 수도 있는가?

① ㄱ, ㄷ　② ㄱ, ㄴ　③ ㄴ, ㄹ
④ ㄱ, ㄷ, ㄹ　⑤ ㄴ, ㄷ, ㄹ

| 평가원 기출 응용 |

03 갑, 을, 병의 입장에 대한 설명으로 가장 적절한 것은?

> 갑: '인공 임신 중절은 나쁘다.'라는 진술은 인공 임신 중절에 대한 부정적 감정을 표현하는 것에 불과해. 왜냐하면 그러한 진술은 논리적으로도 경험적으로도 검증이 불가능하기 때문이야.
> 을: 너는 윤리학이 당위에 관한 학문이라는 것을 간과하고 있어. 우리는 객관적 도덕 원리를 정립함으로써 무엇이 옳은지 그른지를 판단할 수 있어.
> 병: 나도 을의 입장에 동의해. 하지만 인공 임신 중절과 같은 도덕 문제를 해결하기 위해서는 새로운 의학 정보를 고려하면서 도덕규범을 구체적인 문제 상황에 적용하는 것이 중요해.

① 갑: 생명 윤리 등의 해결책 모색을 강조한다.
② 을: 도덕 현상과 문제에 대한 객관적 기술을 중시한다.
③ 병: 도덕적 언어의 의미나 진술의 논리적 구조를 분석한다.
④ 갑, 을: 도덕적 정당화를 위한 이론적 근거 제시를 중시한다.
⑤ 을, 병: 도덕적 판단을 위한 도덕규범의 필요성을 중시한다.

| 교육청 기출 응용 |

04 다음 대화의 ㉠에 들어갈 진술로 가장 적절한 것은?

① 도덕적 명제의 의미 분석을 중시해야 함을 간과하고 있습니다.
② 윤리학 자체의 학문적 성립 가능성을 탐구해야 함을 간과하고 있습니다.
③ 실천적 규범을 통해 현실의 도덕 문제를 해결해야 함을 간과하고 있습니다.
④ 삶의 구체적 문제를 도덕 원리를 적용하여 해결해야 함을 강조하고 있습니다.
⑤ 도덕적 논증의 타당성보다 도덕적 관행의 기술을 중시해야 함을 강조하고 있습니다.

02 현대 윤리 문제에 대한 접근

출제 경향
★유교 · 불교 · 도가 윤리
★의무론과 공리주의
★덕 윤리

01 동양 윤리의 접근

1. 유교 윤리적 접근

궁극적 목적	• 수양을 통한 도덕적 인격 완성과 도덕적 이상 사회의 실현에 있음 • 이상적 인간상: 성인(聖人) 또는 군자(君子)
도덕적 세계관	• 공자: 인(仁: 사람을 사랑하는 것)을 타고난 내면적 도덕성으로 봄 • 맹자: 선한 마음인 사단(四端)이 누구에게나 주어져 있다고 봄 • 인의예지(仁義禮智), 효제충신(孝悌忠信), 오륜(五倫), 성(誠)과 경(敬), 신독(愼獨), 극기복례(克己復禮) 등의 도덕적 덕목을 강조함
도덕 공동체 실현 중시	• 충서(忠恕): 진실된 마음으로 상대를 대하며, 자신이 원하지 않는 일을 남에게 하지 말아야 함 → 타인에 대한 존중과 배려를 강조함 • 수기이안인(修己而安人): 수신이나 수양을 바탕으로 다른 사람을 편안하게 해야 함 • 도덕과 예의로써 백성들을 교화하며, 백성들이 도덕적인 마음을 잃지 않도록 기본적인 생활을 보장해야 함을 강조함 • 대동(大同) 사회: 모두가 더불어 잘 사는 이상 사회를 일컬음

2. 불교 윤리적 접근

궁극적 목적	• 고통에서 벗어나 진정한 행복에 이르는 데 있음 → 열반 혹은 해탈의 경지 • 이상적 인간상: 부처, 보살(대승 불교)
연기적 세계관	• 모든 존재와 현상에는 일정한 원인[因]과 조건[緣]이 있다는 것을 의미함 • 연기(緣起)의 법칙을 깨닫게 되면 모든 것에 대하여 자비(慈悲)의 마음이 저절로 생길 뿐만 아니라 고통의 근본 원인인 탐욕에서 벗어날 수 있음
평등적 세계관	살아 있는 모든 존재에게는 불성(佛性)이 있기 때문에 모든 생명은 평등함

3. 도가 윤리적 접근 빈출 자료 01

궁극적 목적	• 자연의 순리에 따르는 삶을 강조함 → 무위자연, 소국 과민(小國寡民) • 이상적 인간: 지인(至人), 진인(眞人), 신인(神人), 천인(天人)
무위자연 강조	노자: "도(道)는 자연을 본받아 어긋나지 않는다." → 천지 만물의 근원인 도의 특성은 인위적으로 강제하지 않고 자연스러움을 따르는 무위자연(無爲自然)임
평등적 세계관	• 장자: "도의 관점에서 볼 때 무엇을 귀하게 여기고, 무엇을 천하게 여기겠는가?" → 세상 만물은 평등한 가치를 지닌다고 봄 • 제물(齊物): 세상 만물을 차별하지 않고 한결같이 보는 상태를 말함 → 좌망(坐忘)과 심재(心齋)를 통해 이를 수 있음

02 서양 윤리의 접근

1. 의무론적 접근: 행위의 결과보다 행위 자체의 도덕성에 주목하면서 도덕적 의무를 강조함 빈출 자료 02

자연법 윤리	• 자연법: 모든 인간에게 자연적으로 주어져 있는 보편적인 법을 의미함 • 인간은 이성이나 신이 부여한 직관을 통해 영원하고 절대적인 자연법 원리를 발견할 수 있으며, 이 원리로부터 도출되는 의무를 지켜야 함 • 아퀴나스: "선을 추구하고 악을 피하라."라는 규범을 가장 기본적인 자연법의 원리로 제시함
칸트의 의무론	• 이성적이고 자율적인 인간은 보편적인 도덕 법칙을 인식할 수 있음 • 감정이나 욕구가 아니라 도덕 법칙을 존중하려는 의무에서 비롯된 행위만이 도덕적 가치를 지님 • 도덕 법칙은 그 자체가 선이기 때문에 무조건 따라야 하는 법칙인 정언 명령의 형식으로 제시됨 • 보편화 정식: "네 의지의 준칙(격률)이 언제나 동시에 보편적 입법의 원리가 될 수 있도록 행위하라." • 인간성 정식: "너 자신이나 다른 사람의 인격을 결코 단순히 수단으로만 취급하지 말고 언제나 동시에 목적으로 대우하도록 행위하라."

2. 공리주의적 접근: 쾌락과 행복을 가져다주는 행위는 옳은 행위이며, 고통과 불행을 가져다주는 행위는 그릇된 행위라고 봄

(1) 벤담과 밀의 공리주의 빈출 자료 03

벤담	• '최대 다수의 최대 행복'을 도덕과 입법의 원리로 제시함 • 양적 공리주의: 모든 쾌락은 질적으로 동일하고, 쾌락의 양은 계산할 수 있으며, 이를 통해 유용성을 측정할 수 있음
밀	• 벤담처럼 행복을 삶의 궁극적 목적으로 봄 • 질적 공리주의: 쾌락의 양뿐만 아니라 질적인 차이도 중요하다고 보고, 정상적인 인간이라면 누구나 질적으로 높고 고상한 쾌락을 추구할 것이라고 주장함

(2) 행위 공리주의와 규칙 공리주의

행위 공리주의	'어떤 행위가 최대의 유용성을 가져오는가?'를 중시함 → 다른 행위보다 더 많은 공리를 가져오는 행위를 옳은 행위로 봄
규칙 공리주의	'어떤 규칙이 최대의 유용성을 가져오는가?'를 중시함 → 일반적으로 최대의 행복을 가져오는 행위의 규칙을 따라야 한다고 봄

3. 현대 윤리학적 접근: 의무론과 공리주의가 행위자 내면의 도덕성과 인성의 중요성을 간과하며, 공동체가 중시하는 용기나 진실성 등의 덕목을 무시한다고 비판함

덕 윤리	• 아리스토텔레스의 성품 또는 덕 개념에 근거함 • 옳고 선한 결정을 하려면 유덕한 성품을 길러야 함 • 유덕한 품성을 갖추려면 옳고 선한 행위를 습관화하여 자신의 행위로 내면화하는 것이 중요함 • 더불어 사는 공동체 구성원으로서의 삶을 강조함 • 매킨타이어: 개인의 자유와 선택보다는 공동체와 그 공동체의 전통과 역사를 중시함
도덕 과학적 접근	• 신경 윤리학: 뇌의 작동 방식을 탐구하는 신경 과학 분야의 방법론을 활용하여 이성과 정서의 역할 등을 입증하고자 함 • 진화 윤리학: 이타적 행동 및 성품과 관련된 도덕성을 진화의 측면에서 생물학적 적응의 산물이라고 설명함

빈출 특강

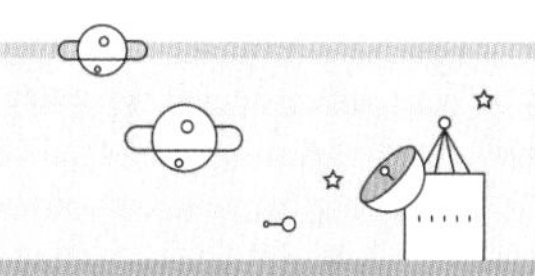

대표 유형

빈출 자료 01 노자와 장자의 도가 윤리 | 연계 문제 → 17쪽 06번

갑: 으뜸가는 선(善)은 물과 같다. 물은 만물을 이롭게 하고 다투는 일이 없으며 모두가 싫어하는 낮은 곳에 처한다.
을: 도(道)는 오로지 빈 곳에만 모이는 것이니 이렇게 마음을 비움이 심재(心齋)이다. 성인의 다스림은 밖을 다스리는 것이 아니라 자기를 바르게 한 후에 행동하는 것에 그친다.

| 자료 분석 | 갑은 노자, 을은 장자이다.
- 갑: 노자는 물이 낮은 곳으로 흐르는 겸허와 다투지 않는 부쟁의 덕을 지녔다는 의미의 상선약수(上善若水)를 강조하였다.
- 을: 장자는 만물을 평등하게 보는 제물의 경지에 이르기 위해 조용히 앉아 일체의 분별을 잊는 좌망과 마음을 비우는 심재를 강조하였다.

빈출 자료 02 칸트의 의무론적 윤리 | 연계 문제 → 18쪽 11번

이 세상 안에서나 이 세상 밖에서 제한 없이 선하다고 할 수 있는 것은 오직 선한 의지뿐이다. 그리고 우리의 의지를 결정할 수 있는 것은 객관적으로는 법칙뿐이고, 주관적으로는 우리의 모든 경향성을 버리더라도 그 법칙을 따르겠다는 준칙뿐이다. 도덕 법칙은 유한한 이성적 존재자에게는 의무의 법칙이자 도덕적 강제의 법칙이다.

| 자료 분석 | 칸트는 감정이나 욕구가 아니라 도덕 법칙을 존중하려는 의무에서 비롯된 행위만이 도덕적 가치를 지니며, 이러한 도덕 법칙은 그 자체가 선이기 때문에 무조건 따라야 하는 법칙인 정언 명령의 형식으로 제시된다고 본다.

빈출 자료 03 벤담과 밀의 공리주의| 연계 문제 → 19쪽 13, 15번

갑: 모든 쾌락과 고통은 측정될 수 있다. 그 기준은 강도, 지속성, 확실성, 근접성, 범위 등이다. 어떤 쾌락이나 고통이 또 다른 쾌락이나 고통과 연결될 때 그 쾌락이나 고통도 측정될 수 있다. 그 기준은 다산성과 순수성이다.
을: 어떤 쾌락에는 만족보다 불만족의 양이 많아서 사람들은 그 쾌락 대신에 다른 쾌락을 누릴 수도 있다. 그럼에도 여전히 사람들은 불만족의 양이 더 많은 쾌락을 포기하지 않는다. 그 이유는 불만족의 양이 더 많은 쾌락이 질적으로 우월하기 때문이다.

| 자료 분석 | 갑은 벤담, 을은 밀이다.
- 갑: 벤담은 자기 스스로를 고려하는 한 개인에게 그 자체로서 고려된 쾌락이나 고통의 가치는 강도, 지속성, 확실성, 근접성에 따라 더 커지거나 더 작아질 것이라고 본다.
- 을: 밀은 쾌락의 양뿐만 아니라 질적인 차이도 중요하다고 보고 수준이 높은 쾌락과 낮은 쾌락을 모두 경험해 본 사람은 쾌락의 질적 우월성을 판단할 수 있다고 본다.

자주 나오는 오답 선택지

빈출 자료 01 에서 자주 나오는 오답 선택지

① 갑은 좋은 통치자는 성인의 예의로써 백성을 교화시켜야 한다고 본다.
→ 유교 윤리의 관점으로, 노자는 인위적인 규범에 의한 백성의 교화에 반대한다.
② 갑은 인위적인 규범은 최상의 덕을 갖추는 데 장애가 되지 않는다고 본다. → 노자는 인위적인 규범을 반대하고 무위자연을 강조한다.
③ 을은 문명이 발달하고 인륜이 구현된 사회를 좋은 공동체로 본다.
→ 도가 윤리는 인위적인 문명의 발달에 반대하는 입장이며, 인륜이 구현된 사회는 유교의 대동 사회이다.
④ 을은 분별적 지식을 얻는 수행으로서 좌망(坐忘)을 강조한다.
→ 장자는 분별적 지식을 잊는 좌망을 통해 만물을 평등하게 바라보는 제물의 경지에 이르고자 한다.

빈출 자료 02 에서 자주 나오는 오답 선택지

① 인간이 지닌 자연적 경향성에 따라 행동하기 위해 노력한다.
→ 칸트는 자연적 경향성에서 탈피하여 도덕 법칙에 대한 순수한 존경심에서 우러난 행위를 도덕적 행위로 본다.
② 선한 의지를 따르기보다는 행복한 삶을 실현하기 위해 힘쓴다.
→ 칸트는 선한 의지를 따라야 한다고 본다.
③ 의무의 이행보다 사회적 이익의 증진에 더 큰 관심을 갖는다.
→ 칸트는 도덕적 의무의 이행을 강조하며, 사회적 이익의 증진은 공리주의에서 강조한다.
④ 인간을 포함한 세상의 모든 존재를 언제나 목적으로 대우한다.
→ 칸트는 모든 존재가 아니라 이성을 지니고 있는 인간만을 목적으로 대우하라고 주장한다.

빈출 자료 03 에서 자주 나오는 오답 선택지

① 갑은 행위의 옳고 그름이 결과와 상관없이 그 행위가 의무에 부합하느냐에 따라 결정된다고 본다.
→ 의무론의 입장으로, 공리주의는 행위의 결과를 중시한다.
② 갑은 '어떤 행위가 옳은 행위인가?'의 문제보다 '어떤 품성을 갖추어야 하는가?'에 관심을 갖는다.
→ 공리주의와 의무론은 어떤 행위가 옳은지에 관심을 가지며, 품성을 강조하는 것은 현대의 덕 윤리에 해당한다.
③ 갑은 쾌락에는 우월함과 열등함이라는 차이가 존재한다고 본다.
→ 질적 공리주의를 주장한 밀의 견해이다.
④ 을은 모든 쾌락은 양적으로 계산할 수 있다고 보고 쾌락의 계산법을 주장한다. → 양적 공리주의를 주장한 벤담의 입장이다.
⑤ 을은 낮은 수준의 쾌락과 높은 수준의 쾌락을 모두 경험해 보지 않고도 쾌락의 질적인 차이를 판단할 수 있다고 본다.
→ 밀은 높고 낮은 수준의 쾌락 양쪽을 모두 경험해 보아야만 어떤 쾌락이 질적으로 우월한지 제대로 판단할 수 있다고 본다.

시험에 꼭 나오는 문제

개념 확인 문제

01 다음 용어와 이를 주장한 사상가를 바르게 연결하시오.

(1) 소국 과민 • • ㉠ 공자
(2) 대동 사회 • • ㉡ 석가모니
(3) 연기설(緣起說) • • ㉢ 노자

02 다음 내용과 관계 깊은 윤리를 《보기》에서 고르시오.

《보기》
ㄱ. 자연법 윤리 ㄴ. 칸트의 의무론
ㄷ. 벤담의 공리주의 ㄹ. 매킨타이어의 덕 윤리

(1) 쾌락을 산출하고 고통을 피하는 결과를 낳는 행위가 선(善)이다.
(2) 개인의 자유와 선택보다는 공동체와 그 공동체의 전통과 역사를 중시한다.
(3) 네 의지의 준칙이 언제나 동시에 보편적 입법의 원리가 되도록 행위하라.

03 빈칸에 들어갈 알맞은 말을 쓰시오.

( )	조용히 앉아서 자신을 구속하는 일체의 것들을 잊어버리는 것
( )	마음을 비워서 깨끗이 하는 것

01 다음 사상의 입장으로 적절하지 않은 것은?

• 하늘이 사람을 내시니, 사물이 있으면 법칙이 있도다. 사람이 떳떳한 성품을 간직하고 있으므로 이 아름다운 덕(德)을 좋아한다.
• 하늘이 명한 것을 성(性)이라 하고, 성에 따르는 것을 도(道)라 하고, 도를 닦는 것을 교(敎)라 한다.

① 통치자가 백성을 감화하는 정치를 중시한다.
② 수양을 통해 도덕적으로 완성된 군자를 지향한다.
③ 인간을 하늘로부터 도덕적 본성을 부여받은 존재로 간주한다.
④ 먼저 자신을 수양한 후 다른 사람을 편안하게 할 수 있다고 본다.
⑤ 인간은 탐욕, 분노, 어리석음에 빠져 악행으로 고통을 받는다고 본다.

02 다음 사상에서 강조할 삶의 자세로 가장 적절한 것은?

모든 존재와 현상은 다양한 원인과 조건, 즉 인연에 의해 생겨난다. 만물은 독립적으로 존재할 수 없으며 서로 연결되어 상호 의존하고 있다. 이처럼 모든 존재는 인연에 의해 생겨났다가 없어지는 것이므로 스스로 존재하는 고정된 실체가 없다.

① 고정된 실체로서의 자아를 확립한다.
② 수양을 통해 도덕 공동체를 구현한다.
③ 자연의 덕을 따르는 소박한 삶을 추구한다.
④ 자타불이(自他不二)를 깨달아 자비를 실천한다.
⑤ 인위적인 가식으로부터 벗어나 순수함을 회복한다.

03 그림은 동양 윤리 사상가 갑, 을의 가상 대화이다. 을에 비해 갑이 강조할 내용으로 가장 적절한 것은?

지혜를 버리면 백성들의 이익이 백배나 더하고, 인(仁)을 끊고 의(義)를 버리면 백성들이 효도와 사랑으로 돌아갑니다.

사람들 사이에 인(仁)을 회복하고, 통치자는 군자다운 인격으로 다스리는 덕치(德治)와 예치(禮治)를 통해 도덕 공동체를 실현해야 합니다.

① 성인(聖人)이 되기 위해 분별적인 지혜로부터 벗어난다.
② 자연에 따르는 삶을 보장하기 위해 도덕규범을 강화한다.
③ 인위적인 것을 강제하지 않기 위한 외적인 규제를 강조한다.
④ 백성의 편안한 생활을 위해 수기이안인(修己而安人)을 실천한다.
⑤ 작은 규모의 나라와 적은 수의 인구를 유지하기 위해 제도를 확충한다.

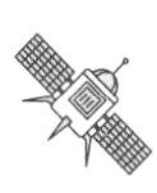

04 다음 사상가가 지지할 입장을 《보기》에서 고른 것은?

물오리는 비록 다리가 짧지만 그것을 길게 이어 주면 괴로워하고, 학의 다리는 길지만 그것을 짧게 잘라 주면 슬퍼한다. 이러한 까닭으로 본래부터 긴 것을 잘라서는 안 되며, 본래부터 짧은 것을 이어 주어서도 안 된다.

《보기》
ㄱ. 인간의 감각적 인식에 근거하여 사물을 판단한다.
ㄴ. 태어난 그대로의 자연스러운 모습을 잃지 않는다.
ㄷ. 세상 만물에 대한 분별력을 통해 객관성을 확보한다.
ㄹ. 귀천, 선악, 미추, 시비 등을 분별하여 차별하지 말아야 한다.

① ㄱ, ㄴ　② ㄱ, ㄹ　③ ㄴ, ㄷ
④ ㄴ, ㄹ　⑤ ㄷ, ㄹ

05 ㉠ 사상가의 주장으로 가장 적절한 것은?

정신적 자유를 추구한 사상가
㉠ 를 찾아서

- 도(道): 천지 만물의 근원이자, 현상 세계의 유한성과 모순·대립을 초월한 진리, 세상 만물을 관통하는 자연의 원리
- 바람직한 삶의 자세: 모든 분별과 차별에서 벗어나 만물을 평등한 것으로 보며, 주위 환경에 의해 본심이 어지럽혀지지 않고 도(道)와 일치하는 삶을 추구함

① 타고난 내면적 도덕성인 인(仁)을 실천해야 한다.
② 사단(四端)이라는 선한 마음이 누구에게나 주어져 있다.
③ 모든 존재와 현상에는 일정한 원인[因]과 조건[緣]이 있다.
④ 세상 만물을 차별하지 않고 한결같이 보는 상태를 추구해야 한다.
⑤ 수신이나 수양을 바탕으로 수기이안인(修己而安人)을 실현해야 한다.

(빈출 문제) 연계 자료 → 15쪽 빈출 자료 01

06 다음 글과 관련 있는 사상가의 주장만을 《보기》에서 있는 대로 고른 것은?

옛날에 바닷새가 노나라 교외로 날아와 앉자, 노나라 임금은 그 새를 맞아 잔치를 열어 아름다운 음악을 연주하고 성대한 음식으로 대접하였다. 그러나 새는 도리어 눈이 어지럽고 근심과 슬픔에 잠겨 고기 한 점 먹지 못하고 술 한 모금 마시지 못한 채 사흘 만에 죽었다.

《보기》
ㄱ. 만물의 타고난 본성을 해치면 불행으로 이어진다.
ㄴ. 시비, 선악, 미추와 같은 구별을 하지 말아야 한다.
ㄷ. 사회 혼란과 문제의 근본 원인은 인위적인 판단에 있다.
ㄹ. 부족한 부분은 인위적으로 보완하려는 노력이 필요하다.

① ㄱ, ㄴ　② ㄱ, ㄹ　③ ㄷ, ㄹ
④ ㄱ, ㄴ, ㄷ　⑤ ㄴ, ㄷ, ㄹ

유사 선택지 문제

06_ ❶ 위 사상가에 따르면 도덕적 가치와 사회 제도에 얽매이지 말아야 한다. (○ / ×)
06_ ❷ 위 사상가에 따르면 노닐 듯 자유롭게 살아가는 소요유(逍遙遊)의 정신을 지녀야 한다. (○ / ×)
06_ ❸ 위 사상가에 따르면 만물과 나 사이의 구별을 없애고 하나가 되는 경지에 이르러야 한다. (○ / ×)

07 다음 사상가의 관점에서 〈사례〉 속 A의 결정에 대한 입장과 판단 근거로 가장 적절한 것은?

옛날에 도(道)를 잘 닦은 사람은 백성을 깨우쳐 주지 않았고 그들을 어리석게 하고자 하였다. 백성들을 다스리기 어려운 까닭은 그들의 지식이 많기 때문이다. 그러므로 지식을 가지고 나라를 다스리는 것이 나라의 해가 되고, 지식으로 나라를 다스리지 않는 것이 나라의 복이 된다.

〈사례〉
A는 평소 모 연예인의 아름다운 외모를 동경하던 중 자신도 성형 수술을 하기로 결정하였다.

	입장	판단 근거
①	찬성	쾌락을 산출하고 고통을 피하기 때문이다.
②	반대	소박하고 자연스러운 덕을 해치기 때문이다.
③	찬성	예(禮)를 통해 인간다움이 완성되기 때문이다.
④	반대	연기(緣起)의 법칙을 깨닫지 못하기 때문이다.
⑤	찬성	충서(忠恕)를 통해 타인을 배려하기 때문이다.

시험에 꼭 나오는 문제

08 다음은 서술형 평가 문제와 학생 답안이다. 학생 답안의 ㉠~㉤ 중 옳지 않은 것은?

> 서술형 평가
>
> ◉ 문제: 의무론적 접근 중 하나인 자연법 윤리에 대해 서술하시오.
>
> ◉ 학생 답안
>
> ㉠ 자연법은 인간 본성에 의거하는 상대적인 법으로서, 모든 인간에게 자연적으로 주어져 있는 보편적인 법이 아니다. ㉡ 윤리적 의사 결정에서 자연법 윤리는 "선을 행하고 악을 피하라."라는 핵심 명제를 강조한다. ㉢ 자연법 윤리에 따르면 자연의 질서를 따르는 행위는 옳지만 그것을 어기는 행위는 그르다. 그렇다면 자연의 질서는 무엇일까? 이와 관련하여 ㉣ 아퀴나스는 인간이 본성적으로 지니는 자연적 성향으로 자기 보존, 종족 보존, 신과 사회에 대한 진리 파악을 제시하였다. ㉤ 생물학적 존재로서 자신과 자기 종족을 보존하려는 성향과 이성적 존재로서 진리를 파악하려는 성향은 인간이 본성적으로 가지는 자연적 성향이라는 것이다.

 ① ㉠  ② ㉡  ③ ㉢  ④ ㉣ ⑤ ㉤

09 ㉠에 들어갈 진술로 가장 적절한 것은?

> 칸트의 윤리적 의사 결정 과정의 첫 번째 단계는 우리가 하려는 행위의 밑바탕에 있는 행위의 준칙을 고려하는 것이다. 예를 들어 내가 곤경에 처한 어떤 사람을 도와줄 것인지 생각할 때, 내가 하려는 행위의 밑바탕에 있는 준칙은 다음과 같은 것이 될 수 있다. 즉, '그 행위가 나에게 과도한 부담을 주지 않는 한 곤경에 처한 어떤 사람을 보면 나는 그를 도와주어야 한다.' 두 번째 단계는 이러한 준칙을 [㉠] 할 수 있는지를 고려하는 것이다. 즉, '그 행위가 자신에게 과도한 부담을 주지 않는 한 곤경에 처한 누군가를 발견하는 모든 사람은 그를 도와주어야만 한다.'

① 쾌락의 계산법에 따라 적용
② 모든 사람에게 보편적으로 적용
③ 관련된 당사자들에게 차등적으로 적용
④ '최대 다수의 최대 행복'의 원리에 따라 적용
⑤ 유덕한 사람이 지닌 품성을 일반 사람에게 적용

10 다음을 주장한 사상가의 입장으로 적절하지 않은 것은?

> • 네 의지의 준칙이 언제나 동시에 보편적 입법의 원리가 될 수 있도록 행위하라.
> • 너 자신이나 다른 사람의 인격을 결코 단순히 수단으로만 취급하지 말고 언제나 동시에 목적으로 대우하도록 행위하라.

① 행위의 결과보다 동기가 중요하다.
② 도덕 법칙은 정언 명령의 형식으로 제시된다.
③ 의무 의식에서 나온 행위가 도덕적 가치를 지닌다.
④ 이성적 인간은 보편적인 도덕 법칙을 인식할 수 있다.
⑤ 인간의 존엄성은 중시하나 보편화 가능성은 부정한다.

(빈출 문제) 연계 자료 → 15쪽 빈출 자료 02

11 (가) 사상의 입장에서 〈사례〉 속 A의 행동을 도덕적 행위라고 평가하는 이유로 옳은 것은?

> (가) 감정에 근거한 도덕적 행위는 보편적일 수 없습니다. 도덕적인 행동은 의무 의식이 동기가 된 행동, 즉 도덕 법칙에 대한 자발적 존중에서 비롯된 것이어야 합니다.
>
> 〈사례〉
>
> 얼마 전 지하철 선로에 시각 장애인이 추락하는 사고가 있었다. 때마침 근처를 지나가던 학생 A가 위험에 처한 시각 장애인을 구해 주고는 홀연히 사라졌다.

① 자연적 경향성인 욕구에 이끌려 행하였기 때문이다.
② 사회 전체의 행복을 증진하는 결과를 가져왔기 때문이다.
③ 시각 장애인에 대한 연민의 감정으로 행하였기 때문이다.
④ 도덕 법칙을 존중하려는 의무 의식에서 행하였기 때문이다.
⑤ 시각 장애인을 목적으로 대하지 않고 수단으로 대하였기 때문이다.

유사 선택지 문제

11_ ❶ (가) 사상에 따르면 도덕성을 판단할 때 행위의 동기보다 결과가 중요하다. (○ / ×)

11_ ❷ (가) 사상에 따르면 의무 의식에서 나온 행위만이 도덕적 가치를 지닌다. (○ / ×)

11_ ❸ (가) 사상에 따르면 이성적이고 자율적인 인간은 보편적인 도덕 법칙을 인식할 수 있다. (○ / ×)

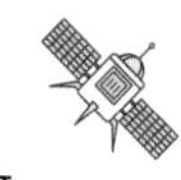
정답 및 해설 4쪽

12 갑, 을 사상가들이 모두 긍정의 대답을 할 질문으로 옳은 것은?

> 갑: 모든 쾌락의 양을 합산하고, 다른 한편으로 모든 고통의 양을 합산해서 저울이 쾌락 쪽으로 기운다면 좋은 행위가 무엇인지 알 수 있다.
> 을: 모든 쾌락에 대해 평가할 때 오직 양만 따져야 한다고 말하면 설득력이 없다. 양이 많고 적음을 사소하게 만들 정도로 질적으로 우월한 쾌락이 존재한다.

① 행위의 결과보다 행위 자체의 도덕성에 주목하는가?
② 행위보다 규칙이 최대의 유용성을 가져오는지를 중시하는가?
③ 모든 쾌락은 질적으로 동일하고 단지 양에서만 차이가 나는가?
④ 행복을 가져다주는 유용성을 기준으로 공리의 원리를 도출하는가?
⑤ 정상적인 인간이라면 누구나 질적으로 높고 고상한 쾌락을 추구하는가?

(빈출 문제) 연계 자료 → 15쪽 빈출 자료 03

13 갑, 을 사상가들에 대한 옳은 설명을 《보기》에서 고른 것은?

> 갑: 두 가지 쾌락을 모두 경험한 사람들이 그중 하나를 뚜렷이 선호한다면 그 쾌락은 질적으로 우월한 것이다. 이 쾌락은 양의 많고 적음을 사소한 것으로 여기게 한다.
> 을: 도덕성의 진정한 근거는 선의지뿐이다. 의지를 결정할 수 있는 것은 객관적으로는 도덕 법칙, 주관적으로는 모든 경향성을 버리고서라도 그 법칙을 따르겠다는 준칙뿐이다.

《보기》
ㄱ. 갑은 육체적 쾌락보다 정신적 쾌락의 우위성을 강조한다.
ㄴ. 을은 옳다는 이유만으로 행한 행위를 도덕적 행위로 본다.
ㄷ. 을은 갑과 달리 보편화 가능성과 인간 존엄성에 무관심하다.
ㄹ. 갑은 행위의 동기를, 을은 행위의 결과를 고려한 행위를 도덕적 행위로 간주한다.

① ㄱ, ㄴ ② ㄱ, ㄹ ③ ㄴ, ㄷ
④ ㄴ, ㄹ ⑤ ㄷ, ㄹ

14 ㉠에 들어갈 진술로 가장 적절한 것은?

> 규칙 공리주의는 어떤 규칙이 최대의 유용성을 가져오는지를 중시하면서 개별적인 행위의 결과가 아니라 일반적으로 최대의 행복을 가져오는 행위의 규칙을 따라야 한다고 본다. 그래서 규칙이 가져올 유용성을 비교하여 더욱 큰 유용성을 가져오는 규칙을 따라야 한다는 것이다. 예를 들어 '거짓말을 해서는 안 된다.'라는 규칙을 지켜야 하는 이유는 이러한 규칙을 따르는 것이 [㉠] 때문이다.

① 책임의 대상과 범위를 시공간적으로 확대하기
② 그렇지 않은 것보다 더 나은 결과를 가져오기
③ 훌륭한 성품을 지닌 사람이 행할 것으로 기대되기
④ 도덕 법칙을 존중하려는 의무에서 비롯된 행위이기
⑤ 상대방이 처해 있는 문제 상황과 구체적인 요구를 살피기

(빈출 문제) 연계 자료 → 15쪽 빈출 자료 03

15 갑은 긍정, 을은 부정의 대답을 할 질문으로 가장 적절한 것은?

> 갑: 인간 삶의 궁극적 목적은 행복입니다. 인간은 수준이 낮은 감각적인 쾌락보다 지적이고 정신적인 쾌락을 통하여 진정한 행복에 도달할 수 있습니다.
> 을: 도덕과 입법의 원리는 쾌락과 고통에 근거해서 찾아야 합니다. 모든 쾌락은 단지 양에서만 차이가 나므로, 쾌락의 양은 과학적으로 측정될 수 있습니다.

① 다른 행위보다 더 많은 공리를 가져오는 행위를 옳은 행위로 보는가?
② 이성적이고 자율적인 인간은 보편적인 도덕 법칙을 인식할 수 있는가?
③ 정상적인 인간이라면 누구나 질적으로 높고 고상한 쾌락을 추구하는가?
④ 인간은 이성을 통하여 영원하고 절대적인 자연법 원리를 발견할 수 있는가?
⑤ 개별적 행위의 결과가 아닌 최대의 행복을 가져오는 행위의 규칙을 따라야 하는가?

16 그림의 강연자가 지지할 주장으로 가장 적절한 것은?

① 도덕적으로 옳고 그름을 판단하는 특정한 원리가 있다.
② 유덕한 사람에게 도덕적 행위란 힘들고 고통스러운 것이다.
③ 도덕적 의무와 법칙을 강조했던 근대 윤리로 회귀해야 한다.
④ 인간의 성품과 덕성을 중시했던 전통 윤리에 주목해야 한다.
⑤ 덕성의 함양은 고립되고 단절된 개인적 차원에서 이루어진다.

17 다음을 주장한 사상가가 강조할 삶의 태도로 가장 적절한 것은?

> 품성적 덕을 획득하게 되는 것은 먼저 실천함으로써 이루어진다. 우리는 정의로운 일을 행함으로써 정의로운 사람이 되고, 절제 있는 일을 행함으로써 절제 있는 사람이 되며, 용감한 일을 행함으로써 용감한 사람이 되는 것이다.

① 예상되는 비용과 혜택의 비율을 따져 의사 결정을 한다.
② 쾌락을 산출하고 고통을 피하는 결과를 낳는 행위를 한다.
③ 덕행을 지속적으로 행하고 습관화하여 유덕한 성품을 기른다.
④ 높고 낮은 수준의 쾌락을 모두 경험한 후 질적 차이를 평가한다.
⑤ 행위의 결과보다 동기를 중시하여 보편타당한 도덕 법칙을 따른다.

18 다음 관점을 지닌 윤리 사상에서 강조하는 도덕 원리로 가장 적절한 것은?

> 의무론과 공리주의가 특정한 도덕 원리나 규칙을 근거로 행위 자체를 평가하는 것을 비판한다. 어떤 행위자가 그릇된 행위를 했다고 하더라도 그 행위자는 그릇된 사람이 아닐 수 있으므로 행위 자체가 아니라 행위자의 성품을 평가해야 한다고 보는 것이다.

① 정직한 사람이 되어라.
② 선을 추구하고 악을 피하라.
③ 보편타당한 도덕 규칙을 따르라.
④ 최대의 유용성을 낳는 규칙에 따르라.
⑤ 최대의 공리를 산출하는 행위를 선택하라.

서술형 문제

19 다음 글을 읽고 물음에 답하시오.

> 장자는 ㉠모든 사건과 사물을 차별하지 않는 진정한 자유의 경지에 이를 것을 주장하면서, ㉡좌망과 심재의 수양 방법을 강조하였다.

(1) ㉠을 일컫는 용어를 쓰시오.

(2) ㉡의 의미를 각각 서술하시오.

20 다음 글을 읽고 물음에 답하시오.

> 아퀴나스는 "[㉠]"라는 규범을 가장 기본적인 자연법 원리로 제시하였다. 예를 들어 이 원리로부터 "무고한 인간 생명을 죽여서는 안 된다."라는 의무를 도출하여, 이를 오늘날의 인공 임신 중절과 관련한 문제에 적용해 본다면 태아를 인간으로 간주할 경우 "[㉡]"라는 결론을 내릴 수 있다.

(1) ㉠에 들어갈 명제를 서술하시오.

(2) ㉡에 들어갈 내용을 서술하시오.

올쏘 상위 4% 문제

| 평가원 기출 응용 |

01 (가)의 동양 윤리 사상가 갑, 을의 입장을 (나) 그림으로 표현할 때, A~C에 해당하는 옳은 질문만을 《보기》에서 있는 대로 고른 것은?

(가)
갑: 으뜸가는 선(善)은 물과 같다. 성인(聖人)은 만물을 이롭게 하고 다투는 일이 없으며 모두가 싫어하는 낮은 곳에 처한다.
을: 도(道)는 오로지 빈[虛] 곳에만 모이는 것이니 이렇게 마음을 비움이 심재(心齋)이다. 성인의 다스림은 밖을 다스리는 것이 아니라 자기를 바르게 한 후에 행동하는 것에 그친다.

(나)
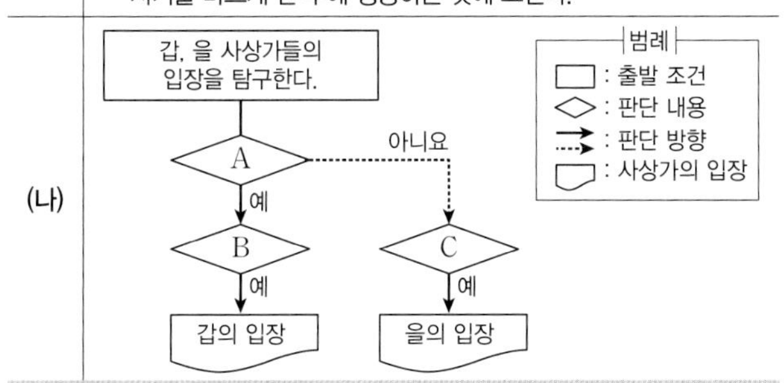

《보기》
ㄱ. A: 인위(人爲)를 거부하며 자연에 순응해야 하는가?
ㄴ. B: 통치자가 갖추어야 할 무위(無爲)의 덕을 강조하는가?
ㄷ. B: 하늘을 인륜의 모범으로 삼아 인의(仁義)의 도덕을 실현해야 하는가?
ㄹ. C: 분별적 지식에서 벗어나기 위해 좌망(坐忘)을 강조하는가?

① ㄱ, ㄷ ② ㄴ, ㄷ ③ ㄴ, ㄹ
④ ㄱ, ㄴ, ㄹ ⑤ ㄱ, ㄷ, ㄹ

| 평가원 기출 응용 |

02 다음 고대 중국 사상가가 부정의 대답을 할 질문으로 가장 적절한 것은?

배와 수레가 있더라도 탈 일이 없고, 갑옷과 무기가 있더라도 쓸 일이 없다. 이웃 나라가 서로 보이고 닭 울고 개 짖는 소리가 들려도, 서로 오가지 않는다.

① 도둑은 법령이 많아지고 엄격해질수록 늘어나는가?
② 백성은 생명을 중시하고 소박한 삶을 살아야 하는가?
③ 통치자는 인의의 덕으로 나라를 강대하게 만들어야 하는가?
④ 현자(賢者)를 높이지 않아 사람들이 경쟁하지 않도록 해야 하는가?
⑤ 성인(聖人)은 사람들의 마음을 비워 주고 욕망을 약하게 해 주어야 하는가?

| 수능 기출 응용 |

03 다음을 주장한 중세 서양 사상가가 긍정의 대답을 할 질문으로 옳은 것은?

신 안에 있는 법이 영원법이고, 영원법이 인간에게 분유되어 있는 것이 자연법이다. 인간에게는 자신의 본성을 포함하여 공동선을 위한 실천 원리를 파악할 수 있는 이성이 있다. 그러므로 인간은 "선을 행하고 악을 피하라."라는 자연법의 제1원리를 파악할 수 있다.

① 영원법과 자연법은 서로 독립적인 것인가?
② 인간의 타고난 자연적 성향은 존재하지 않는가?
③ 자연법은 인간의 본성에 의거하는 절대적인 법인가?
④ 인간의 이성으로는 자연법의 원리를 파악할 수 없는가?
⑤ 일부 인간에게만 자연의 질서를 이해하고 그에 따라 행위할 수 있는 능력이 주어지는가?

| 평가원 기출 응용 |

04 (가)의 갑, 을 사상가들의 입장을 (나) 그림으로 표현할 때, A~C에 해당하는 진술로 옳은 것은?

(가)
갑: 모든 쾌락과 고통은 측정될 수 있다. 그 기준은 강도, 지속성, 확실성, 근접성, 범위이다. 어떤 쾌락이나 고통이 또 다른 쾌락이나 고통과 연결될 때 그 쾌락이나 고통도 측정될 수 있다. 그 기준은 다산성과 순수성이다.
을: 어떤 쾌락에는 만족보다 불만족의 양이 많아서 사람들은 그 쾌락 대신에 다른 쾌락을 누릴 수도 있다. 그럼에도 여전히 사람들은 불만족의 양이 더 많은 쾌락을 포기하지 않는다. 그 이유는 불만족의 양이 더 많은 쾌락이 질적으로 우월하기 때문이다.

(나)
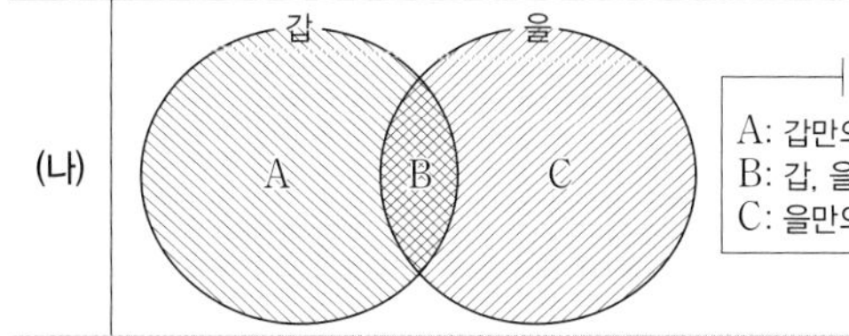

① A: 행위자가 느끼는 고통이 그 행위자에게 선이 될 수 있다.
② A: 개인의 쾌락은 배제하고 사회 전체의 쾌락을 추구해야 한다.
③ B : 최대의 행복을 가져올 유덕한 행위는 공리의 원리에 부합한다.
④ C: 감각적 쾌락과 지적인 활동에서 얻는 쾌락에는 질적인 차이가 없다.
⑤ C: 행위의 도덕성은 행위의 결과와 무관한 행위 자체의 옳음에 근거한다.

03 삶과 죽음의 윤리

출제 경향
★동서양의 죽음관 비교
★인공 임신 중절, 안락사, 뇌사에 대한 윤리적 쟁점

01 출생 · 죽음의 윤리적 의미와 동서양의 죽음관

1. 출생 · 죽음의 윤리적 의미

출생	• 인간의 자연적 성향을 실현하는 과정임 • 인간이 도덕적 주체로 사는 삶의 출발점임 • 개인이 가족 및 사회 구성원으로 사는 삶의 시작임
죽음	• 삶의 소중함을 깨닫는 계기가 됨 • 인간관계의 소중함을 깨닫게 하는 계기가 됨

2. 동서양의 죽음관 빈출 자료 01 빈출 자료 02 빈출 자료 03

동양	공자	죽음의 문제보다 현실의 도덕적 삶에 충실할 것을 강조함
	석가모니	• 죽음은 태어남, 늙음, 병듦과 더불어 대표적인 고통임 • 죽음은 또 다른 세계로 윤회하는 것임
	장자	• 삶과 죽음은 기(氣)가 모이고 흩어지는 것임 • 삶과 죽음은 자연 현상과 다를 바 없음
서양	플라톤	지혜를 사랑하는 삶을 산 사람의 경우 죽음을 통해 육체에 갇혀 있던 영혼이 이데아의 세계로 되돌아 감
	에피쿠로스	우리는 죽음을 살아 있을 때나 죽은 후에도 결코 경험할 수 없으므로 죽음을 두려워할 필요가 없음
	하이데거	현존재인 인간은 죽음에 대한 자각을 통해 삶을 더욱 충실하게 살 수 있음

02 출생 및 죽음과 관련된 윤리적 쟁점

1. 인공 임신 중절의 윤리적 쟁점

(1) 인공 임신 중절에 대한 찬성 논거

① 태아는 인간이 아님

② 여성은 자신의 삶을 자율적으로 영위할 권리를 지님(자율권 논거)

③ 태아는 여성의 신체 일부임(소유권 논거)

④ 여성은 정당방위의 권리를 지니므로 일정 조건 아래서는 낙태할 권리를 지님(정당방위 논거)

(2) 인공 임신 중절에 대한 반대 논거

① 태아 역시 생명이 있는 인간이므로 존엄함(존엄성 논거)

② 무고한 인간을 죽이는 행위는 잘못인데, 태아는 무고한 인간임(무고한 인간의 신성불가침 논거)

③ 태아는 일정한 발생 과정을 거쳐 성숙한 인간으로 발달할 잠재성을 지님(잠재성 논거)

2. 자살의 윤리적 문제점

(1) 자살의 윤리적 문제: 자신의 소중한 생명을 스스로 훼손하는 일이며, 자아실현의 가능성을 없애 버리는 일임. 주변 사람들에게 깊은 슬픔과 고통을 안겨 주며, 사회 공동체의 결속을 약화시킴

(2) 동서양의 자살에 대한 관점

유교	부모로부터 물려받은 신체를 훼손하는 행위이므로 불효임
불교	생명을 해쳐서는 안 된다는 불살생(不殺生)의 계율을 어기는 행위임
그리스도교	신의 피조물인 인간이 스스로 목숨을 끊어서는 안 됨
아퀴나스	자살은 자기 보존을 거스르는 부당한 행위로 자연법에 어긋나는 행위임
칸트	자살은 고통에서 벗어나기 위해 자신의 인격을 수단으로 이용하는 행위임
쇼펜하우어	자살은 한 번뿐인 삶을 인위적으로 종결시킴으로써 자신의 능력을 발휘할 기회를 파괴하는 행위임

3. 안락사의 윤리적 쟁점

(1) 안락사의 의미: 불치병으로 극심한 고통을 겪고 있는 환자 또는 그 가족의 요청에 따라 의료진이 인위적으로 죽음을 앞당기거나(적극적 안락사) 생명 유지에 필요한 조치를 중단함으로써(소극적 안락사) 생명을 단축하는 행위

(2) 안락사에 대한 찬반 입장

찬성	• 환자는 자율적 주체로 자신이 죽을 방법을 선택할 권리와 인간답게 죽을 권리를 지님 • 무의미한 연명 치료는 환자 본인과 가족에게 고통을 주며, 제한된 의료 자원을 효율적으로 사용하지 못하게 하여 사회 전체의 이익에도 부합하지 않음(공리주의 관점)
반대	• 모든 인간의 생명은 존엄하며 인간은 자신의 죽음을 인위적으로 선택할 권리를 갖고 있지 않음 • 삶이 고통스럽다는 이유로 죽음을 인위적으로 앞당기는 행위는 자연의 질서에 부합하지 않으며 인간 생명의 존엄성을 훼손하는 행위임(자연법 윤리와 의무론의 관점)

4. 뇌사의 윤리적 쟁점

(1) 죽음을 판정하는 기준

① 심폐사: 심장 박동이 멈추고 호흡이 멈춘 상태

② 뇌사: 뇌간을 포함한 뇌의 활동이 회복할 수 없을 정도로 정지된 상태

(2) 뇌사에 대한 찬반 입장의 논거

① 뇌사를 죽음으로 인정하는 입장의 논거

• 뇌 기능이 정지하면 이성적으로 판단하는 인간 고유의 기능을 수행할 수 없으므로 죽음으로 인정해야 함

• 뇌사를 죽음으로 인정하면 장기를 이식하는 것이 쉬워져 더 많은 생명을 살릴 수 있음

② 뇌사를 죽음으로 인정하지 않는 입장의 논거

• 뇌 기능이 정지했다고 하더라도 기계 장치를 통해 호흡과 심장 박동이 이루어질 수 있으므로 죽은 것이 아님

• 장기 이식을 위해 뇌사를 죽음으로 보는 것은 생명의 존엄성을 훼손하는 것임

빈출 특강

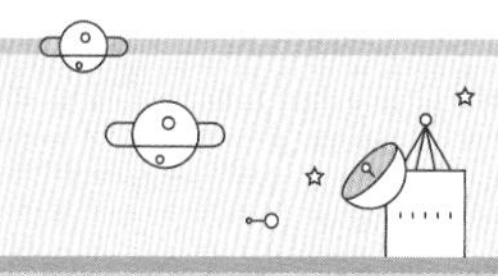

대표 유형

빈출 자료 01 유교의 죽음관 | 연계 문제 → 24쪽 01번

> 삶을 모르는데 어찌 죽음을 알겠는가? 새가 죽을 때는 울음소리가 애처롭고, 사람이 죽을 때는 하는 말이 착한 법이라네. 지사(志士)는 삶을 영위하되 인(仁)을 해침이 없고, 자신을 희생함으로써 인을 이룬다네.

| 자료 분석 | 제시문은 죽음에 대한 유교의 입장이다. 유교에서는 죽음과 사후 세계의 문제에 대한 관심보다는 현세에서의 윤리적 삶에 더욱 충실할 것을 강조하였다.

빈출 자료 02 불교와 도가의 죽음관 | 연계 문제 → 24쪽 03번

> (가) 중생들의 무리로부터 떨어짐, 오온(五蘊)의 부서짐, 생명의 끊어짐을 죽음이라 한다. 태어남이 있을 때에만 죽음이 있다. 삶의 모든 현상은 꿈과 같고 이슬과 같고 그림자 같고 번개와 같으니 그대, 마땅히 그렇게 바라보아야 한다.
> (나) 삶을 죽이고 초월하려는 자에게 죽음은 없고, 삶을 살려고 탐하는 자에게는 삶은 없다. 태어나기 전의 근원을 보면 원래 삶도 형태도 기(氣)도 없었다. 아무것도 없는 데서 기가 생겨서 변해 형체가 되고 삶이 되었다가 변하여 죽어 가는 것이다.

| 자료 분석 | (가)는 죽음에 대한 불교의 입장, (나)는 도가의 입장이다.

- (가): 석가모니를 대표로 하는 불교에서는 윤회설의 입장에서 삶과 죽음이 하나라는 생사일여(生死一如)를 주장하였다. 불교에서는 죽음을 또 다른 세계로 윤회하는 것이며, 현세에서의 선행과 악행이 죽음 이후의 삶을 결정한다고 보았다.
- (나): 도가를 대표하는 장자는 삶을 기(氣)가 모인 것으로 죽음을 기가 흩어진 것으로 보고, 삶과 죽음을 사계절의 운행과 같이 자연스러운 흐름으로 보았다.

빈출 자료 03 플라톤과 에피쿠로스의 죽음관 | 연계 문제 → 25쪽 04번

> 갑: 순수한 영혼의 상태에 있을 때 우리는 이데아를 온전히 파악할 수 있다. 우리가 육체로부터 떠났을 때에야 오로지 영혼만을 사용하여 사물 그 자체를 볼 수 있다.
> 을: 죽음이 두려운 일이 아니라는 사실을 진정으로 깨달은 사람은 살아가면서 두려워할 것이 없다. 우리가 존재하는 한 죽음은 우리와 함께 있지 않고, 죽으면 이미 우리는 존재하지 않기 때문이다.

| 자료 분석 | 갑은 플라톤, 을은 에피쿠로스이다.

- 갑: 플라톤은 육체를 순수한 인식을 불가능하게 하는 감옥처럼 생각하였다. 그는 지혜를 사랑하는 삶을 산 사람의 경우 죽음을 통해 육체에 갇혀 있던 영혼이 진리의 세계인 이데아의 세계로 들어갈 수 있다고 주장하였다.
- 을: 에피쿠로스는 인간을 이루던 원자가 흩어지는 것을 죽음으로 보았다. 그는 우리가 죽음을 경험할 수 없으므로 죽음에 대한 두려움을 가질 필요가 없다고 주장하였다.

자주 나오는 오답 선택지

빈출 자료 01 에서 자주 나오는 오답 선택지

① 죽음은 인간의 자연스러운 운명이므로 슬퍼할 필요가 없다.
→ 도가의 입장이다. 유교에서는 죽음은 자연스러운 것이지만 죽음에 대해 마땅히 슬퍼해야 한다고 본다.

② 현실적 삶을 긍정하고 제사 의례를 근절해야 한다.
→ 유교에서는 제사 의례를 통해 죽은 사람을 애도하고 기억한다.

③ 현세에서의 도덕적 실천이 내세에서의 삶을 결정한다.
→ 내세를 강조하는 것은 불교의 입장이다.

④ 고통 없는 삶을 향유할 수 있는 다른 세계로 들어가는 과정이다.
→ 유교에서는 죽음을 다른 세계로 들어가는 윤회의 과정으로 보지 않는다.

빈출 자료 02 에서 자주 나오는 오답 선택지

① (가): 죽음은 삶의 모든 번뇌가 소멸된 상태이다.
→ (가): 삶의 모든 번뇌가 소멸된 상태를 해탈이라고 한다.

② (가): 죽음은 다른 존재로 윤회하는 고리가 단절된 상태이다.
→ (가): 죽음을 통해 다른 존재로 윤회하게 된다고 본다.

③ (나): 사후의 평온보다 현세에서 인(仁)의 실천이 중요하다.
→ (나): 현세에서의 인의 실천을 중시하지 않는다. 인의 실천을 중시하는 사상은 유교이다.

④ (나): 삶과 죽음은 계속 반복되므로 분별되어야 한다.
→ (나): 삶과 죽음은 자연스러운 현상이므로 분별해서는 안 된다고 본다.

⑤ (가), (나): 죽음은 그 근원을 성찰하고 지극히 애도해야 할 고통이다. → (나): 죽음을 애도해야 할 고통이라고 보지 않는다.

⑥ (가), (나): 해탈하여 세속의 삶과 죽음의 고통에서 벗어나야 한다.
→ (가)의 입장에만 해당한다.

빈출 자료 03 에서 자주 나오는 오답 선택지

① 갑은 죽음을 신과 하나가 되기 위해 통과해야 하는 선택적인 관문이라고 본다.
→ 갑은 지혜를 사랑하는 삶을 산 사람의 경우 선하며 지혜로운 신 곁으로, 보이지 않는 이데아의 세계로 들어가게 된다고 본다.

② 갑은 죽음에 대한 자각을 통해 진정한 자아를 발견할 수 있다고 본다. → 갑의 입장이 아니라 하이데거의 입장이다.

③ 을은 모든 인간에게 죽음은 두려워해야 할 고통이라고 본다.
→ 을은 살아 있는 동안에는 죽음을 경험할 수 없고 죽으면 아무런 감각도 없으므로 죽음에 대한 두려움을 가질 필요가 없다고 본다.

④ 을은 육체적 죽음 이후에 정신적 자유를 누릴 수 있다고 본다.
→ 을이 아니라 갑의 입장이다.

II

시험에 꼭 나오는 문제

개념 확인 문제

01 빈칸에 들어갈 알맞은 말을 쓰시오.

동양의 죽음관	• 공자: 죽음의 문제보다 현실의 도덕적 삶에 충실할 것을 강조함 • (　　　　): 삶과 죽음은 기(氣)가 모이고 흩어지는 것이며, 죽음은 자연스러운 현상임 • (　　　　): 죽음은 태어남, 늙음, 병듦과 더불어 고통의 하나이며, 죽음을 통해 또 다른 세계로 윤회함

02 다음 내용에 해당하는 용어를 《보기》에서 고르시오.

《보기》
ㄱ. 뇌사　　ㄴ. 심폐사
ㄷ. 안락사　　ㄹ. 인공 임신 중절

(1) 뇌간을 포함한 뇌의 활동이 회복할 수 없을 정도로 정지된 상태를 무엇이라고 하는가?
(2) 불치병으로 극심한 고통을 겪고 있는 환자 또는 그 가족의 요청에 따라 의료진이 인위적으로 죽음을 앞당기거나 생명 유지에 필요한 조치를 중단함으로써 생명을 단축하는 행위를 무엇이라고 하는가?
(3) 태아가 모체 밖에서는 생명을 유지할 수 없는 시기에 태아를 인공적으로 모체에서 분리하여 임신을 종결하는 행위를 무엇이라고 하는가?

03 다음 자살에 대한 관점과 관계 깊은 사상가를 바르게 연결하시오.

(1) 자연법에 어긋나는 행위 •　　• ㉠ 칸트
(2) 인격을 수단으로 사용한 행위 •　　• ㉡ 아퀴나스
(3) 불살생의 계율을 어긴 행위 •　　• ㉢ 석가모니

(빈출 문제) 연계 자료 → 23쪽 빈출 자료 01

01 다음 사상의 입장으로 가장 적절한 것은?

> 삶을 모르는데 어찌 죽음을 알겠는가? 새가 죽을 때는 울음소리가 애처롭고, 사람이 죽을 때는 하는 말이 착한 법이라네. 지사(志士)는 삶을 영위하되 인(仁)을 해침이 없고, 자신을 희생함으로써 인을 이룬다네.

① 죽음은 또 다른 세계로 윤회하는 것이다.
② 삶과 죽음은 기(氣)의 변화에 의한 것이다.
③ 사후 세계보다 현세의 윤리적 삶에 충실해야 한다.
④ 삶과 죽음은 하나이므로 죽음 앞에서 슬퍼할 필요가 없다.
⑤ 인위적 규범에 얽매이지 말고 삶에 지나치게 집착해서는 안 된다.

02 다음 사상가의 주장으로 가장 적절한 것은?

> 죽음은 현존재의 가장 고유한 가능성이다. 죽음이야말로 우리를 우리답게 존재하도록 만드는 것임을 뜻한다. 인간은 자신을 죽을 수밖에 없는 존재자로 경험한다는 사실에서 여타의 동물들과 구별된다. 인간의 삶의 본성과 인간의 죽음의 본성은 서로 분리할 수 없게 얽혀 있다.

① 인간의 육체는 순수한 인식을 불가능하게 하는 감옥이다.
② 인간은 죽음 이후의 세계에서 참된 실존을 회복할 수 있다.
③ 인간은 죽음에 대한 사유를 통해 자기의 고유성을 자각하게 된다.
④ 현존재가 되기 위해서는 삶과 죽음의 순환 과정에서 벗어나야 한다.
⑤ 이성적 사유를 통해 죽음의 고통에서 벗어나 이상 세계에 도달해야 한다.

(빈출 문제) 연계 자료 → 23쪽 빈출 자료 02

03 동양 사상 (가), (나)의 입장으로 가장 적절한 것은?

> (가) 중생들의 무리로부터 떨어짐, 오온(五蘊)의 부서짐, 생명의 끊어짐을 죽음이라 한다. 태어남이 있을 때에만 죽음이 있다. 삶의 모든 현상은 꿈과 같고 이슬과 같고 그림자 같고 번개와 같으니 그대, 마땅히 그렇게 바라보아야 한다.
> (나) 삶을 죽이고 초월하려는 자에게 죽음은 없고, 삶을 살려고 탐하는 자에게는 삶은 없다. 태어나기 전의 근원을 보면 원래 삶도 형태도 기(氣)도 없었다. 아무것도 없는 데서 기가 생겨서 변해 형체가 되고 삶이 되었다가 변하여 죽어 가는 것이다.

① (가): 태어남은 축복이지만 죽음은 인간에게 삶이 단절되는 고통이다.
② (가): 깨달음을 통하여 생로병사의 끊임없는 고통에서 벗어나야 한다.
③ (나): 인의예지의 덕을 실천하여 생사를 초탈해야 한다.
④ (나): 자연스러운 본성을 회복하기 위해서는 옳고 그름에 대한 분별을 명확히 해야 한다.
⑤ (가), (나): 내세의 삶을 위해 현생에서 도덕적 삶을 살아야 한다.

유사 선택지 문제

03_ ❶ (가): 삶뿐만 아니라 죽음도 고통이다. (○ / ×)
03_ ❷ (나): 기가 흩어지면 삶이고 모이면 죽음이다. (○ / ×)
03_ ❸ (나): 삶과 죽음은 고통이 아니라 계절의 변화와 같은 것이므로 삶을 기뻐하고 죽음을 슬퍼할 필요가 없다. (○ / ×)

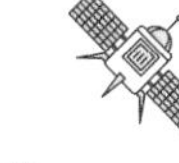

(빈출 문제) 연계 자료 ➜ 23쪽 빈출 자료 03

04 갑, 을 사상가들의 입장으로 옳은 것은?

> 갑: 죽음이 두려운 일이 아니라는 사실을 진정으로 깨달은 사람은 살아가면서 두려워할 것이 없다. 우리가 존재하는 한 죽음은 우리와 함께 있지 않고, 죽으면 이미 우리는 존재하지 않기 때문이다.
> 을: 순수한 영혼의 상태에 있을 때 우리는 이데아를 온전히 파악할 수 있다. 우리가 육체로부터 떠났을 때에야 오로지 영혼만을 사용하여 사물 그 자체를 볼 수 있다.

① 갑: 내세를 위해 현세에서 도덕적 삶을 살아야 한다.
② 갑: 죽음의 고통을 이겨내야만 참된 쾌락을 얻을 수 있다.
③ 을: 이데아는 오직 현실에서만 파악 가능하다.
④ 을: 죽음 이후에 인간은 그 어떤 것도 인식하지 못한다.
⑤ 갑, 을: 죽음에 대한 헛된 두려움을 가질 필요가 없다.

05 다음 사상가의 주장으로 옳은 것을 《보기》에서 고른 것은?

> 죽음은 그때마다 자신이 받아들이지 않으면 안 되는 하나의 존재 가능성이다. 현존재 자신은 죽음과 함께 자기의 가장 독자적 존재 가능에 있어서 자기에게 다급하게 다가선다. 죽음은 현존재에게 던져진 끝으로서 현존재의 가장 자기적이고, 다른 사람이 대신할 수 없는 것이요, 그리고 결코 넘어설 수 없는 확실한 것이며, 언제 있을지 모르는 불안한 것이다. 이와 같은 죽음의 불안에 의해서 비본래적이고 퇴폐적이고 속된 삶으로부터 벗어나서 참된 자기를 회복하고 본래의 자기에로 귀환할 수 있다.

《보기》
ㄱ. 인간은 자신에게 다가올 죽음을 인지할 수 없는 존재이다.
ㄴ. 인간은 자기의 유한성을 깨달을 때 충실한 삶을 살 수 있다.
ㄷ. 인간은 죽음에 대한 자각을 통해 참된 실존을 회복할 수 있다.
ㄹ. 인간은 죽음의 가능성을 극복할 때 진정한 자신을 찾을 수 있다.

① ㄱ, ㄴ ② ㄱ, ㄷ ③ ㄴ, ㄷ
④ ㄴ, ㄹ ⑤ ㄷ, ㄹ

06 다음 사상가의 입장으로 옳은 것을 《보기》에서 고른 것은?

> 많은 사람은 때로는 죽음을 가장 큰 악이라고 생각해서 두려워하고, 다른 때에는 죽음이 인생의 악들을 중지시켜 준다고 생각해서 죽음을 열망한다. 반면 현자는 삶의 부재를 악으로 생각하지 않기 때문에 삶의 중단을 두려워하지 않는다. 현자는 단순히 긴 삶이 아니라 가장 즐거운 삶을 원한다. 그래서 그는 가장 긴 시간이 아니라 가장 즐거운 시간을 향유하려고 한다.

《보기》
ㄱ. 인간에게 죽음은 가장 피해야 할 고통이다.
ㄴ. 인간을 이루던 원자가 흩어지는 것이 죽음이다.
ㄷ. 인간은 죽음을 경험할 수 없으므로 죽음을 두려워할 필요가 없다.
ㄹ. 인간은 내세의 삶을 위하여 현세에서 쾌락적 삶을 추구해서는 안 된다.

① ㄱ, ㄴ ② ㄱ, ㄷ ③ ㄴ, ㄷ
④ ㄴ, ㄹ ⑤ ㄷ, ㄹ

07 다음 사상가의 주장으로 옳은 것만을 《보기》에서 있는 대로 고른 것은?

> 그가 태어나기 이전을 살펴보니 본시는 삶이 없었던 것이었고, 삶이 없었을 뿐만 아니라 본시 형체도 없었던 것이었으며, 형체가 없었을 뿐만 아니라 본시 기운조차도 없었던 것이었다. 흐릿하고 아득함 속에 섞여 있었으나 그것이 변화하여 기운이 있게 되었고, 기운이 변화하여 형체가 있게 되었고, 형체가 변화하여 삶이 있게 되었던 것이다. 지금은 그가 또 변화하여 죽어간 것이다.

《보기》
ㄱ. 죽음은 자연적이고 필연적인 과정이다.
ㄴ. 기(氣)가 흩어지면 삶은 영원히 소멸된다.
ㄷ. 현세에서의 선행과 악행이 죽음 이후의 삶을 결정한다.
ㄹ. 삶과 죽음은 차별이 없으므로 죽음을 슬퍼할 필요가 없다.

① ㄱ, ㄷ ② ㄱ, ㄹ ③ ㄴ, ㄷ
④ ㄱ, ㄴ, ㄹ ⑤ ㄴ, ㄷ, ㄹ

시험에 꼭 나오는 문제

08 ㉠에 들어갈 적절한 내용만을 《보기》에서 있는 대로 고른 것은?

> 인공 임신 중절이란 태아가 모체 밖에서는 생명을 유지할 수 없는 시기에 태아를 인공적으로 모체에서 분리하여 임신을 종결하는 행위를 말한다. 이러한 인공 임신 중절에 대하여 생명의 존엄성을 침해하는 행위로 보고 반대하는 사람들이 많다. 그러나 인공 임신 중절을 찬성하는 사람들은 [㉠] 는 점에서 인공 임신 중절의 필요성을 제시한다.

《보기》
ㄱ. 여성은 자기방어와 정당방위의 권리를 지닌다
ㄴ. 여성은 자신의 삶을 자율적으로 영위할 권리를 지닌다
ㄷ. 태아는 여성의 신체 일부이며 여성은 자신의 신체에 대한 권리를 지닌다
ㄹ. 태아는 일정한 발생 과정을 거쳐 성숙한 인간으로 발달할 잠재성을 지닌다

① ㄱ, ㄷ ② ㄱ, ㄹ ③ ㄴ, ㄹ
④ ㄱ, ㄴ, ㄷ ⑤ ㄴ, ㄷ, ㄹ

09 (가) 사상의 입장에서 <사례> 속 A에게 해 줄 수 있는 조언으로 가장 적절한 것은?

> (가) 자연법의 명령은 자연적 성향의 질서에 상응하는 계층적인 질서로 설정된다. 제1의 자연 성향은 인간이 다른 모든 실체와 함께 소유하고 있는 자기 보존 본능이요, 제2의 자연 성향은 동물과 함께 소유하고 있는 성향, 즉 성욕과 종족 보존 본능이며, 제3의 자연 성향은 신에 관한 진리를 알려 하고 다른 인간과 더불어 사회적인 삶을 영위하려는 성향이다.
>
> <사례>
>
> A 씨는 최근에 원치 않는 임신을 하였다. A 씨는 인공 임신 중절을 해야 할지 아니면 임신을 유지해야 할지를 고민하고 있다.

① 잘못된 선택을 했을 때 받을 처벌을 고려하여 선택하세요.
② 자신에게 가장 이익이 되는 선택이 무엇인지를 생각하세요.
③ 자신의 선택이 사회에 유용한 결과를 가져올지에 대해 고민해 보세요.
④ 보편적 원리를 따르기보다는 상황을 잘 고려하여 행위하도록 하세요.
⑤ 자기 보존과 종족 보존에 어긋나는 선택을 해서는 안 된다는 점을 명심하세요.

10 다음을 주장한 사상가의 자살에 대한 입장을 《보기》에서 고른 것은?

> 동물인 인간이 자기 자신에게 지우는 첫 번째 의무는, 자연 그대로의 자기를 보존하고 자신의 자연적 능력을 개발하고 증진시키는 것이다. 자신의 자연 능력과 소질을 배양해야 할 의무에 극단적으로 반대되는 것이 임의로 자기 자신을 죽이는 일이다. 전체적인 자기 살해든, 부분적인 자기 상해든 그것이 자기를 죽이는 것이면, 그 이유가 무엇이든 간에 종국적으로 볼 때 그것은 비행(非行)이다.

《보기》
ㄱ. 불살생의 계율을 어기는 행위이므로 옳지 않다.
ㄴ. 자기 보존이라는 자신에 대한 의무를 위반하는 행위이므로 옳지 않다.
ㄷ. 자신과 주위 사람들에게 유용하지 못한 결과를 안겨 주는 행위이므로 옳지 않다.
ㄹ. 고통에서 벗어나기 위해 자신의 인격을 한낱 수단으로 삼은 행위이므로 옳지 않다.

① ㄱ, ㄴ ② ㄱ, ㄷ ③ ㄴ, ㄷ
④ ㄴ, ㄹ ⑤ ㄷ, ㄹ

11 자살에 대한 동양 사상 (가), (나)의 입장을 《보기》에서 고른 것은?

> (가) 아버지를 섬기는 마음을 바탕으로 어머니를 섬기나니 그 사랑하는 마음이 같은 것이요, 아버지를 섬기는 마음을 바탕으로 임금을 섬기나니 공경하는 마음이 같은 것이다. 그러므로 어머니를 섬김은 그 사랑을 취하는 것이요, 임금을 섬김은 그 공경심을 취하는 것이니 이 두 가지를 겸한 것이 아버지를 섬김이다.
>
> (나) 이것이 있기 때문에 저것이 있고 이것이 생기기 때문에 저것이 생긴다. 이것이 없기 때문에 저것이 없고, 이것이 사라지기 때문에 저것이 사라진다. 비유하면 세 개의 갈대가 아무것도 없는 땅 위에 서려고 할 때 서로 의지해야 설 수 있는 것과 같다.

《보기》
ㄱ. (가): 무위(無爲)의 덕에 어긋나는 행위이다.
ㄴ. (가): 부모로부터 물려받은 신체를 훼손하는 행위로 불효이다.
ㄷ. (나): 불살생(不殺生)의 계율을 어긴 행위이다.
ㄹ. (가), (나): 연기(緣起)의 법칙을 위배하는 행위이다.

① ㄱ, ㄴ ② ㄱ, ㄷ ③ ㄴ, ㄷ
④ ㄴ, ㄹ ⑤ ㄷ, ㄹ

12 ㉠에 들어갈 적절한 진술을 《보기》에서 고른 것은?

> 인공 임신 중절에 대한 윤리적 논쟁은 주로 여성의 선택권을 옹호하는 입장과 태아의 생명권을 옹호하는 입장에서 이루어진다. 여성의 선택권을 옹호하는 입장에서는 인공 임신 중절을 할 것인가의 문제는 임신한 여성의 자유로운 선택에 맡겨야 한다고 주장한다. 반면에 태아의 생명권을 옹호하는 입장에서는 [㉠]고 보아 인공 임신 중절을 반대한다.

《보기》
ㄱ. 태아는 여성의 신체 일부에 해당한다
ㄴ. 태아는 인간으로서의 존엄성과 생명권을 지닌다
ㄷ. 무고한 인간 존재인 태아를 죽이는 것은 살인에 해당한다
ㄹ. 태아가 인간 존재라고 해도 임신부의 생명을 심각하게 위협하는 경우 임신부는 정당방위권을 지닌다

① ㄱ, ㄴ ② ㄱ, ㄹ ③ ㄴ, ㄷ
④ ㄴ, ㄹ ⑤ ㄷ, ㄹ

13 (가) 사상의 입장에서 (나)의 ㉠을 찬성할 경우 그 이유로 가장 적절한 것은?

> (가) 행위는 그것이 우리의 행복을 증진시키는 경향을 지니고 있는 정도에 비례하여 옳으며, 행복에 반대되는 것, 즉 고통을 증진시키는 경향을 지니고 있는 정도에 비례하여 그르다.
> (나) [㉠]은/는 불치병으로 극심한 고통을 겪고 있는 환자 또는 그 가족의 요청에 따라 의료진이 인위적으로 죽음을 앞당기거나 생명 유지에 필요한 조치를 중단함으로써 생명을 단축하는 행위이다.

① 모든 인간이 지닌 생명의 존엄성을 존중한 행위이기 때문이다.
② 환자 본인과 가족의 심리적 · 경제적 고통을 덜어주는 행위이기 때문이다.
③ 인간을 목적으로 대우해야 한다는 보편적 윤리 원칙에 맞는 행위이기 때문이다.
④ 결과에 상관없이 환자가 지닌 인간답게 죽을 권리를 행사하는 행위이기 때문이다.
⑤ 자연스러운 죽음을 맞이해야 한다는 자연의 질서에 부합하는 행위이기 때문이다.

14 ㉠~㉣에 대한 사례를 바르게 제시한 것만을 《보기》에서 있는 대로 고른 것은?

> 일반적으로 안락사는 환자의 동의 여부를 기준으로 하는 경우 ㉠자발적 안락사와 ㉡비자발적 안락사로 구분된다. 그리고 안락사를 시행하는 수단을 기준으로 하는 경우에는 ㉢적극적 안락사와 ㉣소극적 안락사로 구분된다.

《보기》
ㄱ. ㉠ – 환자 본인이 직접 안락사에 동의한 경우
ㄴ. ㉡ – 환자 본인이 안락사에 동의하지 않는다고 의사를 표현했음에도 안락사를 시행하는 경우
ㄷ. ㉢ – 약물을 투여하여 환자를 죽음에 이르게 하는 경우
ㄹ. ㉣ – 연명 치료를 중단하여 환자를 죽음에 이르게 하는 경우

① ㄱ, ㄴ ② ㄱ, ㄹ ③ ㄴ, ㄷ
④ ㄱ, ㄷ, ㄹ ⑤ ㄴ, ㄷ, ㄹ

15 다음 입장을 지지하는 논거만을 《보기》에서 있는 대로 고른 것은?

> 전통적으로 죽음의 판정 기준은 심장과 폐의 기능이 영구히 상실된 상태에 두었다. 하지만 이제는 뇌사 역시 죽음의 판정 기준으로 보아야 한다. 뇌사는 일반적으로 뇌 활동이 회복 불가능하게 정지되었고, 뇌간의 생명 중추 기능도 상실한 상태를 말한다. 인간의 의식 능력과 뇌 기능이 중단되고 이러한 상태를 다시 살릴 수 없다면 죽음으로 판정하는 것이 경제성과 효율성의 측면에서 필요하다.

《보기》
ㄱ. 무의미한 치료는 가족의 심리적 · 경제적 고통을 가중시킨다.
ㄴ. 장기 이식을 통해 많은 사람의 생명을 살릴 기회를 늘릴 수 있다.
ㄷ. 인간은 심장을 비롯한 다양한 장기의 상호 작용으로 생명을 유지한다.
ㄹ. 한정된 의료 자원을 회복 불가능한 환자에게 사용함으로써 초래되는 의료 자원의 비효율성을 막을 수 있다.

① ㄱ, ㄴ ② ㄱ, ㄷ ③ ㄷ, ㄹ
④ ㄱ, ㄴ, ㄹ ⑤ ㄴ, ㄷ, ㄹ

II

16 (가) 사상의 입장에서 〈문제 상황〉 속 A에게 제시할 조언으로 가장 적절한 것은?

(가) 실천 이성이 자연스럽게 인간의 선으로서 이해하는 것들은 모두 자연법의 계율에 속한다. 선은 목적의 본성을 갖고 악은 그 정반대의 본성을 갖기 때문에, 자연적인 경향성을 지니고 있는 모든 것은 이성에 의해 선으로 자연스럽게 이해되고 그 결과 추구의 대상이 된다.

〈문제 상황〉

A는 말기 암환자로 병원으로부터 6개월 시한부 판정을 받았다. A는 참을 수 없는 고통이 지속되는 상황에서 자신의 생을 지속시킬지에 대해 고민하고 있다.

① 선악에 관계 없이 자연적 경향성을 따라 선택하세요.
② 자연법을 극복할 수 있는 행위가 무엇인지를 고려하세요.
③ 자연적 경향성에서 벗어나 실천 이성의 명령에 따르도록 하세요.
④ 실천 이성을 제거할 수 있는 행위가 무엇인지를 판단해 보세요.
⑤ 인간이 본성적으로 지니는 자기 보존의 성향에 따르도록 하세요.

17 다음 사상가의 입장에서 긍정의 대답을 할 질문으로 가장 적절한 것은?

이성의 활동을 하는 데 있어서 감각을 끌어들이지 않고 정신 자체의 밝은 빛만으로 각각의 진리를 탐구하는 사람만이 이성의 탐구 대상을 가장 순수하게 인식할 수 있다. 즉, 신체가 영혼이 진리를 얻는 것을 방해한다고 본다면, 가능한 한 신체에서 벗어난 사람이야말로 참 존재의 인식에 도달할 수 있다.

① 죽음은 인간이 피해야 할 가장 커다란 고통인가?
② 삶과 죽음은 하나이므로 차별하지 말아야 하는가?
③ 현세의 삶을 통해서만 참된 실재를 인식할 수 있는가?
④ 죽음은 아무것도 없는 무(無)의 상태에 이르는 과정인가?
⑤ 철학자는 죽음을 통해 비로소 참된 진리에 도달할 수 있는가?

18 다음 사상의 입장으로 옳은 것을 《 보기 》에서 고른 것은?

이것이 생기기 때문에 저것이 생기고, 이것이 멸(滅)하기 때문에 저것이 멸한다. 무명(無明)으로 인해 온통 괴로움의 덩어리가 생기고, 무명이 멸하기 때문에 온통 괴로움의 덩어리가 멸한다.

《 보기 》
ㄱ. 태어남과 더불어 죽음도 고통이다.
ㄴ. 현생에서의 행위가 후생의 삶을 결정한다.
ㄷ. 죽음 이후에야 순수하게 지혜를 발견할 수 있다.
ㄹ. 죽음은 삶의 끝으로 죽음 이후에는 아무것도 존재하지 않는다.

① ㄱ, ㄴ ② ㄱ, ㄹ ③ ㄴ, ㄷ
④ ㄴ, ㄹ ⑤ ㄷ, ㄹ

서술형 문제

19 다음 글을 읽고 물음에 답하시오.

[㉠]은/는 대뇌, 소뇌, 뇌간의 모든 기능이 상실되었으며, 심장보다 뇌의 기능이 먼저 멈추어 인공적인 기계 장치를 통해 일정 기간 심장 박동을 지속시킬 수 있는 상태를 말한다.

(1) ㉠에 들어갈 용어를 쓰시오.

(2) ㉠을 죽음의 판정 기준으로 인정하는 입장에 대한 반대 논거를 두 가지 이상 서술하시오.

20 다음 글을 읽고 물음에 답하시오.

[㉠]은/는 그리스어에서 온 말로 '편안한 죽음'을 뜻하며, 일반적으로 치유될 가능성이 없거나 사고 능력을 잃은 상태에서 심한 고통을 겪고 있는 환자에 대하여 본인 또는 가족의 요구에 따라 고통이 적은 방법으로 생명을 단축시키는 행위를 말한다.

(1) ㉠에 들어갈 용어를 쓰시오.

(2) ㉠을 찬성하는 입장의 논거를 두 가지 이상 서술하시오.

상위 4% 문제

정답 및 해설 11쪽

01 (가)의 서양 사상가 갑, 을, 병의 입장을 (나) 그림으로 표현할 때, A~D에 해당하는 옳은 질문만을 《보기》에서 있는 대로 고른 것은?

(가)

갑: 죽음이라는 공포는 우리에게 가장 고통스러운 악(惡)이다. 하지만 죽음은 우리에게 아무것도 아니므로 두려워할 필요가 없다. 왜냐하면 죽으면 모든 감각이 사라져 어떠한 것도 느낄 수 없기 때문이다.

을: 사유(思惟)는 청각이나 시각이나 또 고통이나 쾌락이 정신을 괴롭히는 일이 전혀 없을 때 가장 잘 되는 것이다. 다시 말하면, 영혼이 육체적 감각이나 욕망을 전혀 갖지 않고 참으로 존재하는 것을 추구할 때 가장 잘 사유하게 된다.

병: 불안에는 일정한 대상이 없다. 그것은 무(無), 즉 죽음에 대한 불안이다. 현존재는 원래 유한한 존재요, 죽음에의 존재이다. 현존재는 유한한 존재로서 무에 접하고 있고, 죽음 앞에 서 있다는 것을 느낀다. 이것이 불안의 근원이다.

(나)

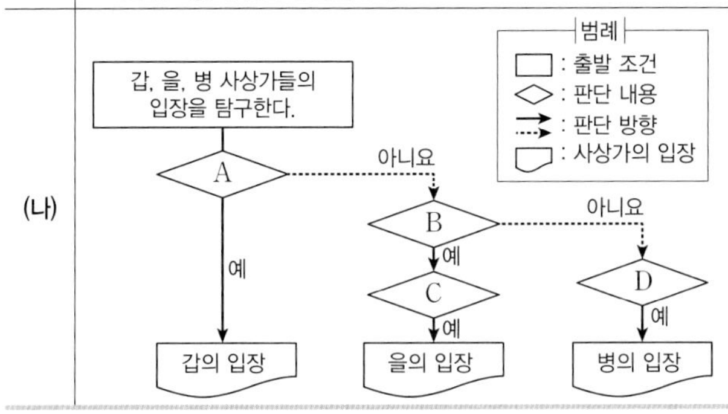

《보기》

ㄱ. A: 인간은 죽음을 소망하며 살아가야 하는가?
ㄴ. B: 죽음이란 인간을 이루었던 원자가 흩어지는 것인가?
ㄷ. C: 철학자는 죽음 이후에 영원불변한 실재의 세계에 이를 수 있는가?
ㄹ. D: 죽음을 직면함으로써 주체적 삶을 살아갈 수 있는가?

① ㄱ, ㄴ ② ㄱ, ㄷ ③ ㄷ, ㄹ
④ ㄱ, ㄷ, ㄹ ⑤ ㄴ, ㄷ, ㄹ

02 동양 사상 (가), (나)의 입장으로 가장 적절한 것은?

(가) 생명이란 본래 자연에서 빌린 것이니 마치 티끌과 같고, 삶과 죽음의 이치는 밤낮의 변화와 같다. 이제 우리는 그 자연스러운 변화를 바라보노니, 그것이 내게 왔다고 해서 어찌 싫어하겠는가.

(나) 오온(五蘊)의 부서짐, 생명의 끊어짐을 죽음이라 한다. 태어남이 있을 때에만 죽음이 있다. 삶의 모든 현상은 꿈과 같고 이슬 같고 그림자 같고 번개와 같으니 그대, 마땅히 그렇게 바라보아야 한다.

① (가): 삶과 죽음을 윤리적인 관점에서 바라보아야 한다.
② (가): 삶과 죽음의 악순환을 끊는 것이 이상적 인간의 경지이다.
③ (나): 죽음은 삶의 모든 번뇌가 소멸한 상태이다.
④ (나): 삶과 죽음을 고통이 아닌 과정으로 인식할 때 해탈에 이를 수 있다.
⑤ (가), (나): 생사는 차별해서는 안 되는 자연스러운 과정이다.

03 갑은 부정, 을은 긍정의 대답을 할 질문으로 가장 적절한 것은?

갑: 모든 인간의 생명은 존엄하다. 태아 역시 생명이 있는 인간이므로 태아의 생명 또한 존엄하다. 이러한 관점에서 볼 때 태아를 죽음에 이르게 하는 인공 임신 중절은 무고한 인간인 태아를 죽이는 일이므로 어떠한 경우에도 도덕적으로 옳지 못하다.

을: 태아를 생명을 지닌 인간 존재로 인정할 수 있으며, 태아의 생명을 존중해야 한다는 주장 역시 받아들일 수 있다. 그렇다 하더라도 특별한 경우에 임신부는 자신의 생명을 지키기 위하여 인공 임신 중절을 선택할 수 있고, 이러한 행위는 도덕적으로 비난받을 일이 아니다.

① 모든 인공 임신 중절 행위는 비도덕적인 행위인가?
② 태아를 생명을 지닌 인간 존재로 인정할 수 있는가?
③ 여성의 자기방어를 위한 인공 임신 중절은 정당한가?
④ 태아의 생명을 존중하기 위하여 인공 임신 중절을 함부로 행해서는 안 되는가?
⑤ 태아는 인간이 아니므로 여성은 정당방위권을 행사하기 위해 인공 임신 중절을 선택할 수 있는가?

04 생명 윤리

출제 경향
★생명 윤리에 관한 다양한 윤리적 쟁점
★싱어와 레건의 동물 중심주의

01 동서양의 생명관과 생명 복제, 유전자 치료 문제

1. 동서양의 생명관

동양	유교	부모로부터 물려받은 생명을 존엄하게 여겨야 함
	불교	• 연기설(緣起說)을 바탕으로 생명의 상호 의존성을 강조함 • 불살생의 계율로 생명의 보존을 강조함
	도가	생명을 포함한 자연스러운 것을 인위적으로 조작하는 것은 바람직하지 않음
서양	의무론	생명은 그 자체로 존엄하므로 함부로 조작하거나 훼손해서는 안 됨
	공리주의	생명을 대상으로 하는 과학 기술과 의료 행위가 개인과 사회에 이익을 가져다준다면 정당화될 수 있음

2. 생명 복제의 윤리적 쟁점

(1) 동물 복제

① 찬성 입장: 동물 복제를 통해 우수한 품종을 개발할 수 있음, 희귀 동물 보존과 멸종 동물 복원이 가능함

② 반대 입장: 동물 복제는 자연의 질서에 어긋나고 종의 다양성을 해침, 동물의 생명을 인간을 위한 도구로 사용함

(2) 인간 복제

구분	찬성 입장	반대 입장
배아 복제	• 배아는 아직 완전한 인간이 아니므로 복제해도 됨 • 배아로부터 획득한 줄기세포를 통해 난치병 치료가 가능함	• 배아도 인간 생명이므로 보호받아야 함 • 많은 수의 난자 사용은 여성의 몸을 수단화하고 여성의 건강권을 훼손함
개체 복제	불임 부부의 고통을 해소하고 자녀 출산의 희망을 부여함	• 인간의 자연스러운 출산 과정에 위배됨 • 인간의 고유성, 개체성, 정체성을 상실하게 함

3. 유전자 치료의 윤리적 쟁점 빈출 자료 01

(1) 체세포 유전자 치료: 체세포 유전자 치료는 그 효과가 개체 1대에 한정되어 환자의 질병 치료를 위해 허용되고 있음

(2) 생식 세포 유전자 치료의 윤리적 쟁점

① 찬성 입장: 병의 유전을 막아 다음 세대의 병을 예방할 수 있음, 선천성 유전 질환의 치료 및 예방이 가능함, 배아의 유전적 결함을 바로잡아 부모의 생식에 대한 권리와 자율성을 보장할 수 있음

② 반대 입장: 임상 실험의 위험성과 과학적 불확실성으로 인해 부작용이 발생할 수 있음, 미래 세대의 동의 여부가 불확실함, 생식 세포의 변화를 통해 인간을 개선하려는 우생학에 대한 우려가 존재함, 고가의 치료비로 인해 그 혜택이 일부 사람에게 편중될 수 있음

02 동물 실험과 동물 권리의 문제

1. 동물 실험의 윤리적 쟁점

① 찬성 입장

• 동물과 근본적으로 다른 우월한 존재 지위를 갖고 있는 인간은 동물을 수단으로 사용할 수 있음

• 인간과 동물은 생물학적으로 유사하므로 동물 실험의 결과를 인간에게 적용할 수 있음

② 반대 입장

• 인간과 동물의 존재 지위는 차이가 없으므로 동물의 도덕적 지위를 인정해야 함

• 인간과 동물은 생물학적으로 차이가 있어 동물 실험 결과를 인간에게 적용하는 데는 한계가 있음

2. 동물 권리에 관한 다양한 관점

(1) 인간 중심주의

① 데카르트: 동물은 자동인형 또는 움직이는 기계에 불과함

② 아퀴나스, 칸트: 동물을 함부로 다루는 행위는 인간의 품성에 부정적 영향을 미칠 수 있기 때문에 해서는 안 됨, 동물에 대한 잔혹한 처우에 반대하는 이유는 그러한 행위가 인간에 대한 잔혹한 처우를 조장할 수 있기 때문임

(2) 동물 중심주의

① 벤담: 동물도 인간과 마찬가지로 고통을 느끼므로 도덕적으로 고려받을 권리를 지님

② 싱어 빈출 자료 02

• 동물 해방론: 공리주의적 관점에서 동물이 느끼는 고통을 감소시켜야 함

• 이익 평등 고려의 원칙: 동물도 인간과 마찬가지로 쾌고 감수 능력을 지니기 때문에 동물과 인간의 이익을 평등하게 고려해야 함

• 종 차별주의: 동물을 종이 다르다는 이유로 차별하는 것은 인종 차별이나 다를 바 없음

③ 레건 빈출 자료 03

• 동물 권리론: 의무론의 관점에서 동물도 존중받을 권리를 지님

• 삶의 주체로서의 동물: 동물도 인간과 마찬가지로 믿음, 욕구, 지각, 기억, 감정 등을 지니고 자신의 삶을 영위할 수 있는 능력을 지닌 '삶의 주체'임

• 내재적 가치를 지닌 동물: 한 살 정도 이상의 포유동물은 삶의 주체로서 내재적 가치를 지닌 존재이므로 도덕적 권리를 지님

빈출 특강

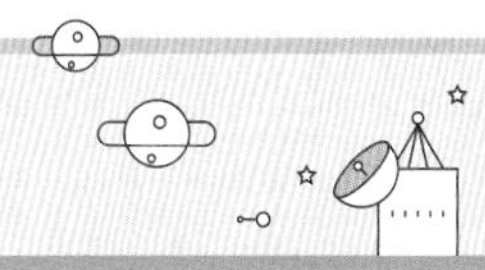

대표 유형

빈출 자료 01 유전자 치료의 윤리적 쟁점

연계 문제 → 32쪽 02번

갑: 유전자에 대한 치료 목적의 의학적 간섭은 물론이고 유전자 개량을 위한 유전자 조작도 허용되어야 한다. 유전자 조작을 통해 뛰어난 능력을 가지고 태어난 미래 세대는 보다 자유로운 삶을 살 수 있다.

을: 유전자에 대한 치료 목적의 의학적 간섭에는 찬성하지만 유전자 개량을 위한 유전자 조작은 어떠한 경우에도 허용되어서는 안 된다. 우생학적 조치를 통해 미래 세대가 동의하지 않는 삶을 살도록 기획하는 것은 그들의 자유를 박탈하는 것이다.

| 자료 분석 | 제시문의 갑은 치료 목적의 유전자 조작은 물론 미래 세대의 나은 삶을 위한 유전자 조작도 허용해야 한다고 본다. 을은 치료 목적의 유전자 조작은 허용해야 하지만 우생학적 목적의 유전자 조작에는 반대한다.

빈출 자료 02 싱어의 이익 평등 고려의 원칙

연계 문제 → 33쪽 06번

만약 어떤 존재가 고통을 느낀다면, 그와 같은 고통을 고려하지 않으려는 것은 도덕적으로 정당화될 수 없다. 평등의 원리는 그 존재가 어떤 특성을 갖건 그 존재의 고통을 다른 존재의 고통과 동등하게 취급할 것을 요구한다. 만약 어떤 존재가 고통을 느낄 수 없거나 즐거움이나 행복을 누릴 수 없다면, 거기에서 고려할 바는 아무것도 없다. 따라서 쾌고 감수 능력은 다른 존재들의 이익에 관심을 가질지의 여부를 판가름하는, 우리가 옹호할 수 있는 유일한 경계가 되는 것이다.

| 자료 분석 | 제시문은 싱어의 주장이다. 싱어는 도덕적 고려의 기준을 쾌고 감수 능력, 즉 쾌락과 고통을 느낄 수 있는 능력의 여부에 두었다. 그는 인간이 고통을 느낄 수 있듯이 동물도 고통을 느낄 수 있으므로 이들의 이익을 동등하게 고려해야 한다는 이익 평등 고려의 원칙을 주장하였다.

빈출 자료 03 레건이 강조한 '삶의 주체'

연계 문제 → 33쪽 07번

삶의 주체라는 것은 단지 살아 있다는 것, 또는 단지 의식을 갖고 있다는 것 이상을 의미한다. 삶의 주체가 된다는 것은 믿음, 욕구, 지각, 기억, 자신의 미래를 포함해 미래에 대한 의식, 쾌락과 고통 등의 감정을 느낄 수 있다는 것, 즉 선호와 복지에 대한 이익 관심, 자기의 욕구와 목표를 위해 행위할 수 있는 능력, 순간순간의 시간을 넘어서 자신의 정체성을 느낄 수 있고, 타자와는 별개로 자신의 삶이 좋을 수도 나쁠 수도 있다는 의미에서 자신의 복지를 갖고 있다는 것이다.

| 자료 분석 | 제시문은 레건의 주장이다. 레건은 삶의 주체가 될 수 있는 존재는 도덕적 존중의 대상이 된다고 보았다. 그는 인간뿐만 아니라 한 살 정도 이상의 포유류도 믿음, 욕구, 지각, 기억, 쾌고 감수 능력 등을 지닌 삶의 주체가 될 수 있다고 보고, 이들을 도덕적으로 존중해야 한다고 주장하였다. 그는 아기와 같은 일부 사람이나 동물은 도덕적 행위자가 아니지만 삶의 주체가 될 수 있기 때문에 도덕적 무능력자로서 도덕적 지위를 지닌다고 보았다.

자주 나오는 오답 선택지

빈출 자료 01 에서 자주 나오는 오답 선택지

① 갑: 유전자 조작을 통해 개량된 미래 세대는 자유를 박탈당한다.
→ 갑은 미래 세대를 위한 유전자 조작이 그들에게 보다 많은 자유를 준다고 본다.

② 을: 부모는 유전자 개량을 통해 미래 세대의 삶을 기획해야 한다.
→ 을은 유전자 개량을 위한 유전자 조작은 허용해서는 안 된다고 본다.

③ 을: 미래 세대의 능력 향상을 위해 우생학적 조치를 허용해야 한다.
→ 을은 미래 세대의 능력 향상을 위한 우생학적 조치가 그들의 자유를 박탈한다고 보고 반대한다.

④ 갑, 을: 유전자에 대한 어떠한 인위적인 개입도 금지되어야 한다.
→ 갑과 을은 모두 치료 목적을 위한 유전자 개입을 허용한다.

빈출 자료 02 에서 자주 나오는 오답 선택지

① 고통을 느낄 수 없는 존재도 도덕적 고려의 대상이 된다.
→ 싱어가 부정할 내용이다. 싱어는 고통을 느낄 수 있는 존재만 도덕적 고려의 기준이 된다고 보았다.

② 자연 안의 모든 존재들은 동등한 도덕적 가치를 지닌다.
→ 싱어는 모든 존재가 동등한 도덕적 가치를 지닌다고 주장하지 않았다. 그는 쾌고 감수 능력을 지닌 존재만을 도덕적으로 고려해야 한다고 주장하였다.

③ 이성을 지닌 존재만이 도덕적 지위를 지닌다.
→ 싱어는 도덕적 고려의 기준은 이성의 유무가 아니라 쾌고 감수 능력의 여부라고 주장하였다.

④ 동물 학대 금지는 간접적으로만 인간의 의무에 속한다.
→ 칸트가 긍정할 내용이다. 싱어는 동물 학대 금지가 간접적인 인간의 의무가 아니라 직접적인 인간의 의무라고 주장하였다.

⑤ 동물을 인간과 마찬가지로 동일하게 대우해야 한다.
→ 싱어는 인간과 동물을 '동일하게' 대우해야 한다고 주장하지 않았다. 그는 단지 인간과 동물의 이익을 '동등하게' 고려해야 한다고 주장하였다.

빈출 자료 03 에서 자주 나오는 오답 선택지

① 동물을 비롯한 자연을 영혼이 없는 기계로 보아야 한다.
→ 레건은 일부 동물은 삶의 주체로서 도덕적 존중의 대상이 될 수 있다고 본다.

② 쾌고 감수 능력은 동물의 이익 고려를 위한 충분조건이다.
→ 쾌고 감수 능력을 동물의 이익 고려를 위한 충분조건이라고 보는 이는 싱어이다. 레건에게 쾌고 감수 능력은 삶의 주체가 되기 위한 여러 조건들 중의 하나이다.

③ 개별 생명체의 존속보다 생명 공동체의 온전함이 중요하다.
→ 레건은 생명 공동체의 온전함보다 인간을 비롯한 삶의 주체가 될 수 있는 일부 개별 생명체에 대한 도덕적 존중을 중시하였다.

④ 인간이 아닌 동물은 권리를 지닐 수 없다.
→ 레건은 일부 동물도 삶의 주체로서 도덕적 권리를 지닌다고 본다.

시험에 꼭 나오는 문제

개념 확인 문제

01 빈칸에 들어갈 알맞은 말을 쓰시오.

동양의 생명관	• 유교: 부모로부터 물려받은 생명을 존엄하게 여길 것을 강조함 • ( ): 생명을 포함한 자연스러운 것을 인위적으로 조작하는 것은 바람직하지 않다고 봄 • ( ): 연기설을 통해 생명의 상호 의존성을 강조함

02 다음 내용이 옳으면 ○, 틀리면 ×표 하시오.

(1) 칸트는 생명은 그 자체로 존엄하므로 생명을 함부로 조작하거나 훼손해서는 안 된다고 주장한다. (   )

(2) 벤담은 생명을 대상으로 하는 과학 기술이 개인과 사회에 행복과 이익을 가져다준다면 정당화될 수 있다고 본다. (   )

(3) 싱어는 동물은 도덕적으로 고려받을 권리를 가지고 있지 않다고 주장한다. (   )

(4) 칸트는 인간의 품성에 부정적 영향을 미칠 수 있기 때문에 동물을 함부로 다루어서는 안 된다고 본다. (   )

03 다음 개념과 관계 깊은 사상가를 바르게 연결하시오.

(1) 동물 기계론 •　　　• ㉠ 레건

(2) 동물 해방론 •　　　• ㉡ 싱어

(3) 동물 권리론 •　　　• ㉢ 데카르트

01 (가) 사상의 입장에서 〈사례〉 속의 A에게 해 줄 수 있는 조언으로 가장 적절한 것은?

> (가) 자연은 인류를 고통과 쾌락이라는 두 주인의 지배를 받도록 하였다. 우리가 무엇을 하지 않으면 안 되는가를 지시하고 우리가 무엇을 할 것인가를 결정하는 것은 고통과 쾌락뿐이다.
>
> 〈사례〉
>
> 과학자 A는 인간 배아 복제 실험을 진행하면서 배아를 인간 생명으로 다루어 실험을 하지 말아야 할지 아니면 난치병 치료를 위해 실험을 계속 진행해야 할지 고민하고 있다.

① 행위의 결과를 고려하지 않고 선택해야 합니다.
② 어떤 선택이 생명의 상호 의존성을 해치지 않는지를 고민해야 합니다.
③ 어떤 선택이 사회 전체에 유용함을 가져다줄 수 있는지를 고민해야 합니다.
④ 인간의 생명을 인위적으로 조작하는 것은 바람직하지 않음을 명심해야 합니다.
⑤ 인간의 생명은 그 자체로 존엄하므로 함부로 조작해서는 안 된다는 점을 명심해야 합니다.

(빈출 문제) 연계 자료 → 31쪽 빈출 자료 01

02 갑, 을의 입장으로 옳은 것만을 《보기》에서 있는 대로 고른 것은?

> 갑: 유전자에 대한 치료 목적의 의학적 간섭은 물론이고 유전자 개량을 위한 유전자 조작도 허용되어야 한다. 유전자 조작을 통해 뛰어난 능력을 가지고 태어난 미래 세대는 보다 자유로운 삶을 살 수 있다.
>
> 을: 유전자에 대한 치료 목적의 의학적 간섭에는 찬성하지만 유전자 개량을 위한 유전자 조작은 어떠한 경우에도 허용되어서는 안 된다. 우생학적 조치를 통해 미래 세대가 동의하지 않는 삶을 살도록 기획하는 것은 그들의 자유를 박탈하는 것이다.

《보기》
ㄱ. 갑: 우생학적 목적을 위한 유전자 조작을 허용해야 한다.
ㄴ. 을: 어떠한 종류의 유전자 조작도 허용해서는 안 된다.
ㄷ. 을: 유전자 개량을 위한 유전자 조작은 허용되어야 한다.
ㄹ. 갑, 을: 치료 목적의 유전자 조작을 허용해야 한다.

① ㄱ, ㄷ　② ㄱ, ㄹ　③ ㄴ, ㄷ
④ ㄱ, ㄴ, ㄹ　⑤ ㄴ, ㄷ, ㄹ

03 ㉠에 들어갈 적절한 내용만을 《보기》에서 있는 대로 고른 것은?

> 동물 복제는 체세포 핵이식 또는 수정란 분할 등의 방법으로 유전 정보가 같은 생명체를 복제하는 것이다. 1996년 말 영국의 윌머트 박사가 체세포 복제술을 이용해 양 '돌리'를 탄생시키면서 동물 복제에 대한 관심이 증폭되었다. 동물 복제를 찬성하는 사람들은 동물 복제를 통해 우수한 품종을 개발할 수 있다고 주장한다. 하지만 동물 복제에 반대하는 사람들은 동물 복제가 [㉠]는 점에서 옳지 못하다고 주장한다.

《보기》
ㄱ. 종의 다양성을 해친다
ㄴ. 자연의 질서에 어긋난다
ㄷ. 희귀 동물 보존을 어렵게 한다
ㄹ. 동물의 생명을 인간의 유용성을 위한 도구로만 사용한다

① ㄱ, ㄴ　② ㄴ, ㄹ　③ ㄷ, ㄹ
④ ㄱ, ㄴ, ㄹ　⑤ ㄱ, ㄷ, ㄹ

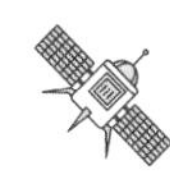

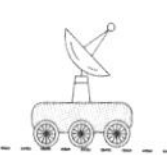

04 갑, 을의 입장으로 적절하지 않은 것은?

갑: 인간 배아가 단순한 세포 덩어리에 불과하다는 주장은 옳지 않다. 인간 배아는 인간이 될 수 있는 잠재성을 지니고 있다는 점에서 세포 덩어리로 취급되어서는 안 된다. 하지만 인간 배아는 아직 완전한 인간이 아니므로 사회 전체의 이익을 위해서 실험 대상으로 삼는 것은 가능하다.

을: 우리는 인간 배아 단계를 거쳐 온전한 인간이 된다. 그리고 이러한 인간의 발달 과정은 결코 선명한 경계선이 없는 연속적인 과정이므로 인간 배아는 인간으로서의 존엄성을 지닌다. 따라서 인간 배아를 훼손하는 실험은 인간을 훼손하는 실험과 다름없으므로 허용되어서는 안 된다.

① 갑: 인간 배아는 잠재적 인간이지만 제한된 지위를 갖는다.
② 갑: 사회적 유용성을 위해 인간 배아를 실험 대상으로 삼을 수 있다.
③ 을: 난치병 치료를 위한 인간 배아 복제는 허용되어야 한다.
④ 을: 인간 배아를 훼손하는 실험은 인간의 존엄성을 훼손한다.
⑤ 갑, 을: 인간 배아를 단순한 세포 덩어리로 취급해서는 안 된다.

05 ㉠에 들어갈 적절한 내용만을 《보기》에서 있는 대로 고른 것은?

인간 배아 복제는 인간 배아 줄기세포를 얻기 위해 복제 후 배아 단계까지만 발생을 진행시키는 것을 말한다. 반면에 인간 개체 복제는 복제를 통해 새로운 인간 개체를 탄생시키는 것을 말한다. 우리가 일반적으로 말하는 인간 복제는 바로 인간 개체 복제를 말하는 것이다. 인간 개체 복제를 찬성하는 사람들은 난임 부부들에게 자녀 출산의 희망을 부여할 수 있다고 주장한다. 하지만 인간 개체 복제는 [㉠]는 점에서 커다란 문제점을 지니고 있다.

《보기》
ㄱ. 인간이 지닌 고유성을 상실하게 만든다
ㄴ. 유전적으로 우월한 인간의 생산을 가로막는다
ㄷ. 전통적인 가족 관계에 커다란 혼란을 가져온다
ㄹ. 인간을 대체 가능한 존재로 생각하는 풍조를 확산시킨다

① ㄱ, ㄴ ② ㄴ, ㄹ ③ ㄷ, ㄹ
④ ㄱ, ㄴ, ㄷ ⑤ ㄱ, ㄷ, ㄹ

(빈출 문제) 연계 자료 → 31쪽 빈출 자료 02

06 다음 사상가가 긍정의 대답을 할 질문으로 가장 적절한 것은?

만약 어떤 존재가 고통을 느낀다면, 그와 같은 고통을 고려하지 않으려는 것은 도덕적으로 정당화될 수 없다. 평등의 원리는 그 존재가 어떤 특성을 갖건 그 존재의 고통을 다른 존재의 고통과 동등하게 취급할 것을 요구한다. 만약 어떤 존재가 고통을 느낄 수 없거나 즐거움이나 행복을 누릴 수 없다면, 거기에서 고려할 바는 아무것도 없다. 따라서 쾌고 감수 능력은 다른 존재들의 이익에 관심을 가질지의 여부를 판가름하는, 우리가 옹호할 수 있는 유일한 경계가 되는 것이다.

① 모든 생명을 도덕적으로 고려해야 하는가?
② 고통을 느끼지 못하는 동물을 도덕적으로 고려해야 하는가?
③ 인간의 이익을 위해 동물을 이용하는 것은 언제나 정당한가?
④ 도덕적 고려 기준은 이성을 지니고 있는지의 여부여야 하는가?
⑤ 동물을 종이 다르다는 이유로 차별하는 것은 인종 차별과 다를 바 없는 행위인가?

유사 선택지 문제

06_ ❶ 위 사상가에 따르면 쾌고 감수 능력은 도덕적 고려의 충분조건이다. (○ / ×)
06_ ❷ 위 사상가에 따르면 인간과 동물의 이익을 평등하게 고려해서는 안 된다. (○ / ×)
06_ ❸ 위 사상가에 따르면 동물이 느끼는 고통을 감소시켜야 한다. (○ / ×)

(빈출 문제) 연계 자료 → 31쪽 빈출 자료 03

07 다음 사상가의 입장으로 가장 적절한 것은?

삶의 주체라는 것은 단지 살아 있다는 것, 또는 단지 의식을 갖고 있다는 것 이상을 의미한다. 삶의 주체가 된다는 것은 믿음, 욕구, 시각, 기억, 자신의 미래를 포함해 미래에 대한 의식, 쾌락과 고통 등의 감정을 느낄 수 있다는 것, 즉 선호와 복지에 대한 이익 관심, 자기의 욕구와 목표를 위해 행위할 수 있는 능력, 순간순간의 시간을 넘어서 자신의 정체성을 느낄 수 있고, 타자와는 별개로 자신의 삶이 좋을 수도 나쁠 수도 있다는 의미에서 자신의 복지를 갖고 있다는 것이다.

① 도덕적 행위자만이 도덕적 권리를 지닌다.
② 삶의 주체가 되는 동물은 인간처럼 내재적 가치를 지닌다.
③ 인간의 목적을 위해 동물을 이용하는 행위는 항상 정당하다.
④ 쾌고 감수 능력은 도덕적 존중의 대상이 되기 위한 충분조건이다.
⑤ 도덕적 무능력자를 제외한 모든 동물을 도덕적 고려의 대상에 포함해야 한다.

08 다음 사상가의 입장으로 옳은 것만을 《보기》에서 있는 대로 고른 것은?

> 이성은 없지만 생명이 있는 일부 피조물과 관련하여 동물들을 폭력적으로 그리고 동시에 잔학하게 다루는 것은 인간의 자기 자신에 대한 의무와 내면에서 더욱더 배치되는 것이다. 왜냐하면 그로 인해 동물들의 고통에 대한 공감이 인간 안에서 둔화되고, 그로써 타인과의 관계에서의 도덕성에 매우 이로운 자연 소질이 약화되어 점차로 사라질 것이기 때문이다.

《보기》
ㄱ. 동물은 그 자체로 존중받을 만한 가치를 지니고 있다.
ㄴ. 동물에 대한 우리의 의무는 인간성 실현을 위한 간접적 의무이다.
ㄷ. 동물에 대한 잔혹한 처우가 인간에 대한 잔혹한 처우를 조장할 수 있다.
ㄹ. 인간의 품성에 부정적 영향을 미칠 수 있기 때문에 동물을 함부로 다루어서는 안 된다.

① ㄱ, ㄷ ② ㄱ, ㄹ ③ ㄴ, ㄹ
④ ㄱ, ㄴ, ㄷ ⑤ ㄴ, ㄷ, ㄹ

09 다음 사상가의 입장으로 가장 적절한 것은?

> 야수를 죽이는 것이 죄라고 주장하는 사람은 오류를 범하고 있다. 왜냐하면 신의 섭리에 의해 동물은 자연의 과정에서 인간이 사용하도록 운명 지어졌기 때문이다. 따라서 인간이 동물을 죽이거나 또는 다른 방식으로 동물을 사용하더라도 그것은 결코 부정의한 것이 아니다.

① 인간과 동물의 이익을 동등하게 고려해야 한다.
② 동물은 도덕적으로 고려받을 권리를 지니지 못한다.
③ 동물은 도덕적으로 존중받을 내재적 가치를 지닌다.
④ 동물을 인간의 목적을 위한 수단으로 사용해서는 안 된다.
⑤ 신은 인간에게 동물을 도덕적으로 배려하고 존중해야 할 의무를 부과하였다.

10 갑, 을 사상가들의 입장으로 옳은 것만을 《보기》에서 있는 대로 고른 것은?

> 갑: 만약 한 존재가 고통을 느낀다면 그러한 고통을 고려하지 않으려는 도덕적 논증은 타당하지 않다. 그래서 어떤 존재의 고통과 다른 존재의 고통을 동등하게 취급하는 평등의 원리가 요청된다.
> 을: 어떤 개체가 쾌락과 고통의 감정을 갖고, 자기의 욕구와 목표를 위해 행위하며, 자신의 정체성을 느낄 수 있는 능력 등을 갖는다면, 그 개체는 삶의 주체이다.

《보기》
ㄱ. 갑: 고통을 느낄 수 있는 동물은 도덕적 고려의 대상이다.
ㄴ. 갑: 동물을 학대하지 말아야 하는 유일한 이유는 그것이 인간의 도덕성 실현에 방해가 되기 때문이다.
ㄷ. 을: 삶의 주체가 되는 동물은 도덕적 행위자로서 도덕적 권리를 지닌다.
ㄹ. 갑, 을: 인간의 이익을 넘어선 탈인간 중심주의가 요구된다.

① ㄱ, ㄷ ② ㄱ, ㄹ ③ ㄴ, ㄹ
④ ㄱ, ㄴ, ㄷ ⑤ ㄴ, ㄷ, ㄹ

서술형 문제

11 다음 주장에 대한 반대 논거를 두 가지 서술하시오.

> 동물 실험은 인간의 과학적 목적을 위해 동물을 대상으로 하는 실험이다. 이러한 동물 실험을 통해 우리는 의약품의 부작용과 위험성을 파악하고, 질병의 치료법을 발견하는 데 도움을 얻을 수 있기 때문에 동물 실험은 앞으로도 지속되어야 한다.

12 다음 글을 읽고 물음에 답하시오.

> (㉠)은/는 핵을 제거한 사람의 난자와 사람의 신체 일부에서 추출한 세포핵을 융합하여 배아를 만드는 기술이다. 이 기술을 찬성하는 사람들은 이 과정을 통해 얻은 배아 줄기세포를 이용하여 인체 조직이나 장기를 복구하고 질병을 치유할 수 있다고 주장한다.

(1) ㉠에 들어갈 용어를 쓰시오.

(2) ㉠을 반대하는 입장의 논거를 두 가지 서술하시오.

울쏘 상위 4% 문제

정답 및 해설 14쪽

01 (가)의 갑, 을, 병 사상가들의 입장을 (나) 그림으로 표현할 때, A～D에 해당하는 옳은 진술만을 《보기》에서 있는 대로 고른 것은?

(가)

갑: 삶의 주체가 된다는 것은 단지 살아 있거나 의식을 갖고 있다는 것 이상을 의미한다. 그것은 믿음, 욕구, 지각, 기억, 쾌락과 고통 등의 감정을 느낄 수 있다는 것, 타자와는 별개로 자신의 삶이 좋을 수도 나쁠 수도 있다는 의미에서 자신의 복지를 갖고 있다는 것이다.

을: 이성은 없지만 생명이 있는 동물들을 잔학하게 다루는 것은 인간의 자기 자신에 대한 의무에 어긋난다. 그리고 자연 중에 생명이 없지만 아름다운 것을 파괴하려는 성향도 인간의 자기 자신에 대한 의무에 어긋난다.

병: 쾌고 감수 능력은 고통이나 즐거움을 느낄 수 있는 이익을 갖기 위한 전제 조건이다. 즉, 고통과 즐거움을 느낄 수 있는 능력은 어떤 존재가 이익 관심을 갖는다고 말할 수 있기 위한 필요조건일 뿐만 아니라 충분조건이기도 하다. 예를 들어 돌멩이는 이익을 갖지 않는다. 왜냐하면 고통을 느끼지 못하기 때문이다. 하지만 쥐는 차여서 길에 굴러다니지 않을 이익을 분명 갖고 있다. 왜냐하면 쥐는 차일 경우 고통을 느낄 것이기 때문이다.

(나)

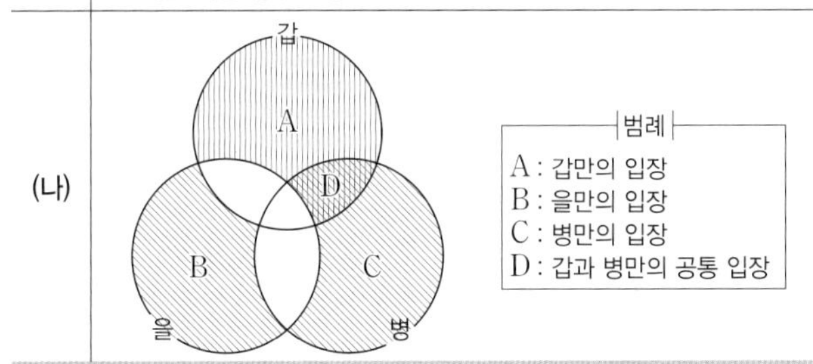

《 보기 》

ㄱ. A: 동물은 내재적 가치를 지니지는 않지만 동물에게 고통을 가하는 행위는 옳지 않다.

ㄴ. B: 동물 보호는 인간의 간접적 의무에 해당한다.

ㄷ. C: 동물도 도덕적으로 고려받을 지위를 지닌다.

ㄹ. D: 인간의 이익을 위해 동물 실험을 하는 것은 옳지 않다.

① ㄱ, ㄴ ② ㄱ, ㄷ ③ ㄴ, ㄹ ④ ㄱ, ㄷ, ㄹ ⑤ ㄴ, ㄷ, ㄹ

02 (가)의 갑, 을의 입장을 (나) 그림과 같이 탐구할 때, A～C에 들어갈 옳은 질문만을 《보기》에서 있는 대로 고른 것은?

(가)

갑: 동물이 이성적 사유 능력, 언어 능력 등에 있어 인간과 다르기 때문에 인간은 동물보다 우월하다. 생물학적으로는 인간과 동물이 유사하므로 질병 치료와 의학 발전을 위해 동물 실험을 시행해야 한다.

을: 동물이 인간의 특성을 갖지 못한다고 해서 동물과 인간을 차별하는 것은 옳지 않다. 동물도 도덕적 지위를 갖는 생명체로서 존중받아야 하며, 동물이 인간의 목적을 위해 희생되거나 고통받아서는 안 된다.

(나)

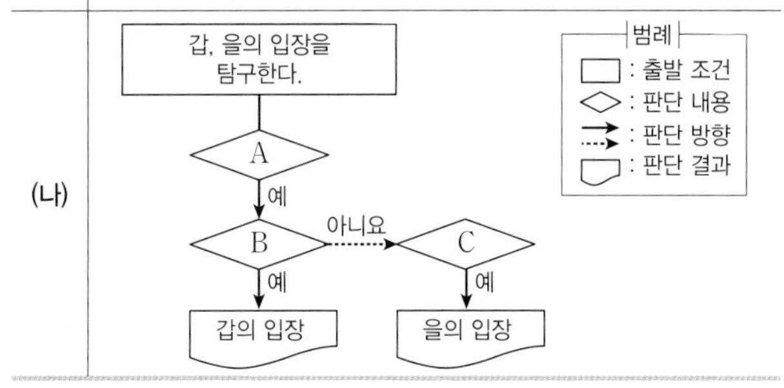

《 보기 》

ㄱ. A: 인간과 동물은 동일한 도덕적 지위를 지니는가?

ㄴ. B: 인간의 목적 달성을 위해 동물에게 고통을 가해도 되는가?

ㄷ. C: 동물과 인간은 동일한 특성을 지닌 존재인가?

ㄹ. C: 동물에게 고통을 가하는 동물 실험은 옳지 못한가?

① ㄱ, ㄴ ② ㄱ, ㄷ ③ ㄴ, ㄹ ④ ㄱ, ㄷ, ㄹ ⑤ ㄴ, ㄷ, ㄹ

03 다음 글의 관점에 해당하는 것에만 모두 'V'를 표시한 학생은?

유전적 요인으로 인한 질병을 치료하기 위한 유전자 조작 기술은 허용되어야 한다. 하지만 인간 종의 개량을 목적으로 하는 유전자 조작은 인간 존엄성에 대한 심각한 위협이 될 수 있으므로 금지되어야 한다. 유전자 개량을 통해 미래 세대가 동의하지 않는 삶을 살도록 기획하는 것은 그들로부터 자유를 박탈하는 것이므로 옳지 않다.

관점 \ 학생	갑	을	병	정	무
환자의 질병을 치유하기 위한 유전자 치료는 허용되어야 한다.	V	V		V	
우생학적 목적을 위한 유전자 조작 기술은 허용되어서는 안 된다.	V			V	V
부모가 유전자 조작을 통해 자신들이 원하는 자녀를 출산하려는 시도는 옳지 않다.		V	V	V	V
생식 세포의 조작을 통해 인간의 자질을 강화하여 우수한 인간 종을 탄생시켜야 한다.			V		V

① 갑 ② 을 ③ 병 ④ 정 ⑤ 무

05 사랑과 성 윤리

출제 경향
★사랑과 성의 관계: 보수주의, 중도주의, 자유주의의 입장
★전통적 부부간의 윤리

01 사랑과 성의 관계

1. 사랑과 성의 의미와 가치

(1) 프롬의 사랑의 요소 빈출 자료 01

보호	사랑하는 사람을 잘 보살피는 것
책임	사랑하는 사람의 요구를 배려하면서 자신의 행동에 책임을 지는 것
존경	사랑하는 사람을 있는 그대로 받아들이며 존중하는 것
이해(지식)	사랑하는 사람을 올바로 아는 것

(2) 성의 의미

① 생물학적 성: 남녀의 생물학적 차이에 근거한 생식 본능이나 성적 행위

② 사회·문화적 성: 사회 안에서 형성되고 습득된 남성다움이나 여성다움

(3) 성의 가치

생식적 가치	성은 새로운 생명을 탄생시키는 원천임
쾌락적 가치	성은 인간의 감각적 쾌락을 충족시켜 줌
인격적 가치	성은 사랑하는 사람과 신체적·정신적으로 하나가 되는 자아의 확대 및 남녀 간의 존중과 배려를 실현해 줌

(4) 사랑과 성의 관계 빈출 자료 02

① 보수주의 입장

- 결혼과 출산 중심의 성 윤리
- 결혼을 통해 이루어지는 성적 관계만이 정당하며 혼전 또는 혼외 성적 관계는 부도덕함

② 중도주의 입장

- 사랑 중심의 성 윤리
- 사랑이 있는 성적 관계는 옳고, 사랑이 없는 성적 관계는 도덕적으로 그름

③ 자유주의 입장

- 자발적 동의 중심의 성 윤리
- 타인에게 해를 끼치지 않는 범위 내에서 자발적 동의에 따라 성적 자유를 허용함

2. 성과 관련된 윤리적 문제

(1) 성의 자기 결정권 남용

① 성의 자기 결정권의 의미: 외부의 부당한 압력이나 타인의 강요 없이 스스로의 의지와 판단에 따라 자신의 성적 행동을 결정하는 것

② 성의 자기 결정권 남용에 따른 문제점

- 타인이 지닌 성의 자기 결정권을 침해하는 것은 개인의 존엄성 침해로 이어짐
- 인공 임신 중절 등 생명을 훼손하는 부도덕한 결과 초래

③ 성의 자기 결정권의 올바른 행사: 자신이 내린 결정에 대한 책임이 따라야 하며, 타인의 권리를 침해하지 않는 범위 내에서 성의 자기 결정권이 행사되어야 함

(2) 성 상품화

① 성매매와 같이 직접적으로 성을 사고파는 행위에서부터 간접적으로 소비자의 욕구를 자극하기 위하여 성을 이용하는 행위까지 포함함

② 성 상품화에 대한 찬반 입장

찬성 입장	반대 입장
• 성 상품화는 성의 자기 결정권의 행사이며, 표현의 자유에 해당함 • 성 상품화는 이윤 극대화를 추구하는 자본주의 논리에 부합함	• 인격적 가치를 지닌 성을 상품으로 대상화함으로써 성의 가치를 훼손함 • 성 상품화는 외모 지상주의를 조장함

(3) 성차별

① 의미: 남녀 간의 차이를 잘못 이해하여 발생하는 차별

② 문제점: 인간의 기본 권리인 자유권, 평등권, 행복 추구권을 침해함

02 결혼과 가족의 윤리

1. 결혼과 부부간의 윤리

(1) 결혼의 윤리적 의미: 부부가 서로에 대한 사랑을 지키겠다는 약속이자 사랑을 바탕으로 삶을 함께 하겠다는 약속임

(2) 전통적 부부간의 윤리 빈출 자료 03

- 음양론에 입각한 부부 윤리: 음양이 서로 다르지만 서로 보완하여 조화를 이루듯이 부부도 서로 존중하고 협력하여 조화를 이룰 수 있도록 해야 함
- 부부유별(夫婦有別), 부부상경(夫婦相敬), 상경여빈(相敬如賓)의 도리를 실천해야 함

2. 가족의 가치와 가족 윤리

(1) 가족 해체 현상

① 의미: 현대 사회에서 가족 구성원 수가 감소하고 구성원 간의 정서적 연결이 약화되어 가족이 제 기능을 발휘하지 못하는 현상

② 문제점: 가족 공동체의 와해 및 가족 해체 현상의 심화로 현대인들은 고독과 소외감을 느끼며 살아감

(2) 전통 사회의 가족 윤리

① 부자유친(父子有親), 부자자효(父慈子孝)를 통해 부모와 자녀 간의 친밀함 유지와 자애와 효도를 실천함

② 형우제공(兄友弟恭)을 통해 형제자매 간의 우애 있는 관계를 형성함

빈출 특강

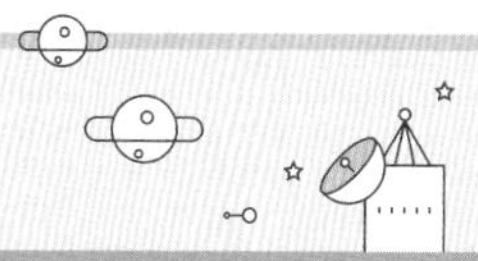

대표 유형

빈출 자료 01 프롬의 사랑의 의미 | 연계 문제 → 38쪽 01번

> 삶이 일종의 기술인 것처럼 사랑도 기술이라는 것을 깨달아야 한다. 사랑은 상대에게 응답할 수 있고 응답할 준비가 갖추어져 있다는 뜻이다. 사랑은 인간 존재를 타인과 결합시키는 능동적인 능력으로, 인간의 고립감을 극복하게 하면서도 각자 자신의 통합성을 유지시킨다. 따라서 사랑에 있어서 두 존재는 하나로 되면서도 둘로 남아 있다.

| 자료 분석 | 제시문은 프롬의 입장이다. 프롬은 올바른 사랑을 하기 위해서는 사랑의 기술을 배워야 한다고 주장한다. 또한 그는 사랑의 요소로 사랑하는 사람을 보살피는 보호, 사랑하는 사람의 요구에 책임 있게 반응하는 책임, 사랑하는 사람을 있는 그대로 존중하는 존경, 사랑하는 사람을 올바로 아는 이해(지식)를 제시하였다.

자주 나오는 오답 선택지

빈출 자료 01 에서 자주 나오는 오답 선택지

① 사랑은 상대의 모든 것을 소유할 때 실현되는 것이다.
→ 프롬에 따르면, 사랑은 소유하는 것이 아니라 상대방을 있는 그대로 인정하는 것이다.

② 사랑은 상대방을 지배하는 것이다.
→ 프롬에 따르면, 사랑은 상대방을 지배하는 것이 아니라 있는 그대로 받아들이는 것이다.

③ 사랑은 상대방에게 주는 것을 희생한다고 여기는 것이다.
→ 프롬에 따르면, 상대방에게 무엇인가를 주는 것을 '희생'이라고 여기는 사람은 상대방을 사랑하는 것이 아니다.

빈출 자료 02 사랑과 성의 관계 | 연계 문제 → 38쪽 03, 06번

> 갑: 성은 그것의 자연적 결과인 출산을 통해 가정에서의 안정된 자녀 양육으로 이어져야만 한다. 성의 가장 중요한 목표는 출산에 대한 책임과 양육의 안정성에 있다.
> 을: 성에 관한 결정은 타인에게 피해를 주지 않는 범위 내에서 개인의 자유의사에 근거해야 한다. 따라서 강제와 무지, 기만에 의해 이루어진 성은 정당화될 수 없다.

| 자료 분석 | 사랑과 성의 관계에 대해 갑은 보수주의 입장, 을은 자유주의 입장이다. 보수주의는 결혼을 통해 출산을 목적으로 이루어지는 성만이 도덕적으로 정당하다고 본다. 반면에 자유주의는 타인에게 해를 끼치지 않는 범위 내에서 자발적 동의에 따른 성은 도덕적으로 정당하다고 본다. 이외에 중도주의는 사랑이 있는 성적 관계는 도덕적으로 정당하다고 본다.

빈출 자료 02 에서 자주 나오는 오답 선택지

① 갑: 성은 행위의 결과와는 무관한 개인 간 합의의 문제이다.
→ 갑은 혼인 관계에서 이루어지는 성만을 인정하며, 출산을 목적으로 한 성만 정당하다고 주장한다.

② 갑: 성은 개인의 자발적 의지와 선택만으로 정당화된다.
→ 갑은 결혼이라는 사회적 과정을 통한 성만을 정당하다고 본다. 개인의 자발적 의지와 선택을 강조하는 것은 자유주의의 입장이다.

③ 을: 성은 종족 보존이라는 생식적 가치를 중시해야 한다.
→ 을은 성의 생식적 가치보다는 쾌락적 가치를 중시하는 입장이다.

④ 을: 성은 혼인 관계 내에서만 도덕적으로 허용될 수 있다.
→ 을은 혼인 관계와 상관없이 개인 간의 자발적 동의에 의해 성이 도덕적으로 허용될 수 있다고 본다.

빈출 자료 03 전통적 부부간의 윤리 | 연계 문제 → 40쪽 08번

> 태극이 동(動)하면 양(陽)을 낳고 동이 극에 이르면 정(靜)하고, 정하면 음(陰)을 낳는다. 정이 극에 이르면 다시 동한다. 한 번 움직이고 한 번 멈춤에 있어 서로 뿌리가 되어 음과 양이 두 표준으로 산다.

| 자료 분석 | 제시문은 음양론의 입장이다. 음양론에서는 세상을 구성하는 두 가지 요소로 음과 양을 제시한다. 음양론에 따르면 음과 양은 서로 대립되는 것으로 보이지만 상대방이 존재함으로써 자신이 존재하는 상호 보완적인 관계를 맺고 있다. 음과 양은 고정불변한 것이 아니라 변화하는 것을 특징으로 하여 음이 양이 되기도 하고 양이 음이 되기도 한다. 이러한 음양론에 입각한 전통적 부부간의 윤리에서는 부부가 서로의 다름을 인정하면서도 서로의 역할에 충실하여 상호 보완적인 관계를 유지할 것을 강조한다.

빈출 자료 03 에서 자주 나오는 오답 선택지

① 부부는 생물학적 차이에 따라 위계적 관계를 정립해야 한다.
→ 음양론에 따른 부부 관계는 서로 간에 위아래가 있는 위계적 관계가 아니라 상호 동등한 관계이다.

② 부부는 서로의 역할이 고정되어 있는 불변의 것으로 여겨야 한다.
→ 음양론에 따르면 부부나 남녀의 역할은 고정불변의 것이 아니며 음과 양이 변화하듯이 변화할 수 있다.

③ 아내는 남편에게 의존해야만 안정된 생활이 가능하다.
→ 음양론에 따른 부부 관계에서 부부는 서로 동등한 입장에서 상호 보완하며 조화를 이루어야 한다.

④ 부부 관계에서 남녀 간의 차이는 기본적으로 존재하지 않는다.
→ 음양론에 따른 부부 관계에서는 기본적인 남녀 간의 차이를 이해하며 인정한다.

시험에 꼭 나오는 문제

개념 확인 문제

01 빈칸에 들어갈 알맞은 말을 쓰시오.

성과 관련된 윤리적 문제	•(　　　　　): 외부의 부당한 압력이나 타인의 강요 없이 스스로의 의지와 판단에 따라 자신의 성적 행동을 결정하는 것 •(　　　　　): 성매매와 같이 직접적으로 성을 사고파는 행위에서부터 간접적으로 소비자의 욕구를 자극하기 위하여 성을 이용하는 행위까지 포함함

02 다음 내용이 옳으면 ○, 틀리면 ×표 하시오.

(1) 결혼은 부부가 서로에 대한 사랑을 지키겠다는 약속이다. (　　)

(2) 부부상경(夫婦相敬)은 남편과 아내의 역할에는 구별이 있다는 의미이다. (　　)

(3) 음양론에 따르면 부부는 서로 간에 위계 관계를 잘 유지해야 한다. (　　)

03 다음에 제시된 관점과 관계 깊은 용어를 바르게 연결하시오.

(1) 결혼과 출산 중심의 성관계 • 　　• ㉠ 보수주의

(2) 사랑 중심의 성관계 • 　　• ㉡ 자유주의

(3) 자발적 동의 중심의 성관계 • 　　• ㉢ 중도주의

(빈출 문제) 연계 자료 → 37쪽 빈출 자료 01

01 다음 사상가의 입장으로 적절하지 않은 것은?

삶이 일종의 기술인 것처럼 사랑도 기술이라는 것을 깨달아야 한다. 사랑은 상대에게 응답할 수 있고 응답할 준비가 갖추어져 있다는 뜻이다. 사랑은 인간 존재를 타인과 결합시키는 능동적인 능력으로, 인간의 고립감을 극복하게 하면서도 각자 자신의 통합성을 유지시킨다. 따라서 사랑에 있어서 두 존재는 하나로 되면서도 둘로 남아 있다.

① 사랑은 상대방을 올바로 아는 것이다.
② 사랑은 상대방을 위해 자신의 모든 것을 희생하는 것이다.
③ 사랑은 상대방을 있는 그대로 받아들이며 존중하는 것이다.
④ 사랑은 상대방의 요구를 배려하면서 자신의 행동에 책임을 지는 것이다.
⑤ 사랑은 두 사람을 결합시키는 동시에 각자의 통합성을 유지시켜 주는 것이다.

02 다음 글의 입장으로 옳은 것을 《보기》에서 고른 것은?

인간의 성욕은 단순한 종족 보존의 욕구나 쾌락에 대한 욕구를 넘어선다. 인간의 성적 욕구는 신체적 교접에의 욕구를 넘어 타인과 일체가 되고자 하는 욕구를 담고 있다. 즉, 인간의 성욕에는 타 인격과 신체적 · 정서적 · 정신적으로 합일하고자 하는 욕구가 자리하고 있다. 우리는 이러한 욕구가 향하는 대상을 가리켜 사랑이라고 한다. 인간의 성은 사랑과 밀접히 관련되어 있다. 성적인 사랑은 보통 열정에서 시작하여 친밀감을 거쳐 참된 사랑으로 발전한다.

《보기》
ㄱ. 인간의 성에서 가장 중요한 가치는 생식적 가치이다.
ㄴ. 인간의 감각적 쾌락을 충족시켜 주는 것이 성의 제1의 목표이다.
ㄷ. 인간의 성은 육체적 결합만이 아니라 정신적 사랑도 포함하고 있다.
ㄹ. 인간의 성은 사랑하는 사람과 하나가 되고자 하는 인격적 가치를 지닌다.

① ㄱ, ㄴ　② ㄱ, ㄷ　③ ㄴ, ㄷ
④ ㄴ, ㄹ　⑤ ㄷ, ㄹ

(빈출 문제) 연계 자료 → 37쪽 빈출 자료 02

03 갑, 을의 입장으로 옳은 것만을 《보기》에서 있는 대로 고른 것은?

갑: 성은 결혼을 바탕으로 그것의 자연적 결과인 출산을 통해 가정에서의 안정된 자녀 양육으로 이어져야만 한다. 성의 가장 중요한 목표는 출산에 대한 책임과 양육의 안정성에 있다.
을: 성에 관한 결정은 타인에게 피해를 주지 않는 범위 내에서 개인의 자유의사에 근거해야 한다. 따라서 강제와 무지, 기만에 의해 이루어진 성은 정당화될 수 없다.

《보기》
ㄱ. 갑: 종족 보존을 위한 성만이 도덕적으로 정당하다.
ㄴ. 을: 사랑이 있는 성만이 도덕적으로 정당하다.
ㄷ. 을: 성에 관한 개인의 자유로운 선택을 존중해야 한다.
ㄹ. 갑, 을: 성의 가치 중 쾌락적 가치를 가장 중시해야 한다.

① ㄱ, ㄷ　② ㄴ, ㄹ　③ ㄷ, ㄹ
④ ㄱ, ㄴ, ㄷ　⑤ ㄱ, ㄴ, ㄹ

유사 선택지 문제

03_ ❶ 갑: 혼전 성관계는 도덕적으로 옳지 않다. (○ / ×)
03_ ❷ 갑: 사랑이 있는 성은 인격적 가치를 창출한다. (○ / ×)
03_ ❸ 을: 성적 관계를 형성하는 데 어떠한 제약도 두어서는 안 된다. (○ / ×)

(빈출 문제) 연계 자료 ➜ 37쪽 빈출 자료 02

04 다음 글의 입장으로 가장 적절한 것은?

> '사랑 없는 성'은 비도덕적이다. 결혼이 아니라 사랑이 도덕적 성의 조건이며, 사랑하는 사람들만이 성적 관계에서 서로의 인격을 존중해야 할 의무를 다할 수 있다. 사랑하는 사람들 사이의 성적 관계만이 도덕적으로 정당하다.

① 부부만이 정당한 성적 관계의 주체이다.
② 성적 관계에서 최고선의 가치는 쾌락적 가치이다.
③ 자발적 동의에 근거한 성적 관계는 항상 정당하다.
④ 결혼을 통해 이루어지는 성적 관계만이 도덕적이다.
⑤ 사회의 존속 여부가 성적 관계 정당성의 기준은 아니다.

05 (가) 사상가의 입장에서 〈사례〉 속 A에게 해 줄 수 있는 조언으로 가장 적절한 것은?

> (가) 만약 사람이 이익을 위해 자기 자신을 타인의 성욕 충족의 대상으로 삼는 데 동의한다면, 그래서 자기 자신을 타인의 욕구 충족의 대상으로 만든다면, 이때 그는 마치 물건을 처분하듯이 자기 자신을 함부로 처분하고 있는 것이다. 이는 마치 구운 고기로 허기를 채우듯이, 자기 자신을 단지 미각을 만족시키기 위한 음식물로 취급하는 것과 마찬가지이다.
>
> 〈사례〉
>
> 여배우 A 씨는 대중의 인기를 만회하고자 자신의 성적 이미지를 어떻게 부각해야 할지 심각하게 고민하고 있다.

① 자신의 성을 상품화하는 행위는 사회적으로 유용하지 못한 행위임을 알아야 합니다.
② 성의 자기 결정권에 따라 내린 선택에 대해서 후회할 필요가 없음을 알아야 합니다.
③ 생계유지를 위해 선택한 행위에 대해서 도덕적 비난을 내릴 수 없음을 알아야 합니다.
④ 자신의 성을 상품화하는 행위는 인격을 수단이 아닌 목적으로 대우하는 것임을 알아야 합니다.
⑤ 자신의 성을 상품화하는 행위는 자신의 인격을 물건처럼 취급하는 것으로 비도덕적 행위임을 알아야 합니다.

06 다음은 서술형 평가 문제와 학생 답안이다. ㉠~㉤ 중 옳지 않은 것은?

> 서술형 평가
>
> ◉ 문제: 성의 자기 결정권 남용의 윤리적 문제와 올바른 행사 방법에 대해 서술하시오.
>
> ◉ 학생 답안
>
> 성의 자기 결정권은 ㉠ 인간이 자신의 성에 관한 행동을 자율적으로 책임 있게 결정하고 선택할 권리이다. 이러한 성의 자기 결정권이 남용될 경우 ㉡ 심각한 성적인 방종을 유발할 수 있고, ㉢ 원치 않는 임신으로 인해 인공 임신 중절 등의 생명을 훼손하는 문제가 발생할 수 있다. 성의 자기 결정권을 올바로 행사하기 위해서는 ㉣ 타인의 권리를 침해하지 않는 범위 내에서 행사되어야 하며, ㉤ 온전한 권리를 누리기 위해서 자신의 결정에 대한 책임의 문제에서 자유로워야 한다.

① ㉠ ② ㉡ ③ ㉢ ④ ㉣ ⑤ ㉤

07 ㉠에 들어갈 적절한 내용만을 《보기》에서 있는 대로 고른 것은?

> 성 상품화는 상업적 목적을 위하여 성을 상품 가치로 이용하는 행위를 말한다. 성 상품화에는 성을 직접적으로 매매하는 행위뿐만 아니라 간접적으로 성이 소비자의 욕구를 자극하는 데 이용되는 행위도 포함된다. 현대 사회에서는 이러한 성 상품화가 급속도로 확산되면서 많은 우려를 낳고 있다. 성 상품화를 반대하는 입장에서는 성 상품화가 [㉠]는 점에서 커다란 문제점을 지니고 있다고 주장한다.

《 보기 》
ㄱ. 표현의 자유를 심각하게 침해한다
ㄴ. 인간의 성이 지닌 본래의 가치와 의미를 변질시킨다
ㄷ. 외모 지상주의를 조장하여 다양한 부작용을 초래한다
ㄹ. 인격적 가치를 지니는 성을 상품으로 대상화하여 성의 가치를 훼손한다

① ㄱ, ㄴ ② ㄱ, ㄹ ③ ㄷ, ㄹ
④ ㄱ, ㄴ, ㄷ ⑤ ㄴ, ㄷ, ㄹ

시험에 꼭 나오는 문제

정답 및 해설 15쪽

(빈출 문제) 연계 자료 → 37쪽 빈출 자료 03

08 (가)의 관점에서 (나)의 ㉠에게 제시할 수 있는 바람직한 자세로 가장 적절한 것은?

> (가) 태극이 동(動)하면 양(陽)을 낳고 동이 극에 이르면 정(靜)하고, 정하면 음(陰)을 낳는다. 정이 극에 이르면 다시 동한다. 한 번 움직이고 한 번 멈춤에 있어 서로 뿌리가 되어 음과 양이 두 표준으로 산다.
> (나) 천지(天地)가 생긴 다음에 만물이 있고, 만물이 생긴 다음에 남녀가 있으며, 남녀가 생긴 다음에 [㉠]이/가 있고, 그 이후에 부자(父子)가 있다.

① 상호 간에 자애와 효를 실천하여 친애를 다져야 한다.
② 서로의 차이를 인정하고 서로 보완하여 조화를 이루어야 한다.
③ 각자의 위치를 확인하고 상호 간에 올바른 위계 질서를 세워야 한다.
④ 상호 간에 차별적 구조가 존재함을 인정하고 각자의 역할에 충실해야 한다.
⑤ 서로를 독립된 별개의 실체로 인정하고 각자의 사생활을 간섭하지 말아야 한다.

09 다음 사상가의 입장으로 옳은 것만을 《보기》에서 있는 대로 고른 것은?

> 지금까지 남성은 순종이 여성의 본성이라고 여성에게 가르쳐 왔지만 누구도 남녀의 본성을 알 수는 없다. 남성과 여성 간 지성의 차이는 사회 환경 요인에 의해 설명될 수 있다. 남성에 의한 여성의 예속은 본질적으로 옳지 않을 뿐만 아니라 인류의 발전을 저해하는 것이다. 여성으로 태어난 것이 사회적 지위를 결정하고 다양한 직업으로의 진출을 방해하는 이유가 되어서는 안 된다.

《보기》
ㄱ. 남녀의 본성에 맞추어 사회적 역할이 주어져야 한다.
ㄴ. 여성이라는 이유로 직업 선택의 자유를 억압받아서는 안 된다.
ㄷ. 남녀 간의 지성의 차이를 선천적인 것으로 규정해서는 안 된다.
ㄹ. 남성에게 순종하는 여성의 특성은 생물학적으로 주어진 것이다.

① ㄱ, ㄷ ② ㄱ, ㄹ ③ ㄴ, ㄷ
④ ㄱ, ㄴ, ㄷ ⑤ ㄴ, ㄷ, ㄹ

10 다음 사상의 입장으로 옳은 것만을 《보기》에서 있는 대로 고른 것은?

> • 어버이를 사랑하는 사람은 남을 미워하지 아니하고, 어버이를 공경하는 사람은 남을 업신여기지 않는다. 효(孝)는 인(仁)의 근본이다.
> • 우리의 몸은 부모로부터 물려받은 것이다. 감히 상하게 하거나 훼손하지 않는 것이 효의 시작이다. 몸을 세워서 도리를 행하고 이름을 후세에 떨쳐 부모를 빛나게 하는 것이 효의 마지막이다.

《보기》
ㄱ. 효는 모든 덕스러운 행실의 근본이다.
ㄴ. 자신의 신체를 잘 보존하는 것은 효의 방법이다.
ㄷ. 입신양명(立身揚名)을 효의 시작점으로 삼아야 한다.
ㄹ. 효의 정신을 확장하여 타인을 사랑하고 공경해야 한다.

① ㄱ, ㄷ ② ㄱ, ㄹ ③ ㄴ, ㄷ
④ ㄱ, ㄴ, ㄹ ⑤ ㄴ, ㄷ, ㄹ

서술형 문제

11 다음 글을 읽고 물음에 답하시오.

> [㉠]은/는 남녀 간의 차이를 잘못 이해하여 발생하는 차별이다. 남자다움과 여자다움을 사회적·문화적으로 규정한 후 이를 따르게 한다면 다양한 [㉠]이/가 발생할 수 있다.

(1) ㉠에 공통으로 들어갈 용어를 쓰시오.

(2) ㉠의 문제점을 두 가지 서술하시오.

12 다음 글을 읽고 물음에 답하시오.

> [㉠]은/는 외부의 강요 없이 스스로의 의지와 판단에 따라 자신의 성적 행동을 결정할 수 있는 권리를 말한다. 이를 행사할 때는 타인의 권리를 침해하지 않는 범위 내에서 이루어져야 한다.

(1) ㉠에 들어갈 용어를 쓰시오.

(2) ㉠을 남용할 경우 생길 수 있는 문제점을 두 가지 서술하시오.

상위 4% 문제

01 (가)의 갑, 을, 병의 입장을 (나) 그림으로 표현할 때, A~D에 해당하는 옳은 질문만을 《보기》에서 있는 대로 고른 것은?

(가)
갑: 성의 자연적 목적은 출산이고, 출산에 기여하는 것만이 성의 진정한 가치이다. 오직 생식과 직접 · 간접으로 관련을 가지는 성만이 도덕적이고, 성 그 자체를 위한 성은 수단이 목적으로 뒤바뀐 것이기 때문에 비도덕적이다.
을: 성은 무엇보다도 그 자체가 쾌락을 산출하는 즐거운 경험이다. 쾌락은 다른 무엇을 위해서가 아니라 그 자체로 가치 있는 것으로서, 성적 쾌락의 추구는 그 자체가 목적이 될 수 있다. 따라서 타인에게 해악을 주지 않는 한계 내에서 최대한의 성적 자유를 누려야 한다.
병: 사랑만이 인간적 성의 고유한 가치이고, 인간의 성이 특별한 가치와 존엄성을 가지도록 만들어 준다. 인간의 성은 사랑을 통해 동물적 차원에서 벗어나 인격적 차원으로 고양된다.

(나)

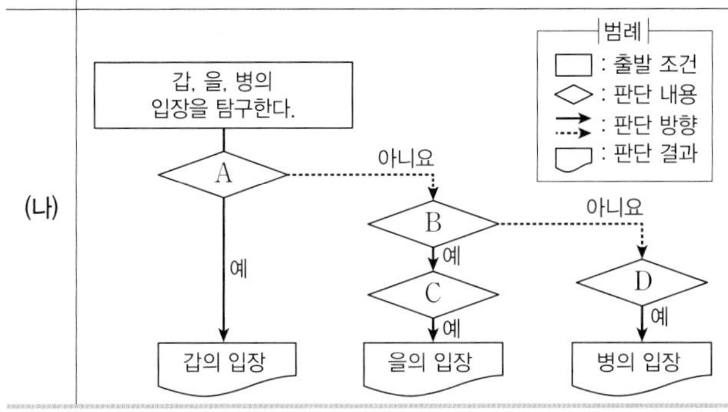

《보기》
ㄱ. A: 혼전이나 혼외의 성관계는 도덕적으로 정당화될 수 없는가?
ㄴ. B: 성은 생식을 위한 도구적 가치만을 지니는가?
ㄷ. C: 정당한 이유 없이 자유로운 성적 쾌락의 추구를 방해하는 것은 옳지 못한가?
ㄹ. D: 사랑은 인간의 성이 도덕적이기 위한 필요충분조건인가?

① ㄱ, ㄴ ② ㄱ, ㄷ ③ ㄴ, ㄹ
④ ㄱ, ㄷ, ㄹ ⑤ ㄴ, ㄷ, ㄹ

02 (가) 사상의 입장에서 (나)의 ㉠, ㉡에 대한 설명으로 옳은 것만을 《보기》에서 있는 대로 고른 것은?

(가)	자신을 반성하며 정성을 다하여 도리를 지키면 즐거움은 이보다 더 클 수가 없을 것이다. 힘써 남을 먼저 생각하며 행동하면 인(仁)을 추구하는 가장 가까운 길이 될 것이다.
(나)	• 가정을 바르게 하려면 그 시작부터 조심해야 한다. (㉠)은/는 인륜의 시작이자 만복의 근원이므로 서로 친하다 해도 방정(方正)하게 행동해야 한다. • (㉡)은/는 비록 몸이 나뉘어 있지만 같은 기운을 타고난 존재이므로 행실이 도리에 어긋나더라도 서로 사랑하지 않을 수 없다.

《보기》
ㄱ. ㉠은 상경여빈(相敬如賓)을 실천해야 하는 관계이다.
ㄴ. ㉠은 서로가 혈연적 관계임을 알고 존중해야 하는 관계이다.
ㄷ. ㉡은 항렬은 다르지만 효를 실천하는 관계이다.
ㄹ. ㉡은 사회적 장유(長幼) 관계에서 지켜야 할 도리를 배우는 관계이다.

① ㄱ, ㄴ ② ㄱ, ㄹ ③ ㄴ, ㄷ
④ ㄱ, ㄷ, ㄹ ⑤ ㄴ, ㄷ, ㄹ

03 다음 사상가의 관점에 해당하는 것에만 모두 'V'를 표시한 학생은?

여자는 언제나 남자에게 딸린 아랫사람이었다. 남녀 양성이 세계를 같이 평등하게 누린 적은 한 번도 없었다. 과거의 모든 역사는 남성에 의하여 만들어졌다. 여자는 모든 인간과 마찬가지로 자주적이고 자유로운 존재이면서도, 남자들이 여자로 하여금 타자로서 살도록 강제하는 세계에서 자기를 발견하고 선택해야 하는 존재이다.

관점 \ 학생	갑	을	병	정	무
여성다움은 타고나는 것이 아니라 만들어진 것이다.	V	V		V	
여성은 남성과 마찬가지로 자유롭고 주체적인 존재이다.	V			V	V
여성은 남성들이 만든 시각과 가치에 따라 살도록 강요받아 왔다.		V	V	V	V
여성은 남성보다 선천적으로 열등한 능력을 지니고 태어난 존재이다.			V		V

① 갑 ② 을 ③ 병 ④ 정 ⑤ 무

06 직업과 청렴의 윤리

출제 경향
★동서양의 직업관
★정약용의 공직자 윤리

01 직업의 의미와 직업에 대한 관점

1. 직업의 의미와 기능

(1) 의미: 한자어 직업(職業)은 사회적 지위와 역할을 나타내는 직(職)과 생계유지를 위한 일을 뜻하는 업(業)이 합쳐진 말로, 생계를 유지하기 위하여 자신의 적성과 능력에 따라 일정한 기간 계속하여 종사하는 일을 말함

(2) 기능

생계유지의 수단	경제적으로 안정된 삶을 영위할 수 있는 중요한 생계 수단이 됨
자아실현의 장	개인의 잠재력과 재능을 발휘함으로써 자아실현을 할 수 있는 중요한 매개가 됨
사회 참여의 통로	사회 구성원으로서의 역할을 수행하고 사회 발전에 기여함

2. 직업에 관한 다양한 관점

(1) 동양의 직업관 빈출 자료 01

공자	• 자신의 직분에 충실해야 한다는 정명(正名) 사상을 주장함 • "임금은 임금다워야 하고, 신하는 신하다워야 하며, 부모는 부모다워야 하고, 자식은 자식다워야 한다[君君, 臣臣, 父父, 子子]."
맹자	• 일정한 소득이 없으면 바른 마음[恒心]을 지키기 어렵다고 보아 일정한 생업[恒産]의 보장과 직업의 사회적 역할 분담을 강조함 • "만약 백성에게 살아갈 수 있는 일정한 재산이나 생업[恒産]이 없으면 순수하고 변함없는 마음[恒心]을 유지하기 어려우며 그러한 마음이 없으면 편벽되고 악해질 것이다." • "대인이 할 일이 있고 소인이 할 일이 따로 있으며, 어떤 사람은 마음을, 또 다른 사람은 몸을 수고롭게 한다."
순자	• 직업을 각자의 적성과 능력에 따라 사회적 역할을 분담하는 것으로 봄 • "각 분야에 능한 사람을 가려 그 분야를 이끌어 가도록 해야 국부가 넉넉해진다."
우리나라의 장인 정신	우리나라는 전통적으로 자기 일에 긍지를 가지고 평생 한 가지 일에 헌신하는 장인(匠人) 정신을 중요하게 여김

(2) 서양의 직업관 빈출 자료 02

플라톤	각 계층에 속한 사람들이 고유한 덕을 발휘하여 직분에 충실하면 정의로운 국가가 된다고 주장함
그리스도교	노동은 원죄에 대한 벌이며, 인간은 속죄의 차원에서 죽을 때까지 노동을 해야 한다고 봄
칼뱅	직업을 신의 거룩한 부름, 즉 신의 소명(召命)으로 이해하고, 직업적 성공으로 부를 축적하는 것을 신의 축복이라고 봄 → 이익을 추구하는 경제 활동을 정당화함
베버	칼뱅의 프로테스탄티즘(Protestantism) 윤리가 자본주의 발달의 정신적 밑바탕이 되었다고 봄
마르크스	유물론적 관점에서 노동의 본질은 물질적 가치를 창출하는 것이라고 보았으나, 자본주의 경제 체제에서는 노동자가 생산물로부터 소외되는 현상이 나타난다고 봄

02 직업 윤리와 청렴

1. 직업 윤리의 의미와 성격

(1) 의미: 직업 생활을 하는 사람들이 따라야 하는 가치와 행동 규범

(2) 성격

일반성	• 모든 직업에서 공통으로 지켜야 하는 행동 규범을 말함 • 누구나 지켜야 할 정직과 성실, 신의, 책임, 의무 등이 이에 해당함
특수성	• 각각의 직업에서 지켜야 하는 특수한 행동 규범을 말함 • 직종의 분화와 전문화로 직업의 특성에 맞는 특수 윤리가 요구됨

2. 다양한 직업 윤리

(1) 기업가와 근로자의 윤리

기업가	• 근로자의 권리를 존중하고, 소비자에 대한 책임을 지며, 합법적인 이윤 추구를 통해 사회 발전에 이바지해야 함 • 기업의 이익을 사회에 환원하거나 사회적 책임을 다해야 함
근로자	자신이 맡은 분야에서 최대의 잠재력을 발휘하고, 동료 근로자와 연대 의식을 형성하며, 기업의 발전을 위해 기업가와 협력해야 함

(2) 기업 윤리에 대한 입장

프리드먼	기업의 목적은 이윤 극대화이므로, 합법적 이윤 추구 이외의 사회적 책임을 기업에 강요해서는 안 됨
애로	기업은 사회 구성원들 없이는 이윤 창출이 불가능하므로 다양한 영역에서 자발적으로 사회적 책임을 이행해야 함
보겔	공공 의식의 상승 때문이 아니라 기업의 발전을 위해서 적극적으로 사회적 책임을 실천해야 함

(3) 전문직과 공직자의 윤리

전문직	• 고도의 전문적 교육과 훈련을 거쳐야만 종사할 수 있는 직업을 말함 • 전문성, 독점성, 자율성을 특징으로 하며 사회적 영향력이 매우 큼 → 높은 수준의 도덕성과 직업 윤리가 요구됨
공직자	• 국가 기관이나 공공 단체의 일을 보는 직책이나 직무를 맡은 사람을 말함 • 국민의 삶의 질 향상, 국가 유지 및 발전에 중요한 역할을 담당함 → 국민을 위해 봉사하는 자세로 공익 실현을 위해 노력해야 함

3. 부패 방지와 청렴 빈출 자료 03

부패	• 의미: 개인의 사회적 지위와 권한을 이용하여 부당한 이익을 얻는 행위 • 문제점: 개인적 측면에서 시민 의식의 발달을 저해하고, 사회적 측면에서 사회적 비용의 낭비로 이어져 사회 발전을 저해함
청렴	• 의미: 뜻과 행동이 맑고[淸] 염치를 알아[廉] 탐욕을 부리지 않는 상태 • 정약용: "목민심서"에서 "수령 노릇을 잘하려는 자는 반드시 자애로워야 하고, 자애로워지려는 자는 반드시 청렴해야 한다."라고 하여 청렴의 중요성을 강조함 • 개인의 청렴 의식도 중요하지만, 공익 신고 제도 운용, 부패 방지법 제정, 시민 단체의 감시 활동 강화 등의 사회 제도적 차원의 노력도 중요함

빈출 특강

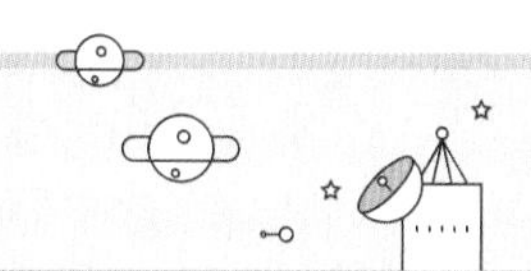

대표 유형

빈출 자료 01) 동양의 직업관
| 연계 문제 → 44쪽 03번

> 갑: 만약 백성에게 살아갈 수 있는 일정한 재산이나 생업[恒産]이 없으면 순수하고 변함없는 마음[恒心]을 유지하기 어려우며 그러한 마음이 없으면 편벽되고 악해질 것이다.
> 을: 농군은 밭일에 정통하고, 상인은 장사에 정통하고, 공인은 그릇을 만드는 일에 정통하지만 그릇을 만드는 일을 지도하는 수장(首長)이 될 수 없다. 오직 예(禮)에 정통한 사람만이 수장이 될 수 있다.

| 자료 분석 | 갑은 맹자, 을은 순자이다.
- 갑: 맹자는 일정한 소득이 없으면 바른 마음을 지키기 어렵다고 보고 일정한 생업(직업)의 보장을 강조하였다.
- 을: 순자는 직업을 각자의 적성과 능력에 따라 사회적 역할을 분담하는 것으로 보았으며, 이의 기준이 되는 것이 예(禮)라고 보았다.

빈출 자료 02) 서양의 직업관
| 연계 문제 → 45쪽 06번

> 갑: 신은 여러 가지 삶의 계층과 삶의 양식들을 구분함으로써 각 사람이 해야 할 일의 순서를 정해 두셨다. 신은 그 같은 삶의 양식들을 소명(召命)이라 명하였다. 그러므로 각 사람은 자기 자신의 위치를 신께서 정해 주신 초소라고 생각해야 한다.
> 을: 자본주의 체제에서의 노동자의 노동은 자발적인 것이 아니라 강제된 것이다. 즉, 노동자가 자기 자신에게 속하지 않고 타자에게 속한다는 것이다. 더 나아가 소외된 노동은 인간의 삶을 생활 수단으로만 간주함으로써 인간에게 고유한 자유로운 의식적 활동으로부터 인간을 소외시킨다. 소외된 노동은 결국 인간에 의한 인간의 소외를 일으킨다.

| 자료 분석 | 갑은 칼뱅, 을은 마르크스이다.
- 갑: 칼뱅은 직업을 신의 거룩한 부름, 즉 신의 소명으로 이해하고, 신이 사람들에게 각자의 일을 정해 주었다고 보았다.
- 을: 마르크스는 자본주의 경제 체제하의 직업 활동에서는 노동자가 생산물로부터 소외되는 현상이 나타난다고 보았다.

빈출 자료 03) 정약용의 공직자 윤리
| 연계 문제 → 48쪽 16번

> 청렴함은 천하에서 큰 장사이다. 그러므로 크게 장사하려는 자는 반드시 청렴해야 한다. 사람들이 청렴하지 못한 것은 그 지혜가 짧기 때문이다. 내가 생각하기에 청렴한 자는 청렴함을 편안히 여기고 지혜로운 자는 청렴함을 이롭게 여긴다. 무엇 때문인가? 재물이란 우리 사람들이 크게 욕심내는 바이다. 그러나 재물보다 더 크게 이루고자 하는 것이 있으므로 재물을 버리거나 취하지 않기도 한다.

| 자료 분석 | 정약용은 목민관, 즉 공직자 윤리로 청렴을 강조하였는데, 공직자는 눈앞의 작은 이익에 사로잡혀 자신의 큰 뜻이 좌절되는 불행을 초래해서는 안 되며, 청렴으로 인(仁)의 도(道)를 이루려는 큰 욕심인 대탐(大貪)을 지녀야 한다고 주장하였다.

자주 나오는 오답 선택지

빈출 자료 01) 에서 자주 나오는 오답 선택지

① 갑은 직업과 관련하여 생계유지의 문제는 중요하지 않다고 본다.
→ 맹자는 생계와 관련된 항산을 강조하였다.

② 갑은 예(禮)를 기준으로 삼아 사회적 역할 분담이 정해져야 한다고 본다.
→ 순자에게 해당한다.

③ 갑은 생계의 안정과 도덕심과의 관련성을 인정하지 않는다.
→ 맹자는 생계의 안정과 도덕심이 관련 있다고 본다.

④ 을은 공동체의 통합을 위해 직업에 있어서 역할 분담을 부정한다.
→ 순자는 각자의 능력에 따른 역할 분담론을 주장한다.

⑤ 을은 갑과 달리 자신의 직분에 충실할 때 사회 질서가 유지될 수 있다고 본다.
→ 맹자와 순자 모두에게 해당한다.

빈출 자료 02) 에서 자주 나오는 오답 선택지

① 갑은 신의 영광을 위해 세속의 직업을 버려야 한다고 본다.
→ 칼뱅은 신께서 주신 자신의 직업에 충실해야 한다고 본다.

② 갑은 직업 활동을 통한 부의 축적을 부정적으로 본다.
→ 칼뱅은 직업을 신의 명령으로 보았기 때문에 직업 활동을 통한 부의 축적을 나쁜 것이 아니라고 본다.

③ 을은 자본가가 노동을 통해 자아실현을 할 수 있어야 한다고 본다.
→ 마르크스는 노동을 통한 노동자의 자아실현을 중시한다.

④ 을은 노동 소외를 극복하기 위해 분업의 확대가 필요하다고 본다.
→ 마르크스는 분업이 노동자를 소외시킨다고 본다.

⑤ 을은 자발적 노동을 통해 인간의 본질을 실현할 수 없다고 본다.
→ 마르크스는 자발적 노동을 통해 인간의 본질을 실현할 수 있다고 본다.

⑥ 을은 정신적 가치를 생산하는 노동이야말로 가치 있는 일이라고 본다.
→ 마르크스는 유물론의 입장에서 물질적 가치를 생산하는 노동이야말로 가치 있는 일이라고 본다.

빈출 자료 03) 에서 자주 나오는 오답 선택지

① 청렴은 목민관의 어떤 잘못도 덮어 주는 면책 특권이다.
→ 청렴은 목민관의 과오를 면책시켜 주는 특권이 아니다.

② 청백리 칭호를 청렴한 목민관은 관직 상승의 수단으로 여긴다.
→ 청렴한 목민관은 청백리 칭호를 관직 상승의 수단으로 여기지 않는다.

③ 목민관은 인(仁)의 도를 이루려는 소탐(小貪)을 지녀야 한다.
→ 목민관은 사사로운 욕심인 소탐을 버리고 큰 뜻을 품은 대탐을 지녀야 한다.

④ 백성들의 원성을 사지 않을 경우 사사로운 청탁은 가능하다.
→ 청렴한 목민관은 사사로운 청탁도 허용하지 않는다.

⑤ 청렴은 목민관에 대한 백성의 충성이 전제되어야 하는 조건적인 덕목이다.
→ 청렴은 백성의 충성과는 무관하게 목민관에게 반드시 필요한 덕목이다.

⑥ 목민관은 청탁의 대가로 받은 재물을 백성 구제에 써야 한다.
→ 공직자는 청탁 및 청탁에 대한 대가를 받아서는 안 된다.

시험에 꼭 나오는 문제

개념 확인 문제

01 다음을 주장한 사상가를 《보기》에서 고르시오.

《보기》
ㄱ. 공자　　ㄴ. 맹자
ㄷ. 순자　　ㄹ. 정약용

(1) 예(禮)에 따라 각 분야에 능한 사람을 가려 그 분야를 이끌어 가도록 해야 국부가 넉넉해진다.
(2) 대인이 할 일이 있고 소인이 할 일이 따로 있으며, 어떤 사람은 마음을 수고롭게 하고 어떤 사람은 몸을 수고롭게 한다.

02 다음 개념과 관계 깊은 사상가를 바르게 연결하시오.

(1) 노동 소외 • 　　• ㉠ 공자
(2) 소명(召命) 의식 • 　　• ㉡ 칼뱅
(3) 정명(正名) 사상 • 　　• ㉢ 마르크스

03 빈칸에 공통으로 들어갈 알맞은 말을 쓰시오.

(　　)	• 의미: 뜻과 행동이 맑고[淸] 염치를 알아[廉] 탐욕을 부리지 않는 상태를 뜻함 • 정약용: "목민심서"에서 "수령 노릇을 잘하려는 자는 반드시 자애로워야 하고, 자애로워지려는 자는 반드시 (　　) 해야 한다."라고 하여 (　　)의 중요성을 강조함

01 다음 대화에서 을이 중시하고 있는 직업의 기능으로 가장 적절한 것은?

갑: 의사를 포기하고 요리사의 길을 선택하신 까닭이 무엇인가요? 그 선택을 후회하신 적은 없나요?
을: 저는 부모님의 뜻을 따라 많은 돈을 벌 수 있는 의사가 되었는데, 그 직업에는 제 인생이 없었어요. 하지만 요리할 때는 가슴이 뛰고 무엇보다 제가 만든 음식을 먹고 행복해 하는 사람들을 보면 큰 보람을 느낍니다.

① 생계유지의 수단
② 소득의 안정적 확보
③ 자아실현을 위한 장(場)
④ 사회에서 벗어나는 통로
⑤ 사회 구성원의 유기적 통합

02 (가)와 (나)에서 공통적으로 강조하고 있는 직업의 의미로 가장 적절한 것은?

(가) 임금은 임금다워야 하고, 신하는 신하다워야 하며, 부모는 부모다워야 하고, 자식은 자식다워야 한다.
(나) 국가의 세 계급, 즉 통치자 계급, 방위자 계급, 생산자 계급이 각자의 사회적 직분에 맞는 덕을 발휘할 때 정의로운 사회가 될 수 있다.

① 직업은 생계를 유지하기 위한 활동이다.
② 직업은 부와 명예를 얻기 위한 활동이다.
③ 직업은 사회적 역할을 분담하는 활동이다.
④ 직업은 도덕적인 마음을 유지하기 위한 활동이다.
⑤ 직업은 자아실현을 가능하게 하는 능동적인 활동이다.

(빈출 문제) 연계 자료 → 43쪽 빈출 자료 01

03 갑, 을 사상가의 입장으로 가장 적절한 것은?

갑: 농부는 밭일에, 상인은 장사에, 목수는 그릇 만드는 일에 정통하지만 수장(首長)은 될 수 없다. 오직 예(禮)에 정통한 사람만이 수장이 될 수 있다.
을: 대인이 할 일과 소인이 할 일이 있다. 한 사람이 모든 일을 하면서 살아야 한다면 모두가 지치게 될 것이다. 따라서 어떤 이는 마음을, 어떤 이는 몸을 쓰는 것이다.

① 갑: 직업에서 역할 분담은 공동체의 화합을 저해한다.
② 갑: 직업 선택의 기준으로 경제적 보상이 가장 중요하다.
③ 을: 소인은 한 가지 직업에, 대인은 모든 직업에 능통하다.
④ 을: 대인은 몸을 쓰는 일에 소인은 마음을 쓰는 일에 전념해야 한다.
⑤ 갑, 을: 각자의 직분에 충실할 때 사회 질서가 유지될 수 있다.

유사 선택지 문제

03_ ❶ 갑: 개인의 자유로운 선택에 따라 사회적 역할을 분담한다. (○ / ×)
03_ ❷ 을: 정신노동과 육체노동을 구분하고 후자에 우위를 둔다. (○ / ×)
03_ ❸ 을은 갑과 달리 각자의 주어진 직분과 역할에 충실할 것을 강조한다. (○ / ×)

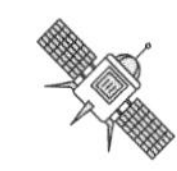

04 다음을 주장한 사상가가 긍정의 대답을 할 질문으로 가장 적절한 것은?

> 만약 백성에게 살아갈 수 있는 일정한 재산이나 생업[恒産]이 없으면 순수하고 변함없는 마음[恒心]을 유지하기 어려우며, 이러한 마음이 없으면 편벽되고 악해질 것이다.

① 도덕성은 생계 문제와 별개의 것인가?
② 직업 선택의 자유를 보장해야 하는가?
③ 경제적 안정이 윤리적 삶의 토대가 되는가?
④ 직업 선택 시 경제적 보상을 최우선시해야 하는가?
⑤ 백성은 일정한 생계유지 수단이 없어도 도덕심을 유지할 수 있는가?

05 ㉠에 들어갈 진술로 가장 적절한 것은?

> 농부가 한 사람, 집 짓는 사람이 한 사람, 또 다른 한 사람으로 직물을 짜는 사람이 있어야 하네. 혹시 우리는 여기에다 제화공이나 아니면 신체와 관련되는 것들을 보살피는 또 다른 사람을 보태야 하지 않겠나. 그렇다면 '최소한도의 나라'는 다섯 사람으로 이루어지겠네. 우리 각자는 서로가 그다지 닮지를 않았고, 각기 다른 성향을 갖고 태어나서 [㉠]

① 저마다 다른 일에 매달리게 될 것이네.
② 개개인의 적성과 능력은 무시될 것이네.
③ 신께서 우리의 소명을 정해 주실 것이네.
④ 생산물로부터 우리 자신이 소외될 것이네.
⑤ 검소하고 금욕적인 태도를 지녀야 할 것이네.

(빈출 문제) 연계 자료 → 43쪽 빈출 자료 02

06 다음 서양 사상가의 입장을 ◀보기▶에서 고른 것은?

> 자본주의 체제에서의 노동은 상품만을 생산하는 것이 아니라 그러한 생산을 통하여 노동자를 하나의 상품으로 생산해 낸다. 더 많이 생산하는 노동자일수록 더 적게 소비할 수밖에 없다. 그런가 하면 노동자의 노동은 자발적인 것이 아니라 강제된 것이다. 즉, 노동자가 자기 자신에게 속하지 않고 타자에게 속한다는 것이다.

◀ 보기 ▶
ㄱ. 노동은 속죄의 의미이며, 신이 부과한 것이다.
ㄴ. 물질적 가치를 생산하는 노동이야말로 가치 있는 일이다.
ㄷ. 프로테스탄티즘 윤리가 자본주의 발달의 정신적 밑바탕이 된다.
ㄹ. 자본주의 경제 체제에서 노동자는 자신의 생산물로부터 소외된다.

① ㄱ, ㄴ ② ㄱ, ㄹ ③ ㄴ, ㄷ
④ ㄴ, ㄹ ⑤ ㄷ, ㄹ

07 다음은 서술형 평가 문제와 학생의 답안이다. 학생 답안의 ㉠~㉤ 중 옳지 않은 것은?

서술형 평가

◉ 문제: 동양에서 바라본 직업에 대한 다양한 관점을 서술하시오.

◉ 학생 답안

동양에서는 ㉠ 공자가 자신의 직분에 충실해야 한다는 소명(召命) 정신을 주장하였고, ㉡ 맹자는 일정한 소득이 없으면 바른 마음[恒心]을 지키기 어렵다고 보아 일정한 생업[恒産]이 있어야 한다고 강조하였다. ㉢ 순자는 각자의 적성과 능력에 따른 사회적 역할의 분담을 중시하였다. 한편 ㉣ 우리나라는 전통적으로 자기 일에 긍지를 가지고 평생 한 가지 일에 헌신하는 장인(匠人) 정신을 중요하게 여겼으며, ㉤ 조선의 실학자인 정약용은 능력에 맞게 선발하여 관직을 부여할 것을 주장하였다.

①  ②  ③  ④  ⑤ 

08 다음 '이것'에 대한 설명으로 옳지 않은 것은?

> 어떤 사람이 직업인이 되었을 때 자기가 맡은 일에서 지켜야 할 마땅한 도리를 '이것'이라고 한다. 만약에 '이것'이 없다면 직업인들에게 건전한 직업 활동을 기대할 수 없다. '이것'은 사회 질서를 건강하게 유지하는 필수 조건이며, 사회의 도덕성을 향상하는 데 이바지한다. 그뿐만 아니라 '이것'은 개인이 사회 질서에 부합하는 방식으로 자아를 실현하게 하며, 건강한 인격을 형성하는 데 이바지한다.

① 특수성은 언제나 일반성 위에 정립될 필요가 있다.
② 정직과 성실, 신의, 책임, 의무 등은 일반성에 해당한다.
③ 오늘날 직종의 분화와 전문화로 인해 특수성이 요구된다.
④ 크게 일반성과 특수성이라는 두 가지 특성으로 나눌 수 있다.
⑤ 모든 인간이 공통으로 지켜야 하는 기본 윤리는 포함되지 않는다.

09 ㉠에 들어갈 적절한 내용만을 《보기》에서 있는 대로 고른 것은?

> 전문직 종사자는 정보의 비대칭성으로 인하여 사회적 · 경제적으로 우월한 위치에 있는 경우가 많다. 또한 공직자의 의사 결정은 법적 구속력을 가지며, 국민을 법으로 강제하기도 한다. 그리고 전문직과 공직자의 행위는 다른 직업 종사자보다 사회에 미치는 영향력이 크다. 그러므로 이들은 (㉠)

《보기》
ㄱ. 주어진 권한을 남용하여 사익을 추구해서는 안 된다.
ㄴ. 높은 특권 의식을 바탕으로 사회 질서를 확립해야 한다.
ㄷ. 매우 높은 수준의 도덕성과 청렴의 의무를 지녀야 한다.
ㄹ. 사회에 대한 책임과 투철한 사명감으로 임무를 수행해야 한다.

① ㄱ, ㄴ ② ㄱ, ㄷ ③ ㄴ, ㄹ
④ ㄱ, ㄷ, ㄹ ⑤ ㄴ, ㄷ, ㄹ

10 갑, 을이 모두 부정의 대답을 할 질문으로 옳은 것은?

기업가는 사회의 일원으로서 사회 구성원들 없이는 이윤을 창출할 수 없습니다. 따라서 기업은 지역 복지 사업, 사회적 약자에 대한 경제적 지원 등과 같은 사회적 책임을 이행해야 합니다.

기업에 이윤 극대화 외의 사회적 책임을 강요하는 것은 기업가가 그에게 자본을 맡긴 기업의 소유주나 주주의 권익을 보호하는 책임을 이행하지 못하도록 막는 것입니다.

① 기업의 근본 목적은 복지 사회의 실현인가?
② 기업은 장애인 고용에 관심을 기울여야 하는가?
③ 기업은 합법적인 테두리 안에서 이윤 추구를 해야 하는가?
④ 합법적인 이윤 추구를 넘어서는 기업의 사회적 책임이 요구되는가?
⑤ 기업의 적극적인 사회적 책임 이행은 소비자의 신뢰를 이끌어 낼 수 있는가?

11 다음 강연자의 입장을 《보기》에서 고른 것은?

> 자유 경제 체제에서 경영자들은 오직 기업의 소유주들에 대해서만 책임을 진다. 그 책임은 일반적으로 게임의 규칙을 준수하는 한에서 기업의 이익을 극대화하기 위하여 자원을 활용하고 이를 위한 활동에 매진하는 것, 즉 속임수나 기만행위 없이 공개적이고 자유로운 경쟁에 전념하는 것이다. 경영자가 사회적 이익을 위한다는 것은 누군가의 돈을 마음대로 쓰는 것이며, 정부의 일에 주제 넘게 나서는 것이다.

《보기》
ㄱ. 고용 차별과 불합리한 해고를 해서는 안 된다.
ㄴ. 기업의 목적은 무엇보다도 이윤의 극대화에 있다.
ㄷ. 합법적인 이윤 추구에 앞서 사회적 책임이 우선시된다.
ㄹ. 기업의 사회적 책임은 장기적으로 기업의 이윤 증대에 기여한다.

① ㄱ, ㄴ ② ㄱ, ㄹ ③ ㄴ, ㄷ
④ ㄴ, ㄹ ⑤ ㄷ, ㄹ

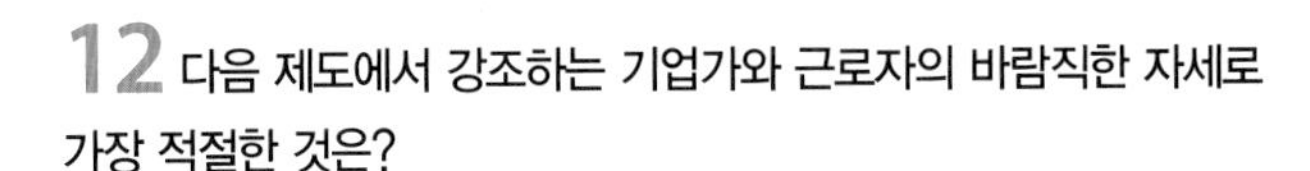

12 다음 제도에서 강조하는 기업가와 근로자의 바람직한 자세로 가장 적절한 것은?

> • **경제 사회 발전 노사정 위원회**
> 근로자, 기업가, 정부 간의 합의를 위한 대통령 자문 기관으로 노사정 삼자와 전문가 등이 참여하여 노동 정책 및 산업 · 경제 · 사회 정책 등을 협의하는 사회적 대화 기구
> • **중소기업 노사 협의회**
> '근로자 참여 및 협력 증진에 관한 법률'에 따라 중소 규모의 사업장에서 노사 간에 상생 관계를 구축하려고 운영하는 기구

① 개인과 사회의 발전을 위하여 함께 협력하여 상생을 추구한다.
② 근로 조건 등의 주요 쟁점에서는 각자의 입장을 끝까지 고수한다.
③ 기업가는 이윤의 추구보다 근로자의 복리 증진을 항상 우선시한다.
④ 기업가는 기업의 이윤 추구를 위해 근로자의 권리 침해를 묵과한다.
⑤ 근로자는 기업의 노동 생산성을 높이는 것은 기업가의 몫이라고 여긴다.

13 다음 사례를 긍정적으로 평가하는 신문 기사의 제목으로 가장 적절한 것은?

▲ 경제적 손실을 감수하고 희귀 난치병 유아들을 위해 특수 분유를 생산하는 분유 제조사

▲ 수중 정화 활동을 하는 제철 회사 직원들

① 합법적 이윤 추구의 즐거움
② 기업의 목적은 이윤의 극대화
③ 사회적 기업의 법적 책임, 어디까지인가
④ 이제는 경제적 이익의 창출이 필요한 때
⑤ 사회적 책임을 이행하고 있는 기업을 찾아서

14 다음에서 설명하고 있는 개념의 문제점으로 옳지 않은 것은?

> • 개인의 사회적 지위와 권한을 이용하여 부당한 이익을 얻는 위법 행위
> • 불법적이거나 부당한 방법으로 재물, 사회적 지위, 기회 등과 같은 금전적 · 사회적 이득을 얻거나 다른 사람이 그것을 얻도록 돕는 일탈 행위

① 공동체 의식 및 시민 의식의 발달을 저해한다.
② 효율적인 업무 처리로 사회적 비용을 감소시킨다.
③ 사회에 만연할 경우 개인의 권리가 침해당할 수 있다.
④ 신뢰와 소통에 기반을 둔 공동체의 유대 의식을 해친다.
⑤ 공정한 경쟁의 틀을 깨뜨려 국민 간의 위화감을 조성한다.

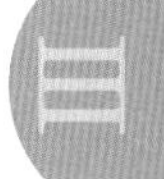

15 (가), (나)는 부패 발생의 기본 원리에 관한 두 모델이다. (가)와 (나)에 대한 설명으로 옳지 않은 것은?

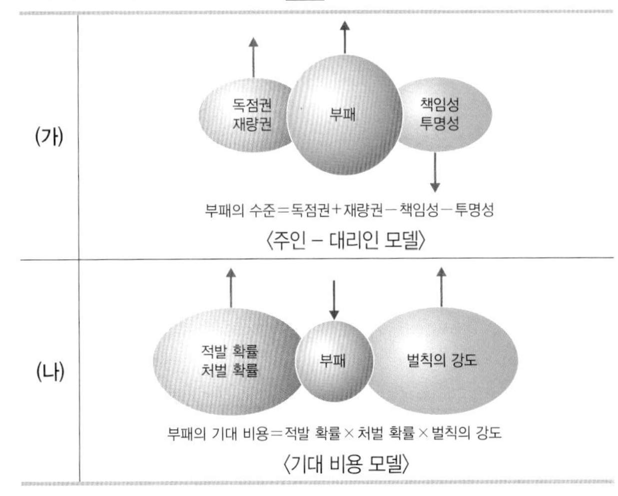

① (가): 대리 행위가 불투명할수록 부패는 많아진다.
② (가): 대리인이 광범위한 재량권을 가질수록 부패는 많아진다.
③ (나): 부패에 대한 기대 비용이 많이 들수록 부패는 많아진다.
④ (나): 적발된 부패에 대한 처벌 가능성이 클수록 부패가 적어진다.
⑤ (나): 처벌의 강도가 높을수록 기대 비용이 올라가 부패가 적어진다.

16 다음 사상가가 지지할 입장만을 《보기》에서 있는 대로 고른 것은?

> 백성을 다스리는 목민관이 백성을 위해서 있는 것인가, 백성이 목민관을 위해서 있는 것인가? 백성이 곡식과 옷감을 생산하여 목민관을 섬기고, 수레와 수레꾼을 보내어 목민관을 전송하고 환영하며, 모든 노력과 정성을 다하여 목민관을 살찌우고 있으니, 백성이 과연 목민관을 위하여 있는 것일까? 아니다. 그건 아니다. 목민관이 백성을 위하여 있는 것이다.

《보기》
ㄱ. 공직자는 국민을 위해 봉사하는 자세를 지녀야 한다.
ㄴ. 공직자는 자신의 모든 권한을 국민에게 위임해야 한다.
ㄷ. 공직자는 청빈한 생활 태도와 청렴 의식을 가져야 한다.
ㄹ. 공직자는 사익보다는 공익을 실현하기 위해 노력해야 한다.

① ㄱ, ㄷ　② ㄱ, ㄴ　③ ㄴ, ㄹ
④ ㄱ, ㄷ, ㄹ　⑤ ㄴ, ㄷ, ㄹ

(빈출 문제) 연계 자료 → 43쪽 빈출 자료 03

17 다음 사상가가 지지할 공직자의 자세를 《보기》에서 고른 것은?

> 청렴함은 천하에서 큰 장사이다. 그러므로 크게 장사하려는 자는 반드시 청렴해야 한다. 사람들이 청렴하지 못한 것은 그 지혜가 짧기 때문이다. 내가 생각하기에 청렴한 자는 청렴함을 편안히 여기고 지혜로운 자는 청렴함을 이롭게 여긴다.

《보기》
ㄱ. 사익(私益)보다 공익(公益)을 중시한다.
ㄴ. 검소와 절약의 정신으로 소탐(小貪)을 지닌다.
ㄷ. 사사로운 청탁(請託)일지라도 대가를 반드시 제공한다.
ㄹ. 눈앞의 이익보다 옳음을 중시하는 견리사의(見利思義)를 실천한다.

① ㄱ, ㄴ　② ㄱ, ㄹ　③ ㄴ, ㄷ
④ ㄴ, ㄹ　⑤ ㄷ, ㄹ

유사 선택지 문제

17_ ❶ 공직자는 인(仁)의 도(道)를 이루려는 큰 욕심인 대탐(大貪)을 지녀야 한다. (○ / ×)
17_ ❷ 청탁의 대가를 백성 구제에 쓸 경우, 공직자에 대한 청탁은 허용된다. (○ / ×)
17_ ❸ 청렴은 공직자를 향한 백성들의 충성심에 대한 조건적인 보답이다. (○ / ×)

18 갑에 비해 을의 입장에 해당하는 적절한 사례를 《보기》에서 고른 것은?

> 갑: 오늘날 청렴 문화가 정착되기 위해서는 우선 청렴을 중요한 인격의 덕목으로 생각했던 전통 윤리에 주목할 필요가 있습니다.
> 을: 저는 청렴한 사회를 만들기 위한 제도적 노력이 필요하며, 무엇보다 투명성이 담보되는 절차가 만들어져야 한다고 생각합니다.

《보기》
ㄱ. 청렴도 측정 제도나 청렴 계약제를 실시한다.
ㄴ. 청백리 정신으로 청빈한 생활 태도를 유지한다.
ㄷ. 뜻과 행동이 맑고 염치를 알아 탐욕을 부리지 않는다.
ㄹ. 부패 행위에 대한 엄중한 처벌 및 감시와 견제 수단을 마련한다.

① ㄱ, ㄴ　② ㄱ, ㄹ　③ ㄴ, ㄷ
④ ㄴ, ㄹ　⑤ ㄷ, ㄹ

서술형 문제

19 다음 글을 읽고 물음에 답하시오.

> 공자는 "논어"에서 "임금은 임금다워야 하고, 신하는 신하다워야 하며, 부모는 부모다워야 하고, 자식은 자식다워야 한다. [君君, 臣臣, 父父, 子子.]"라고 말했다.

(1) 위 사상을 일컫는 용어를 쓰시오.

(2) 위 사상이 강조하는 바를 직업 윤리의 관점에서 서술하시오.

20 다음 글을 읽고 물음에 답하시오.

> "수령 노릇을 잘하려는 자는 반드시 자애로워야 하고, 자애로워지려는 자는 반드시 [㉠]해야 한다."

(1) 위와 같이 주장한 사상가를 쓰시오.

(2) ㉠에 들어갈 용어와 그 의미를 서술하시오.

상위 4% 문제

| 평가원 기출 응용 |

01 (가)의 사상가들의 입장을 (나)의 그림으로 표현할 때, A～C에 해당하는 옳은 질문만을 《보기》에서 있는 대로 고른 것은?

(가)
갑: 왕도 정치가 구현된 사회에서 농부와 목수와 기술자는 각자 생산물이나 재능을 교환함으로써 사회에 기여한다. 힘을 쓰는 노력자(勞力者)와 마음을 쓰는 노심자(勞心者) 역시 각자의 수고로움으로 서로 기여한다.
을: 선왕(先王)이 예(禮)를 제정하여 사람들에게 귀함과 천함의 등급을 분별하게 하였다. 사대부의 자손이라도 예에 합하지 않으면 서민이 되어야 하고, 서민의 자손이라도 학문을 닦고 품행이 단정하여 예에 합하면 사대부가 되어야 한다.

(나)

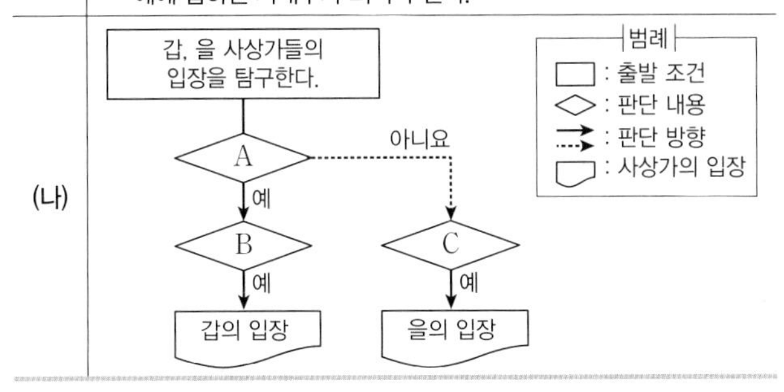

《보기》

ㄱ. A: 자신의 직분에 충실할 때 사회 질서가 유지될 수 있는가?
ㄴ. B: 노력자(勞力者)의 도덕심 유지와 생계 안정은 무관한가?
ㄷ. B: 분업으로 사회적 직분 간의 유기적 관계를 이룰 수 있는가?
ㄹ. C: 예(禮)를 기준으로 사회적 직책과 그에 따른 역할이 정해져야 하는가?

① ㄱ, ㄴ ② ㄱ, ㄷ ③ ㄷ, ㄹ
④ ㄱ, ㄴ, ㄹ ⑤ ㄴ, ㄷ, ㄹ

| 교육청 기출 응용 |

02 갑, 을 사상가의 입장에서 긍정의 대답을 할 질문으로 가장 적절한 것은?

갑: 농부는 밭일에, 상인은 장사에, 목수는 그릇 만드는 일에 정통하지만, 수장(首長)은 될 수 없다. 오직 예(禮)에 정통한 사람만이 수장이 될 수 있다.
을: 선비는 일정한 생업이 없더라도 일정한 마음[恒心]을 가질 수 있다. 그러나 백성은 일정한 생업이 없으면 이로 인해 일정한 마음을 가질 수 없다.

① 갑: 무위의 원리에 따라 사회적 역할을 분담해야 하는가?
② 갑: 직업 선택에 있어서 개인의 자유를 보장해야 하는가?
③ 을: 직업 종사자는 누구도 항심을 소유하기가 불가능한가?
④ 을: 윤리적인 삶과 경제적인 안정은 완전히 별개의 문제인가?
⑤ 갑, 을: 생산과 통치에 대한 역할의 분담이 이루어져야 하는가?

| 수능 기출 응용 |

03 다음 사상가의 입장에서 부정의 대답을 할 질문만을 《보기》에서 있는 대로 고른 것은?

청렴하지 않고서 수령 노릇을 제대로 한 사람은 지금까지 한 명도 없었다. 수령이 청렴하지 않으면 백성들이 그를 도적이라 욕하며 원성이 드높을 것이니, 부끄러운 일이다. 청렴은 큰 장사이다. 그래서 포부가 큰 사람은 반드시 청렴하고자 한다. 청렴하지 못한 것은 지혜가 모자라기 때문이다. 뇌물을 주고받는 일을 몰래 하지 않겠는가마는 밤에 한 일도 아침이면 드러난다. 선물이 아무리 하찮은 것이라도 신세지는 정[恩情]이 맺어지면 이미 사사로움[私]이 행해진 것이다.

《보기》

ㄱ. 청렴은 목민관의 모든 잘못을 덮어 주는 특권적 덕목인가?
ㄴ. 목민관에게는 애민(愛民)과 봉공(奉公)의 자세가 필요한가?
ㄷ. 사사로운 청탁(請託)은 백성들의 원성을 사지 않는 한 허용되는가?
ㄹ. 청백리(淸白吏) 칭호는 청렴한 목민관에게 관직 상승의 수단이 되는가?

① ㄱ, ㄷ ② ㄱ, ㄴ ③ ㄴ, ㄹ
④ ㄱ, ㄷ, ㄹ ⑤ ㄴ, ㄷ, ㄹ

| 수능 기출 응용 |

04 갑, 을 사상가의 입장에 대한 설명으로 옳은 것은?

갑: 노동이 분업에 의한 방식으로 바뀌면서 고용주는 자본가가 되어 지휘와 감독, 조절 기능을 담당한다. 분업은 특수한 기능에 적합한 부분 노동자를 양산하며, 노동자는 작업장의 부속물로서 자본의 소유물이 된다.
을: 모든 것을 손수 만들어 사용해야 한다면, 그것은 천하의 사람들을 바쁘게 만드는 것이다. 어떤 사람은 마음을 수고롭게 하고[勞心], 어떤 사람은 몸을 수고롭게 한다[勞力]. 백성은 항산(恒産)이 없다면 항심(恒心)도 없게 된다.

① 갑은 자본가가 노동을 통해 자아실현을 할 수 있어야 한다고 본다.
② 갑은 노동자가 생산 수단을 가지므로 자본가에게 예속되지 않는다고 본다.
③ 을은 직업을 통해 백성의 기본적인 생활 기반이 마련되어야 한다고 주장한다.
④ 을은 대인과 소인의 역할 분담이 없으므로 직업을 자유롭게 선택할 수 있다고 본다.
⑤ 갑과 을은 모두 인간이 분업에 참여함으로써 인간다움을 실현해야 한다고 주장한다.

07 사회 정의와 윤리

출제 경향
★니부어의 사회 윤리
★롤스와 노직의 정의관
★처벌을 정당화하는 관점
★사형 제도에 대한 입장

01 분배적 정의의 의미와 윤리적 쟁점들

1. 사회 윤리와 사회 정의

(1) 사회 윤리적 관점의 필요성: 개인의 도덕성을 강조하는 것만으로 해결하기 어려운 문제들을 사회 구조 혹은 제도의 개선을 중심으로 해결하고자 함

(2) 개인 윤리적 관점과 사회 윤리적 관점 비교

개인 윤리적 관점	개인의 양심과 합리성 등의 회복으로 사회 문제의 해결이 가능하다고 보는 입장
사회 윤리적 관점	사회 구조 또는 제도적 개선을 중심으로 사회 문제를 해결하고자 하는 입장

(3) 니부어의 사회 윤리 빈출 자료 01

개인과 집단의 도덕성 구분	• 도덕적인 개인으로 구성된 집단일지라도 집단에 속한 개인은 이기적으로 행동하기 쉬움 → 개인의 도덕성과 사회적 도덕성을 구분할 필요가 있음 • 개인 윤리가 추구하는 최고의 도덕적 이상: 사랑, 즉 이타성의 실현 • 사회 윤리가 추구하는 최고의 도덕적 이상: 정의
집단의 이기성과 비합리성	사회 집단이 개인보다 비도덕적인 이유는 사회 집단은 자연적 충동을 억제할 합리적인 능력을 갖추고 있지 않기 때문임
정치적 강제력의 필요성	• 집단 내 구성원 간의 문제: 도덕적이고 합리적인 조정과 설득을 통해 어느 정도 해결이 가능함 • 집단 간의 문제: 윤리적이기보다 정치적이므로 쉽게 해결하기 어려움 → 정치적인 강제력에 의한 문제 해결 방법도 병행되어야 함

(4) 사회 정의의 의미와 구분: 사회를 구성하고 유지하는 공정한 도리로 사회가 추구해야 할 핵심적이고 기본적인 덕목임. 분배적 정의와 교정적 정의로 구분할 수 있음

분배적 정의	각자가 자신의 몫을 누릴 수 있게 하는 것으로, 사회 구성원에게 여러 가지 사회적·경제적 가치를 공정하게 분배함으로써 실현될 수 있음 → 사회적 이익과 부담의 공정한 분배
교정적 정의	잘못에 대한 처벌이나 배상 등을 공정하게 하는 것으로, 국가의 법 집행으로 불법 행위나 부정의를 바로잡음으로써 실현될 수 있음

2. 분배적 정의의 다양한 기준

기준	장점	단점
절대적 평등	기회와 혜택을 균등하게 보장할 수 있음	• 생산 의욕 및 효율성이 저하됨 • 개인의 자유와 책임 의식이 약화됨
업적	• 객관적 평가 및 측정이 쉬움 • 동기 부여 및 생산성이 높아짐	• 서로 다른 종류의 업적에 대한 양과 질의 평가가 어려움 • 사회적 약자를 배려하기 어려움
능력	능력이 뛰어난 사람에게 적절한 보상을 할 수 있음	• 능력 획득에 선천적인 요소가 개입됨 • 능력을 평가하는 기준이 모호할 수 있음
필요	사회적 약자를 보호할 수 있음	• 모든 사람의 필요를 충족시킬 수 없음 • 경제적 효율성이 저하됨

3. 롤스와 노직의 분배 정의

(1) 롤스의 분배 정의

공정으로서의 정의	공정한 절차를 통해 합의된 것이라면 그에 따른 결과도 정의롭다고 봄
원초적 입장	• 정의의 원칙을 도출하기 위한 최초의 가상적 상황을 말함 • 원초적 입장에서 사람들은 타인의 이해관계에 무관심하며, 자신의 이익을 합리적으로 추구함 • 원초적 입장에서 공정하게 판단하고 선택하기 위해 자신이나 타인의 사회적 지위나 능력, 재능, 가치관 등을 모르고 있다고 가정함 → 무지의 베일을 쓴 상태
정의의 원칙 도출	무지의 베일을 쓴 상황에서 사람들은 오직 자신의 이익만을 고려하며 개인의 자유를 평등하게 보장하고, 사회적 약자를 배려하는 정의의 두 원칙에 합의하게 됨

(2) 롤스가 제시한 정의의 두 원칙: 정의의 두 원칙에는 우선성의 규칙이 있는데, 제1원칙은 자유의 우선성을 추구하는 것으로 제2원칙보다 선행함 빈출 자료 02

제1원칙	모든 사람은 기본적 자유에서 평등한 권리를 지닌다(평등한 자유의 원칙). → 신체적 자유나 사상의 자유와 같은 기본적 자유는 절대적으로 보장되어야 하며, 어떠한 경우에도 훼손될 수 없음
제2원칙	사회적·경제적 불평등은 최소 수혜자에게 최대의 이익을 보장해야 하며(차등의 원칙), 그 불평등이 모든 사람에게 이익이 되리라는 것이 합당하게 기대되고, 불평등의 계기가 되는 지위는 공정한 기회균등의 원칙에 따라 모든 사람에게 개방되어야 한다(기회균등의 원칙).

(3) 노직의 분배 정의 빈출 자료 03

자유 지상주의	자유 지상주의의 입장에서 재화를 소유하게 되는 과정에 주목함
소유권으로서의 정의	• 재화의 취득과 이전의 절차나 과정이 정당하면 그 과정을 통해 얻은 소유물에 관해서는 개인이 절대적 소유 권리를 가진다고 봄 • 개인의 소유 권리를 최우선적으로 보장하는 것이 사회 정의라고 봄 • 소유권으로서의 정의관은 재분배 정책 시행에 반대함으로써 사회적 불평등을 심화시킬 수 있다는 비판을 받음
최소 국가 주장	• "근로 소득에 대한 과세는 강제 노동과 다를 바 없다."라고 주장함 • 국가를 포함한 누구도 개인의 소유권을 침해할 수 없다고 봄 • 국가는 강압, 절도, 사기, 강제 계약의 발생을 막는 일 이상의 역할을 해서는 안 됨 • 국가는 재화의 분배에 적극적으로 관여하기보다 최대한 개인의 자유에 맡겨야 함

(4) 노직이 제시한 소유 권리의 원칙

취득의 원칙	노동을 통해 어떤 것을 소유할 때, 타인의 처지를 악화시키지 않는 한 그 소유물을 취득할 응분의 권한을 가짐
양도의 원칙	자신의 노동에 의한 결과뿐만 아니라 타인에 의해 자유로이 양도된 것에 대해서도 정당한 소유권을 가짐
시정(교정)의 원칙	취득과 양도 시 과오나 그릇된 절차에 의한 소유가 발생했을 때에는 이를 바로잡아야 함

빈출 특강

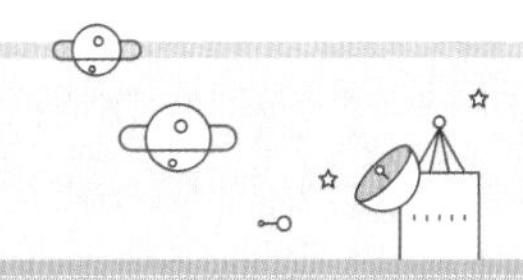

대표 유형

빈출 자료 01) 니부어의 사회 윤리적 관점 | 연계 문제 → 54쪽 02번

> 사회를 중심에 놓고 보면 최고의 도덕적 이상은 정의이고, 개인을 중심에 놓고 보면 최고의 도덕적 이상은 이타성이다. 사회는 여러 면에서 어쩔 수 없이 이기심, 반항, 강제력, 원한과 같이 도덕성이 높은 사람들로부터 전혀 도덕적 승인을 얻어 낼 수 없는 방법을 사용하게 될지라도 궁극적으로 정의를 추구해야 한다. 정의를 달성하기 위한 비합리적인 수단은 도덕적 선의지의 통제를 받지 않는 한, 사회에 엄청난 위험을 가할 수 있다.

| 자료 분석 | 니부어는 사회관계에 있어서 집단 이기주의가 갖는 힘과 범위, 그리고 지속성을 그동안 깨닫지 못했다고 지적하며, 집단 간의 관계는 윤리적이기보다는 지극히 정치적이므로 비합리적인 수단을 사용해서라도 사회 부정의를 바로잡아야 한다고 보았다.

빈출 자료 02) 롤스의 정의의 원칙 | 연계 문제 → 57쪽 12번

> 최대 수혜자 갑은 최소 수혜자 을과 도덕적 비대칭성의 관계에 있다. 즉, 갑을 위한 을의 희생과 을을 위한 갑의 희생은 동등한 것이 아니다. 재능, 지위와 같은 임의적인 요소들의 작용으로 최대 수혜자가 된 갑은 최소 수혜자인 을의 삶을 개선하기 위한 일정한 희생을 감내해야 한다.

| 자료 분석 | 롤스에 따르면, 개인의 타고난 재능과 사회적 여건 등은 우연적인 것에 불과하다. 따라서 사람들은 자신이 타고난 재능을 공동 자산으로 여겨야 하며, 태어나면서 혜택을 받은 사람은 혜택을 받지 못한 사람들의 상황을 개선한다는 전제하에 자신의 행운을 이용해 이익을 얻을 수 있다.

빈출 자료 03) 노직의 분배 정의 | 연계 문제 → 57쪽 12번

> 근로 소득에 대한 과세는 강제 노동과 같은 종류의 것이나, n 시간분의 소득을 세금으로 취하는 것은 그 노동자에게 n 시간을 빼앗는 것과 같다. 이는 마치 그 사람으로 하여금 다른 사람을 위해 n 시간 일하게 하는 것과 마찬가지이다.

| 자료 분석 | 자유 지상주의적 입장에서 소유 권리론을 주장한 노직은 개인의 권리를 보호하고 존중하는 것을 정의라고 보고, 국가에 의한 재분배는 개인의 소유권을 침해하는 부당한 것이라고 보았다.

자주 나오는 오답 선택지

빈출 자료 01) 에서 자주 나오는 오답 선택지

① 사회 집단 간의 관계는 정치적이기보다 윤리적이다.
→ 니부어는 사회 집단 간의 관계를 윤리적이기보다는 정치적이라고 본다.

② 집단 간의 관계는 각 집단이 갖는 힘의 비율과 무관하다.
→ 니부어는 집단 간의 관계가 집단 간의 힘의 비율에 의해 결정된다고 본다.

③ 정의 실현을 위한 비합리적인 수단은 선의지의 통제를 받을 필요가 없다.
→ 니부어는 비합리적 수단인 강제력은 선의지의 통제를 받아야 한다고 본다.

④ 사회 정의는 사회적 억제와 힘을 통해 실현되기는 불가능하다.
→ 니부어는 사회 정의가 사회적인 강제력을 통해 실현될 수 있다고 본다.

⑤ 개인의 이타심과 애국심은 국가 간 정의로운 행동을 보장한다.
→ 니부어는 국가 간 정의는 개인의 이타심으로는 실현될 수 없다고 본다.

빈출 자료 02) 에서 자주 나오는 오답 선택지

① 정의로운 사회에서 경제적 불평등은 존재하지 않는다.
→ 롤스는 정의로운 사회에서도 경제적 불평등이 존재할 수 있다고 본다.

② 정의의 원칙 수립에 있어서는 절차의 공정성만으로 결과의 공정성을 확보할 수 없다.
→ 롤스는 절차가 공정하면 결과도 공정하다는 절차적 정의를 강조한다.

③ 최소 수혜자를 배려하는 국가 차원의 재분배는 정의롭지 않다.
→ 롤스는 정의론에서 최소 수혜자에게 최대 이익이 돌아가는 차등의 원칙을 제시한다.

④ 우연적 차이에 의한 영향을 줄이려는 국가의 노력은 정당하지 않다.
→ 롤스는 타고난 우연적 차이에 의한 영향을 줄이고자 정의의 원칙을 제시한다.

⑤ 분배 정의의 실현을 위해 국가가 개인의 삶에 개입해서는 안 된다.
→ 롤스는 재분배 문제에 국가가 개입해야 한다고 본다.

빈출 자료 03) 에서 자주 나오는 오답 선택지

① 최소 수혜자를 배려하는 국가 차원의 재분배는 정의롭다.
→ 롤스의 입장으로, 노직은 국가에 의한 재분배 정책에 반대한다.

② 재화의 취득, 양도, 교정에서 국가의 개입은 배제된다.
→ 노직은 재화를 획득하고 양도하는 과정에서 부정의가 있을 때 국가가 개입하여 바로잡아야 한다고 본다.

③ 근로 소득에 대한 국가의 과세는 개인의 소유권을 침해하지 않는다.
→ 노직은 교정에서의 정의를 위한 재분배와 기본적인 보편적 국민 보호를 위한 재분배는 인정하지만, 근로 소득에 대한 과세는 개인의 소유권을 침해한다고 본다.

④ 국가는 강압, 절도, 사기, 강제 계약의 발생을 막는 일 이상의 역할을 해야 한다.
→ 노직은 최소 국가를 주장하면서, 국가가 강압, 절도, 사기, 강제 계약의 발생을 막는 일 이상의 역할을 해서는 안 된다고 본다.

⑤ 부자에게 더 많은 세금을 거두어 가난한 사람을 돕는 행위는 정당하다.
→ 노직은 이러한 행위를 부자의 소유권을 침해하는 부당한 행위라고 본다.

07 사회 정의와 윤리

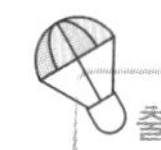

출제 경향
★니부어의 사회 윤리
★롤스와 노직의 정의관
★처벌을 정당화하는 관점
★사형 제도에 대한 입장

4. 우대 정책의 윤리적 쟁점

(1) 우대 정책의 의미와 사례: 공정한 기회균등의 차원에서 사회적 약자에게 일정한 몫을 우선 보장하려는 정책(예: 장애인 의무 고용 제도, 여성 할당제, 대입 전형 지역 할당제 등)

(2) 우대 정책에 대한 찬반 입장 빈출 자료 04

찬성 근거	• 보상의 논리: 과거의 차별 때문에 고통받아 온 사회적 약자는 그 고통에 관해 보상을 받을 권리를 가져야 함 • 재분배의 논리: 사회적 약자는 경제적 부나 사회적 지위를 얻을 유리한 기회를 부여받아야 함 • 공리주의의 논리: 우대 정책은 사회적 긴장을 완화하고 사회 전체의 평화와 행복을 증진함
반대 근거	• 사회적 약자에 대한 우대가 다른 집단에 대한 또 다른 역차별과 부정의를 초래함 • 과거의 차별에 관해 잘못이 없는 현세대에게 보상의 책임을 지우는 것은 부당함 • 우대 정책에 따라 사회적 약자에게 유리한 기회를 주는 것은 업적주의를 위배함

5. 부유세와 같은 조세 정책에 관련된 윤리적 쟁점

(1) 부유세의 의미: 일정액 이상의 자산을 보유하고 있는 사람에게 비례적으로 또는 누진적으로 과세하는 것

(2) 부유세에 대한 찬반 입장

찬성의 근거	• 부의 재분배를 통해 불평등을 해소함 • 빈부 격차를 완화하여 사회 통합에 기여함
반대의 근거	• 개인의 재산권을 과도하게 침해함 • 부자들에 대한 또 다른 차별을 가져옴

02 교정적 정의의 의미와 윤리적 쟁점들

1. 교정적 정의와 공정한 처벌

(1) 법에 따른 처벌을 정당화하는 관점 빈출 자료 05

응보주의적 관점	• 처벌의 본질을 범죄 행위에 상응하는 해악을 가하는 것으로 봄 • 단지 범죄를 저질렀기 때문에 그에게 응분의 처벌을 내리는 것임 • 칸트: 이성적 존재는 자신의 행동을 책임져야 하므로 범죄에 대한 대가로 응분의 처벌을 받는 것이 마땅하다고 주장함 • 한계: 범죄 예방과 범죄자의 교화에 상대적으로 무관심함
공리주의적 관점	• 처벌의 본질을 사회적 이익을 증진하기 위한 수단으로 봄 • 형벌의 목적은 응보가 아니라 범죄를 예방하는 데 있음 • 처벌에 대한 두려움으로 범죄를 예방하게 되어 사회 전체의 행복을 증진할 때 가치가 있음 • 벤담: 처벌의 목적은 범죄자의 의지에 영향을 미쳐 행동을 통제하고 교화하는 데 있으며, 처벌이 일종의 본보기로 작용하여 범죄를 예방하는 효과가 있다고 주장함 • 한계: 처벌의 예방적 효과를 증명하기 어렵고, 사회적 이익을 최우선으로 여겨 인간의 존엄성을 훼손할 수 있음

(2) 공정한 처벌의 조건

유죄 조건	• 죄형 법정주의에 근거한 유죄 조건에 부합할 때에만 처벌해야 함 • 처벌의 근거로서 법이 있어야 하고, 그 법이 공정해야 하며, 피의자가 해당 범죄를 저질렀다는 유죄 조건이 충족되어야 함
비례성의 원칙 (과잉 금지의 원칙)	• 처벌의 목적이 정당해야 함 • 처벌의 수단이 적합해야 함 • 처벌로 인한 기본권의 제한이나 침해를 최소화해야 함 • 처벌은 그것으로부터 예상되는 공익상의 효과를 능가해서는 안 됨

2. 사형 제도의 윤리적 쟁점

(1) 사형 제도에 대한 찬반 근거 빈출 자료 06

찬성 근거	• 사형은 생명을 박탈하는 극형이므로 범죄 억제의 효과가 큼 • 처벌의 목적은 근본적으로 인과응보적 응징에 있음 • 흉악 범죄인의 생명을 박탈하는 것은 사회적 정의임 • 사회의 일반적인 법 감정은 사형 제도를 지지함 • 종신형 제도는 경제적인 부담이 크고 비인간적일 수 있음
반대 근거	• 사형은 범죄 억제의 효과가 없음 • 사형은 교육과 교화를 근원적으로 포기하는 것으로, 처벌의 본질에 위배되는 제도임 • 사형은 생명권을 부정하는 것이며 인도적인 이유에서 존속시킬 수 없음 • 사형은 오판 가능성이 있음 • 사형은 정치적 반대자나 정적(政敵)을 제거하는 수단으로 악용될 수 있음

(2) 사형 제도에 대한 사상가들의 견해

사형 제도 찬성	루소	• 사회 계약은 계약자의 생명 보존을 목적으로 함 • 타인의 희생으로 자기의 생명을 보존하려고 하는 사람은 필요하다면 타인을 위해 마땅히 자신의 생명을 희생하겠다는 것에 동의함 • 사형에 처할 만큼의 중죄를 범한 사람은 스스로 사회의 구성원이기를 포기한 것이며, 이 사람은 사회의 적으로 간주됨 → 일반 의지로부터 규정된 사회 계약으로서의 법을 위반했기 때문임
	칸트	• 사형에 처하는 것은 동등성의 원리에 근거한 것임 • 누군가를 때리거나 살해하는 것은 자기 자신을 때리거나 살해하는 것과 동등함 • 사형은 살인한 범죄자의 인격을 존중하는 것임 → 사형은 자신의 자율적인 행위, 즉 스스로 저지른 살인에 대해 응분의 책임을 지우는 것이기 때문임
사형 제도 반대	베카리아	• 가혹한 형벌이 정당화되는 경우는 그것이 공공의 이익에 긍정적으로 기여할 때뿐임 • 가혹한 형벌인 사형은 공익에 이바지하는 바가 극히 작고 비효율적이라는 점에서 부당함 • 생명을 위임하는 것은 사회 계약의 내용에 포함될 수 없고 종신 노역형도 사형만큼 사회 방위의 목적을 잘 수행할 수 있음 • 공공의 의사를 반영하여 살인 금지를 규정한 법에 근거해 살인하는 것은 부당하며, 사형은 형벌의 강도는 강하나 지속적이지 않음

빈출 특강

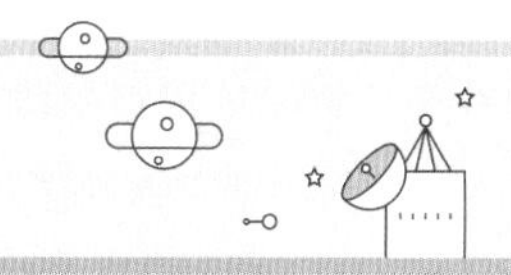

대표 유형

빈출 자료 04 우대 정책의 윤리적 쟁점 | 연계 문제 → 58쪽 15번

> 분배적 정의와 관련한 대표적인 윤리적 쟁점은 우대 정책에 관한 것이다. 우대 정책은 공정한 기회균등의 차원에서 사회적 약자에게 일정한 몫을 우선 보장하려는 정책이다. 예를 들어, 농어촌 자녀의 특례 입학 제도, 지역 균형 선발 제도, 여성 할당제, 장애인 의무 고용제 등이 이에 해당한다. 하지만 역차별 문제나 업적주의를 위배한다는 비판의 목소리도 나오고 있다.

| 자료 분석 | 차별을 극복하기 위해 시행된 우대 정책이 오히려 역차별이라는 문제가 제기되고 있다. 부당한 차별을 받는 대상을 우대하는 제도나 정책이 오히려 상대편을 차별하게 된다는 것으로, 우대 정책의 윤리적 정당성에 대한 논란이 있다.

자주 나오는 오답 선택지

빈출 자료 04 에서 자주 나오는 오답 선택지

① 대학 입학 할당제는 누구의 권리도 침해하지 않는다.
→ 우대 정책은 사회적 약자가 아닌 일반인에 대한 역차별이라는 비판도 있다.

② 대학 입학 전형에서 교육 환경의 차이를 고려하면 안 된다.
→ 우대 정책은 사회적 약자에게 불리한 교육 환경의 차이를 고려한다.

③ 우대 정책을 찬성하는 입장에서는 과거의 차별에 대해 잘못이 없는 현세대에 부담을 주는 것은 옳지 않다고 주장한다.
→ 우대 정책을 반대하는 입장에서 과거 세대의 잘못을 보상하기 위해 현세대에게 대해 부담을 주는 것은 옳지 않다고 비판한다.

④ 우대 정책으로 인한 또 다른 차별은 발생하지 않는다.
→ 사회적 약자가 아닌 다른 집단에 대한 역차별을 가져온다는 비판이 있다.

빈출 자료 05 처벌을 정당화하는 관점 | 연계 문제 → 58쪽 18번

> (가) 처벌의 목적은 범죄 행위의 심각성에 비례하여 처벌하는 데 있다. 만약 누군가의 범죄로 인해 다른 사람의 권리가 침해될 경우, 도덕적 불균형이 발생하기 때문에 범죄자를 처벌함으로써 균형을 다시 회복해야 한다.
> (나) 처벌의 목적은 범죄자의 의지에 영향을 미쳐 행동을 통제하고 교화하는 데 있다. 또한 잠재적인 범죄자에 대하여 처벌이 일종의 본보기로 작용하여 범죄를 예방하는 효과도 있다.

| 자료 분석 | (가)는 응보주의적 관점, (나)는 공리주의적 관점이다.
(가)의 응보주의는 범죄 예방과 범죄자의 교화에 상대적으로 무관심하다는 비판을 받을 수 있고, (나)의 공리주의는 처벌의 예방적 효과를 증명하기 어렵고, 사회적 이익을 최우선으로 여겨 인간의 존엄성을 훼손할 수 있다는 비판을 받을 수 있다.

빈출 자료 05 에서 자주 나오는 오답 선택지

① (가): 형벌은 범죄 의지를 억제시키려는 수단이어야 한다.
→ 공리주의자인 벤담의 입장으로, 벤담은 형벌의 목적을 범죄 억제를 통한 사회적 이익의 증진으로 본다.

② (가): 사형은 범죄와의 응보적 관계에 따라 부과되는 사적 차원의 보복이다.
→ 칸트에 따르면, 사형은 사적 차원의 보복이 아니라 공적 차원의 형벌이다.

③ (나): 형벌로 얻는 공공 이익은 형벌이 초래할 해악보다 커서는 안 된다.
→ 공리주의적 관점에 따르면, 형벌로 얻는 공공 이익이 형벌이 초래할 해악보다 커야 한다.

④ (나): 형벌은 공리를 증진하기 때문에 형벌 그 자체는 선이다.
→ 벤담은 형벌 그 자체는 고통을 산출하므로 악이라고 본다.

빈출 자료 06 사형 제도에 대한 관점 | 연계 문제 → 59쪽 20, 22번

> 갑: 그가 살인했다면, 그는 죽어야만 한다. 이 경우에 정의의 충족을 위한 대체물은 없다. 제아무리 고통 가득한 생이라 해도 생(生)과 사(死) 사이에 동등성은 없다. 그러므로 범인에게 법적으로 집행되는 사형 외에 범죄와 보복의 동등성은 없다.
> 을: 수년간, 혹은 자기 인생의 전부를 노예 생활이나 비참함 속에서 보내야만 하는 형을 받은 사람은, 막연하고 참담한 미래 속에서 인생을 보내야 하므로 효과 있는 보복이 될 수 있지만, 순간의 시간(사형에 처해지는 경우)은 오히려 범죄자가 사형 전까지 주어진 두려움의 시간을 마음대로 향유해 버릴 수 있다.

| 자료 분석 | 갑은 칸트, 을은 베카리아이다.
- 갑: 칸트는 동등성의 원칙에 근거하여 인간의 존엄성을 훼손한 범죄는 사형을 통해 응보적으로 처벌하는 것이 정당하다고 본다.
- 을: 베카리아는 종신 노역형이 살인을 저지른 범죄자에게 사형보다 더 큰 공포를 안겨 주기 때문에 범죄 예방의 효과가 훨씬 크다고 본다.

빈출 자료 06 에서 자주 나오는 오답 선택지

① 갑은 살인범을 사형하는 것이 그를 국가의 적으로 간주하는 것으로 본다.
→ 살인범을 스스로 국가의 구성원이기를 포기한 것으로 보는 루소의 입장이다.

② 갑은 사형 제도가 인간 존엄성의 이념에 위배되는 부당한 제도라고 본다.
→ 칸트는 사형이 살인자 스스로 저지른 행위에 대한 응분의 책임을 지우는 행위이므로 살인자의 인격을 존중하는 것이라고 본다.

③ 을은 사형은 살인범의 인격에 대한 존중을 전제하는 것이라고 본다.
→ 응보주의적 관점을 지닌 칸트의 입장이다.

④ 을은 사형이 종신 노역형에 비해 형벌의 강도가 강하여 범죄 예방에 효과적이라고 본다.
→ 베카리아에 따르면, 사형이 형벌의 강도는 강하지만 이보다 종신 노역형이 더 큰 공포를 주기 때문에 범죄 예방에 더 효과적이라고 본다.

⑤ 을은 살인범을 사형하지 않는 것을 공적 정의에 대한 침해라고 본다.
→ 칸트의 입장으로, 칸트는 공적 정의의 실현을 위해 살인범을 반드시 사형해야 한다고 본다.

III

시험에 꼭 나오는 문제

개념 확인 문제

01 다음 내용이 옳으면 ○, 틀리면 ×표 하시오.

(1) 개인 윤리적 관점은 개인의 양심과 합리성의 회복으로 사회 문제의 해결이 가능하다고 본다. ( )

(2) 사회 윤리적 관점에서 각 계층 간 갈등, 빈부 격차, 인종 차별 등의 문제들은 개인의 도덕성을 강조하는 것만으로 해결할 수 있다. ( )

(3) 니부어에 의하면 집단 간의 문제는 정치적이기보다 윤리적이므로 쉽게 해결된다. ( )

(4) 사회 윤리적 관점에서는 사회 문제를 사회 구조 혹은 제도의 개선을 중심으로 해결하고자 한다. ( )

02 다음을 주장한 사상가를 《보기》에서 골라 쓰시오.

《보기》
ㄱ. 롤스 ㄴ. 노직 ㄷ. 칸트
ㄹ. 니부어 ㅁ. 베카리아 ㅂ. 플라톤

(1) 재화의 취득과 이전의 절차나 과정이 정당하면 그 과정을 통해 얻은 소유물에 관해서는 개인이 절대적 소유 권리를 가진다.

(2) 원초적 입장에서 당사자들은 기본적 자유를 평등하게 갖고, 가장 불우한 처지에 놓인 사람에게 최대한의 이익을 주는 분배 방식에 합의하게 된다.

(3) 이성적 존재는 자신의 행동을 책임져야 하므로 범죄에 대한 대가로 응분의 처벌을 받는 것이 마땅하다.

(4) 종신 노역형이 피해자의 생명을 앗아간 범죄자에게 더 큰 공포를 주므로 사형보다 훨씬 효과적인 형벌이다.

(5) 도덕적인 개인으로 구성된 집단일지라도 집단에 속한 개인은 이기적으로 행동하기 쉬우므로, 개인의 도덕성과 사회의 도덕성을 구분할 필요가 있다.

03 다음 처벌에 관한 관점과 관계 깊은 사상가를 바르게 연결하시오.

(1) 응보주의적 관점 • • ㉠ 벤담

(2) 공리주의적 관점 • • ㉡ 칸트

04 빈칸에 들어갈 알맞은 말을 쓰시오.

(1) 칸트는 ( )의 원칙에 근거하여 인간의 존엄성을 훼손한 범죄는 사형을 통해 응보적으로 처벌하는 것이 정당하다고 본다.

(2) 노직은 타인의 침해로부터 개인을 보호하기 위한 역할만을 수행하는 국가인 ( )을/를 주장한다.

(3) 공정한 기회균등의 차원에서 사회적 약자에게 일정한 몫을 우선 보장하려는 정책을 ( ) 정책이라고 한다.

01 다음은 서술형 평가 문제와 학생의 답안이다. 학생 답안의 ㉠~㉤ 중 옳지 않은 것은?

서술형 평가

◉ 문제: 개인 윤리적 관점과 사회 윤리적 관점에 관해 서술하시오.

◉ 학생 답안

현대 사회에서는 복잡한 사회 윤리 문제가 발생한다. ㉠ 예를 들어 불합리한 사회 제도와 구조, 사회 집단 또는 계층 간의 갈등, 부정부패, 차별과 폭력 등의 문제가 있다. ㉡ 개인 윤리의 관점에서는 개인이 도덕성을 회복하면 이러한 윤리 문제를 해결할 수 있다고 본다. 하지만 사회 윤리학자 니부어에 의하면 ㉢ 개인의 도덕성과 양심의 회복만으로는 사회 윤리 문제를 해결하기 어렵다. 그래서 ㉣ 사회 윤리 문제를 해결하려면 사회의 구조적 모순이나 잘못된 제도의 개선이 필수적이다. 니부어는 ㉤ 인간이 개인적으로 양심적이고 도덕적이라면 그들이 모인 사회는 반드시 도덕적이라고 강조하였다.

① ㉠ ② ㉡ ③ ㉢ ④ ㉣ ⑤ ㉤

빈출 문제 연계 자료 → 51쪽 빈출 자료 01

02 다음 사상가가 부정의 대답을 할 질문으로 가장 적절한 것은?

사회를 중심에 놓고 보면 최고의 도덕적 이상은 정의이고, 개인을 중심에 놓고 보면 최고의 도덕적 이상은 이타성이다. 사회는 여러 면에서 어쩔 수 없이 이기심, 반항, 강제력, 원한과 같이 도덕성이 높은 사람들로부터 전혀 도덕적 승인을 얻어 낼 수 없는 방법을 사용하게 될지라도 궁극적으로 정의를 추구해야 한다. 정의를 달성하기 위한 비합리적인 수단은 도덕적 선의지의 통제를 받지 않는 한, 사회에 엄청난 위험을 가할 수 있다.

① 집단과 집단 사이의 갈등은 합리적인 조정이 어려운가?
② 집단 간의 관계는 윤리적이라기보다는 지극히 정치적인가?
③ 사회 부정의는 합리적인 수단을 통해서만 바로잡을 수 있는가?
④ 집단 간의 관계는 집단이 지닌 힘의 비율에 따라 수립되는가?
⑤ 집단은 개인에 비해 이기심을 조절하고 억제하는 힘이 현저히 떨어지는가?

유사 선택지 문제

02_ ❶ 위 사상가에 따르면 사회 정의의 실현을 위한 사회적 억제와 힘의 사용은 가능하다. (○ / ×)

02_ ❷ 위 사상가에 따르면 선의지는 정의 실현을 위한 비합리적인 수단을 통제해야 한다. (○ / ×)

02_ ❸ 위 사상가에 따르면 개인의 도덕성 함양은 사회 정의를 실현하기 위한 충분조건이다. (○ / ×)

03 다음 표는 어느 서양 사상가를 상대로 한 가상 설문 조사 결과이다. ㉠, ㉡에 들어갈 옳은 질문을 《보기》에서 고른 것은?

	질문	응답	
		예	아니요
(1)	개인의 도덕적 행위는 사회 집단의 도덕적 행위와 구별되어야 하는가?	V	
(2)	개인들이 보여 주는 것에 비해 훨씬 심한 이기주의가 집단에서 나타나는가?	V	
(3)	㉠		V
(4)	㉡	V	

《보기》

ㄱ. ㉠-사회의 갈등은 개인에 대한 도덕적 권고만으로 해결할 수 있는가?

ㄴ. ㉠-사회 윤리는 사회 구조와 제도의 차원에서 사회적 윤리 문제를 조망하는가?

ㄷ. ㉡-집단은 개인에 비해 충동을 억제할 수 있는 이성적 능력이 결여되어 있는가?

ㄹ. ㉡-사회의 도덕성을 고양함에 있어 개인의 도덕성 함양은 전혀 도움이 되지 않는가?

① ㄱ, ㄷ ② ㄱ, ㄹ ③ ㄴ, ㄷ
④ ㄴ, ㄹ ⑤ ㄷ, ㄹ

04 다음 표는 분배적 정의의 다양한 기준을 정리한 것이다. ㉠~㉤의 내용 중 옳은 것은?

기준	장점	단점
절대적 평등	기회와 혜택이 균등하게 보장됨	• ㉠ 사회적 약자를 배려하기 어려움 • 개인의 자유와 책임 의식이 약화됨
업적	• 객관적 평가 및 측정이 쉬움 • ㉡ 사회적 약자를 보호할 수 있음	• 서로 다른 종류의 업적에 대한 양과 질의 평가가 어려움 • ㉢ 생산 의욕 및 효율성이 저하됨
능력	능력이 뛰어난 사람에게 적절한 보상을 할 수 있음	• ㉣ 능력 획득에 선천적인 요소가 개입됨 • 능력을 평가하는 기준이 모호할 수 있음
필요	㉤ 동기 부여 및 생산성이 높아짐	• 모든 사람의 필요를 충족시킬 수 없음 • 경제적 효율이 저하됨

① ㉠ ② ㉡ ③ ㉢ ④ ㉣ ⑤ ㉤

[05~06] 다음 글을 읽고 물음에 답하시오.

• 제1원칙: 모든 사람은 기본적 자유에서 평등한 권리를 지닌다.
• 제2원칙: 사회적 · 경제적 불평등은 최소 수혜자에게 최대의 이익을 보장해야 하며, 그 불평등이 모든 사람에게 이익이 되리라는 것이 합당하게 기대되고, 불평등의 계기가 되는 지위는 공정한 기회균등의 원칙에 따라 모든 사람에게 개방되어야 한다.

05 위 정의의 원칙에 대한 설명으로 옳지 않은 것은?

① 롤스가 제시한 정의의 두 원칙이다.
② 제1원칙을 평등한 자유의 원칙이라고도 한다.
③ 제2원칙은 자유의 우선성을 추구하는 것으로, 제1원칙보다 선행한다.
④ 제2원칙은 불평등이 정확하게 인정될 수 있는 조건을 제시한다.
⑤ 무지의 베일을 쓴 상황에서 사람들은 정의의 두 원칙에 합의하게 된다.

06 위 사상가의 관점에서 지지할 내용에만 모두 'V'를 표시한 학생은?

관점 \ 학생	갑	을	병	정	무
공정한 절차에 따를 때 정의로운 분배가 성립되는가?	V		V		V
개인들의 절대적인 소유 권리를 인정해야 하는가?		V		V	V
부정의를 바로잡기 위한 국가의 재분배가 허용되는가?	V			V	V
정의로운 사회는 경제적 평등을 완벽하게 실현한 사회인가?		V	V	V	

① 갑 ② 을 ③ 병 ④ 정 ⑤ 무

[07~08] 다음 글을 읽고 물음에 답하시오.

롤스는 정의의 원칙을 구성하기 위한 공정한 절차로서 '원초적 입장'이라는 가상적 상황을 설정하고, 원초적 입장으로부터 도출된 정의의 원칙을 따를 때 공정한 분배가 실현될 수 있다고 보았다. 롤스에 따르면, ㉠ 원초적 입장에서 개인은 '무지의 베일'을 쓴 상태이다. 이러한 원초적 입장에서 개인은 자신이 가장 불우한 계층이 될 가능성을 염두에 두므로 [㉡]을 추구하여 정의의 두 원칙을 도출해 낸다.

07 ㉠에 대한 옳은 설명을 《보기》에서 고른 것은?

《보기》
ㄱ. 사람들은 타인의 이해관계에 관심이 많다.
ㄴ. 사람들은 자신의 이익을 합리적으로 추구한다.
ㄷ. 사람들은 자신의 사회적 지위나 능력, 재능 등을 모른다.
ㄹ. 사람들은 타인의 우연적인 조건들에 대해 정확히 알고 있다.

① ㄱ, ㄴ ② ㄱ, ㄹ ③ ㄴ, ㄷ
④ ㄴ, ㄹ ⑤ ㄷ, ㄹ

08 ㉡에 들어갈 진술로 가장 적절한 것은?

① 능력에 따라 일하고 필요에 따라 분배하는 전략
② 동일한 몫을 분배받는 절대적 평등을 실현하는 전략
③ 최악의 위험을 피하기보다는 최대의 이익을 추구하는 전략
④ 최대의 이익을 추구하기보다는 최악의 위험을 피하려는 전략
⑤ 절차가 결과의 공정성을 보장하는 절차적 정의를 준수하려는 전략

09 (가) 사상가의 입장에서 (나)에 대해 제시할 적절한 견해를 《보기》에서 고른 것은?

(가) 모든 집단에서 집단 속 개인들은 사적 관계에서 보여 주는 것보다 훨씬 심한 이기주의를 표출한다. 그런데 도덕주의자들은 모든 도덕적인 사회 목표들에 대해 집단 이기주의가 얼마나 완강하게 저항하는지를 간파하지 못한다.
(나) 전쟁에 참가한 군인들 대부분은 순수한 애국심과 희생정신을 지닌 평범하고 도덕적인 청년들이었다. 하지만 그들이 자기 국가의 이익을 위해 치른 전쟁은 전혀 도덕적이지 않았다. 너무나도 많은 무고한 사람들이 죽어야 했고, 그 어디에도 도덕이 설 자리는 없었다.

《보기》
ㄱ. 집단적인 악을 견제하고 정의를 실현하기 위한 강제력이 필요하다.
ㄴ. 개인의 도덕성 함양이 집단 간 정의를 보장하기 위한 충분조건이 된다.
ㄷ. 집단 간 갈등을 해결하는 유일한 방법은 도덕적이고 합리적인 조정뿐이다.
ㄹ. 집단 간 전쟁의 비도덕성 문제는 개인의 선한 의지만으로는 해결하기 어렵다.

① ㄱ, ㄴ ② ㄱ, ㄹ ③ ㄴ, ㄷ
④ ㄴ, ㄹ ⑤ ㄷ, ㄹ

10 다음의 원칙을 제시한 사상가의 입장을 《보기》에서 있는 대로 고른 것은?

- 취득의 원칙: 취득에서의 정의의 원칙에 따라 소유물을 취득한 사람은 그것의 소유 권리가 있다.
- 양도의 원칙: 소유물의 소유 권리를 가진 사람에게서 양도에서의 정의의 원칙에 따라 소유물을 취득한 사람은 그것의 소유 권리가 있다.
- 시정의 원칙: 취득 및 양도의 과정에서 부정의로 인해 현재의 소유 상태가 발생하였다면 바로잡아야 한다.

《보기》
ㄱ. 자유 지상주의적 입장에서 재화를 소유하게 되는 과정에 주목하였다.
ㄴ. 국가를 포함한 어떤 누구도 개인의 소유권을 침해할 수 없다고 주장한다.
ㄷ. 재화의 최초 취득, 양도, 시정의 과정이 정당하면 현재의 소유권은 정당하다고 본다.
ㄹ. 강도나 사기에 의해 소유물이 부정의하게 이전된 경우, 이에 대한 최소 국가의 개입은 정당화될 수 없다.

① ㄱ, ㄷ ② ㄱ, ㄹ ③ ㄴ, ㄹ
④ ㄱ, ㄴ, ㄷ ⑤ ㄴ, ㄷ, ㄹ

11 (가)의 입장에서 (나)의 주머니 A～C 중 하나를 선택한 이유로 가장 적절한 것은?

(가) 원초적 입장에서는 누구라도 자신이 가장 불리한 상황에 놓일 수 있음을 고려하므로, 사람들은 가장 혜택을 누리지 못하는 사람에게 가장 많은 혜택을 주는 정의의 원칙에 합의하게 될 것이다.

(나)

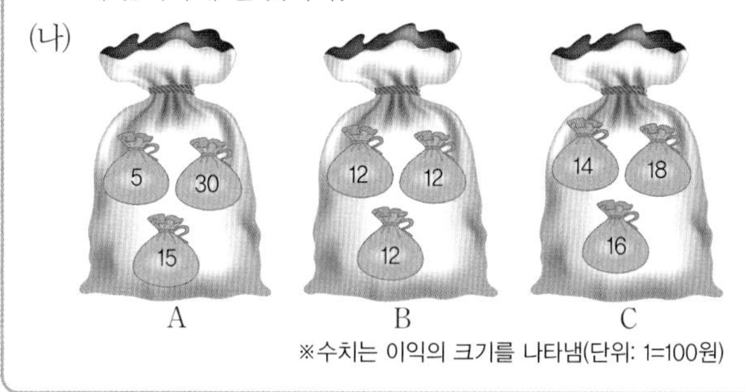

※수치는 이익의 크기를 나타냄(단위: 1=100원)

① A: 전체의 이익이 가장 크기 때문이다.
② A: 최대 이익을 선택할 가능성 때문이다.
③ B: 절대적인 평등을 실현할 수 있기 때문이다.
④ C: 최소 수혜자에게 최대 이익이 되기 때문이다.
⑤ C: 최대 다수에게 최대 이익을 보장하기 때문이다.

빈출 문제 연계 자료 ➜ 51쪽 빈출 자료 02, 03

12 갑, 을 사상가들의 입장으로 가장 적절한 것은?

갑: 근로 소득에 대한 과세는 강제 노동과 같다. n 시간분의 소득을 세금으로 취하는 것은, 그 노동자로부터 n 시간을 빼앗는 것과 같다. 이는 마치 그 사람으로 하여금 다른 사람을 위해 n 시간 일하게 하는 것과 마찬가지이다.
을: 최대 수혜자 갑은 최소 수혜자 을과 도덕적 비대칭성의 관계에 있다. 즉 갑을 위한 을의 희생과 을을 위한 갑의 희생은 동등한 것이 아니다. 재능, 지위와 같은 임의적인 요소들의 작용으로 최대 수혜자가 된 갑은 최소 수혜자인 을의 삶을 개선하기 위한 일정한 희생을 감내해야 한다.

① 갑: 국가에 의한 개인의 소유권 침해는 허용된다.
② 갑: 부정의를 교정하기 위한 국가의 개입은 필요없다.
③ 을: 사회적 이익을 위해 기본적 자유를 제한할 수 있다.
④ 을: 정의의 원칙 수립에 있어서는 절차의 공정성을 통해 결과의 공정성을 확보할 수 없다.
⑤ 갑, 을: 정의로운 사회에도 경제적 불평등은 존재할 수 있다.

유사 선택지 문제

12_ ❶ 갑은 개인의 타고난 천부적인 재능을 공동의 소유물로 여겨야 한다고 본다. (○ / ×)
12_ ❷ 갑은 국가가 재화의 분배에 적극적으로 관여하기보다는 최대한 개인의 자유에 맡겨야 한다고 본다. (○ / ×)
12_ ❸ 을은 정의로운 사회에서 어떠한 경우에도 경제적 불평등은 정당화될 수 없다고 본다. (○ / ×)

13 다음 사례에 대한 설명으로 옳지 않은 것은?

홉즈 로스쿨의 학생 중 단 3%만이 흑인이었다. 미국에서 흑인 인구는 전체의 14%를 차지하고, 홉즈가 위치한 주에서도 흑인 인구가 12%를 차지한다. 대학 교수회와 교육 당국은 아프리카계 미국인 법조인이 지금보다 더 많이 필요하다고 판단하여 홉즈 로스쿨 정원에서 백인 학생의 정원을 제한할 필요가 있다고 의견을 모았다. 그리고 그들은 학교가 최소한의 입학 자격을 충족하는 아프리카계 미국인 학생들의 입학을 허가하기로 하였다.

① 사회적 약자에게 일정한 몫을 보장하려고 한다.
② 분배적 정의와 관련된 대표적인 윤리적 쟁점이다.
③ 또 다른 역차별을 초래한다는 비판이 제기될 수 있다.
④ 특정 소수자에 대한 우대로 소외받는 소수자가 발생하였다.
⑤ 재분배의 차원에서 과거의 불평등을 보상하고 교정하려 한다.

14 다음 사례 속의 주인공이 지지할 입장을 《보기》에서 고른 것은?

미국의 텍사스에 있는 한 대학원에 입학 원서를 낸 셰릴 홉우드는 성적이 우수했지만 사회적 소수자에게 가산점을 주는 학교 정책으로 인해 입학 자격을 얻지 못하였다. 그녀는 자신이 백인이라서 입학이 거절된 것이 부당하다고 생각하였다.

《보기》
ㄱ. 소수자를 우대하는 것이 또 다른 역차별과 부정의를 초래할 수 있다.
ㄴ. 재분배의 차원에서 과거의 불평등을 보상하고 그것을 교정해야 한다.
ㄷ. 과거의 차별에 관해 잘못이 없는 현세대에게 보상의 책임을 지우는 것은 부당하다.
ㄹ. 역사적으로 사회적 이익의 분배 과정에서 소외된 소수자들에 대한 책임을 져야 한다.

① ㄱ, ㄴ ② ㄱ, ㄷ ③ ㄴ, ㄷ
④ ㄴ, ㄹ ⑤ ㄷ, ㄹ

(빈출 문제) 연계 자료 → 53쪽 빈출 자료 04

15 그림의 토론 주제에 대한 갑, 을의 입장으로 적절하지 않은 것은?

토론 주제: 장애인 의무 고용 제도, 여성 할당제, 대입 전형 지역 할당제와 같은 우대 정책, 어떻게 볼 것인가?

① 갑: 사회적 약자는 경제적 부나 사회적 지위를 얻을 유리한 기회를 부여받아야 한다.
② 갑: 우대 정책은 사회적 긴장을 완화하고 사회 전체의 평화와 행복을 증진할 수 있다.
③ 을: 우대 정책에 따라 사회적 약자에게 유리한 기회를 주는 것은 평등을 저해한다.
④ 을: 과거의 차별에 대해 잘못이 없는 현세대에게 보상의 책임을 지우는 것은 부당하다.
⑤ 갑, 을: 분배적 정의를 실현하기 위해 능력과 업적에 따라 사회적 가치를 분배해야 한다.

16 다음 제도를 지지하는 입장에서 긍정의 대답을 할 질문을 〈보기〉에서 고른 것은?

종합 부동산세 제도는 부동산 과다 보유자에 대한 과세 강화와 부동산 투기 억제, 불합리한 지방세 체계를 개편하기 위해 도입되었다. 이 제도는 일정 기준을 초과하는 토지와 주택 소유자에게 국세청이 별도로 누진세율을 적용해 국세를 부과하는 것으로, 정부는 이를 통해 마련한 재원으로 사회적 약자에 대한 재분배 정책을 지원할 수 있게 되었다.

〈보기〉
ㄱ. 부자들에게 또 다른 차별을 가져올 수 있는가?
ㄴ. 부의 재분배를 통해 불평등을 해소할 수 있는가?
ㄷ. 빈부 격차를 완화하여 사회 통합에 기여할 수 있는가?
ㄹ. 정당하게 얻은 개인의 재산권을 과도하게 침해하는가?

① ㄱ, ㄴ ② ㄱ, ㄹ ③ ㄴ, ㄷ ④ ㄴ, ㄹ ⑤ ㄷ, ㄹ

17 다음은 공정한 처벌의 조건에 관한 내용이다. ㉠~㉤ 중 옳지 않은 것은?

유죄 조건	• 죄형 법정주의에 근거한 유죄 조건에 부합할 때에만 처벌해야 함 ··· ㉠ • 처벌의 근거로서 법이 있어야 하고, 그 법이 공정해야 하며, 피의자가 해당 범죄를 저질렀다는 유죄 조건이 충족되어야 함 ··· ㉡
비례성의 원칙 (과잉 금지의 원칙)	• 처벌의 목적이 정당하면 처벌의 수단은 문제시되지 않음 ··· ㉢ • 처벌로 인한 기본권의 제한이나 침해를 최소화해야 함 ··· ㉣ • 처벌은 그것으로부터 예상되는 공익상의 효과를 능가해서는 안 됨 ··· ㉤

① ㉠ ② ㉡ ③ ㉢ ④ ㉣ ⑤ ㉤

(빈출 문제) 연계 자료 → 53쪽 빈출 자료 05

18 다음은 처벌의 정당화 관점에 관한 내용이다. ㉠~㉤ 중 옳지 않은 것은?

응보주의적 관점	• 처벌의 본질을 범죄 행위에 상응하는 해악을 가하는 것으로 봄 • 베카리아: 이성적 존재는 자신의 행동을 책임져야 하므로 범죄에 대한 대가로 응분의 처벌을 받는 것이 마땅함 ··· ㉠ • 한계: 범죄 예방과 범죄자의 교화에 상대적으로 무관심함 ·· ㉡
공리주의적 관점	• 처벌의 본질을 사회적 이익을 증진하기 위한 수단으로 봄 ··· ㉢ • 벤담: 처벌의 목적은 범죄자의 의지에 영향을 미쳐 행동을 통제하고 교화하는 데 있으며, 처벌이 일종의 본보기로 작용하여 범죄를 예방하는 효과가 있음 ··· ㉣ • 한계: 처벌의 예방적 효과를 증명하기 어렵고, 사회적 이익을 최우선으로 여겨 인간의 존엄성을 훼손할 수 있음 ··· ㉤

① ㉠ ② ㉡ ③ ㉢ ④ ㉣ ⑤ ㉤

19 다음 사상가의 입장만을 《보기》에서 있는 대로 고른 것은?

> 군주가 "나라를 위해서 그대가 죽어야 한다."라고 말하면 죽어야 한다. 왜냐하면 그가 지금까지 안전하게 살아온 것은 오직 그 같은 계약의 덕분이었으며, 그의 생명은 단지 자연이 베푼 은혜일 뿐만 아니라 국가가 조건부로 준 선물이기도 하기 때문이다. 범죄자에게 선고되는 사형도 거의 같은 관점에서 고려될 수 있다. 우리가 사람을 죽였을 경우 기꺼이 사형을 받겠다고 동의하는 것은 우리 자신이 살인자에게 희생되고 싶지 않기 때문이다.

《보기》
ㄱ. 사람을 살해한 자는 정당한 사회 구성원이 아니며 사회의 적으로 간주된다.
ㄴ. 우리는 살인으로부터 보호받기 위해 살인자를 사형에 처하는 것에 동의한 것이다.
ㄷ. 사형은 응보적 관점에서 스스로 저지른 살인에 대해 응분의 책임을 지우는 것이다.
ㄹ. 살인자의 생명권을 박탈하더라도, 그것은 동의에 의한 사회 계약을 위반하는 것이 아니다.

① ㄱ, ㄷ ② ㄱ, ㄹ ③ ㄴ, ㄹ
④ ㄱ, ㄴ, ㄹ ⑤ ㄴ, ㄷ, ㄹ

(빈출 문제) 연계 자료 → 53쪽 빈출 자료 06

20 다음 사상가의 입장을 《보기》에서 고른 것은?

> 그가 살인했다면, 그는 죽어야만 한다. 이 경우에 정의의 충족을 위한 대체물은 없다. 제아무리 고통 가득한 생이라 해도 생(生)과 사(死) 사이에 동등성은 없다. 그러므로 범인에게 법적으로 집행되는 사형 외에 범죄와 보복의 동등성은 없다. 사형은 고통받는 인격 안의 인간성을 끔찍하게 만들 수도 있을 모든 가혹 행위에서 범죄자를 벗어나게 해 주는 것이기도 하다.

《보기》
ㄱ. 살인범에게는 생명을 박탈하는 처벌 이외의 다른 대안은 없다.
ㄴ. 동등성의 원칙에 근거하여 응보적으로 처벌하는 것이 정당하다.
ㄷ. 처벌의 최종 목적은 범죄자를 교화하고 범죄를 예방하는 데 있다.
ㄹ. 사형은 살인범이 스스로 책임질 수 있는 존재임을 부정하는 것이다.

① ㄱ, ㄴ ② ㄱ, ㄹ ③ ㄴ, ㄷ
④ ㄴ, ㄹ ⑤ ㄷ, ㄹ

21 다음 사상가의 입장으로 적절하지 않은 것은?

> 수년간, 혹은 자기 인생의 전부를 노예 생활이나 비참함 속에서 보내야만 하는 형을 받은 사람은, 막연하고 참담한 미래 속에서 인생을 보내야 하므로 효과 있는 보복이 될 수 있지만, 순간의 시간은 오히려 범죄자가 사형 전까지 주어진 두려움의 시간을 마음대로 향유해 버릴 수 있다.

① 사형은 한 순간에 강렬한 인상만을 줄 뿐이다.
② 종신 노역형은 사형보다 더 큰 공포를 안겨 준다.
③ 처벌이 지속적 효과를 가질 때 범죄를 더 잘 예방할 수 있다.
④ 수형자가 당하는 고통의 합산을 고려할 때 종신 노역형이 효과가 더 크다.
⑤ 사회 계약에 바탕을 둔 사회 방위론의 입장에서 사형 제도에 찬성해야 한다.

III

(빈출 문제) 연계 자료 → 53쪽 빈출 자료 06

22 갑, 을 사상가의 입장에서 다음 질문에 모두 바르게 대답한 것은?

> 갑: 살인자도 자유 의지를 가진 행위자로 존중받아야 하기 때문에, 그가 다른 사람을 살해했다면 스스로 인간의 존엄성을 실천할 유일한 방법은 오직 죽음뿐입니다.
> 을: 사형은 범죄 억제 효과가 없으며, 인간의 정신에 큰 효과를 끼치는 것은 형벌의 강도가 아니라 지속성이기 때문에 종신 노역형이 사형 이상의 효과를 가져올 것입니다.

	질문	대답	
		갑	을
①	어떠한 경우에라도 사형은 절대로 시행되어서는 안 되는가?	예	예
②	사형은 살인한 범죄자가 자신의 인격을 존중받는 유일한 방법인가?	예	아니요
③	사형 제도의 존치 여부는 사회 전체의 이익 증진에 따라 판단해야 하는가?	아니요	아니요
④	사형은 '눈에는 눈, 이에는 이'라는 동해 보복의 차원에서 이루어져야 하는가?	아니요	예
⑤	오랫동안 징역살이하는 사람을 보는 것이 사형보다 범죄 억제에 더 효과적인가?	예	아니요

유사 선택지 문제

22_ ❶ 갑은 사형이 살인한 범죄자의 인격을 훼손하는 것이라고 본다. (○ / ×)
22_ ❷ 갑은 사형에 처하는 것을 동등성의 원리에 근거한 것이라고 본다. (○ / ×)
22_ ❸ 을은 범죄 억제력의 차원에서 사형보다 훨씬 효과적인 형벌이 존재한다고 본다. (○ / ×)

정답 및 해설 21쪽

23 다음 사상가가 지지할 주장으로 가장 적절한 것은?

> 형벌의 남용은 결코 인간을 개선하지 못한다네. 제대로 조직된 국가에서 사형이 정말로 유용하고 정당하다고 생각하는가? 인간이 무슨 권리로 그의 이웃을 죽일 수 있단 말인가? 사형이 주권과 법의 원천이 되는 권능으로부터 나온 것은 확실히 아니라네. 법은 각 개인의 자유 중에서 최소한의 몫을 모은 것 이외의 어떤 것도 아니지. 법은 개개인의 의사를 대변하는 일반 의사를 대표한다네. 그런데 자신의 생명을 빼앗을 권능을 타인에게 기꺼이 양도할 사람이 이 세상에 누가 있겠는가?

① 형벌은 인간을 개선시키지 못하므로 폐지되어야 한다.
② 인간을 개선시킬 수 있는 가장 효과적인 방법은 사형이다.
③ 사형 제도는 법을 빙자한 국가의 살인 행위이므로 반대한다.
④ 사형 제도는 공익에 이바지하는 바가 크므로 유지되어야 한다.
⑤ 사람들은 대부분 자신의 생명을 양도할 계약에 기꺼이 서명한다.

24 ㉠에 들어갈 내용으로 가장 적절한 것은?

> 처벌과 관련하여 사형 제도가 윤리적 쟁점이 되고 있다. 사형이란 국가가 범죄자의 생명을 인위적으로 박탈하는 형벌을 말한다. 사형 제도는 오랜 역사 동안 다양한 방식으로 유지되어 왔으나, 오늘날 처벌로서의 적합성과 예방의 효과성에 관한 문제 제기가 이루어지면서 윤리적 쟁점이 되고 있다. 먼저, 사형 제도를 찬성하는 입장의 논거를 정리하면 다음과 같다.
>
> [㉠]

① 오판의 가능성이 존재한다.
② 범죄 억제의 효과가 매우 크다.
③ 범죄자의 교화의 가능성을 부정한다.
④ 정적을 제거하는 수단으로 악용될 수 있다.
⑤ 인간의 기본권인 생명권을 근본적으로 부정한다.

서술형 문제

25 다음 글을 읽고 물음에 답하시오.

> • 제1원칙(평등한 자유의 원칙): 각 개인은 기본적 자유에 있어 평등한 권리를 가져야 한다.
> • 제2원칙: 사회적 · 경제적 불평등은 다음 두 조건을 만족해야 한다. 첫째, [㉠](차등의 원칙). 둘째, 그 같은 불평등은 기회균등의 원칙에 따라 모든 사람에게 개방된 직책이나 지위와 결부된 것이어야 한다(기회균등의 원칙).

(1) 위와 같이 주장한 사상가를 쓰시오.

(2) ㉠에 들어갈 알맞은 내용을 서술하시오.

26 다음 표는 사형 제도에 대한 찬반 논거를 정리한 것이다. 표의 빈칸에 들어갈 반대 논거를 세 가지 이상 서술하시오.

찬성 논거	반대 논거
• 범죄 억제의 효과가 매우 크다. • 국민의 일반적 법 감정은 사형 제도를 지지한다. • 흉악 범죄인의 생명을 박탈하는 것은 사회적 정의이다. • 사형 반대론자가 제시하는 종신형 제도는 경제적인 부담이 크고 비인간적일 수 있다.	

27 다음 글을 읽고 물음에 답하시오.

> 정의로운 국가에서 우리는 불가침의 개인들로 여겨집니다. 우리는 국가 안에서 도구나 수단으로서 타인에 의해 이용될 수 없습니다. 오직 ㉠최소 국가만이 우리를 개인적 권리들을 소유한 인격적 존재로서 대우합니다.

(1) 위와 같이 주장한 사상가를 쓰시오.

(2) 위의 사상가가 제시한 ㉠의 역할에 대해 서술하시오.

상위 4% 문제

정답 및 해설 24쪽

| 수능 기출 응용 |

01 갑, 을, 병 사상가들이 긍정의 대답을 할 질문으로 적절하지 <u>않은</u> 것은?

> 갑: 분배적 정의는 가령 사람 A와 B가 각각 물건 C와 D를 얻기 전과 후의 비율이 동등할 때 성립한다는 점에서 기하학적 비례를 추구하는 것이다.
> 을: 분배적 정의는 중립적인 개념이 아니다. 중립적인 개념은 '개인의 소유물'이다. 모든 개인이 자신의 소유물에 대해 소유 권리를 갖는 것이 정의이다.
> 병: 분배적 정의의 핵심 과제는 사회 체제의 선택이다. 사회 체제는 특수한 상황의 우연성을 처리하기 위해 순수 절차적 정의의 관념에 따라 기획되어야 한다.

① 갑: 분배적 정의만이 비례를 추구하는 특수적 정의인가?
② 을: 최소 국가보다 기능이 확대된 국가의 도덕적 정당화는 불가능한가?
③ 병: 개인이 우연히 타고난 천부적인 재능을 공동의 소유물로 여겨야 하는가?
④ 갑, 병: 정의로운 사회는 사회 구성원 각자에게 당연한 몫을 할당해야 하는가?
⑤ 을, 병: 정의로운 사회에서도 경제적 불평등은 존재할 수 있고 정당화될 수 있는가?

| 평가원 기출 응용 |

02 그림의 강연자가 부정의 대답을 할 질문으로 가장 적절한 것은?

① 사회 정의의 실현을 위한 사회적 억제와 힘의 사용은 가능한가?
② 선의지는 정의 실현을 위한 비합리적인 수단을 통제해야 하는가?
③ 집단 간의 관계는 각 집단이 갖는 힘의 비율에 따라 결정되는가?
④ 개인의 도덕성 함양은 사회 정의를 실현하기 위한 충분조건인가?
⑤ 개인의 합리적 도덕성보다 개인이 속한 집단의 도덕성이 열등한가?

| 평가원 기출 응용 |

03 (가)의 갑, 을 사상가들의 입장을 (나)의 그림으로 표현할 때, A~C에 해당하는 옳은 질문을 《보기》에서 고른 것은?

(가)
갑: 범죄에 대한 형벌은 사회의 최대 행복을 저해하는 경향에 비례하여 가해져야 한다. 형벌의 목적은 범죄의 예방과 일반인에 대한 경고에 있다. 사형은 그 범죄자가 살아 있는 것이 나라 전체를 중대한 위험에 처하게 할 경우에나 적합한 형벌이다.
을: 범죄에 대한 형벌은 오직 법을 통해서만 가능하며, 이러한 권한은 사회 계약으로부터 나온다. 형벌은 강도보다 지속성을 중시해야 한다. 사형은 한 시민에 대한 국가의 전쟁이기 때문에 허용되어서는 안 된다.

(나)

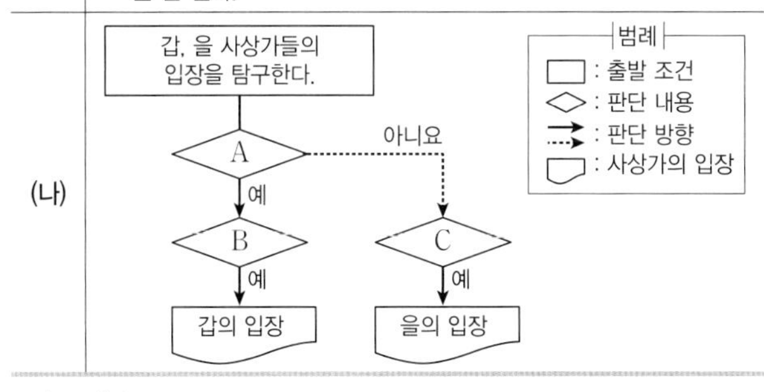

《보기》
ㄱ. A: 형벌은 사회 전체의 이익 증진과 행복을 위해 필요한가?
ㄴ. B: 모든 형벌은 고통을 초래한다는 점에서 그 자체로 악인가?
ㄷ. B: 형벌로 인해 초래되는 해악이 형벌을 통해 예방할 해악보다 커야 하는가?
ㄹ. C: 지속성의 차원에서 사형보다 범죄 억제력이 훨씬 우월한 형벌이 존재하는가?

① ㄱ, ㄴ ② ㄱ, ㄹ ③ ㄴ, ㄷ
④ ㄴ, ㄹ ⑤ ㄷ, ㄹ

Ⅲ. 사회와 윤리

08 국가와 시민의 윤리

출제 경향
★국가 권위의 정당화 근거
★시민 불복종의 이론적 근거 및 정당화 조건

01 국가의 권위와 시민에 대한 국가의 의무

1. 국가의 권위

(1) 국가 권위의 특성: 시민의 삶 전체 영역에서 복종과 헌신을 요구하며 강한 구속력을 가짐 → 국가의 통치 권력이 정당하게 행사되지 않거나 시민들의 지지와 동의를 바탕으로 하지 않을 경우, 국가 권위의 정당성은 보장되기 어려움

(2) 국가 권위의 정당화 근거

인간 본성의 관점	• 국가는 본질적으로 인간의 사회적·정치적 본성에 의해 형성되는 것임 • 인간 본성에 따라 성립된 국가는 자연스럽게 권위를 가짐
공리주의적 관점	• 모든 시민이 법을 준수한다면 결과적으로 사회의 이익이 증가하므로 법에 따라야 한다고 봄 • '최대 다수의 최대 행복'을 실현할 수 있는 행위의 규칙으로써 국가의 권위를 정당화함
계약·동의의 관점	• 시민이 국가에 복종하기로 계약하였기 때문에 국가에 마땅히 복종해야 한다고 봄 • 한 국가의 시민으로 산다는 것은 묵시적으로 그 국가의 구성원이 되는 데 동의한 것임
공공재와 관행의 혜택의 관점	• 국가가 제공하는 여러 가지 혜택(국방, 치안, 공공재 공급, 사회적 관행 제정 등) 때문에 국가에 복종한다고 봄 • 국가 공동체에 소속됨으로써 시민들 간의 소속감이나 연대감 등도 얻을 수 있는 혜택이라고 볼 수 있음
정의의 관점	• 국가의 명령과 법이 정의로울 경우, 그것을 따라야 하는 것은 이성적으로 정당화될 수 있음 • 플라톤: 선의 이데아를 통찰한 통치자에게 복종하는 것을 정의롭다고 봄 • 유교 사상: 군주가 덕을 갖추고 백성을 다스린다면, 국가에 대한 충(忠)의 자세를 백성에게 요구하는 것이 정당화됨

2. 시민에 대한 국가의 의무

(1) 동양에서의 국가의 역할과 의무 빈출 자료 01

민본주의	나라의 근본인 백성을 위하는 정치가 바른 정치임 → 애민과 위민 정신을 바탕으로 함
맹자의 민본주의	맹자: "항산(恒産)이 있어야 항심(恒心)이 있다." → 생업이 보장되어야 백성들이 올바른 생각과 행동을 바탕으로 도덕적인 삶을 영위할 수 있음
유교의 대동 사회	노인들에게 편안한 여생을, 젊은이에게는 적절한 일자리를 제공해 주고, 사회적 약자를 보호하는 것이 군주의 의무임
정약용	백성들의 건강한 삶을 위해 통치자는 헌신하고 백성을 배려해야 함

(2) 서양에서의 국가의 역할과 의무

소극적 국가	• 자본주의 초기에는 개인의 권리와 자유를 최대한 보장하기 위해 국가의 간섭이나 개입을 최소화해야 한다는 입장이 나타남 • 국가는 시장에 대한 개입을 최소화하고 국방과 외교, 치안 등 질서 유지의 역할만을 해야 함 • 문제점: 극심한 빈부 격차의 심화, 시민이 최소한의 인간다운 삶을 보장받지 못하는 문제가 발생함
적극적 국가	• 소극적 국가의 문제점을 극복하기 위해 국가의 능동적인 역할을 강조하며 등장함 • 시민의 기본 욕구를 충족시키고 의료, 주택, 교육 등의 영역에서 복지 증진을 강조함 • 문제점: 국가의 개입이 확대됨에 따라 국가 기능의 비대화와 비효율성, 복지 과잉으로 인한 도덕적 해이 현상 등이 나타남

02 민주 시민의 참여와 시민 불복종

1. 민주 시민의 참여

(1) 정치 참여의 필요성: 시민의 권리를 적극적으로 행사할 기회 제공, 시민으로서의 정치적 의무를 성실하게 수행하게 함, 대의 민주주의를 보완함

(2) 정치 참여의 방법: 선거, 주민 투표, 정당 가입을 통한 정치 참여, 시민 단체 활동, 언론 및 인터넷 매체를 통한 활동, 행정 기관에 민원 청구 및 건의 등

2. 시민 불복종

(1) 시민 불복종의 의미: 시민 참여의 한 형태로, 정의롭지 못한 법을 개정하거나 정부 정책을 변혁하려는 목적으로 행하는 의도적인 위법 행위를 뜻함

(2) 시민 불복종의 기원

- 로크: 자연법에 근거하여 국민의 생명과 재산, 자유를 침해하는 통치자에 대한 저항권을 인정함
- 저항권 사상은 도덕 원리를 근거로 부패한 권력에 대한 저항을 정당화하여 시민 불복종 운동에 영향을 줌

(3) 시민 불복종의 이론적 근거 빈출 자료 02

소로	법에 대한 존경심보다는 인간으로서의 양심을 우선해야 한다고 봄
롤스	사회적 다수의 정의관에 근거하여 정의의 원칙에 어긋나는 법이나 정책에 대하여 저항할 수 있다고 봄
드워킨	헌법 정신에 반하는 법률에 대해서 시민이 저항할 수 있다고 봄
싱어	공리주의적 관점에서 시민 불복종이 산출할 이익과 손해, 불복종 행위의 성공 가능성을 고려해야 함

(4) 시민 불복종의 정당화 조건

목적의 정당성	법이나 정책이 기본권을 침해하거나 부당한 차별을 초래할 때 이를 개선하려는 공공의 목적을 갖고 공개적으로 저항해야 함 → 사회 정의의 실현을 목적으로 삼아야 함
비폭력성	폭력적이거나 타인에게 피해를 주는 부정의한 방법으로는 정의를 달성할 수 없음 → 비폭력적이고 평화적인 방법을 사용해야 함
최후의 수단	합법적인 방법으로 최선을 다했으나 더 이상 효과가 없어 불가피하게 선택하는 최후의 수단이어야 함
처벌 감수	부정의한 법이나 정책을 교정하려고 위법 행위를 하는 것 → 법 체계를 존중하는 차원에서 위법 행위에 대한 처벌을 감수해야 함
공개성	불복종의 정당성과 정의의 규범적·윤리적 근거를 널리 알리기 위해 공개적이어야 함
공공성	사회 정의의 실현 등 공익을 목적으로 하는 행동이어야 함

빈출 특강

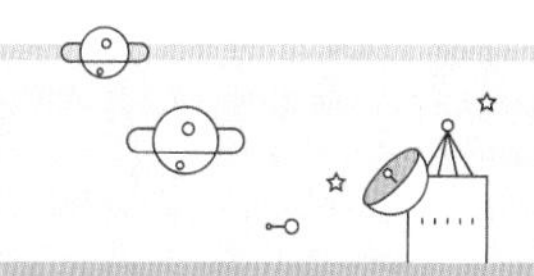

대표 유형

빈출 자료 01 동양의 국가관 | 연계 문제 → 64쪽 03, 07번

> 갑: 큰 도가 행해진 세상에는 천하가 모든 사람의 것이다. …… 사람들은 각자의 부모만을 부모로 섬기지 않으며, 각자 자기 자식만을 자식으로 여기지 않아서, 노인에게는 그 생애를 편안하게 마치게 해 주며, 장정에게는 충분한 일자리를 제공해 주며, 어린아이에게는 마음껏 성장할 수 있게 해 주며, 과부와 고아, 장애인 등에게는 고생 없는 생활을 할 수 있게 해 준다.
> 을: 일정한 생업이 없어도 흔들리지 않는 마음을 지닐 수 있는 사람은 오직 선비밖에 없다. 백성의 경우 일정한 생업이 없으면 일정한 마음이 없게 된다. 일정한 마음이 없게 되면 성급하게 변하여 지나친 행동을 하지 않을 사람이 없다.

| 자료 분석 | 갑은 공자, 을은 맹자이다.
- 갑: 공자의 대동 사회에 관한 것이다. 공자는 국가를 거대한 가족으로 이해하여 부모가 자녀를 돌보듯 국가는 백성을 아끼고 돌보아야 한다고 보았다.
- 을: 맹자의 국가관에 관한 글이다. 맹자는 인간이 어질게 되기 위해서는 최소한의 생계가 보장되어야 한다고 보았다. 그는 이로부터 도덕적 삶을 영위할 수 있는 규범과 사회 질서를 유지할 수 있는 제도가 나온다고 보았다.

빈출 자료 02 소로와 롤스의 시민 불복종 | 연계 문제 → 67쪽 12번, 13번

> 갑: 우리는 먼저 인간이어야 하고, 그다음에 국민이어야 한다고 나는 생각한다. 법에 대한 존경심보다는 먼저 정의에 대한 존경심을 기르는 것이 바람직하다. 내가 마땅히 따라야 할 유일한 의무는, 어떤 때이든 내가 옳다고 생각하는 일을 행하는 것이다. …… 정의롭지 못한 법이 있다면, 법을 준수하고만 있을 것인가, …… 아니면 즉시 법을 무시할 것인가? 사람들은 일반적으로 지금과 같은 정부 아래에서는 법이 개정될 때까지 기다려야 한다고 생각한다. 그들은 만약 저항한다면 개혁이 더욱 어려워질 것이라고 생각한다. 그러나 상황이 더 나빠지는 것은 정부의 잘못이다. 정부가 개혁을 어렵게 만드는 것이다.
> 을: 현존 체제를 받아들여야 할 우리의 의무와 책무를 때로는 어길 수 있다는 것이 분명하다. 그러한 요구 사항들은 정당성의 원칙에 따르는데, 이 원칙에 따르면 모든 것을 고려해서 어떤 상황에서는 불복종도 정당화될 수 있다는 것이다. 불복종의 정당화 여부는 법과 제도가 부정의한 정도에 달려 있다. …… 시민 불복종의 근거가 오직 개인이나 집단의 이익에만 기초할 수 없다는 것은 말할 필요도 없다. 그 대신 우리는 정치적인 질서의 바탕에 깔린, 공유하고 있는 정의관에 따르게 된다. …… 이러한 정의관의 기본 원칙을 오래도록 끈질기고 의도적으로 위반하는 것, 특히 기본적인 평등한 자유의 침해는 굴종이 아니면 반항을 일으키게 된다.

| 자료 분석 | 갑은 소로, 을은 롤스이다.
- 갑: 소로는 국민으로서 법에 대한 존경심보다는 인간으로서의 양심이 더 중요하다고 보고, 정의롭지 않은 정부에 세금내기를 거부하여 감옥에 갔다.
- 을: 롤스는 다수의 정의관에 근거하여 평등한 자유의 원칙이나 기회균등의 원칙에 어긋나는 법이나 정책에 대해 저항할 수 있다고 주장하였다.

자주 나오는 오답 선택지

빈출 자료 01 에서 자주 나오는 오답 선택지

① 갑은 하늘의 뜻을 받들어 무차별적인 사랑을 주장하였다.
→ 무차별적인 사랑인 겸애를 주장한 사상가는 묵자이다.

② 갑은 남의 나라를 내 나라 돌보는 것과 같이 상호 이익을 추구할 것을 주장하였다.
→ 묵자의 주장으로, 그는 남의 나라를 내 나라 돌보듯 하고 남을 자신을 돌보듯 해야 천하에 혼란이 없다고 주장하였다.

③ 을은 예에 근거하여 상과 벌, 법과 제도를 통한 통치를 강조하였다.
→ 순자의 주장이다. 맹자는 물리적 강제력에 의한 패도 정치를 비판하고 덕치에 근간을 둔 왕도 정치를 주장하였다.

④ 을은 백성이 경제적으로 풍요로울수록 좋은 국가가 된다고 보았다.
→ 맹자는 백성이 생업을 유지할 수 있을 정도의 경제적 여건을 말하였을 뿐 경제적 풍요가 좋은 국가를 담보한다고 주장했다고 볼 수는 없다.

빈출 자료 02 에서 자주 나오는 오답 선택지

① 갑은 불복종 행위가 가져올 손익과 성공 가능성을 고려해야 한다고 본다. → 싱어의 입장이다.

② 갑은 양심과 정의에 대한 존경심보다 법에 대한 존경심이 더 중요하다고 본다. → 소로는 양심과 정의에 대한 존경심이 우선한다고 본다.

③ 갑은 시민 불복종의 근거를 개인의 양심이 아닌 공동체의 정의감으로 본다.
→ 롤스의 입장이며, 소로는 시민 불복종의 근거를 개인의 양심으로 본다.

④ 갑은 정치 체제의 변혁이 시민 불복종의 최종 목적이 되어야 한다고 본다.
→ 시민 불복종의 목적은 불의한 법이나 정책에 변화를 가져오는 것이다.

⑤ 을은 시민 불복종 행위에 가하는 처벌은 부당하므로 피해야 한다고 본다.
→ 롤스는 시민 불복종의 정당화 조건으로 처벌 감수를 강조하고 있다.

⑥ 을은 시민 불복종의 대상을 모든 법률과 정책으로 본다.
→ 시민 불복종의 대상은 부정의한 법이나 정책이다.

⑦ 을은 불의한 법을 고치기 위해 폭력적 수단의 사용을 허용한다.
→ 롤스에 따르면, 시민 불복종은 비폭력적일 때 정당화될 수 있다.

⑧ 을은 시민 불복종의 목적이 합법적인 국가 체제의 전복에 있다고 본다.
→ 시민 불복종의 목적은 불의한 법이나 정책을 변화시키기 위한 것이다.

⑨ 을은 시민 불복종이 경우에 따라 타인의 기본권을 침해할 수 있다고 본다.
→ 롤스는 정의의 원칙을 해치는 행위를 반대하므로 시민 불복종이 타인의 기본권을 침해해서는 안 된다고 본다.

시험에 꼭 나오는 문제

개념 확인 문제

01 다음 개념에 해당하는 설명을 바르게 연결하시오.

(1) 소극적 국가 • • ㉠ 국가의 시장에 대한 개입 최소화

(2) 적극적 국가 • • ㉡ 국가에 의한 의료 등의 복지 제공

02 다음을 주장한 사상가를 《보기》에서 골라 쓰시오.

《보기》

ㄱ. 소로　　ㄴ. 롤스

ㄷ. 싱어　　ㄹ. 드워킨

(1) 헌법 정신에 반하는 법률에 대해 시민이 저항할 수 있다.

(2) 시민 불복종이 산출할 이익과 손해, 성공 가능성 등을 고려해야 한다.

(3) 국민으로서 법에 대한 존경심보다는 인간으로서의 양심을 우선해야 한다.

(4) 다수의 정의관에 근거하여 정의의 원칙에 어긋나는 법이나 정책에 저항할 수 있다.

03 빈칸에 들어갈 알맞은 말을 쓰시오.

롤스의 (　　　)	• 의미: 정의롭지 못한 법을 개정하거나 정부 정책을 변혁하려는 목적으로 행하는 의도적인 위법 행위 • 정당화 조건: 목적의 정당성, 비폭력성, (　　　), (　　　), (　　　), (　　　)

02 (가), (나)에 대한 설명으로 가장 적절한 것은?

(가) 국가 권위의 정당화 근거들 중에서 시민이 국가에 복종하기로 동의하였기 때문에 국가에 마땅히 복종해야 한다고 보는 관점이다.

(나) 국가 권위의 정당화 근거들 중에서 국가가 공공재를 제공하거나 사회적 관행을 정하고 교정하는 등 여러 가지 혜택을 주기 때문에 국가에 복종해야 한다고 보는 관점이다.

① (가)는 덕을 갖춘 군주가 백성을 다스리는 유교 사상과 관련이 있다.

② (가)는 '최대 다수의 최대 행복'을 실현하는 행위의 원리에 근거한다.

③ (나)의 사례로 철인 통치자에 대한 복종을 주장한 플라톤을 들 수 있다.

④ (나)는 국가 공동체에 소속된 시민들 간의 소속감이나 연대감을 혜택으로 본다.

⑤ (나)는 시민들이 묵시적으로 그 국가의 구성원이 되는 것에 동의한 것으로 본다.

01 다음은 서술형 평가 문제와 학생의 답안이다. 학생 답안의 ㉠~㉤ 중 옳지 않은 것은?

서술형 평가

◉ 문제: 국가 권위의 특성에 대해 서술하시오.

◉ 학생 답안

㉠ 국가는 일정한 영토 안의 사람들에게 권리를 규정하고 의무를 부과한다. 이러한 ㉡ 국가는 권위를 지니는데, 그것은 시민의 삶 전체 영역에서 복종과 헌신을 요구한다. ㉢ 국가 권위는 다른 집단에 대한 의무보다 우선할 것을 요구하며, ㉣ 그것이 국가의 명령이라는 이유만으로 강한 구속력을 갖는다. 따라서 ㉤ 국가의 통치 권력이 정당하게 행사되지 않거나 시민들의 지지와 동의를 바탕으로 하지 않더라도 국가 권위의 정당성은 항상 보장된다.

① ㉠　② ㉡　③ ㉢　④ ㉣　⑤ ㉤

빈출 문제 연계 자료 → 63쪽 빈출 자료 01

03 다음 사례들이 공통으로 강조하고 있는 국가관의 특징으로 가장 적절한 것은?

• 정약용은 백성들의 건강한 삶을 위한 통치자의 헌신과 백성에 대한 배려를 강조하였다.
• 맹자는 "항산(恒産)이 있어야 항심(恒心)이 있다."라고 하면서 생업이 보장되어야 백성들이 올바른 생각과 행동을 바탕으로 도덕적인 삶을 영위할 수 있다고 보았다.

① 소극적 국가관을 지향한다.

② 민본주의 정신에 바탕을 둔다.

③ 시장에 대한 국가의 개입을 최소화한다.

④ 최소한의 인간다운 삶을 보장하지 못한다.

⑤ 복지 과잉으로 도덕적 해이 현상을 초래한다.

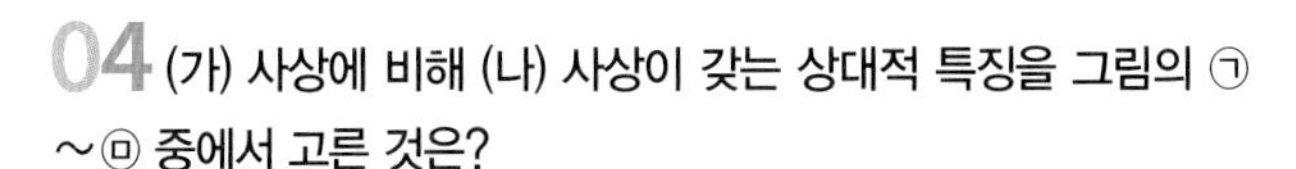

04 (가) 사상에 비해 (나) 사상이 갖는 상대적 특징을 그림의 ㉠~㉤ 중에서 고른 것은?

(가) 동양의 유교 윤리에서는 부모에게 효도하는 것과 같이 백성이 국가에 충성하는 것을 의무로 간주하였다. 맹자에 따르면, 군주는 호혜성을 바탕으로 덕으로써 인을 행하는 왕도 정치를 해야 한다. 만약 그러지 않으면 백성은 역성혁명을 할 수 있다.

(나) 서양의 사회 계약론에 따르면, 시민은 자연법에 따른 권리의 주체로서 자신의 자유를 정당하게 행사할 권리를 갖는 동시에, 자신과 동등한 타인의 자유와 권리를 침해하지 않으면서 정치 공동체의 구성원으로서 공동선을 수행해야 할 의무를 지닌다.

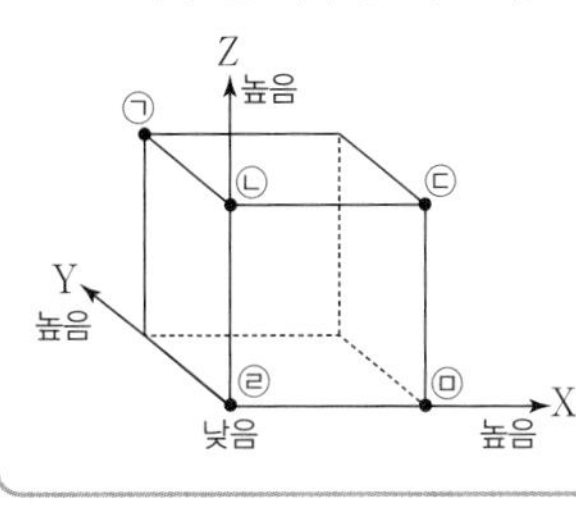

- X: 통치자의 도덕성과 모범을 강조하는 정도
- Y: 국가 통치에 가족의 원리를 적용하는 정도
- Z: 피치자의 정치적 자유와 권리를 중시하는 정도

① ㉠ ② ㉡ ③ ㉢ ④ ㉣ ⑤ ㉤

05 국가 권위에 대한 갑, 을의 입장으로 옳은 것을 《보기》에서 고른 것은?

갑: 국가는 자연적으로 존재하는 것들에 속하며, 인간은 본질적으로 국가에서 살게 되어 있는 동물이다. 국가는 가장 높은 단계의 선을 추구하는 최상의 공동체로, 인간은 본질적으로 국가라는 정치 공동체 속에서 자아실현 및 행복을 실현할 수 있다.

을: 사람들은 사회에 들어갈 때 그들이 자연 상태에서 가졌던 평등, 자유 및 집행권을 사회가 요구하는 바에 따라 입법부가 처리할 수 있도록 사회의 수중에 양도한다. 그러나 그것은 오직 모든 사람이 그 자신, 그의 자유 및 그의 재산을 더욱 잘 보존하려는 의도에서 행하는 것이다.

《보기》

ㄱ. 갑: 국가는 인간의 사회적 · 정치적 본성의 산물이다.
ㄴ. 갑: 국가의 권위는 공공재와 관행의 혜택에 근거한다.
ㄷ. 을: 국가는 시민의 인권 및 생명과 재산을 보호해야 한다.
ㄹ. 을: 군주의 통치권은 천명(天命), 즉 하늘로부터 주어진 것이다.

① ㄱ, ㄴ ② ㄱ, ㄷ ③ ㄴ, ㄷ
④ ㄴ, ㄹ ⑤ ㄷ, ㄹ

06 다음 글에서 강조하는 내용으로 가장 적절한 것은?

하늘이 보고 듣는 것이 백성을 통해 보고 듣는 것이다. 하늘이 밝히고 두렵게 하는 것 또한 우리 백성들을 통해 밝히고 두렵게 하는 것이다. 이처럼 하늘과 백성은 통하는 것이니, 땅을 다스리는 사람은 백성을 공경해야 한다.

① 국가 권위의 정당성은 민본주의에 기초한다.
② 군주의 통치권은 사회 계약에 의해 성립한다.
③ 피치자는 주권자로서 통치자와 동일한 권력을 지닌다.
④ 인간 본성에 따라 성립된 국가는 자연스럽게 권위를 갖는다.
⑤ 피치자는 자신의 생명과 재산의 보호를 위해 국가 명령에 복종한다.

(빈출 문제) 연계 자료 → 63쪽 빈출 자료 01

07 다음 사상가의 입장에서 부정의 대답을 할 질문만을 《보기》에서 있는 대로 고른 것은?

큰 도가 행해진 세상에는 천하가 모든 사람의 것이다. …… 노인에게는 그 생애를 편안하게 마치게 해 주며, 장정에게는 충분한 일자리를 제공해 주며, 어린아이에게는 마음껏 성장할 수 있게 해 주며, 과부와 고아, 장애인 등에게는 고생 없는 생활을 할 수 있게 해 준다.

《보기》

ㄱ. 국가는 도덕적 해이를 방지하기 위해 복지를 축소해야 하는가?
ㄴ. 국가는 개인의 삶에 대한 간섭이나 개입을 최소화해야 하는가?
ㄷ. 국가는 국방, 외교, 치안 등 질서 유지의 기능만 담당해야 하는가?
ㄹ. 국가는 사회적 약자의 인간다운 삶을 보장하기 위해 힘써야 하는가?

① ㄱ, ㄷ ② ㄱ, ㄹ ③ ㄱ, ㄴ, ㄷ
④ ㄱ, ㄴ, ㄹ ⑤ ㄴ, ㄷ, ㄹ

08 (가), (나)의 국가관에 대한 설명으로 옳지 않은 것은?

> (가) 개인의 권리와 자유를 최대한 보장하기 위해 국가의 간섭이나 개입을 최소화해야 한다.
> (나) 국가는 시민의 기본 욕구를 충족시키고, 의료, 주택, 교육 등의 영역에서 복지를 제공해야 한다.

① (가)를 강조할 경우 빈부 격차가 심화될 우려가 있다.
② (가)는 국방과 외교, 치안 등 국가의 질서 유지 역할만을 강조한다.
③ (나)는 소극적 국가관의 한계를 극복하는 데 어느 정도 기여하였다.
④ (나)의 문제점으로 국가 기능의 비대화와 비효율성 등을 들 수 있다.
⑤ (나)는 (가)에 비해 시민이 최소한의 인간다운 삶을 보장받기가 어렵다.

09 다음 관점에 부합하는 민주 시민의 태도를 《보기》에서 고른 것은?

> 민주주의 사회에서 시민은 정치 참여를 통해 공공의 문제에 영향력을 행사해야 한다. 또 단순히 정치적 견해나 소견을 발표하는 것을 넘어서 정책을 건의하고 제도를 보완하는 등 구체적인 행동에 나서야 한다. 이러한 정치 참여는 합법적인 행위뿐만 아니라 부정의한 법과 정책에 대한 저항까지 포함한다.

《보기》
ㄱ. 현실 정치에 대한 혐오감을 지닌다.
ㄴ. 정치에 대한 시민들의 무관심을 촉구한다.
ㄷ. 주민 발의제 및 주민 참여 예산제에 참여한다.
ㄹ. 정의 실현을 위한 시민 불복종 운동에 동참한다.

① ㄱ, ㄴ ② ㄱ, ㄹ ③ ㄴ, ㄷ
④ ㄴ, ㄹ ⑤ ㄷ, ㄹ

10 다음 입장에서 긍정의 대답을 할 질문으로 가장 적절한 것은?

> 폴리스의 시민이 된다는 것은 단순히 세금을 납부하고 투표권을 가지고 있음을 의미하는 것만이 아니라 국가의 모든 영역에 직접적이고 적극적으로 참여함을 의미했다. 시민은 군인이었고 동시에 판사였고 공회의 구성원이었다. 또한 그의 모든 공적 의무는 대리자에 의해서 이루어지는 것이 아니라 개인이 직접 수행해야 하는 것이었다. 시민은 국가의 핵심적 영역에 참여하여 직접 공회에서 발언할 수 있어야 했다.

① 시민은 대의 민주주의를 실현해야 하는가?
② 시민의 참여는 사적 영역에 한정되어야 하는가?
③ 시민은 자신의 자유와 권리를 우선시해야 하는가?
④ 시민은 자신의 권리를 대리자에게 위임해야 하는가?
⑤ 시민은 국가의 일에 관심을 갖고 직접 참여해야 하는가?

11 다음 사상가가 강조하는 시민 불복종의 특징으로 가장 적절한 것은?

> 저는 허가받지 않은 시위행진에 참석한 혐의로 체포된 적이 있습니다. 시위행진을 허가 사항으로 규정한 법 자체는 부당하지 않습니다. 하지만 이 법이 흑백 차별을 유지하고 미국 연방 헌법 수정 조항 제1조의 평화적인 집회와 항의할 권리를 제한하기 위하여 이용된다면, 그것은 부당한 것입니다. 부당한 법을 위반하는 사람은 솔직하고 겸허한 태도를 가져야 하며 어떤 벌도 달갑게 받아들여야 합니다. 양심적으로 부당하다고 판단되는 법률을 위반하되 지역 사회의 양심에 그 법률의 부당성을 호소하기 위해서 징역형도 불사하는 사람이야말로 법을 지극히 존중하는 사람입니다.

① 자연법이나 양심이 아닌 실정법에 의해 지지된다.
② 무정부 상태를 초래하여 사회 질서를 무너뜨린다.
③ 기본적으로 법을 존중하며 기꺼이 처벌을 감수한다.
④ 법에 대한 존경심을 파괴하고 민주적 절차를 무시한다.
⑤ 단지 자신에게 불리한 법률이나 정책에 저항하는 것이다.

빈출 문제 연계 자료 → 63쪽 빈출 자료 02

12 다음을 주장한 사상가의 입장으로 가장 적절한 것은?

> 우리는 먼저 인간이어야 하고, 그다음에 국민이어야 한다고 나는 생각한다. 법에 대한 존경심보다는 먼저 정의에 대한 존경심을 기르는 것이 바람직하다. 내가 마땅히 따라야 할 유일한 의무는 어떤 때이든 내가 옳다고 생각하는 일을 행하는 것이다.

① 양심에 따라 부정의한 법률에 대해 불복종해야 한다.
② 헌법 정신에 반하는 법률에 대한 저항권을 인정해야 한다.
③ 다수의 정의관에 근거하여 부정의한 권력에 저항해야 한다.
④ 불복종 행위가 가져올 손익과 성공 가능성을 고려해야 한다.
⑤ 평등한 자유의 원칙에 어긋나는 정책에 대해 불복종해야 한다.

빈출 문제 연계 자료 → 63쪽 빈출 자료 02

13 다음 사상가가 긍정의 대답을 할 질문으로 가장 적절한 것은?

> 불복종의 정당화 여부는 법과 제도가 부정의한 정도에 달려 있다. …… 시민 불복종의 근거가 오직 개인이나 집단의 이익에만 기초할 수 없다는 것은 말할 필요도 없다. 그 대신 우리는 정치적인 질서의 바탕에 깔린, 공유하고 있는 정의관에 따르게 된다. …… 이러한 정의관의 기본 원칙을 오래도록 끈질기고 의도적으로 위반하는 것, 특히 기본적인 평등한 자유의 침해는 굴종이 아니면 반항을 일으키게 된다.

① 시민 불복종은 인간의 양심에 근거를 두고 행해져야 하는가?
② 불의한 법을 고치기 위해 폭력적 수단의 사용은 허용되는가?
③ 시민 불복종은 사회의 법이나 제도 전체에 대한 항거인가?
④ 시민 불복종은 경우에 따라 타인의 기본권을 침해해도 되는가?
⑤ 시민 불복종은 법에 대한 충실성의 한계 내에서 마지막 수단이 되어야 하는가?

유사 선택지 문제

13_ ❶ 위 사상가에 따르면 시민 불복종은 사회의 다수자가 갖는 정의관에 근거를 두어야 한다. (○ / ×)

13_ ❷ 위 사상가에 따르면 시민 불복종은 그로 인한 처벌까지 기꺼이 감수해야 한다. (○ / ×)

13_ ❸ 위 사상가에 따르면 시민 불복종은 모든 합법적 행위가 실패한 후에 최후의 수단으로 행해져야 한다. (○ / ×)

14 다음 내용에 해당하는 적절한 사례만을 《보기》에서 있는 대로 고른 것은?

> 시민 불복종은 시민 참여의 한 형태로, 정의롭지 못한 법을 개정하거나 정부 정책을 변혁하려는 목적으로 행하는 의도적인 위법 행위이다.

보기

ㄱ. 킹 목사의 흑인에 대한 차별 철폐 운동
ㄴ. 영국의 식민 통치에 저항한 간디의 소금 법 거부 운동
ㄷ. 법에 대한 존경을 강조한 소크라테스의 탈옥 거부 행위
ㄹ. 노예 제도와 멕시코 전쟁에 반대한 소로의 납세 거부 행위

① ㄱ, ㄷ ② ㄱ, ㄴ ③ ㄷ, ㄹ
④ ㄱ, ㄴ, ㄹ ⑤ ㄴ, ㄷ, ㄹ

15 다음 사례에 대한 설명으로 적절하지 않은 것은?

> 1930년대 영국 정부는 인도가 소금을 반드시 영국으로부터 수입해야 하고, 소금에 50%의 높은 세금을 부과한다는 내용을 담은 소금 법을 시행하였다. 그 결과 인도의 가난한 농민은 소금을 사 먹지 못하는 상황이 벌어졌고, 간디는 영국 정부에 소금 법을 폐지하라고 요구했지만 받아들여지지 않았다. 간디는 항의의 표시로 그의 제자 및 지지자와 함께 직접 소금을 만들기 위한 행진을 하였다. 3주에 걸친 행진 끝에 동쪽 해안에 도착한 간디와 그 일행은 바닷물로 소금을 만들기 시작했다. 이에 경찰은 곤봉을 휘두르며 소금 법을 어긴 이들을 강제로 진압했으나 그들은 소금 만드는 것을 멈추지 않았고, 결국 체포되어 투옥되었다.

① 처벌의 불이익을 감수하고서라도 잘못된 법을 바로잡고자 한다.
② 비폭력적이고 평화적인 방법으로 소금 법의 부당성을 보여 주고 있다.
③ 사회 구성원의 권리를 침해하고 사회 정의를 훼손한 법에 대해 저항하고 있다.
④ 소금 법 폐지를 위한 합법적인 노력이 실패하자 마지막 수단으로 선택하고 있다.
⑤ 합법적인 정부 권력에 저항하고 있다는 점에서 시민 불복종의 사례로 보기 어렵다.

16 다음 사상가의 관점에 모두 'V'를 표시한 학생은?

> 내가 여기서 도망치려 한다면 사람들은 나라의 법률과 나라 전체를 파괴하려는 것이라고 말하겠지. 한 번 내려진 판결을 따르지 않는다면 나라의 질서는 유지될 수 없을 것이라고 말이야. 또한 평생 동안 각종 혜택을 받으며 이 나라에서 살았던 것은 나라의 법 아래에서 살기로 약속했기 때문인데, 자신이 불리하다는 이유로 그 약속을 어기는 것은 옳지 않다고 사람들이 말하지 않겠는가?

관점 \ 학생	갑	을	병	정	무
법을 준수하기로 한 약속을 지켜야 한다.	V		V	V	
군주는 호혜성을 바탕으로 왕도(王道) 정치를 해야 한다.	V	V			V
부정의한 법을 변화시키기 위해 의도적으로 법을 어겨야 한다.		V		V	V
국가로부터 혜택을 받았으므로 시민으로서의 의무를 다해야 한다.			V	V	V

① 갑 ② 을 ③ 병 ④ 정 ⑤ 무

17 다음 사상가의 입장만을 《보기》에서 있는 대로 고른 것은?

> 시민 불복종의 근거가 개인이나 집단의 이익에 기초해서는 안 된다. 시민 불복종은 정의로운 사회에서 공유되고 있는 정의관에 의거하여 이루어져야 한다.

《 보기 》
ㄱ. 시민 불복종은 다수의 정의관에 근거해야 한다.
ㄴ. 양심에 어긋나는 모든 법에 대해 불복종할 수 있다.
ㄷ. 시민 불복종은 사회 정의 실현을 위한 위법 행위이다.
ㄹ. 법에 대한 충실성의 한계 내에서 시민 불복종을 전개할 수 있다.

① ㄱ, ㄴ ② ㄱ, ㄷ ③ ㄴ, ㄹ
④ ㄱ, ㄷ, ㄹ ⑤ ㄴ, ㄷ, ㄹ

18 밑줄 친 사상가의 입장에서 지지할 내용만을 《보기》에서 있는 대로 고른 것은?

> 아리스토텔레스는 개인이 사적인 즐거움과 행복을 추구하는 것을 넘어서 정치적 공동체의 일원으로서 공적인 일에 참여하여 그 역할을 다하는 것이 최선의 삶이라고 주장하였다. 특히 그 사회의 주인인 '시민'에 의한 정치를 추구하는 민주주의 사회에서는 시민의 정치 참여가 필수적인 요소라고 보았다.

《 보기 》
ㄱ. 공청회나 자문 위원회와 같은 공적 담론의 장(場)에 참여한다.
ㄴ. 대의 민주주의를 통해 선출된 대리인에게 모든 권한을 위임한다.
ㄷ. 시민의 삶과 관련된 의사 결정 과정인 선거에서 투표권을 행사한다.
ㄹ. 시민 단체에 가입하거나 민원 도우미로서 국민 감시 활동을 실시한다.

① ㄱ, ㄴ ② ㄱ, ㄷ ③ ㄴ, ㄹ
④ ㄱ, ㄷ, ㄹ ⑤ ㄴ, ㄷ, ㄹ

서술형 문제

19 다음 글을 읽고 물음에 답하시오.

> 동양의 유교 윤리에서는 ㉠백성을 국가가 성립하는 근본으로 여기고, 백성을 위한 정치를 펼쳐야 한다고 주장한다. 특히, 국가(國家)의 '가(家)'에서 알 수 있듯이 국가를 하나의 거대한 가족으로 이해한다. 다시 말해, 부모가 자녀를 사랑으로 돌보는 것처럼 [㉡]는 것이다.

(1) ㉠을 일컫는 용어를 쓰시오.

(2) ㉡에 들어갈 내용을 서술하시오.

20 다음 글을 읽고 물음에 답하시오.

> [㉠]은/는 시민 참여의 한 형태로, 정의롭지 못한 법을 개정하거나 정부 정책을 변혁시키려는 목적으로 행하는 의도적인 위법 행위이다.

(1) ㉠에 들어갈 용어를 쓰시오.

(2) 롤스의 입장에서 ㉠을 정당화하는 조건을 세 가지 이상 서술하시오.

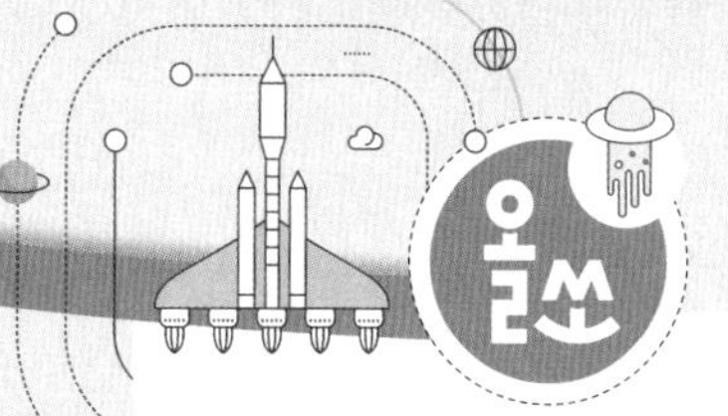

상위 4% 문제

| 수능 기출 응용 |

01 (가)의 갑, 을 사상가들의 입장을 (나)의 그림으로 표현할 때, A~C에 해당하는 옳은 질문을 《 보기 》에서 고른 것은?

(가)
갑: 시민들의 부정의한 법에 대한 불복종은 공유된 정의관에 의해 정당화된다. 이러한 불복종은 거의 정의로운 국가에서 체제의 합법성을 인정하는 시민들에 의해서만 생긴다. 특히 기본적인 평등한 자유의 침해는 굴종이 아니면 반항을 부른다.
을: 시민은 한 순간이라도 자신의 양심을 입법자에게 맡겨야 하는가? 우리는 먼저 인간이어야 하고 그 다음에 국민이어야 한다. 단 한 명의 사람이라도 부당하게 가두는 정부 밑에서 의로운 사람이 있을 곳은 감옥이다.

(나)
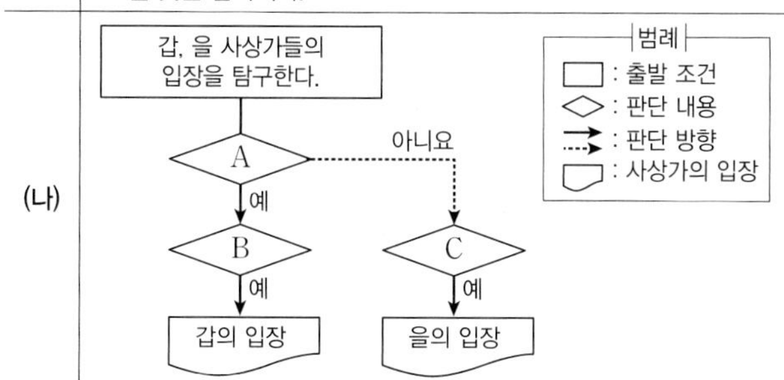

《 보기 》
ㄱ. A: 시민 불복종은 신중하고 양심적인 신념의 표현인가?
ㄴ. B: 시민 불복종의 대상은 일부 부정의한 법에 한정되는가?
ㄷ. B: 시민 불복종은 법에 대한 충실성을 거부하는 정치 행위인가?
ㄹ. C: 개인은 법보다 양심과 정의에 우선하여 행동해야 하는가?

① ㄱ, ㄴ ② ㄱ, ㄹ ③ ㄴ, ㄷ
④ ㄴ, ㄹ ⑤ ㄷ, ㄹ

| 평가원 기출 응용 |

02 다음 사상가의 입장으로 옳은 것은?

시민 불복종은 법이나 정부의 정책에 변혁을 가져올 목적으로 행해지는, 공공적이고 비폭력적이며 양심적이긴 하지만 법에 반하는 정치적 행위이다. 이러한 행위를 통해서 우리는 공동 사회의 다수자가 갖고 있는 정의감을 드러내고, 자유롭고 평등한 개인들 사이에서 정의의 원칙이 존중되고 있지 않음을 보여 준다.

① 시민 불복종은 다수자의 정의관에 반하는 행위이다.
② 시민 불복종은 공개적으로 주목받아야 할 위법 행위이다.
③ 시민 불복종의 목적은 합법적인 국가 체제의 전복에 있다.
④ 시민 불복종 행위에 가하는 처벌은 부당하므로 피해야 한다.
⑤ 시민 불복종의 대상은 자신에게 불리한 모든 법률과 정책이다.

| 평가원 기출 응용 |

03 다음 사상가가 부정의 대답을 할 질문을 《 보기 》에서 고른 것은?

거의 정의롭지만 정의에 대한 심각한 위반이 발생하기도 하는 사회에서 시민 불복종이 성립한다. 시민 불복종은 신중하고 양심적인 정치적 신념을 표현하는 청원의 한 형태이므로 공개 석상에서 이루어지며, 어떤 개인적 도덕 원칙이나 종교적 교설이 아닌 공유된 정의관에 의거해야 한다. 정당한 시민 불복종이 시민 화합을 해치는 것으로 보이면, 그 책임은 불복종하는 자들이 아니라 권위와 권력을 남용한 자들에게 있는 것이다.

《 보기 》
ㄱ. 시민 불복종은 정의의 원칙을 위반하는 행위인가?
ㄴ. 시민 불복종은 공동체의 정의감에 호소하는 정치 행위인가?
ㄷ. 시민 불복종의 대상이 되지 않는 부정의가 존재할 수 있는가?
ㄹ. 정치적 절차는 완전히 정의로운 법의 제정을 보장할 수 있는가?

① ㄱ, ㄴ ② ㄱ, ㄹ ③ ㄴ, ㄷ
④ ㄴ, ㄹ ⑤ ㄷ, ㄹ

04 그림의 A~D에 들어갈 옳은 질문만을 《 보기 》에서 있는 대로 고른 것은?

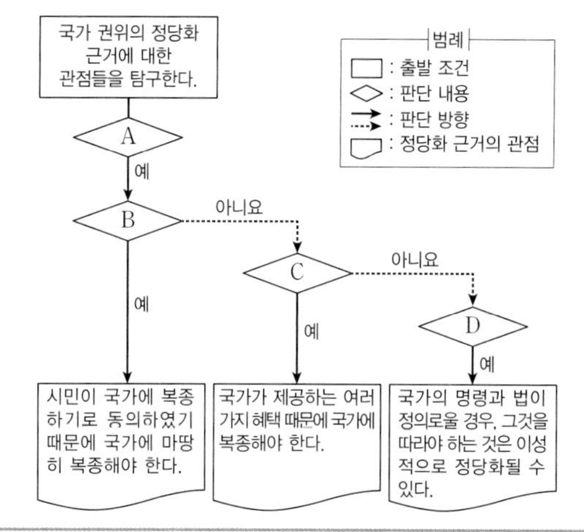

ㄱ. A: 국가는 본질적으로 인간의 사회적 · 정치적 본성에 의해 형성되는 것인가?
ㄴ. B: 한 국가의 시민으로 살 때 그 국가의 구성원이 되기 위한 명시적 동의가 필수적인가?
ㄷ. C: 국가의 혜택에는 공공재의 공급뿐만 아니라 사회적 관행의 제정 및 교정도 포함되는가?
ㄹ. D: 선의 이데아를 통찰한 통치자에 대한 복종을 정의롭다고 본 플라톤의 사례가 이에 해당하는가?

① ㄱ, ㄴ ② ㄱ, ㄹ ③ ㄷ, ㄹ
④ ㄱ, ㄴ, ㄷ ⑤ ㄴ, ㄷ, ㄹ

09 과학 기술과 윤리

출제 경향
★과학 기술의 가치 중립성에 관한 입장
★요나스의 책임 윤리

01 과학 기술의 본질과 윤리의 관계

1. 과학 기술의 의미

과학 기술	관찰, 실험, 조사 등의 객관적인 방법으로 얻어 낸 자연 현상에 대한 체계적인 지식과 그 지식을 활용하여 무엇인가를 만들어 내는 전 과정

2. 과학 기술과 가치 중립성

(1) 과학 기술의 가치 중립성에 관한 입장 비교 빈출 자료 01

과학 기술을 가치 중립적으로 보는 입장	과학 기술을 가치 중립적이지 않다고 보는 입장
• 과학 기술은 그 자체로는 선도, 악도 아님 • 과학 기술의 본질은 진리의 발견과 활용임 • 과학 기술의 연구가 사회적으로 어떤 결과를 초래하든 과학자는 책임질 이유가 없음 • 과학 기술에 대한 도덕적 평가와 비판을 유보해야 함	• 연구 목적을 설정하거나 결과를 현실에 적용할 때 가치 판단이 개입함 • 과학 기술자는 자신이 연구 대상을 통제·조작할 수 있다는 전제하에 연구를 진행해야 함 • 과학 기술자는 연구 내용에 관한 흥미, 지원과 보상, 실제에의 응용 가능성 등을 고려함 • 과학 기술은 윤리적 검토나 통제를 통해 윤리적 목적에 기여해야 함

(2) 과학 기술의 가치 중립성에 관한 올바른 관점

① 과학 기술이 객관적 타당성을 지닌 지식이나 원리로 인정받기 위해서는 가치 중립적이어야 함

② 과학 기술을 발견하고 활용하는 과정에는 가치가 개입되므로 윤리적 가치에 의해 지도되고 규제되어야 함

02 과학 기술의 성과와 윤리적 문제

1. 과학 기술의 성과

물질적 풍요와 안락한 삶	농업 기술의 발달, 산업화로 인한 대량 생산, 여가 활동과 다채로운 삶 가능
건강 증진과 생명 연장	생명 과학과 의료 기술의 발달, 질병 극복, 인간의 수명 증진
시공간의 제약 극복	교통과 정보 통신 기술의 발달, 정보의 자유로운 교환·수집·전달 가능, 지식의 축적으로 인한 인류 문화 발전, 새로운 인간관계 및 공동체 형성
대중문화의 발달	텔레비전·인터넷·스마트폰 등 다양한 매체의 등장과 다양한 문화의 발달

2. 과학 기술의 발전에 따른 윤리적 문제

인간의 주체성 약화 및 비인간화	인간 소외 현상, 기술 지배 현상(테크노크라시), 비판적 사고 능력 약화 등
인권과 사생활 침해	개인 정보 유출, 악성 댓글과 사이버 폭력, 위치 추적, 감시 카메라 등 전자 감시 사회의 도래
생명의 존엄성 훼손	생명의 수단화와 본래적 가치 훼손, 장기 이식, 낙태, 안락사 등 새로운 생명 윤리 문제 발생
환경 문제 심화	무분별한 자연환경 개발로 인한 문제
빈부 격차 심화	과학 기술의 접근 가능성 차이에 따라 국가 간, 계층 간 빈부 격차가 커짐

03 과학 기술의 윤리적 과제와 책임 윤리

1. 과학 기술에 대한 바람직한 태도

(1) 과학 기술에 대한 극단적 관점

과학 기술 낙관주의 (과학 기술 지상주의)	과학 기술 비관주의 (과학 기술 혐오주의)
• 과학 기술의 유용성만을 강조함 • 과학 기술이 인류에게 무한한 부를 가져다주고, 인류가 당면한 모든 문제를 해결할 수 있다고 봄 • 과학적 방법이 모든 가치 판단의 기준임	• 과학 기술의 부작용만을 지나치게 염려함 • 모든 종류의 과학 기술을 거부함 • 기술이 지배하는 인간 소외 사회가 될 것으로 전망함

(2) 과학 기술에 대한 바람직한 태도

① 과학 기술에 대한 균형 있는 시각 유지

② 과학 기술의 목적을 바람직하게 설정해 과학 기술의 긍정적 영향을 극대화하고 부정적 영향을 최소화해야 함

2. 과학 기술자의 책임 한계에 대한 견해 차이 빈출 자료 02

과학 기술자의 사회적 책임 인정	과학 기술자의 사회적 책임 부정
• 과학의 영역은 가치 중립적이지 않음 • 과학 기술자는 연구 내용에 대한 흥미, 연구에 대한 지원과 보상, 실제의 응용 가능성을 고려해 연구 대상을 선정함 • 과학 기술자는 자신의 연구 결과가 미칠 사회적 영향을 인식하여 연구 및 개발과 그 활용에 관해 사회적 책임을 다해야 함	• 과학의 연구 결과는 객관적이며 가치 중립적임 • 과학 기술자는 연구 결과가 사회에 미칠 영향을 고려할 필요가 없음 • 과학 기술자의 연구가 부정적 결과를 낳았다고 하더라도 그것은 연구 결과를 실제로 이용한 사람들의 책임일 뿐이라고 봄

3. 요나스의 책임 윤리

(1) 요나스의 책임 윤리 특징 빈출 자료 03

책임의 범위 확대	• 현세대의 인간뿐만 아니라 미래 세대와 자연에 대한 책임까지 고려해야 함 • 내재적이고 본질적인 가치를 지니는 모든 생명에 대하여 책임을 져야 함
예견적 책임 강조	• 행동하기 전에 행동의 결과를 미리 예측하여 더욱 주의를 기울이고 심사숙고해야 함 • 과학 기술의 발전이 먼 미래에 끼치게 될 결과를 예측하여 생명에 대한 도덕적 책임을 져야 함

(2) 책임 윤리의 관점에서 요구되는 노력

과학자의 사회적 책임	• 자연환경과 미래 세대가 존속할 수 있는 범위 내에서 과학 기술의 발전을 추구해야 함 • 인간의 존엄성 구현과 삶의 질을 향상시키기 위한 연구 자세를 함양해야 함
일반 시민의 노력	연구 개발에 관련된 사회적 토론과 합의 과정에 관심을 가지고 적극 참여해야 함
사회 제도적 차원의 노력	기술 영향 평가 제도, 국가 단위의 각종 윤리 위원회 활동 등

빈출 특강

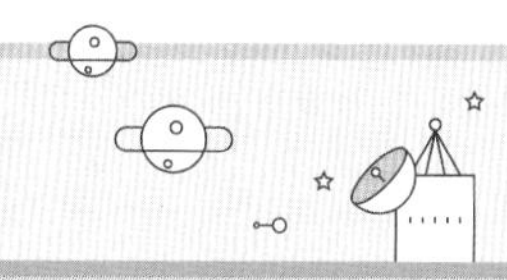

대표 유형

빈출 자료 01 과학 기술의 가치 중립성과 관련된 입장 비교

| 연계 문제 → 72쪽 02번, 73쪽 04번

갑: 기술은 수단일 뿐이며 그 자체로 선도 아니고 악도 아닙니다. 인간이 기술로부터 무엇을 만들어 내고, 기술을 어디에 사용하고, 어떤 조건에서 기술을 지배하고, 기술을 통해서 결국 인간의 어떤 본질이 나타나는가가 중요하지요.
을: 과학 기술을 가치 중립적인 것으로 고찰할 때, 우리는 무방비 상태로 과학 기술에 내맡겨집니다.

| 자료 분석 | 갑은 야스퍼스, 을은 하이데거이다.
- 갑: 야스퍼스는 과학 기술 자체는 좋은 것도 나쁜 것도 아니고, 인간이 기술을 지도하여 인간의 생존과 행복에 유용하도록 만들어야 한다고 주장하였다.
- 을: 하이데거는 과학 기술을 가치 중립적인 것으로 여길 때 과학 기술이 가져올 위험에 무방비로 노출된다고 주장하였다.

빈출 자료 02 과학 기술자의 책임 한계에 대한 견해 차이

| 연계 문제 → 73쪽 07번

갑: 히틀러에게 원자 폭탄이 들어가도록 하는, 씻을 수 없는 죄를 인류에게 지울 수 없다. 우리가 연구할 것은 원자 에너지를 평화롭게 활용하는 방안에 한정되어야 한다.
을: 원자 폭탄을 만든 것은 나이지만, 원자 폭탄을 사용할지 결정하는 것은 정치인이다. 나는 주어진 역할에 충실했을 뿐이다.

| 자료 분석 | 갑은 하이젠베르크, 을은 오펜하이머이다.
- 갑: 하이젠베르크는 과학 기술자들이 자신들의 연구 결과가 사회에 미칠 영향을 고려해야 하며, 그에 대한 사회적 책임까지 져야 한다고 주장하였다.
- 을: 오펜하이머는 과학자는 과학자로서의 역할과 그 역할에 따른 책임을 다할 것을 주장하였다.

빈출 자료 03 요나스의 책임 윤리 | 연계 문제 → 74쪽 09번

인류는 지구상에 존재해야 한다. 이를 위해서는 사고의 전환이 요청된다. 전통적 윤리는 인간적 삶의 전 지구적 조건과 종(種)의 먼 미래와 실존을 고려할 필요가 없었다. 그러나 이제 우리는 자연에 대한 책임, 미래 지향적 책임, 미래 세대의 삶의 조건에 대한 책임까지 숙고해야 한다. 이러한 책임은 단순히 상호적 권리와 의무로만 설명될 수 없다. 우리에게 요청되는 책임은 자녀에 대한 부모의 책임처럼 일방적이고 절대적인 책임이다.

| 자료 분석 | 요나스는 과학 기술 시대에 윤리적 책임의 범위를 자연과 미래 세대에까지 확대할 것을 주장하였다. 아울러 과학 기술의 발전이 먼 미래에 끼치게 될 결과를 예측하여 도덕적으로 책임을 져야 한다는 '예견적 책임'을 주장하였다.

자주 나오는 오답 선택지

빈출 자료 01 에서 자주 나오는 오답 선택지

① 갑은 과학 기술의 연구 목표를 설정할 때 가치 판단에 근거해야 한다고 본다. → 갑은 가치 판단이 개입되어서는 안 된다고 본다.
② 갑은 과학 기술 자체를 선한 것으로 본다.
→ 갑은 기술 자체는 선도 악도 아니라고 본다.
③ 갑은 기술의 발전이 인간의 삶에서 목적이 되어야 한다고 본다.
→ 갑은 기술은 인간을 위한 수단이 되어야 한다고 본다.
④ 을은 과학적 사실 판단은 도덕적 가치 판단에 종속되어서는 안 된다고 본다. → 을은 과학적 사실 판단의 영역도 경우에 따라 도덕적 가치 판단의 대상이 된다고 본다.
⑤ 을은 과학 기술의 발전을 위해 가치 중립적 태도를 유지해야 한다고 본다. → 을은 가치 판단이 필요하다고 본다.
⑥ 을은 과학 기술의 연구 대상과 도덕의 탐구 대상은 서로 구별된다고 본다. → 을은 서로 중첩된다고 본다.

빈출 자료 02 에서 자주 나오는 오답 선택지

① 갑은 과학자의 연구 활동은 사회의 요구로부터 자유로워야 한다고 주장한다. → 갑은 사회의 요구를 반영해야 한다고 주장한다.
② 갑은 과학자가 연구 대상 선정에 있어서 가치 중립적이어야 한다고 본다. → 갑은 사회적으로 가치 있는 것을 선정해야 한다고 본다.
③ 갑은 과학자의 연구 과정이 도덕규범에 종속되어서는 안 된다고 본다. → 갑은 도덕규범에 종속되어야 한다고 본다.
④ 을은 과학자는 연구와 관련해서는 어떠한 책임도 질 필요가 없다고 본다.
→ 을은 과학자는 과학자로서의 역할에 따른 책임을 져야 한다고 본다.
⑤ 을은 과학자는 연구 자체에 대한 책임이 없다고 본다.
→ 을은 과학자에게는 연구 자체에 대한 책임이 당연히 있다고 본다.
⑥ 을은 과학자는 연구 수행 과정에서 모든 책임에서 면제되어야 한다고 본다.
→ 을은 과학자가 연구 수행 과정에서 져야 할 책임이 있다고 본다.

빈출 자료 03 에서 자주 나오는 오답 선택지

① 자연에 대한 인류의 책임은 보상을 위한 것이다.
→ 요나스에 따르면 미래 지향적인 책임의 윤리는 이미 행해진 것에 대한 보상의 책임이 아니라, 일어날 수도 있는 일에 대한 배려와 예방의 책임이다.
② 책임의 주체와 대상은 이성을 가진 존재로 한정한다.
→ 요나스는 책임의 주체를 이성을 가진 존재로 한정하였으나, 책임의 대상은 현 세대와 미래 세대뿐만 아니라 자연까지로 확대하였다.
③ 자연의 모든 존재는 미래의 생존에 대해 책임져야 한다.
→ 요나스는 인간만이 미래의 생존에 대해 책임져야 한다고 본다.
④ 인간보다 생태계를 우선하는 새로운 윤리를 정립해야 한다.
→ 요나스는 인간에게 자신을 포함하여 다른 사람 그리고 다른 존재에 대한 책임이 있음을 주장하였지만, 인간보다 생태계를 우선해야 한다고 말하지는 않았다.

IV

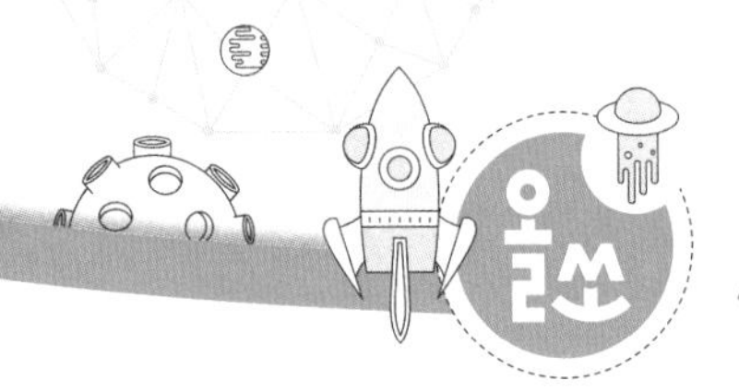

올쏘 시험에 꼭 나오는 문제

개념 확인 문제

01 빈칸에 들어갈 알맞은 말을 쓰시오.

( )	관찰, 실험, 조사 등의 객관적인 방법으로 얻어 낸 자연 현상에 대한 체계적인 지식과 그 지식을 활용하여 무엇인가를 만들어 내는 전 과정

02 과학 기술의 가치 중립성을 주장하는 입장에는 ○, 부정하는 입장에는 ×표 하시오.

(1) 과학 기술의 본질은 진리의 발견과 활용이다. ( )

(2) 과학 기술은 윤리적 검토나 통제를 통해 윤리적 목적에 기여해야 한다. ( )

(3) 과학 기술의 연구가 사회적으로 어떤 결과를 가져왔든 과학자는 책임질 이유가 없다. ( )

(4) 연구 목적을 설정하거나 연구 결과를 현실에 적용할 때는 사회에 끼칠 영향을 고려해야 한다. ( )

03 과학 기술의 발전에 따른 윤리 문제에 해당하는 것만을 《보기》에서 있는 대로 고르시오.

《 보기 》
ㄱ. 빈부 격차의 심화
ㄴ. 대중문화의 발달
ㄷ. 시공간의 제약 극복
ㄹ. 인권과 사생활 침해
ㅁ. 인간의 주체성 약화 및 비인간화

04 빈칸에 들어갈 알맞은 말을 쓰시오.

(1) 요나스는 현세대의 인간뿐만 아니라 ( ), 자연에 대한 책임까지 고려해야 한다고 주장했다.

(2) 요나스는 행동하기 전에 행동의 결과를 미리 예측하여 더욱 주의를 기울이고 심사숙고해야 한다는 ( ) 을/를 강조했다.

01 ㉠에 들어갈 답변으로 적절한 것을 《보기》에서 고른 것은?

갑: 과학 기술이 가치 중립적이지 않다는 입장에서 볼 때 과학 기술의 본질과 역할은 무엇입니까?
을: 과학 기술은 ____㉠____ 합니다.

《 보기 》
ㄱ. 인간의 삶과는 완전히 독립된 것으로 방향을 설정해야
ㄴ. 인간의 존엄성 구현이라는 윤리적 목적과 본질을 연결해야
ㄷ. 인간의 삶을 풍요롭게 하여 삶의 질을 향상시키는 역할을 해야
ㄹ. 자연 현상에 대한 이론 법칙의 발견을 최우선의 과제로 삼아야

① ㄱ, ㄴ ② ㄱ, ㄷ ③ ㄴ, ㄷ ④ ㄴ, ㄹ ⑤ ㄷ, ㄹ

(빈출 문제) 연계 자료 → 71쪽 빈출 자료 01

02 갑, 을의 입장에 대한 설명으로 옳은 것은?

갑: 기술은 그 자체로 선하지도 악하지도 않은 수단일 뿐이다. 중요한 것은 인간이 기술로 무엇을 만드느냐에 달려 있다.
을: 인간은 현대 과학 기술로 유용한 것을 얻기 위해 자연을 이용한다. 그런데 엄청난 위력을 가진 과학 기술은 자연을 파괴하듯 인간의 삶을 위협한다. 인간이 과학 기술에만 모든 것을 의존하면, 과학 기술의 횡포 앞에 무방비 상태로 내맡겨지게 될 위험성이 있다.

① 갑은 과학이 도덕적 가치를 말살한다고 본다.
② 갑은 과학 기술이 인간과 사회에 영향을 미치지 않는 단계를 지향한다.
③ 을은 과학 기술에 대한 반성적 성찰이 필요하다고 본다.
④ 을은 과학 기술이 객관적인 기준에 의해서만 평가되어야 한다고 본다.
⑤ 갑, 을은 과학 기술을 전면적으로 거부해야 한다고 주장한다.

유사 선택지 문제

02_ ❶ 갑은 과학 기술이 도덕적 평가의 대상이 아니라고 본다. (○ / ×)

02_ ❷ 을은 과학 기술의 활용에 있어서 자율성을 중요시해야 한다고 본다. (○ / ×)

02_ ❸ 갑, 을은 과학의 연구 활동에 대한 평가는 지양되어야 한다고 본다. (○ / ×)

03 ㉠과 관련된 문제점만을 《보기》에서 있는 대로 고른 것은?

판옵티콘은 중앙의 원형 공간에 높은 감시탑을 세우고, 감시탑 바깥의 원둘레를 따라 죄수들 방을 만들도록 설계되었다. 또 중앙의 감시탑은 늘 어둡게 하고 죄수들 방은 밝게 하여 중앙에서 감시하는 감시자의 시선이 어디로 향하는지를 죄수들이 알 수 없도록 되어 있다. 이렇게 되면 죄수들은 자신들이 늘 감시받고 있다고 느끼게 되고, 결국 죄수들이 규율과 감시를 내면화하여 스스로를 감시하게 된다. 철학자 푸코는 정보 통신 사회가 ㉠전자 판옵티콘 사회가 될 가능성을 우려하였다.

《 보기 》
ㄱ. 인간의 노동 소외 현상이 초래된다.
ㄴ. 개인의 사생활과 인권의 침해 현상이 두드러진다.
ㄷ. 자원 고갈과 생태계 파괴와 같은 환경 문제를 일으킨다.
ㄹ. 정보 통신 체계를 대중을 통제 · 감시하는 도구로 이용한다.

① ㄱ, ㄴ ② ㄱ, ㄹ ③ ㄴ, ㄹ
④ ㄱ, ㄴ, ㄷ ⑤ ㄴ, ㄷ, ㄹ

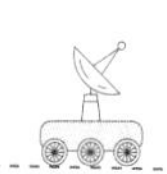

(빈출 문제) 연계 자료 → 71쪽 빈출 자료 01

04 다음의 주장과 일치하는 관점에 모두 'V'를 표시한 학생은?

> 과학은 과학적 진리의 발견을 목적으로 한다. 그 연구 결과를 활용할 때 발생하는 해악은 이용자의 책임이다. 따라서 과학 연구 활동은 윤리적 평가 대상이 아니다.

관점 \ 학생	갑	을	병	정	무
과학 기술은 가치 중립적이다.	V			V	V
과학 기술은 객관적인 지식이다.	V	V		V	
과학 기술은 윤리적 가치에 따라 규제되어야 한다.			V	V	V
과학 기술은 정당화의 과정에서 주관적 가치가 개입된다.		V	V		V

① 갑 ② 을 ③ 병 ④ 정 ⑤ 무

유사 선택지 문제

04_ ❶ 제시문에 따르면 과학 기술의 평가에는 객관적인 기준이 반영되어야 한다. (○ / ×)

04_ ❷ 제시문에 따르면 과학 기술의 연구 과정은 도덕적 가치 판단으로부터 자유로워야 한다. (○ / ×)

04_ ❸ 제시문에 따르면 과학적 사실과 주관적 가치는 별개의 독립된 영역에 속한다. (○ / ×)

05 그림은 서술형 평가 문제와 학생의 답안이다. ㉠~㉤ 중 옳지 않은 것은?

서술형 평가

◉ 문제: 과학 기술이 우리에게 가져다준 성과와 부작용에 대해 서술하시오.

◉ 학생 답안

과학 기술이 우리에게 가져다준 성과로는 먼저 ㉠ 물질적 풍요와 안락한 삶을 들 수 있다. 다음으로 ㉡ 생명 의료 기술의 발전에 따른 건강 증진과 생명 연장 등을 들 수 있다. 한편 과학 기술의 부작용으로는 우선 ㉢ 자연에 대한 인간의 지배가 강화되면서 이로 인한 자원 고갈과 환경 파괴를 들 수 있다. 그리고 ㉣ 생명 공학 기술의 발달로 생명체가 연구의 목적을 달성하기 위한 하나의 수단으로 여겨지는 문제가 발생하고 있다. 또한 ㉤ 교통과 정보 통신 기술의 발달로 인해 국가 간, 계층 간 과학 기술의 접근 가능성의 차이가 줄어 경제적 수준이 비등해졌다는 점을 들 수 있다.

① ㉠ ② ㉡ ③ ㉢ ④ ㉣ ⑤ ㉤

06 ㉠, ㉡에 들어갈 말을 바르게 짝지은 것은?

> 과학 기술의 성과를 지나치게 긍정적으로 바라보려는 태도는 과학 기술을 맹신하는 과학 기술 (㉠)로 연결될 수 있고, 과학 기술로 인한 윤리적 문제에만 주목하다 보면 과학 기술 (㉡)로 흐를 수 있다.

	㉠	㉡
①	비판주의	맹신주의
②	이상주의	폐쇄주의
③	이성주의	실용주의
④	지상주의	혐오주의
⑤	낙관주의	자유주의

(빈출 문제) 연계 자료 → 71쪽 빈출 자료 02

07 다음 대화에서 논리적으로 옳은 주장을 하고 있는 사람을 고른 것은?

> 갑: 오늘날의 과학 기술이 인류의 삶에 끼칠 수 있는 영향력은 매우 커.
> 을: 과학 기술자는 사회적으로 가치 있는 연구를 수행해야 하며, 과학 정책의 결정에 전문가로서 조언을 제공해야 해.
> 병: 과학 기술자는 자신이 탐구하는 사물이 진실로 어떤 상태에 있는가를 왜곡이나 조작 없이 인식하는 외적 책임에 충실해야 해.
> 정: 과학 기술자가 내적 책임을 지기 위해서는 자신의 연구 활동이 인간의 존엄성을 구현하고 삶의 질을 향상시키는 것인지 항상 반성해 보아야 해.

① 갑, 을 ② 갑, 병 ③ 갑, 정
④ 을, 병 ⑤ 을, 정

유사 선택지 문제

07_ ❶ 갑은 과학자는 자료를 위조해서라도 사회적 책임을 다해야 한다고 본다. (○ / ×)

07_ ❷ 을은 과학자는 모든 책임에서 면제되어 자유롭게 연구해야 한다고 주장한다. (○ / ×)

07_ ❸ 병은 과학자가 연구 과정에서 표절을 해서는 안 된다는 점을 강조한다. (○ / ×)

08 갑, 을의 관점을 A~D에서 골라 바르게 연결한 것은?

갑: 원자 폭탄의 사용에 대한 책임은 과학자가 아니라 그것을 사용한 사람들이 져야 합니다.
을: 원자 폭탄을 만든 과학자들은 사회의 일원으로서 응분의 책임을 져야 합니다.

		과학자의 연구는 윤리적 규제로부터 자유로워야 하는가?	
		예	아니요
과학자는 연구 결과의 활용에 대하여 책임을 져야 하는가?	예	A	B
	아니요	C	D

	갑	을
①	A	C
②	A	D
③	B	A
④	C	B
⑤	D	C

(빈출 문제) 연계 자료 → 71쪽 빈출 자료 03

09 다음을 주장한 사상가의 입장으로 옳은 것만을 《보기》에서 있는 대로 고른 것은?

인류는 지구상에 계속 존재해야 한다. 이를 위해서는 사고의 전환이 요청된다. 전통적 윤리는 인간적 삶의 전 지구적 조건과 종(種)의 먼 미래와 실존을 고려할 필요가 없었다. 그러나 이제 우리는 자연에 대한 책임, 미래 지향적 책임, 미래 세대의 삶의 조건에 대한 책임까지 숙고해야 한다. 이러한 책임은 단순히 상호적 권리와 의무로만 설명될 수 없다. 우리에게 요청되는 책임은 자녀에 대한 부모의 책임처럼 일방적이고 절대적인 책임이다.

《보기》
ㄱ. 윤리적 책임의 범위를 미래 세대와 자연까지 확대해야 한다.
ㄴ. 인간보다 생태계를 우선하는 새로운 윤리를 정립해야 한다.
ㄷ. 내재적 가치를 지니는 생태계 전체에 대하여 책임을 져야 한다.
ㄹ. 인류가 존속해야 한다는 것은 무조건 따라야 하는 정언 명령이다.

① ㄱ, ㄴ ② ㄱ, ㄷ ③ ㄴ, ㄹ
④ ㄱ, ㄷ, ㄹ ⑤ ㄴ, ㄷ, ㄹ

유사 선택지 문제

09_❶ 위 사상가에 따르면 미래 세대의 생존을 위해 현세대의 생존 권리를 포기해야 한다. (○ / ×)

09_❷ 위 사상가에 따르면 과학 기술의 무분별한 이용에 대해 비판적으로 성찰해야 한다. (○ / ×)

09_❸ 위 사상가에 따르면 미래 세대에 대한 책임감을 바탕으로 환경 문제를 해결해야 한다. (○ / ×)

10 다음을 주장한 사상가의 관점을 《보기》에서 고른 것은?

- 지구상에서 우리 모두가 몰락하지 않으려면 우리의 탐욕스러운 권력을 억제해야 한다. 이것이 바로 말 없는 피조물들의 고발이다.
- 너의 행위의 결과가 지상에서의 진정한 인간적 삶의 지속과 조화를 이루도록, 즉 미래 인류의 존속 가능성을 파괴하지 않도록 행위하라.

《보기》
ㄱ. 과학 기술에 대한 반성적 성찰이 필요하다.
ㄴ. 인류 존속이라는 무조건적인 명령을 이행해야 한다.
ㄷ. 과학 연구의 목적은 최대 다수의 최대 행복이어야 한다.
ㄹ. 윤리적 책임의 범위를 현세대로 한정하여 환경 문제를 해결해야 한다.

① ㄱ, ㄴ ② ㄱ, ㄷ ③ ㄴ, ㄷ ④ ㄴ, ㄹ ⑤ ㄷ, ㄹ

서술형 문제

11 다음 글을 읽고 물음에 답하시오.

과학 기술은 진리의 발견과 활용이라는 자체의 목적을 지니고 있지만 이 목적이 궁극적으로 지향하는 바는 인간의 존엄성 구현과 삶의 질 향상이라는 윤리적 목적과 연결되어 있다는 점을 명심해야 한다.

(1) 윗글의 과학 기술에 대한 입장이 무엇인지 쓰시오.

(2) 위와 같은 입장에 대해 반론하시오.

12 다음 글을 읽고 물음에 답하시오.

과학 기술의 발전은 인류에게 많은 혜택을 주기도 하지만, 동시에 여러 가지 부정적인 영향을 끼치기도 한다. 과학 기술의 발전을 어떻게 바라보아야 할 것인가에 대해 상반되는 두 입장이 있다. 먼저 과학 기술의 발전을 지나치게 낙관적으로 바라보는 (㉠)는 인류가 과학 기술을 이용하여 사회의 모든 문제를 해결하고 무한한 부와 행복을 누릴 것이라고 본다. 반대로 과학 기술의 발전을 비관적으로 바라보는 (㉡)는 과학 기술의 비인간적이며 비윤리적인 측면을 부각하거나 과학의 합리성 자체를 문제 삼는다.

(1) ㉠, ㉡에 들어갈 입장을 각각 쓰시오.

(2) ㉠, ㉡의 문제점을 각각 서술하시오.

상위 4% 문제

| 평가원 기출 응용 |

01 (가)의 주장을 (나)의 그림으로 나타낼 때, ㉠에 대한 반론의 근거로 가장 적절한 것은?

(가)	과학 기술은 객관적 지식, 즉 객관적인 방법으로 발견한 자연 현상에 대한 체계적인 지식과 그 지식을 활용하여 무엇인가를 만들어 내는 과정입니다. 따라서 과학 기술은 가치 중립적이기 때문에 윤리가 개입되어서는 안 됩니다.
(나)	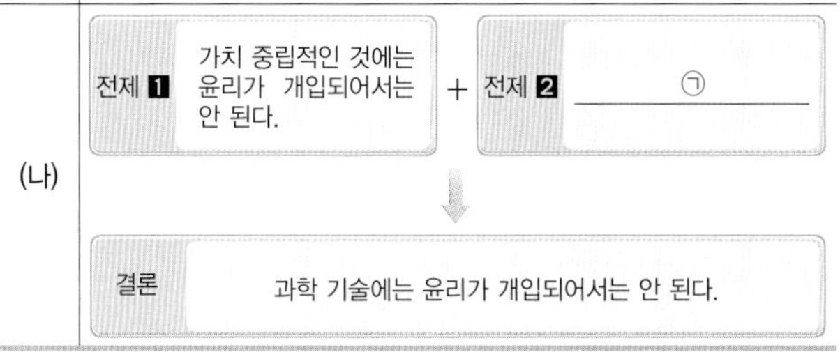

① 윤리의 개입으로 과학 연구의 객관성이 위협받을 수 있다.
② 과학적 사실과 주관적 가치는 별개의 독립적인 영역에 속한다.
③ 모든 지식은 객관적 진위를 판별할 수 있는 인식론의 대상이다.
④ 과학 연구는 사실 그 자체에 대한 기술과 설명으로 이루어져야 한다.
⑤ 과학 연구는 상황과 맥락을 반영하며 사회적 필요에 의해 이루어진다.

| 수능 기출 응용 |

02 (가)의 입장에 비해 (나)의 입장이 갖는 상대적 특징을 그림의 ㉠~㉤ 중에서 고른 것은?

(가) 과학 기술을 가치 중립적인 것으로 간주해서는 안 된다. 과학 기술 연구 및 그 결과 활용에 대한 과학자의 공적인 책임 의식과 외부 규제가 없다면, 인류는 과학 기술에 종속당하여 제어할 수도 없고 돌이킬 수도 없는 불행한 미래에 봉착하게 된다.
(나) 과학 기술 자체에 선악의 잣대를 적용할 수 없으며, 연구 성과의 활용과 초래되는 결과에 대해 과학자에게 어떠한 책임도 물어서는 안 된다. 외부 간섭에서 벗어나 연구에만 전념할 때 과학 기술은 발전 가능하며, 그 결과 인류는 지속적으로 번영하게 된다.

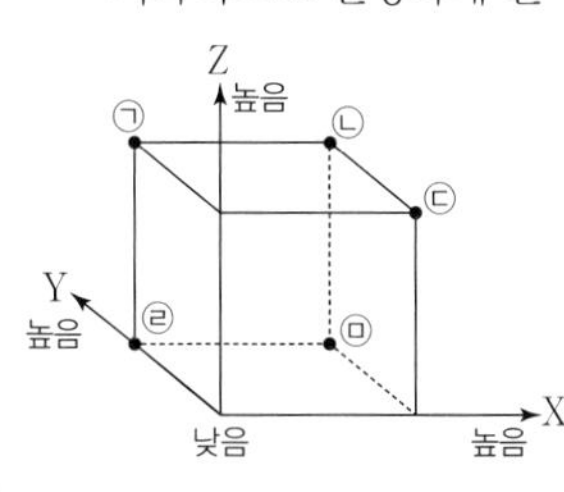

• X: 과학 기술을 인식론적 대상으로만 파악하는 정도
• Y: 연구 성과에 대한 가치 판단에 있어 자유로운 정도
• Z: 과학 기술 연구 결과의 활용에 대한 과학자의 사회적 책임을 강조하는 정도

① ㉠　② ㉡　③ ㉢　④ ㉣　⑤ ㉤

| 평가원 기출 응용 |

03 다음 서양 사상가가 긍정의 답을 할 질문으로 옳은 것은?

> 인간은 행위하는 존재이므로 윤리는 반드시 있어야 한다. 행위는 인과적 파급 효과를 산출하기 때문에 행위의 힘이 커질수록 윤리적 책임은 더욱 강조되어야 한다. 따라서 과학 기술로 인해 인간이 갖게 되는 새로운 행위 능력을 규제할 새로운 윤리가 요청되는 것이다. 이러한 새로운 윤리 없이는 기술 능력을 실현시키고자 하는 압력으로 인해 심각한 윤리적 문제가 발생하게 될 것이다.

① 기술의 발달은 인간을 윤리적 책임에서 면제시켜 주는가?
② 책임의 주체와 대상은 이성을 가진 존재로 한정해야 하는가?
③ 기술 발전으로 생기는 문제를 기존의 윤리로 해결해야 하는가?
④ 의도하지 않은 결과까지 책임져야 하는 것은 아니라고 보는가?
⑤ 기술에 대한 윤리적 성찰이 결여될 때 윤리적 공백이 발생하는가?

04 갑, 을 사상가의 입장에 대한 옳은 설명을 《 보기 》에서 고른 것은?

> 갑: '해야 하기 때문에 할 수 있다.'라는 것은 의무를 의식하기 때문에 정언 명령을 따라 행위할 수 있음을 의미한다. 이러한 정언 명령은 보편화 정식으로 표현된다.
> 을: 인간 행위의 새로운 유형에 적합하고 새로운 유형의 행위 주체를 지향하는 명법은 다음과 같다. "너의 행위의 결과가 지상에서의 진정한 인간적 삶의 지속과 조화를 이루도록 행위하라."

《 보기 》
ㄱ. 갑은 실천 이성의 명령을 따를 것을 강조한다.
ㄴ. 갑은 행위의 결과를 중시하는 목적론적 윤리를 주장한다.
ㄷ. 을이 제시한 새로운 윤리학은 'A이면 B하라.'라는 형식의 명법을 지향한다고 본다.
ㄹ. 갑, 을은 인간이 준수해야 할 무조건적인 도덕적 의무가 있다고 본다.

① ㄱ, ㄷ　② ㄱ, ㄹ　③ ㄴ, ㄷ
④ ㄴ, ㄹ　⑤ ㄷ, ㄹ

10 정보 사회와 윤리

출제 경향
★정보 사회의 정보 윤리
★정보 사회의 윤리적 문제
★미디어 리터러시

01 정보 기술의 발달과 정보 윤리

1. 정보 통신 기술의 발달에 따른 사회의 변화

생활의 편리성	스마트폰, 컴퓨터, 맞춤형 누리 방송(IPTV) 등을 통해 장보기, 금융 거래 등의 업무 처리 가능
전문적 지식 습득	다양하고 전문적인 정보의 빠른 검색과 활용 가능
정치 참여 기회 확대	정보 통신망을 통해 정치적 의사 결정에 직접 참여
다양성 존중	수평적·쌍방향 의사소통 가능, 다원적인 사회 분위기 형성

2. 정보 통신 기술의 발전에 따른 윤리적 문제

(1) 지식 재산권 침해

① 저작물을 쉽게 복제하고 배포할 수 있게 되면서 다른 사람의 저작권을 침해하는 문제 발생

② 지식 재산권과 관련된 논쟁 빈출 자료 01

정보 공유론(카피레프트)	정보 사유론(카피라이트)
더 많은 사람들이 쉽게 사용하도록 정보를 제한 없이 공유하여 정보의 가치를 증대하자는 입장	정보 생산의 노력에 대한 정당한 대가를 지불하고 정보를 사용해야 한다는 입장

(2) 사생활 침해: 개인 정보를 쉽게 얻을 수 있어 사생활 침해 발생

(3) 사이버 폭력: 사이버 공간에서 상대방이 원하지 않는 언어, 이미지 등을 이용하여 정신적·심리적 피해를 주는 행위

(4) 사이버 테러: 해킹, 바이러스 유포, 피싱과 파밍 등

(5) 자아 정체성 혼란: 현실 세계와 사이버 공간의 괴리로 자아 정체성을 형성하는 데 혼란을 겪음

(6) 게임 및 인터넷 중독

(7) 감시와 통제의 가능성 증가

3. 정보 사회의 정보 윤리

(1) 정보 윤리

인간 존중의 태도	정보의 이용 가치만을 중시하지 않고 정보가 인간다움을 유지하고 인간의 삶에 이바지하도록 해야 함
사회적 책임	보편적인 윤리 규범에 근거하여 책임 있게 행동해야 함
공동체 의식	사이버 공간에서 고립주의나 이기주의를 넘어 공동체의 조화로운 삶과 복지를 증진해야 함

(2) 사이버 공간에서의 윤리적 원칙

인간 존중의 원칙	사이버 공간에서도 타인의 인격, 사생활, 명예, 지식 재산권 등을 존중해야 함
책임의 원칙	익명성으로 인해 나타나는 사이버 공간에서의 비윤리적인 행동을 막기 위해 책임 의식을 지녀야 함
해악 금지의 원칙	언어폭력, 사이버 성폭력, 개인 정보 유출, 유언비어 또는 해킹이나 바이러스 유포 등으로 타인에게 해를 끼치지 말아야 함
정의의 원칙	누구도 타인의 자유나 공평한 기회를 침해하지 말아야 함

02 정보 사회에서의 매체 윤리

1. 매체의 발달과 윤리적 문제

(1) 매체의 특징

전통 매체	• 권위 있는 전문가가 대규모 조직을 바탕으로 정보를 제작·생산 • 소수가 다수에게 일방적으로 전달
뉴 미디어	• 정보 생산 주체와 소비 주체의 쌍방향 의사소통 가능 • 광범위한 사회적 연결망 형성 • 정보를 수집·전달하는 속도가 신속함 • 다수의 정보 이용자들이 정보의 제공 및 감시의 역할 수행

(2) 매체의 발달로 인한 윤리적 문제 빈출 자료 02

알 권리와 인격권이 대립하는 문제	• 알 권리는 인간의 존엄성 실현, 행복 추구권 보장을 위해 필요함 • 개인의 인격권 침해, 공익 증진 방해 등의 문제 초래 가능 • 매체는 정보를 전달할 때 국민의 알 권리를 보장하려고 노력하되, 그 정보가 개인의 인격권을 침해하고 공익 증진을 해치지는 않는지 검토해야 함
책임의 분산	정보가 분산되어 책임도 분산되므로 윤리적 책임 의식이 약화됨
잊힐 권리와 관련된 문제	• 개인 정보 등이 많은 사람에게 공개되지 않도록 정보를 통제할 권리 • 정보의 유통 과정 전체를 개인이 통제하는 정보의 자기 결정권이 강조되고 있음
허위 정보와 유해 정보의 전달	• 전문성이 검증되지 않은 뉴 미디어 정보의 신뢰성 문제 • 소셜 미디어의 사적인 경향이 심화할 경우 정보의 객관성을 상실할 가능성이 커짐
SNS 활성화의 부작용	• SNS를 통해 부정확한 정보가 빠르게 확산되어 피해와 혼란을 키움 • 악성 댓글로 인한 사회적 갈등 야기 • SNS 중독 사례: 뮌하우젠 증후군, 어그로꾼

2. 정보 사회의 매체 윤리

(1) 정보 생산 및 유통 과정에서 필요한 윤리

진실한 태도 유지	• 있는 그대로의 사실을 전달해야 함 • 정보를 자의적으로 해석하거나 왜곡해서는 안 됨
객관성과 공정성 추구	• 관련된 내용을 동등하고 균형 있게 취급해야 함 • 개인적이고 주관적인 정보를 지양함
표현의 자유에 대한 한계 인식	표현의 자유는 타인의 권리를 침해하지 않고, 사회 질서 및 공공복리를 침해하지 않는 범위에서 허용

(2) 정보의 소비 과정에서 필요한 윤리 빈출 자료 03

미디어 리터러시 함양	• 매체를 사용하고 이해하는 데 필요한 기본적인 읽기, 쓰기 능력 • 자신이 찾아낸 정보의 가치를 평가하는 비판적 사고 능력 • 자신의 목적에 맞게 기존의 정보를 새로운 정보로 조합하는 능력 • 다양한 커뮤니케이션에 접근하고 분석하고 평가하고 발산하는 능력
소통 및 시민 의식 함양	• 공동으로 체험하고 협력할 수 있는 능력과 자세 • 매체가 제공하는 정보를 비판적·능동적으로 수용 → 매체의 공정성·객관성 감시

빈출 특강

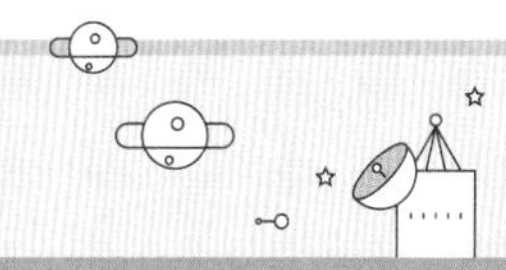

대표 유형

빈출 자료 01) 지식 재산권과 관련된 논쟁

| 연계 문제 → 78쪽 03번, 79쪽 04번

갑: 상당한 시간과 비용을 들여 만든 정보는 하나의 상품이므로 창작자의 소유권을 인정해야 하며 다른 사람이 이용할 경우에는 일정한 금액을 지불해야 한다. 이는 정보 창작자의 창작 의욕을 고취하여 더 많은 양질의 정보를 생산하게 한다.

을: 소프트웨어의 발전은 일종의 진화 과정과 같다. 어떤 사람이 특정 프로그램을 만들고, 다른 사람이 그 프로그램에 새 기능을 부여하며, 또 다른 사람이 다른 부분을 손질하는 것이다. 정보에 대한 배타적 소유권을 인정하면 이러한 진화는 멈추게 되고, 사회 구성원 간의 정보 접근 기회의 불평등이 심화된다.

| 자료 분석 | 갑은 카피라이트의 입장, 을은 카피레프트의 입장이다.

- 갑: 정보 상품에 대한 판권자의 권리를 최대한 존중하여 정당한 대가를 지불하고 정보를 사용해야 한다는 논리이다.
- 을: 정보는 나누면 가치가 커지므로 무료로 공유되어야 한다는 논리이다.

빈출 자료 02) 매체의 발달로 인한 윤리적 문제

| 연계 문제 → 79쪽 07번

갑: 장발장은 전과자 신분을 숨기고 시장이 되었어. 하지만 정보 사회에서는 사람들이 잊거나 지우고 싶은 정보가 인터넷에 남아 있어서 타인이 볼 수 있지. 따라서 자신이 원하지 않는 정보를 삭제할 수 있는 '잊힐 권리'를 보장해야 해.

을: 장발장이 아무리 시민을 위해 봉사했다 하더라도 그를 시장으로 뽑을 때 사람들이 그의 과거를 알아야만 했다고 봐. 정보 사회에서는 누구나 그러한 정보에 접근할 수 있어야 하지. 사람들이 알아야 할 정보라면 삭제를 금지해야 해.

| 자료 분석 | 갑은 잊힐 권리를, 을은 알 권리를 주장한다.

- 갑: 인터넷 이용자가 소셜 네트워크 서비스(SNS)나 포털 게시판 등에 올린 게시물을 지워달라고 요청할 수 있는 잊힐 권리를 주장한다.
- 을: 누구나 자유롭게 정보에 접근할 수 있어야 하며, 사람들이 알아야 할 정보라면 삭제를 금지하고 알 권리가 보장되어야 한다고 주장한다.

빈출 자료 03) 미디어 리터러시

| 연계 문제 → 80쪽 09번

갑: '정보 리터러시'는 정보 접근 능력과 정보 수용 능력을 가리킨다. 정보 격차는 주로 그러한 능력들의 차이로 인해 발생하므로, 이를 해결하기 위해 정보 약자에게 정보 접근 및 수용 능력을 제공하는 정보 복지가 제공되어야 한다.

을: '정보 리터러시'는 정보 매체의 쌍방향성이 강화됨에 따라 접근 및 수용 능력 이외에 정보 생산 능력까지도 포함해야 한다. 정보 격차는 주로 정보 생산 능력의 차이에 기인하므로 정보 생산 능력을 제공하는 정보 복지가 보장되어야 한다.

| 자료 분석 | 갑, 을은 정보 리터러시의 범위에 대해서 이견을 보인다.

- 갑: 정보 약자에게 정보 접근 및 수용 능력을 제공해야 한다고 주장한다.
- 을: 정보 리터러시에 정보 생산 능력까지 제공할 것을 주장한다.

자주 나오는 오답 선택지

빈출 자료 01) 에서 자주 나오는 오답 선택지

① 갑은 정보의 자유로운 복제가 정보 생산을 더욱 풍성하게 한다고 본다. → 갑은 정보는 개인의 사적 소유물이므로 자유로운 복제를 허용해서는 안 된다고 본다.

② 갑은 지적 재산의 제한 없는 공유가 사회 발전의 밑거름이 된다고 본다. → 갑은 지식 재산권의 보장이 정보의 발전과 사회 이익을 가져온다고 본다.

③ 갑은 정보에 대한 소유권 인정이 정보의 공공적 가치를 훼손한다고 본다. → 갑은 정보 창작자의 지식 재산권을 보호해야 한다고 본다.

④ 을은 정보를 창작자 개인의 노력에 의해 얻어진 사유재로 본다. → 을은 지식과 정보를 인류가 함께 누려야 할 공동 자산으로 본다.

⑤ 을은 정보의 공유가 정보의 소모를 초래한다고 본다. → 을은 정보의 공유를 통해 더 많은 정보를 생산할 수 있다고 본다.

⑥ 을은 정보 격차의 완화를 위해 소유권을 제한해야 한다고 본다. → 을은 정보 격차를 완화하기 위해 소유권에 제한을 두어서는 안 된다고 본다.

빈출 자료 02) 에서 자주 나오는 오답 선택지

① 갑은 잊힐 권리의 보장이 알 권리 침해로 이어짐을 강조한다. → 갑은 잊힐 권리를 강조할 뿐, 잊힐 권리의 보장이 알 권리의 침해로 이어진다고 보지 않는다.

② 갑은 사생활 보호가 공익을 위해 제한될 수 있음을 주장한다. → 갑은 '잊힐 권리'의 보장을 통한 사생활의 보호를 주장하고 있다.

③ 을은 개인에게 자기 정보에 대한 삭제권이 있어야 함을 주장한다. → 을은 사람들이 알아야 할 정보에 대한 삭제 금지를 주장한다.

④ 을은 자기 정보에 대한 배타적 관리권이 절대적임을 강조한다. → 잊힐 권리를 강조하는 갑의 입장이다.

⑤ 을은 개인의 사생활에 대한 심각한 침해를 방지하기 위해 자신에 관한 정보 삭제를 요구한다. → 개인의 정보가 통제 없이 노출되거나 사용됨으로써 발생할 수 있는 개인의 사생활 침해를 막기 위해 자신의 정보 삭제를 요구하는 입장은 갑이다.

빈출 자료 03) 에서 자주 나오는 오답 선택지

① 갑은 정보 약자에게는 정보 접근 능력만을 제공해야 한다고 주장한다. → 갑은 정보 약자에게 정보 접근 능력뿐만 아니라 수용 능력까지 제공해야 한다고 본다.

② 갑은 정보 격차의 주된 원인을 정보 생산력의 차이에 있다고 본다. → 정보 격차의 주된 원인이 정보 생산력의 차이에 있다고 보는 입장은 을이다.

③ 을은 정보 복지의 핵심 과제는 정보 기기의 평등한 분배라고 본다. → 정보 기기의 평등한 분배는 정보 접근 능력의 제공이다. 을은 정보 접근 능력의 제공뿐만 아니라, 정보 생산 능력까지 제공하는 정보 복지를 주장한다.

④ 을은 정보 리터러시는 접근 및 수용 능력에 국한되어야 한다고 본다. → 을은 정보 리터러시를 정보 접근과 수용 능력뿐만 아니라 정보 생산 능력까지 포함하는 것이라고 본다.

시험에 꼭 나오는 문제

개념 확인 문제

01 다음 내용에서 옳은 것에 ○표 하시오.

(1) 정보 통신 기술이 발전하면서 누구나 정보에 접근할 수 있고 자기 의사 표현의 기회가 확대되어 (㉠ 다양성, ㉡ 평등성)을 존중하는 사회 분위기가 만들어진다.
(2) 뉴 미디어의 발달로 정보 생산 주체와 소비 주체의 (㉠ 쌍방향적, ㉡ 일방향적) 의사소통이 가능해졌다.
(3) 사이버 공간에서는 현실 공간에서보다 자유롭고 개방적으로 자신을 표현하는 (㉠ 탈억제 효과, ㉡ 몰입 체험)이/가 나타난다.
(4) 개인의 존엄성과 사적 권리를 보호하기 위한 권리를 (㉠ 알 권리, ㉡ 인격권)(이)라고 한다.

02 다음 내용이 정보 사유론에 해당하면 '사', 정보 공유론에 해당하면 '공'이라고 쓰시오.

(1) 정보는 모두가 자유롭게 접근하고 공유해야 할 상호 협력의 산물이다. (　　)
(2) 정보는 나눌수록 그 가치가 커지므로 창작자에 대한 감사의 마음을 갖는 것만으로 충분하다. (　　)
(3) 정보 창작자의 지식 재산권을 보호해야 한다. (　　)
(4) 정보 소유에 대한 배타적 권리를 보장해야 한다. (　　)

03 사이버 공간에서의 윤리적 원칙을 바르게 연결하시오.

(1) 인간 존중의 원칙 •	• ㉠ 사이버 공간에서 누구나 평등한 권리를 지님
(2) 책임의 원칙 •	• ㉡ 타인의 인격, 사생활, 지식 재산권 등을 존중함
(3) 해악 금지의 원칙 •	• ㉢ 사이버 공간에서 타인에게 해를 끼치지 말아야 함
(4) 정의의 원칙 •	• ㉣ 사이버 공간에서 책임 의식을 지녀야 함

01 ㉠의 발전에 따른 사회의 긍정적인 변화로 적절하지 않은 것은?

> [㉠]의 발달은 우리 삶에 많은 변화를 가져왔다. 클릭 하나로 전 세계에서 벌어지고 있는 일들을 실시간으로 알 수 있으며, 다른 나라 사람들과 대화를 나눌 수도 있다.

① 정치적 의사 결정에 직접 참여할 수 있는 기회가 확대된다.
② 일방향적 소통 방식이 가능해져 정보 전달이 가속화되었다.
③ 은행 업무, 전자 상거래 등 일상적인 업무를 쉽고 빠르게 처리할 수 있다.
④ 누구나 자기 의사를 표현할 수 있으며 수평적이고 다원적인 사회로 변화한다.
⑤ 정보의 빠른 검색과 활용으로 일반인들도 전문적 정보를 쉽게 습득할 수 있다.

02 밑줄 친 ㉠에 해당하는 것만을 《보기》에서 있는 대로 고른 것은?

> 정보 통신 기술의 발달로 다양한 정보가 순식간에 생겨나는가 하면, 생산된 정보의 전달 속도도 빨라져 정보의 파급 효과가 더욱 커졌다. 이에 따라 ㉠새로운 윤리 문제가 발생하여 정보 윤리의 필요성이 대두되고 있다.

《보기》
ㄱ. 가상 공간이 확대되어 정체성 혼란이 가중될 수 있다.
ㄴ. 통제와 감시로 인해 개인의 기본권이 침해될 수 있다.
ㄷ. 익명성 보장의 강화로 표현의 자유가 침해될 수 있다.
ㄹ. 불건전한 정보가 증가하여 정보 공해가 심화될 수 있다.

① ㄱ, ㄴ　② ㄱ, ㄹ　③ ㄴ, ㄷ
④ ㄱ, ㄴ, ㄹ　⑤ ㄴ, ㄷ, ㄹ

(빈출 문제) 연계 자료 → 77쪽 빈출 자료 01

03 갑은 부정, 을은 긍정의 대답을 할 질문으로 옳은 것은?

> 갑: 모든 지식은 공동의 재산이며 공적인 영역에 속한다. 그 공적인 영역에서 정보는 새로운 정보를 창조하여 많은 당사자들에게 이익을 줄 수 있다. 그러므로 지적 재산은 공유된 자산으로 간주되어야 한다.
> 을: 정보가 비약적으로 발전하기 위해서는 지적 재산의 권리를 존중해야 한다. 혁신적인 소프트웨어 상품들이 개발되려면 이에 대한 독점권을 보호하는 환경이 마련되어야 한다. 따라서 지적 재산은 개발한 당사자나 조직체에 배타적으로 속하는 것으로 보아야 한다.

① 정보가 지니는 공유재적 성격을 강조하고 있는가?
② 정보 공유를 통해 정보 격차의 문제를 해결할 수 있는가?
③ 정보 생산자의 지식 재산권의 보장이 필요하다는 점을 강조하는가?
④ 새로운 정보를 창출하기 위해서는 정보의 공유가 전제되어야 하는가?
⑤ 혁신적인 정보 창작을 위해 정보에 대한 사적 소유를 금지해야 하는가?

유사 선택지 문제

03_ ❶ 갑은 저작권 보호가 창작 의욕을 고취한다고 본다. (○ / ×)
03_ ❷ 을은 정보 공유가 질 높은 생산을 위한 창작 활동을 활성화한다고 본다. (○ / ×)
03_ ❸ 갑, 을은 정보를 삶의 질 향상에 이바지할 수 있는 자산으로 본다. (○ / ×)

(빈출 문제) 연계 자료 → 77쪽 빈출 자료 01

04 다음 입장을 지지하는 견해로 적절한 것을 《보기》에서 고른 것은?

> 정보의 복제 가능성은 무한하다. 정보를 자유롭게 복제할 수 없도록 한다면 정보는 더 이상 무한한 것이 아니라 유한한 것이 된다. 그렇게 되면 정보의 고유한 특성은 사라지고 그것은 사람들에게도 불행한 일이 된다.

《보기》
ㄱ. 정보 생산자의 독점적인 판권 소유를 인정해야 한다.
ㄴ. 정보의 질적 향상을 위해 정보 생산의 대가를 보장해야 한다.
ㄷ. 정보의 가치를 증대하기 위해서는 정보에 대한 독점을 허용해서는 안 된다.
ㄹ. 정보는 나눌수록 그 가치가 커지므로 창작자에게 감사의 마음을 갖는 것으로 충분하다.

① ㄱ, ㄴ ② ㄱ, ㄷ ③ ㄴ, ㄷ
④ ㄴ, ㄹ ⑤ ㄷ, ㄹ

유사 선택지 문제

04_ ❶ 윗글의 입장에 따르면 지식과 정보가 사회적 자산임을 고려해야 한다. (○ / ×)
04_ ❷ 윗글의 입장에 따르면 지식과 정보에 대한 배타적 권리를 인정해야 한다. (○ / ×)
04_ ❸ 윗글의 입장에 따르면 정보의 무단 복제가 불가능한 환경을 조성해야 한다. (○ / ×)

05 다음에 나타난 윤리적 문제를 해결하기 위해 가져야 할 자세만을 《보기》에서 있는 대로 고른 것은?

> • 사이버 성폭력 • 사이버 명예 훼손
> • 인터넷 악성 댓글 • 불법 복제 및 유포

《보기》
ㄱ. 사이버 공간에서 공동체의 조화로운 삶을 추구한다.
ㄴ. 정보의 인간다움보다는 정보의 이용 가치를 중시한다.
ㄷ. 사이버상에서도 보편적 윤리 규범에 근거하여 행동한다.
ㄹ. 사이버 공간에서의 타인도 인간으로서의 존엄성과 권리가 있음을 인지한다.

① ㄱ, ㄴ ② ㄱ, ㄷ ③ ㄴ, ㄹ
④ ㄱ, ㄷ, ㄹ ⑤ ㄴ, ㄷ, ㄹ

06 밑줄 친 부분의 매체들이 지니는 특징으로 가장 적절한 것은?

> 현대 사회에서는 신문, 서적 등의 인쇄 매체와 텔레비전, 라디오 등의 방송 매체, <u>인터넷, 누리 소통망, 팟캐스트 등의 디지털 매체</u>에 이르기까지 여러 매체가 개발, 이용되고 있다.

① 인간 행동의 시공간적인 제약이 커질 수 있다.
② 소수가 다수에게 일방적으로 정보를 전달한다.
③ 정보의 생산 주체와 소비 주체가 엄격하게 구분된다.
④ 소수의 전문가들이 정보의 제공 및 감시의 역할을 수행한다.
⑤ 정보 통신 기술을 활용하는 누구나 정보를 생산, 유통, 소비할 수 있다.

(빈출 문제) 연계 자료 → 77쪽 빈출 자료 02

07 밑줄 친 ㉠에 대한 반론으로 가장 적절한 것은?

> 어느 변호사가 "이미 다 해결된 일이 계속 검색되는 건 인권 침해나 마찬가지이다. 과거 빚 때문에 집이 경매에 넘어갔다는 내용의 기사가 구글에서 검색되지 않도록 해 달라."라며 유럽 사법 재판소에 소송을 제기하여 주목받았다. <u>재판소는 2014년 "사생활 침해 가능성이 있으니 검색 결과를 지우라."라며 그의 손을 들어줬다.</u> 온라인상의 잊힐 권리가 개인의 정신적 고통을 경감하는 데 도움을 준다는 점에서 환영받고 있는 것이다.

① 누구나 가상 공간에서 표현의 자유를 누려야 한다.
② 개인은 자신의 정보에 대한 유통, 통제 권한을 가져야 한다.
③ 허위 사실 유포는 개인의 인격권을 훼손하는 범죄 행위이다.
④ 개인의 정보는 타인의 부당한 감시, 침해로부터 보호받아야 한다.
⑤ 대중에게 필요한 정보를 삭제하는 것은 대중의 알 권리를 침해하는 것이다.

유사 선택지 문제

07_ ❶ 알 권리를 주장하는 입장에 따르면 국민은 정치, 사회 현실 등에 관한 정보를 자유롭게 얻을 수 있어야 한다. (○ / ×)
07_ ❷ 알 권리를 주장하는 입장에 따르면 범죄자의 신상은 공공의 이익과 안전을 위해 중요하기 때문에 필요에 따라 공개되어야 한다. (○ / ×)
07_ ❸ 알 권리를 주장하는 입장에서는 정보의 유통 과정에서 자신의 정보에 관한 자기 결정권을 강조한다. (○ / ×)

08 ㉠에 들어갈 적절한 내용을 《보기》에서 고른 것은?

> 갑: 사이버 공간에서 표현의 자유는 무제한 허용되어야 합니다. 그렇지 않을 경우 사이버 공간이 우리에게 제공하는 많은 이점들이 상실될 것입니다.
> 을: 아닙니다. 현실에서와 마찬가지로 사이버 공간에서도 표현의 자유는 제한되어야 합니다. 사이버 공간에서도 표현의 자유는 [㉠]

《보기》
ㄱ. 다수가 옳다고 인정하는 경우에 허용되어야 합니다.
ㄴ. 사적 이익의 보장을 위해서는 반드시 제한되어야 합니다.
ㄷ. 사회 질서를 훼손하지 않는 범위 내에서 허용되어야 합니다.
ㄹ. 다른 사람의 자유를 침해하지 않는 범위 내에서 최대한 보장되어야 합니다.

① ㄱ, ㄴ ② ㄱ, ㄷ ③ ㄴ, ㄷ
④ ㄴ, ㄹ ⑤ ㄷ, ㄹ

(빈출 문제) 연계 자료 → 77쪽 빈출 자료 03

09 (가)의 관점에서 (나)의 문제 상황에 대해 제시할 수 있는 조언을 《보기》에서 고른 것은?

(가)	현대인은 정보를 생산하고 동시에 유통, 소비하는 전 과정에 있어 윤리적인 태도를 취해야 하며, 윤리적 문제에 대하여 능동적으로 대처해야 한다.
(나)	최근 뉴 미디어가 만들어 내는 정보 중에는 거짓 정보도 포함되어 있어 개인적으로나 사회적으로 큰 피해를 일으키고 있다.

《보기》
ㄱ. 표현의 자유이므로 관용해야 한다.
ㄴ. 비판적 사고를 바탕으로 정보를 이해한다.
ㄷ. 윤리적 원칙을 지키면서 정보를 바르게 표현한다.
ㄹ. 정보의 경제적 가치를 우선적으로 고려해야 한다.

① ㄱ, ㄴ ② ㄱ, ㄷ ③ ㄴ, ㄷ
④ ㄴ, ㄹ ⑤ ㄷ, ㄹ

유사 선택지 문제

09_ ❶ (가)의 관점은 효율적이고 기술적인 정보 처리 능력을 가장 중시한다. (○ / ×)
09_ ❷ (가)의 관점은 타인과 지식을 공유함으로써 문제를 창의적으로 해결할 것을 강조한다. (○ / ×)
09_ ❸ (가)의 관점은 인터넷 매체를 통해 사회적 책임을 실천할 것을 강조한다. (○ / ×)

10 다음에 나타난 사이버 공간에서의 윤리적 원칙으로 가장 적절한 것은?

> 사이버 공간에서 누구나 평등한 권리가 보장되어야 하므로 누구도 타인의 자유나 공평한 기회를 침해하지 않아야 한다.

① 정의의 원칙 ② 책임의 원칙
③ 자율성의 원칙 ④ 인간 존중의 원칙
⑤ 해악 금지의 원칙

서술형 문제

11 다음 글을 읽고 물음에 답하시오.

> 자신이 만든 저작에 대한 권리가 보장되어야만 과학 활동이나 문화 활동이 더 활발히 일어난다. 세계 인권 선언에도 "모든 사람은 자신이 창조한 모든 과학적 · 문화적 · 예술적 창작물에서 생기는 정신적 · 물질적 이익을 보호받을 권리를 가진다."라는 항목이 있다.

(1) 위와 같은 입장이 무엇인지 쓰시오.

(2) 위와 같은 입장에 대한 반대 입장을 세 가지 근거를 들어 서술하시오.

12 다음 글을 읽고 물음에 답하시오.

(가)	어떤 의견의 표현을 억압하는 것은 의견을 주장하는 사람뿐만 아니라 반대하는 사람에게도 손해이다. 만약 그 의견이 옳다면 오류를 바로잡고 진리를 주장할 기회를 놓치게 되고, 그 의견이 옳지 않다면 오류와 정면으로 대결함으로써 진리를 보다 분명하게 할 이점을 잃게 된다.
(나)	모든 주의와 주장을 이 땅 위에 자유로이 활동하도록 내버려 두면 진리도 거기에 있을 터인데, 허가를 받게 하고 법령으로 금지함으로써 우리는 진리의 힘을 의심하는 부당한 일을 하고 있다. 진리와 거짓이 서로 다투게 하라. 어느 누구가 자유롭고 개방된 대결에서 진리가 패배하리라고 본단 말인가?

(1) (가), (나)의 공통된 주장이 사이버 공간에서 적용되어야 하는 이유를 두 가지 서술하시오.

(2) 사이버 공간에서 표현의 자유를 제한할 수 있는 경우를 두 가지 서술하시오.

상위 4% 문제

| 교육청 기출 응용 |

01 (가)의 입장에 비해 (나)의 입장이 갖는 상대적 특징을 그림의 ㉠~㉤ 중에서 고른 것은?

(가) 정보 창작자가 산출한 정보는 독창성과 노력의 산물이다. 이러한 산물에 대해서는 보호 조치를 취함으로써 정당한 보상을 해야 하며 새로운 정보 창출의 터전이 되는 지식의 샘물이 고갈되지 않도록 창작자의 의욕을 북돋아야 한다.

(나) 정보 창작자의 소유권을 인정하는 것은 공적 영역에 남아 있어야 할 지적 창작물을 배타적 영역에 머물도록 한다. 또한 새로운 정보 창출의 터전이 되는 지식의 샘물을 사유화하여 정보 격차를 심화시키므로 정보는 공유되어야 한다.

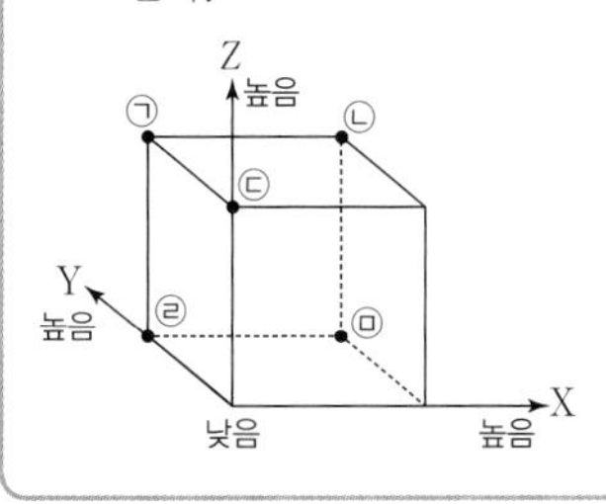

- X: 저작권을 배타적 권리로 인정하는 정도
- Y: 정보의 공공재적 성격을 인정하는 정도
- Z: 정보의 공유와 가치의 비례성을 인정하는 정도

① ㉠ ② ㉡ ③ ㉢ ④ ㉣ ⑤ ㉤

| 평가원 기출 응용 |

02 갑, 을의 입장에 대한 옳은 설명만을 《보기》에서 있는 대로 고른 것은?

갑: 모든 구성원은 자신의 이익이 아니라 모두의 공동선을 위해 그들의 자연적 자질을 이용하고 사회적 여건을 활용해야 한다. 새로운 정보도 역사적으로 내려온 정보에 기반하고 있으므로 그 정보도 전적으로 개인의 것이라기보다는 사회적 자산으로 보아야 한다.

을: 나의 몸과 마음은 마땅히 내 것이므로 그것을 이용하여 생산한 결과물도 내 것이다. 다른 사람에게 아무런 피해가 가지 않는 상황에서 쓸모없는 땅을 비옥한 땅으로 만든 것처럼 새로운 정보가 부가 가치를 창출했다면 그 정보에 대한 소유권을 인정해야 한다.

《보기》

ㄱ. 갑은 저작권에 공공재 개념을 적용해야 한다고 본다.
ㄴ. 을은 정보의 배타적인 사유권을 인정해야 한다고 본다.
ㄷ. 갑과 달리 을은 정보가 자유롭게 유통되어야 한다고 본다.
ㄹ. 을과 달리 갑은 정보의 부가 가치 창출을 금지해야 한다고 본다.

① ㄱ, ㄴ ② ㄱ, ㄹ ③ ㄷ, ㄹ
④ ㄱ, ㄴ, ㄷ ⑤ ㄴ, ㄷ, ㄹ

| 수능 기출 응용 |

03 (가) 사상의 입장에서 (나)의 상황 속 A에게 제시할 수 있는 조언으로 가장 적절한 것은?

(가)	도덕적 딜레마를 설명하는 여성들의 방식을 살펴보면 남성과는 다른 도덕 언어를 사용한다는 것을 알 수 있다. 이러한 도덕 언어가 존재한다는 것은 남성의 도덕 발달 과정과는 다른 또 하나의 도덕 발달 과정이 있다는 것을 암시한다. 여성들에게 도덕적으로 가장 중요하다고 규정되는 것은 남을 해하지 말고 보살펴야 한다는 윤리 의식이다.
(나)	고등학생인 A는 같은 반의 B와 말다툼을 했다. 집에 돌아와서도 화가 가라앉지 않은 A는 친구들에게 연락하여 학급 채팅방에서 B를 상대로 사이버 불링을 같이 하자고 부탁해야 할지 망설이고 있다. *사이버 불링: 정보 통신 기술을 통해 의도적이고 지속적인 괴롭힘을 가하는 것

① 사이버 불링이 공리를 극대화하는 것인지 고려하세요.
② 사이버 불링이 자연법에 부합하는 것인지 고려하세요.
③ 사이버 불링이 덕성 함양에 기여하는 것인지 고려하세요.
④ 사이버 불링이 모성적 배려를 실천하는 것인지 고려하세요.
⑤ 사이버 불링이 인간을 목적으로 대우하는 것인지 고려하세요.

| 교육청 기출 응용 |

04 ㉠에 들어갈 수 있는 적절한 내용을 《보기》에서 고른 것은?

갑: 인터넷에서 연예인뿐만 아니라 일반인들의 정보도 무분별하게 유출되어 많은 사람들이 고통을 받고 있어. 이러한 문제를 해결하기 위해서는 과거의 잘못된 정보와 개인이 감추고 싶은 정보의 삭제를 요구하거나 접근을 제한할 수 있는 법을 제정해야 해.

을: 하지만 너의 주장은 [㉠]을 간과하고 있어.

《보기》

ㄱ. 사생활 보호가 사회 공익을 위해 제한될 수 있음
ㄴ. 개인은 자기 정보에 대한 삭제를 요구할 수 있음
ㄷ. 개인 정보 보호를 위한 최소한의 안전 장치가 필요함
ㄹ. 자기 정보 삭제권의 보장이 개인의 알 권리를 침해할 수 있음

① ㄱ, ㄴ ② ㄱ, ㄹ ③ ㄴ, ㄷ
④ ㄴ, ㄹ ⑤ ㄷ, ㄹ

IV

11 자연과 윤리

출제 경향
★동서양 자연관의 특징과 차이점
★칸트, 싱어, 레건, 테일러, 레오폴드의 환경 윤리

01 동서양의 자연관

1. 동양의 자연관

⑴ 관점: 자연을 상의(相依: 개개의 사물이 서로 의존해서 존재하는 것)와 화해(和諧: 개개의 존재가 서로 균형과 협동을 통해 조화를 이루는 것)의 대상으로 여김

⑵ 동양의 자연관 빈출 자료 01

유교	• 인간이 자연을 본받아 다른 존재와 타인에게 인(仁)을 실천해야 함 • 천인합일(天人合一)의 경지: "천지는 만물을 낳는 것을 마음으로 삼으니 인간은 그 마음을 본받아 자신의 마음으로 삼는다." • 안빈낙도의 태도: 욕심을 버리고, 있는 그대로 자연을 즐겨야 함
불교	• 연기설(緣起說): 우주의 모든 현상은 독립적으로 존재할 수 없으며 서로 영향을 주고받으면서 변화와 생성을 거듭함 → 만물의 상호 의존성과 자비 강조 • 인드라망: 우주 만물이 서로 관련을 맺고 그물망을 이루는 세계 • 불살생(不殺生): 살아 있는 것을 죽이지 않는 생명 존중 사상
도가	• 자연은 무위의 체계로서 '무목적의 질서'를 담고 있음 • 무위자연(無爲自然)의 삶을 지향하여 자연의 한 부분인 인간이 자연에 조작과 통제를 가하는 것을 반대함 • 장자의 제물론: 천하 만물이 서로 의존하여 존재하는 것이므로, 하늘의 입장에서 보면 만물은 절대적으로 평등하여 일체가 됨

⑶ 우리 조상들의 자연관

단군 신화	하늘을 상징하는 환웅과 땅을 상징하는 웅녀가 결합하여 인간인 단군이 탄생함 → 인간과 자연의 조화(천인합일)
민간 신앙	자연 만물에 영혼이 있다고 믿는 물활론적 자연관
풍수지리설	땅에도 생명이 있다고 보고 땅과 인간의 조화 중시

2. 서양의 자연관

⑴ 인간 중심주의: 인간을 가장 가치 있는 존재로 여김. 인간과 자연의 관계에서 인간의 이익이나 행복을 먼저 고려함

① 인간 중심주의 사상가 빈출 자료 02

고대	아리스토텔레스	• "식물은 동물의 생존을 위해, 동물은 인간의 생존을 위해서 존재한다." • 이성을 지닌 인간은 자연을 이용할 수 있다고 봄
중세	아퀴나스	신의 섭리에 의해 동물은 인간이 사용하도록 운명지어짐
근대	베이컨	• '지식은 힘'(지식-자연에 대한 지식, 힘-자연을 지배하고 활용하는 능력) • 과학의 목적: 자연을 활용하여 인간의 물질적 삶의 향상을 추구하는 것
	데카르트	• 기계론적 자연관: 자연은 기계적 인과 법칙에 종속된 물질이므로 마음대로 이용하고 지배할 수 있음 • 인식하는 주체와 인식되는 대상을 구분함으로써 인간이 자연을 이용하고 정복하는 사유의 출발점이 됨
	칸트	• "동물에 대한 우리의 의무는 인간성 실현을 위한 간접적인 도덕적 의무에 불과하다." • 자율성과 이성적 능력을 지닌 인간만이 절대적으로 존엄한 존재라고 봄

② 온건한 인간 중심주의

의미	자연을 존중하면서도 신중하고 분별력 있게 사용해야 한다는 입장
특징	• 인간을 위해 자연을 보호하고자 함: 인류의 장기적 이익을 위해 자연의 보전과 관리가 필요함 • 영리함의 논증: 인간이 영리하다면 자연을 장기적으로 이용하기 위해 환경을 보호해야 함 • 세대 간의 분배 정의 논증: 인간의 장기적인 생존과 복지를 위해서는 자연 보호를 통해 미래 세대에 대해 책임질 줄 알아야 함

③ 온건한 인간 중심주의 사상가

칸트	인간은 인간에 대해서만 직접적 의무를 지닌다고 봄
패스모어	오늘날 환경 위기를 극복하기 위해서는 새로운 윤리가 필요한 것이 아니라 기존의 윤리를 잘 준수하기만 하면 된다고 주장함

⑵ 동물 중심주의: 인간 중심주의의 편협한 관점을 비판하면서 도덕적 권리와 고려 대상을 동물에까지 확대함

① 동물 중심주의 사상가 빈출 자료 03

벤담	동물을 대우하는 데 있어 고려해야 할 것은 이성을 지니고 있거나 말을 할 수 있는지가 아니라 고통을 느낄 수 있는가임
밀	도덕은 인간만이 아니라 쾌고(快苦)를 느낄 수 있는 존재 전체에게 영향을 미치는 인간의 행위에 관한 규칙과 계율임
싱어	• 공리주의에 근거하여 동물 해방론 주장 → 고통을 느끼는 능력을 가진 동물의 도덕적 지위를 인정하여 동등하게 고려할 것을 주장함 • 이익 평등 고려의 원칙: 어떤 결정을 내릴 때 자신만을 고려하지 말고, 그 영향을 받는 인간과 동물의 이익 관심도 동등하게 고려해야 함 • 종 차별주의 반대: 인간을 특별하게 우대하고, 고통을 싫어하고 쾌락을 좋아하는 이익 관심을 지닌 동물을 차별하는 태도는 종 차별주의(종 이기주의)임
레건	• 의무론에 근거하여 동물에 대한 인간의 의무 강조 • 동물 권리론 주장 → 동물도 삶의 주체로서 자신만의 고유한 삶을 영위할 권리를 가지므로 인간을 위한 수단이 아닌 목적인 존재로 대우해야 함

② 윤리적 실천: 공장식 사육 방식 중단, 단순 오락을 위한 사냥 및 상업적 목적을 위한 동물 학대 금지, 무분별한 동물 실험 반대

③ 동물 중심주의의 의의와 비판점

의의	동물에 대한 인간의 비도덕적 관행을 반성하고 도덕적 사고의 폭을 넓힘
비판점	• 인간과 동물 사이에 이익이 충돌할 경우 어느 쪽의 이익을 더 고려해야 하는지 판단하기 어려움 • 동물의 개체 보호를 중시하여 생태계의 조화와 균형을 깨뜨릴 수 있음 • 동물 이외의 생명 및 생태계에 대한 고려가 부족함 → 식물, 무생물은 도덕적 고려의 대상이 아님 • 공장식 사육 방식, 동물 실험 등이 불가피하게 요구될 수 있어 현실적 실천이 어려움 • 싱어의 공리주의적 접근은 공장식 사육 방식이 다른 사육 방식보다 고통이 적다면, 이를 정당화할 우려가 있음

빈출 특강

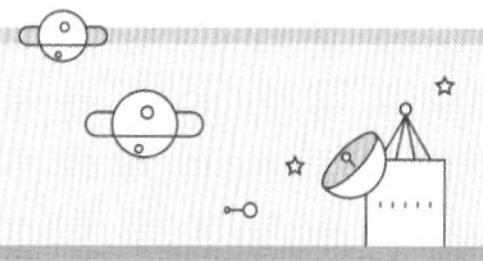

대표 유형

빈출 자료 01 동양의 자연관 | 연계 문제 → 86쪽 01번, 87쪽 03번

> 갑: 고정된 자성(自性)이 있다면, 세상의 모든 현상들은 생겨나지도 않고 없어지지도 않을 것이다. 공(空)하지 않다고 하면, 아직 얻지 못한 것은 결코 얻을 수 없을 것이며 번뇌도 끊을 수 없을 것이다.
> 을: 도(道)는 늘 아무 일도 하지 않는다. 그러나 하지 못하는 일은 없다. 이름 없는 순수한 도라면 욕망 없는 상태를 가져올 것이다. 욕심을 내지 않으면 천하가 저절로 편안해질 것이다.
> 병: 하늘을 아버지라 하고, 땅을 어머니라 한다. 사람들과 나는 한 배에서 나왔고, 만물은 나와 더불어 한 형제이다. 자연은 사람을 돌보고 생명을 베풀며, 사람은 자연 속에서 삶을 영위해 간다.

| 자료 분석 | 갑은 불교, 을은 도가, 병은 유교의 입장이다.
- 갑: 불교에서는 연기설을 강조하면서 모든 것은 거대한 그물망처럼 연결되어 생성 · 소멸한다고 본다.
- 을: 도가는 무위의 자연스러움과 소박하고 욕심 없는 자연의 도를 추구한다.
- 병: 인간과 자연을 하나의 가족으로 보는 유교의 환경 친화적 자연관이다.

빈출 자료 02 인간 중심주의 사상 | 연계 문제 → 88쪽 09번

> 갑: 자연의 피조물이 이성을 갖지 않는다고 해서 잔인하게 다루면 고통에 대해 공감을 일으키는 인간의 자연적 소질이 약화된다.
> 을: 자연을 사냥해서 노예로 만들어 인간의 이익에 봉사하도록 해야 한다. 지식은 인간이 자연을 의도에 맞게 변형하여 자연에 대한 지배력을 강화하는 데 유용하다.

| 자료 분석 | 갑은 칸트, 을은 베이컨이다.
- 갑: 인간 중심주의자 칸트는 동물이나 식물, 나아가 무생물을 함부로 대하지 말아야 하는 것은 인간을 위한 간접적인 의무에 해당한다고 주장했다.
- 을: 인간 중심주의자 베이컨은 인간의 풍요로운 삶을 위해 자연을 지배하고 활용할 수 있다고 주장했다.

빈출 자료 03 동물 중심주의 사상 | 연계 문제 → 89쪽 11번

> 갑: 오직 유정(有情)적 존재만이 이익 관심을 지니기 때문에 이들을 동등하게 도덕적으로 고려할 책임이 있다.
> 을: 쾌락과 고통을 느끼며 욕구, 지각, 정체성, 목표 등을 갖는 개체는 삶의 주체이며, 결코 수단으로 취급되어서는 안 된다.

| 자료 분석 | 갑은 싱어, 을은 레건이다.
- 갑: 싱어는 공리주의의 입장에서 쾌고 감수 능력을 가진 존재는 모두 도덕적으로 동등하게 고려해야 한다고 보았다.
- 을: 레건은 한 살 정도 이상의 포유동물도 삶의 주체로서 도덕적 지위를 지닌다고 보았다.

자주 나오는 오답 선택지

빈출 자료 01 에서 자주 나오는 오답 선택지

① 갑은 자연을 모든 사람들이 마땅히 지켜야 할 예법의 근거라고 본다. → 유교의 하늘(자연)관이다.

② 갑은 자연을 인간의 이성으로 질서가 바로잡혀야 할 미성숙한 존재라고 본다.
→ 서양의 인간 중심주의적 사고이다. 인간 중심주의에서는 자연을 미성숙한 존재로 보고 인간이 이를 질서 있게 바로잡아 주어야 한다고 본다.

③ 을은 자연 정복을 위해 개발의 속도를 조절해야 한다고 주장한다.
→ 도가는 자연 정복을 추구하지 않으며, 개발을 한다는 것 자체가 인위적인 것이므로 도가의 입장과는 상반된다.

④ 을은 인류의 복지를 위해 자연을 보호해야 한다고 주장한다.
→ 온건한 인간 중심주의의 핵심 내용으로 도가 사상과 거리가 멀다.

⑤ 병은 자연을 인간의 삶을 풍요롭게 해 주는 도구적 가치의 총체라고 본다.
→ 서양의 인간 중심주의 또는 도구적 자연관이다. 이러한 관점에서는 자연을 인간의 삶을 위한 도구로 생각하고, 자연을 이용함으로써 인간의 삶이 풍요로워진다고 본다.

⑥ 병은 삶의 질을 높이는 수단을 자연 개발에서 찾아야 한다고 본다.
→ 자연을 개발하여 삶의 질을 높인다는 것은 인간 중심주의적 사고방식이다.

빈출 자료 02 에서 자주 나오는 오답 선택지

① 갑과 달리 을은 인간만이 도덕적 의무를 실천할 능력을 소유한다고 본다.
→ 갑, 을 모두 인간만이 도덕적 의무를 실천할 능력을 소유한다고 본다.

② 을은 자연의 내재적 가치를 인정하여 자연을 지배해야 한다고 본다.
→ 을은 자연을 인간을 위한 도구로 보므로 자연의 내재적 가치를 인정하지는 않는다.

③ 갑과 을은 자연 안의 어떠한 존재도 수단으로 대해서는 안 된다고 본다.
→ 갑, 을은 인간 중심주의 입장이므로 자연을 인간을 위한 수단으로 생각한다.

④ 갑, 을은 이성이 없지만 감각을 지닌 존재도 도덕적 지위를 갖는다고 본다. → 동물 중심주의 입장으로 갑, 을 모두 해당하지 않는다.

빈출 자료 03 에서 자주 나오는 오답 선택지

① 갑은 인간만이 권리를 지닌다고 본다.
→ 갑은 동물 해방론자로서 동물도 고통으로부터 해방시켜야 한다고 본다.

② 갑은 인간과 달리 동물을 영혼과 육체의 단순한 결합체로 보았다.
→ 갑은 인간과 동물을 고통을 느낀다는 이유로 동등하게 이익 관심을 고려해야 한다고 보았다.

③ 을은 이익 관심을 동물의 이익을 고려하기 위한 충분조건으로 보았다. → 갑의 입장이다. 레건은 동물의 이익을 고려하기 위해서는 이익 관심뿐만 아니라 삶의 주체로서 권리를 지녀야 한다고 보았다.

④ 갑, 을은 도덕적 행위의 주체인 인간이 다른 존재보다 우월하다고 보았다. → 인간 중심주의 입장으로 갑, 을 모두 해당하지 않는다.

⑤ 갑, 을은 생태계 전체를 도덕적 고려의 대상으로 보았다.
→ 생태 중심주의 입장으로 갑, 을 모두 해당하지 않는다.

IV

11 자연과 윤리

출제 경향
★동서양 자연관의 특징과 차이점
★칸트, 싱어, 레건, 테일러, 레오폴드의 환경 윤리

(3) 생명 중심주의: 모든 생명체는 본래적, 내재적 가치를 지니므로 모든 생명을 존중해야 함. 도덕적 지위와 고려의 대상을 인간과 동물, 식물을 포함한 모든 생명체로 확장함

① 생명 중심주의 사상가 빈출 자료 04

슈바이처	• 모든 생명에 대한 외경(畏敬)을 도덕의 근본 원리라고 주장함 • 생명을 유지하고 증진하며 고양하는 것은 선이고, 생명을 억압하는 것은 악임 → 생명에 대한 사랑과 책임을 강조함 • 자기 존재를 유지하기 위해 불가피하게 다른 생명을 해쳐야 할 경우에도 생명에 대한 무한한 책임을 지녀야 한다고 강조함
테일러	• 모든 생명체는 '목적론적 삶의 중심' → 자기의 생존·성장·발전·번식이라는 목적을 추구, 이를 위해 환경에 적응하려고 애씀 • 모든 생명체는 내재적 가치를 지니므로 도덕적으로 존중해야 한다고 주장하면서 생명체에 대한 의무를 제시함

② 테일러의 생명체에 대한 네 가지 의무

불침해(악행 금지)의 의무	다른 생명체에게 해를 끼쳐서는 안 됨
불간섭의 의무	생명체의 자유를 보장하고 생태계를 조작하거나 통제하지 않아야 함
성실(신의)의 의무	낚시나 덫 등으로 동물을 속이지 않아야 함
보상적 정의의 의무	동식물에게 해를 입혔을 때 보상해야 함

③ 생명 중심주의의 의의와 비판점

의의	• 모든 생명체의 고유한 가치 인정, 생명과 자연의 소중함을 일깨움 • 도덕적 고려의 범위를 확장하고 생명을 존중하는 태도를 강조함
비판점	• 개별 생명체의 가치를 존중하는 개체론적 성격을 지녀 생태계 전체를 고려하지 못함 • 인간과 자연은 엄격하게 분리될 수 없고 인간이 자연에 개입하여 이로운 결과를 낳을 수도 있음

(4) 생태 중심주의: 도덕적 고려의 범위를 개별 생명체가 아닌 무생물을 포함한 생태계 전체로 봐야 한다는 전일론적 입장

① 생태 중심주의 사상가 빈출 자료 05

레오폴드	• 대지 윤리: 공동체의 범위를 식물과 동물, 토양과 물을 포함하는 대지로 확장함 • 인간의 의무: 인간은 생명 공동체의 구성원이며, 생태계의 안정을 유지해야 함 • 대지 피라미드: 무생물과 생물이 유기적으로 생산자, 소비자, 분해자가 되어 먹이 사슬에 따른 고유한 생태학적 역할을 함
네스	• 심층 생태주의: 세계관 같은 근본적 의식 자체를 바꿔야 함 • 생명 중심적 평등 추구: 모든 유기체는 생명의 연결망 속에 서로 연결되어 평등한 내재적 가치를 지님 • 큰 자아실현 추구: 자신을 자연의 일부이자 자연과의 상호 연관 속에서 존재하는 것으로 이해해야 함

② 생태 중심주의의 의의와 비판점

의의	• 자연에 대한 인식을 근본적으로 바꾸어야 한다는 점을 일깨움 • 인간과 자연의 공존을 모색하는 새로운 관점을 제시하여 오늘날의 환경 문제를 해결하기 위한 실마리를 제공함
비판점	• 생태 공동체의 선을 개별 생명체의 가치보다 우선시하기 때문에 환경 파시즘으로 흐를 수 있음 • 생태계의 중요한 가치를 실현하는 데 인간의 개입을 거의 허용하지 않기 때문에 환경 보전을 위한 구체적 방안을 제시하지 못함

02 환경 문제에 대한 윤리적 쟁점

1. 기후 변화의 윤리적 문제와 책임 윤리

(1) 급격한 기후 변화에 따른 문제점

기후 정의 문제	저개발 국가는 온실가스의 배출량이 선진국보다 훨씬 적지만 피해는 선진국보다 더 큼 → 선진국들의 보상과 지원 필요
생태계의 위기	생물종의 감소와 생태계 먹이 사슬의 붕괴
인간의 삶 위협	홍수나 가뭄, 물 부족과 물 오염, 열대 질병 확산, 사막화와 해수면 상승으로 환경 난민 증가

(2) 기후 변화 문제 해결을 위한 국제적 대응 빈출 자료 06

교토 의정서 (1997)	• 선진국 37개국이 2020년까지 기후 변화 대응 방식 규정 • 온실가스 배출량을 1990년 수준보다 평균 5.2% 감축 • 선진국에 온실가스 감축 의무 부여, 탄소 배출권 거래 제도 도입 • 돈이 있으면 환경 파괴도 정당화될 수 있다는 생각과 비용 지불을 통해 탄소 배출량 감축 의무를 벗어나게 되면 자국의 이익만을 우선시할 수 있음
파리 기후 협약 (2015)	• 195개 당사국이 합의한 2020년 이후 신(新)기후 체제로, 지구 평균 온도 상승폭을 1.5 ℃까지 제한 • 2020년부터 개발 도상국에 1000억 달러 지원 • 2023년부터 5년마다 탄소 감축 상황 보고

2. 미래 세대에 대한 책임과 책임 윤리

(1) 미래 세대에 대한 책임: 환경 문제는 미래 세대의 생존 및 삶의 질 문제와 직결되어 있음

(2) 요나스의 책임 윤리

① 인류 존속을 위한 현세대의 책임을 강조함

② 책임 원칙의 정언 명령: "너의 행위의 결과가 지상에서의 진정한 인간적 삶의 지속과 조화를 이루도록 행위하라."

③ 현세대가 지녀야 할 덕목: 두려움, 겸손, 검소, 절제

3. 환경적으로 건전하고 지속 가능한 발전

(1) 개발과 보전의 딜레마

구분	개발론	환경 보전론
특징	자연을 개발하여 많은 사람이 이익을 얻고 풍요로운 삶을 누리는 것이 환경 보전보다 우선하는 가치임	환경을 보전하고 자연의 가치를 지키는 것이 인류의 생존에 필수적임
문제점	환경 파괴로 이어짐	경제 성장을 제약할 수 있음

(2) 환경적으로 건전하고 지속 가능한 발전

의미	미래 세대가 자신의 욕구를 충족할 수 있는 능력을 해치지 않으면서도 현세대의 욕구를 충족하는 발전 추구
의의	• 인간과 자연이 더불어 사는 삶 실현: 자정 능력 범위 내에서 환경을 개발하고 미래 세대를 위해 환경을 잘 보전하고자 노력함 • 성장에 따른 혜택을 정당하게 분배: 국가 간 공정한 발전 도모, 분배 정의 실현 → 환경 문제 해결을 위한 협동과 연대 도모
노력 방안	환경친화적 소비 생활, 환경을 고려한 건전한 환경 기술 개발, 화석 연료를 대체할 신·재생 에너지 개발, 국제 협력 체제 구축(몬트리올 의정서, 바젤 협약, 생물 다양성 협약 등)

빈출 특강

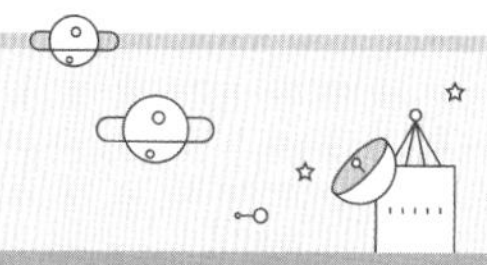

대표 유형

빈출 자료 04) 생명 중심주의 사상 | 연계 문제 → 90쪽 15번

> 갑: 살아 있는 모든 것은 고유한 방식으로 자신의 목적을 추구한다. 자기 보존과 행복을 위해 움직인다는 점에서 모든 생명체는 동등하다.
> 을: 인간은 자기가 도울 수 있는 모든 생명체를 도와주고 어떤 생명체에도 해를 끼치지 않을 때만 진정으로 윤리적이다.

| 자료 분석 | 갑은 테일러, 을은 슈바이처이다.
- 갑: 테일러는 모든 생명체는 '목적론적 삶의 중심'으로서 자기의 생존, 성장, 발전, 번식이라는 목적을 추구하고 이를 위해 환경에 적응하려고 애쓰는 존재라고 하였다.
- 을: 슈바이처는 인간과 다른 생명체가 도덕적으로 서로 다르지 않으며 생명을 유지하고 고양하는 것은 선, 생명을 파괴하고 억압하는 것은 악이라고 하였다.

자주 나오는 오답 선택지

빈출 자료 04) 에서 자주 나오는 오답 선택지

① 갑은 을과 달리 기계론적 자연관을 바탕으로 생명을 이해한다.
→ 갑, 을 모두 해당하지 않는다. 기계론적 자연관을 바탕으로 생명을 이해한 것은 데카르트이다.

② 갑은 을과 달리 인간 중심주의적 관점에서 자연을 바라본다.
→ 갑, 을 모두 해당하지 않는다. 갑, 을은 생명 중심주의이다.

③ 갑은 을과 달리 인간 생명의 내재적 가치를 인정한다.
→ 갑, 을 모두 인간의 내재적 가치를 인정한다.

④ 을은 갑과 달리 윤리적 고려의 대상을 무생물에게까지 확대한다.
→ 윤리적 고려의 대상을 무생물에게까지 확대한 것은 레오폴드이다.

⑤ 갑은 을과 달리 모든 생명체를 도덕적으로 배려해야 한다고 주장한다. → 갑, 을 모두에게 해당한다.

⑥ 갑, 을은 자연의 모든 존재가 도덕적 가치를 지닌다고 본다.
→ 자연의 모든 존재가 도덕적 가치를 지닌다고 본 사람은 레오폴드이다.

빈출 자료 05) 생태 중심주의 사상 | 연계 문제 → 91쪽 21번

> 갑: 윤리의 확장은 생태학적 진화의 과정이며 생태계 모든 구성원들의 공생을 추구하는 것이므로, 이 땅의 모든 존재들의 윤리인 대지의 윤리에 이르게 된다.
> 을: 우리는 '큰 자아실현'과 '생명 중심적 평등'을 추구해야 한다. 큰 자아실현은 자기를 자연의 일부로서 자연과의 상호 연관 속에서 이해하는 과정이다. 생명 중심적 평등은 모든 생명체가 평등한 구성원이며, 동등한 가치를 가진다는 것이다.

| 자료 분석 | 갑은 레오폴드, 을은 네스이다.
- 갑: 레오폴드는 도덕 공동체의 범위를 동물, 식물, 흙, 물을 비롯한 대지까지 확대하였다.
- 을: 네스는 생태계의 모든 존재가 평등한 권리를 누려야 한다는 심층 생태주의를 주장하였다.

빈출 자료 05) 에서 자주 나오는 오답 선택지

① 갑은 생명을 인간의 선한 목적을 위한 도구적 대상으로 본다.
→ 인간 중심주의의 입장이다.

② 을은 자연을 효율적으로 이용할 방안을 모색해야 한다고 주장한다.
→ 인간 중심주의의 입장이다.

③ 갑은 을과 달리 인간 간의 의무를 넘어선 새로운 도덕 원리가 필요하다고 주장한다. → 갑, 을 모두에게 해당한다.

④ 갑은 을과 달리 윤리적 고려의 대상을 무생물에게까지 확대한다.
→ 갑, 을 모두에게 해당한다. 생태 중심주의는 윤리적 고려의 대상을 무생물에게까지 확대한다.

⑤ 갑은 을과 달리 인간을 위한 자연 보호는 환경 문제의 해결책이 아니라고 본다.
→ 갑, 을 모두에게 해당한다.

빈출 자료 06) 기후 변화 문제 해결을 위한 국제적 대응 | 연계 문제 → 92쪽 23번

> 교토 의정서는 탄소 배출권 거래 제도를 도입하였다. 이 제도는 국가별로 배정받은 배출권을 기업별 · 부문별로 할당하였고, 기업이 할당된 배출량을 초과해야 할 경우 다른 기업으로부터 배출권을 매입할 수 있도록 하는 제도이다.

| 자료 분석 | 탄소 배출권 거래 제도는 돈이 있으면 환경 파괴도 정당화될 수 있다는 생각과 비용 지불을 통해 탄소 배출량 감축 의무를 벗어날 수 있게 되면 인류 공동체에 대한 책임감이 약화될 수 있다는 우려를 낳았다.

빈출 자료 06) 에서 자주 나오는 오답 선택지

① 탄소 배출권 거래 제도는 자연 보전을 위하여 개발을 부정한다.
→ 개발을 부정하는 것이 아니라 무분별한 개발을 제한하기 위한 것이다.

② 탄소 배출권 거래 제도는 법적 강제력 없이 기업의 자율적 준수를 강조한다. → 법적 강제력을 가진 제도적 차원의 환경 문제 해결 방안이다.

③ 탄소 배출권 거래 제도는 생태계의 순환 과정에 일체의 개입을 허용하지 않는다. → 생태계 개입을 줄이고자 하는 노력이지 일체의 개입을 허용하지 않는 것은 아니다.

④ 탄소 배출권 거래 제도는 경제적 약소국들의 환경 파괴를 정당화한다. → 경제력이 있는 선진국의 환경 파괴를 정당화한다는 비판이 제기된다.

⑤ 탄소 배출권 거래 제도는 개인의 생태적 각성을 통해서만 환경 문제를 해결하려고 한다. → 제도적 차원의 환경 문제 해결 방안이다.

시험에 꼭 나오는 문제

개념 확인 문제

01 빈칸에 들어갈 알맞은 말을 쓰시오.

(1) 유교에서는 인간과 자연이 하나가 되는 (   ) 의 경지를 인간이 추구해야 할 목표로 제시한다.
(2) 불교에서는 (   )을/를 바탕으로 만물의 상호 의존성을 지각하고 모든 생명을 소중히 여기며 (   )을/를 베풀 것을 강조한다.
(3) 도가에서는 인간을 자연의 한 부분으로 보고, 자연의 순리에 따르는 (   )을/를 강조한다.

02 다음 내용 중 옳은 것에 ○표 하시오.

(1) 칸트는 이성을 결여한 동물에 대해서는 (직접적, 간접적) 인 도덕적 의무만 갖는다고 주장한다.
(2) 레건은 (동물, 식물)은 삶의 주체로서 도덕적 지위를 가질 수 있다고 본다.
(3) 싱어는 (쾌고 감수 능력, 도덕적 사고 능력)을 도덕적 고려의 기준으로 본다.
(4) 테일러는 모든 생명체가 (도구적, 목적론적) 삶의 중심으로서 내재적 가치를 지닌 존재이기 때문에 존중해야 한다고 본다.
(5) 네스는 (커다란 자아, 인간 중심적 자아)를 강조한다.
(6) 요나스는 인류가 존재해야 한다는 당위적 요청을 근거로 인류 존속에 관한 (현세대, 미래 세대)의 책임을 강조하였다.
(7) 환경적으로 건전하고 지속 가능한 발전을 위해 (과소비, 환경친화적 소비)를 실천해야 한다.

03 다음 내용에 해당하는 관점을 《보기》에서 고르시오.

《보기》
ㄱ. 인간 중심주의　　ㄴ. 동물 중심주의
ㄷ. 생명 중심주의　　ㄹ. 생태 중심주의

(1) 자연을 인간 욕망 충족을 위한 도구로 보는 자연관이다.
(2) 전일론적 관점에서 도덕적 고려의 대상을 자연 전체로 확장하는 자연관이다.

04 다음 설명이 맞으면 ○, 틀리면 ×표 하시오.

(1) 선진국은 온실가스의 배출량이 저개발 국가보다 훨씬 적지만 피해는 저개발 국가보다 더 크다. (   )
(2) 극지방의 해빙으로 인한 해수면의 상승으로 환경 난민이 증가하고 있다. (   )
(3) 환경 문제의 심화로 생물종이 감소하고, 생태계 먹이 사슬이 붕괴되고 있다. (   )

(빈출 문제) 연계 자료 → 83쪽 빈출 자료 01

01 (가)~(다)에 대한 옳은 설명만을 《보기》에서 있는 대로 고른 것은?

(가) 인(因)과 연(緣)에 의해 생겨나는 것이 법(法)이다. 이것을 공(空)하다고 한다. 단 하나의 법도 인과 연에 따라 생겨나지 않는 것이 없으니 일체의 법이 공하다.
(나) 하늘과 땅은 편애하지 않아 모든 것을 짚으로 만든 개처럼 취급한다. 하늘과 땅 사이는 커다란 풀무의 바람통처럼 비어 있으나 다함이 없다.
(다) 하늘은 나의 아버지이며 땅은 나의 어머니이다. 그러므로 우주를 가득 채우고 있는 것을 나는 나의 몸으로 여기며, 우주를 이끌고 가는 것을 나의 본성으로 여긴다. 모든 사람은 나의 형제자매이며, 만물은 나의 식구이다.

《보기》
ㄱ. (가)는 인간을 자연 생태계의 일부로 인식한다.
ㄴ. (나)는 자연이 지니고 있는 본래적 가치를 존중한다.
ㄷ. (다)는 자연을 공존의 대상이 아닌 통제의 대상으로 본다.
ㄹ. (나)는 (가), (다)와 달리 인간이 자연의 주인으로서 책임의식을 다해야 한다고 본다.

① ㄱ, ㄴ　② ㄱ, ㄷ　③ ㄴ, ㄹ
④ ㄱ, ㄷ, ㄹ　⑤ ㄴ, ㄷ, ㄹ

유사 선택지 문제

01_ ❶ (가)는 자연을 효율적으로 개발해야 한다고 주장한다.(○ / ×)
01_ ❷ (나)는 자연을 목적이 없는 무위(無爲)의 체계로서 무목적의 질서를 담고 있다고 본다. (○ / ×)
01_ ❸ (다)는 하늘과 땅은 서로 느끼고 상응하며 맞물리면서 끊임없이 만물을 낳고 기르는 존재로 본다. (○ / ×)

02 다음 사상의 자연관에 대한 설명으로 가장 적절한 것은?

- 고정된 자성(自性)이 있다면, 세상의 모든 현상들은 생겨나지도 않고 없어지지도 않을 것이다.
- 털끝 하나에도 끝없는 대지와 큰 바다가 들어 있으며, 끝없는 대지와 큰 바다가 티끌과 다르지 않다는 것을 깨달아야 고통이 없는 해탈을 이루게 될 것이다.

① 만물은 원인과 조건에 의해 생멸(生滅)한다.
② 만물의 변화는 물질적 요소의 이합집산일 뿐이다.
③ 자연에 순응하여 인간의 악한 본성을 변화시켜야 한다.
④ 자연의 가치는 삶의 질 향상에 기여하느냐에 달려 있다.
⑤ 무위자연(無爲自然)을 추구하고, 인간이 자연의 한 부분임을 깨달아야 한다.

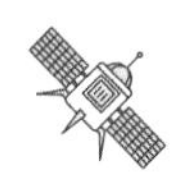

(빈출 문제) 연계 자료 → 83쪽 빈출 자료 01

03 (가)의 갑, 을의 관점에서 (나)의 문제를 해결하기 위해 제시할 수 있는 조언으로 가장 적절한 것은?

(가)	갑: 지식은 힘이다. 진정한 지식이란 자연을 정복하여 인간의 현실 생활에 실익을 거두게 하는 것이다. 을: 천지는 만물을 낳는 것을 마음으로 삼으니, 인간은 그 마음을 본받아 자신의 마음으로 삼고 인(仁)을 실천해야 한다.
(나)	A국의 ○○ 기업은 수도권에 대규모 골프장을 건설하여 빈축을 사고 있다. 골프장을 짓는 과정에서 각종 보호 종들이 사는 습지대가 사라져 생태계에 심각한 피해를 주었으며, 잔디 관리를 위한 엄청난 농약 살포로 인해 마을 상수원이 심각하게 오염되었기 때문이다.

① 갑: 인간은 모든 생명체를 도덕적으로 배려해야 한다.
② 갑: 인간도 생태계의 일부로서 자연과 합일하는 삶을 살아야 한다.
③ 을: 인간의 행복 추구를 위해 자연을 충분히 개발해야 한다.
④ 을: 인간과 자연의 관계를 전체적이고 유기적인 관점에서 조망할 필요가 있다.
⑤ 갑, 을: 자연은 의식이 없는 단순한 물질이므로 자연을 정복의 대상으로 여겨야 한다.

유사 선택지 문제

03_ ❶ 갑은 자연의 내재적 가치를 인정해야 한다고 본다. (○ / ×)
03_ ❷ 을의 관점은 현대 사회의 무분별한 개발과 소비로 인한 환경 문제를 극복하는 데 대안을 제시할 수 있다. (○ / ×)
03_ ❸ 갑, 을은 인류의 물질적 혜택과 복지를 위해 자연을 정복하는 데 필요한 지식을 강조한다. (○ / ×)

04 다음 사상의 입장에서 〈문제 상황〉을 해결하기 위한 조언으로 가장 적절한 것은?

> 모든 존재와 현상은 원인과 조건이 서로 관계하여 성립한다. 이 세상 어느 것도 독립하여 스스로 존재하는 것은 없다.
>
> **〈문제 상황〉**
>
> 마을은 이상하리만큼 조용하다. 새들이 모이를 쪼아 먹던 뒷마당은 버림받은 것처럼 쓸쓸하다. 몇 마리 보이는 새도 오염된 폐수로 인해 병들어 몸을 심하게 떨며 죽어 가고 있다. 인간인 나만 홀로 서 있다.

① 자연과 인간의 상호 의존성을 자각해야 한다.
② 자연을 생명이 없는 물질적 존재로 파악해야 한다.
③ 자연의 자정 능력을 신뢰하여 그것을 최대한 활용해야 한다.
④ 자연이 인간의 행복을 위한 수단적 가치를 지님을 이해해야 한다.
⑤ 인간과 자연이 인연에 의해 독립적으로 존재함을 통찰해야 한다.

05 (가), (나)가 공통적으로 주장하는 것을 《보기》에서 고른 것은?

> (가) 지구는 동물, 식물, 광물, 토양, 물, 공기 등의 구성 요소들이 상호 작용하면서 항상성을 유지하는 하나의 거대한 통합적 생명체와 같다.
> (나) 하늘이 명한 것을 성(性)이라고 하고 성을 따르는 것을 도(道)라고 한다. 하늘이 음양(陰陽)과 오행(五行)으로 만물을 생겨나게 하니[化生], 천지 만물은 본래 나와 일체이다.

《 보기 》

ㄱ. 인간과 자연이 유기적 관계로서 공존함을 강조한다.
ㄴ. 인간을 포함한 자연의 모든 존재는 본래적 가치를 지닌다.
ㄷ. 인류가 직면한 환경 문제는 과학 기술의 발달로 해결 가능하다.
ㄹ. 인류의 행복을 위해 자연 개발을 우선시하는 것은 윤리적으로 타당하다.

① ㄱ, ㄴ ② ㄱ, ㄷ ③ ㄴ, ㄷ
④ ㄴ, ㄹ ⑤ ㄷ, ㄹ

06 (가)~(다)의 공통된 자연관으로 가장 적절한 것은?

> (가) 인간이 하늘의 도를 본받아 다른 인간과 존재를 사랑하고 어질게 행동하는 인(仁)을 베푸는 것이 바람직한 삶이다.
> (나) 자연 만물은 독립적으로 존재하는 것이 아니라 연기(緣起)의 원리에 따라 서로 밀접하게 관계를 맺고 있다.
> (다) 무위자연(無爲自然)을 추구하며 인간의 의지나 욕구와 상관없이 존재하는 자연의 가치와 아름다움을 인정해야 한다.

① 자연은 의식이 없는 단순한 물질이다.
② 인간의 행복을 목적으로 자연을 보전하고 관리해야 한다.
③ 인간과 자연은 별개의 것이며, 인간은 자연을 지배하고 정복해야 한다.
④ 자연은 그 자체로서 가치 있는 존재가 아니며 인간을 위한 도구에 불과하다.
⑤ 인간도 생태계를 구성하는 자연의 일부로서 다른 생명체와 유기적 관계를 이룬다.

올쏘 시험에 꼭 나오는 문제

07 갑, 을의 자연에 대한 공통된 주장으로 적절한 것을 《보기》에서 고른 것은?

> 갑: 지식은 힘이다. 방황하고 있는 자연을 사냥해서 노예로 만들어 인간의 이익에 봉사하도록 해야 한다. 자연은 구속되어야 하고 과학자의 목적은 고문을 해서라도 자연의 비밀을 밝혀내는 것이다.
>
> 을: 신체는 본질적으로 언제나 분할될 수 있지만 정신은 어떤 경우에도 분할될 수 없다는 점에서 신체와 정신 사이에는 큰 차이가 존재한다. 실제로 정신, 즉 사유하는 실체로서의 나 자신을 고찰할 때 나는 내 안에서 어떤 부분도 구분할 수 없으며, 나 자신을 전체적이고 통일적인 대상으로 인식한다.

《보기》

ㄱ. 자연은 그 자체로 내재적 가치를 지닌다.
ㄴ. 자연은 인간이 지향하는 삶을 위한 도구이다.
ㄷ. 인간 이외의 동물도 도덕적 고려의 대상이다.
ㄹ. 인간과 자연을 분리하여 바라보는 이분법적 관점이 필요하다.

① ㄱ, ㄴ ② ㄱ, ㄷ ③ ㄴ, ㄷ
④ ㄴ, ㄹ ⑤ ㄷ, ㄹ

08 서양 사상가 갑, 을, 병에 대한 설명으로 옳은 것은?

> 갑: 식물은 동물을 위해 존재하고, 동물은 인간의 생존을 위해 존재한다.
>
> 을: 인간이 동물을 이용하는 것은 신의 섭리이므로, 인간이 동물을 죽이거나 이용하는 것은 그릇된 일이 아니다.
>
> 병: 동물에 대한 우리의 의무는 인간성 실현을 위한 간접적인 도덕적 의무에 불과하다.

① 갑은 자연이 인간을 위한 수단에 불과하다고 본다.
② 을은 동식물이 그 자체로 내재적 가치를 지닌다고 본다.
③ 병은 식물을 보존하는 것이 인간의 직접적인 의무라고 본다.
④ 갑, 을은 병과 달리 인간이 자연보다 우위에 있다고 본다.
⑤ 갑, 을, 병은 자연의 모든 존재를 도덕적 고려의 대상으로 본다.

(빈출 문제) 연계 자료 → 83쪽 빈출 자료 02

09 다음 사상가의 입장으로 옳은 것만을 《보기》에서 있는 대로 고른 것은?

> 동물은 비록 이성은 없을지라도 살아 있는 피조물임을 고려할 때, 동물을 폭력적으로 잔인하게 다루는 것은 인간 자신에 대한 의무를 훨씬 더 심각하게 거스르는 것이다. 그래서 인간은 이러한 것을 삼가야 할 의무를 지니고 있다. 왜냐하면 이는 인간의 고통이라는 공유된 감정을 무디게 하며, 사람 간의 관계의 도덕성에 참으로 이바지할 수 있는 자연스러운 소질을 약화시키고, 점차 그 소질을 제거하기 때문이다.

《보기》

ㄱ. 인간은 동물에 대해 간접적인 의무를 지닌다.
ㄴ. 인간이 다른 존재보다 본질적으로 더 가치 있다.
ㄷ. 오직 인간만이 도덕적 행위를 결정할 수 있는 존재이다.
ㄹ. 고통과 쾌락을 느끼는 능력을 도덕적 배려의 기준으로 삼는다.

① ㄱ, ㄷ ② ㄱ, ㄹ ③ ㄴ, ㄹ
④ ㄱ, ㄴ, ㄷ ⑤ ㄴ, ㄷ, ㄹ

유사 선택지 문제

09_ ❶ 윗글의 사상가에 따르면 인간을 위해 생태계를 고려할 의무가 있다. (○ / ×)

09_ ❷ 윗글의 사상가에 따르면 자연 보호는 인간의 도덕성 완성에 기여한다. (○ / ×)

09_ ❸ 윗글의 사상가에 따르면 인간과 동물의 이익을 동등하게 고려해야 한다. (○ / ×)

10 다음이 설명하는 자연관과 일치하는 주장을 《보기》에서 고른 것은?

> • 이전의 극단적 인간 중심주의의 문제점을 보완하고자 등장하였다.
> • 자연을 존중하면서도 신중하고 분별력 있게 사용해야 한다는 입장이다.

《보기》

ㄱ. 자연 보호를 통한 책임의 범위를 현세대로 한정해야 한다.
ㄴ. 인류의 장기적 이익을 위해 자연의 보전과 관리가 필요하다.
ㄷ. 인간 이외의 다른 모든 존재를 그 자체로 목적으로 대우해야 한다.
ㄹ. 인간이 영리하다면 자연을 장기적으로 이용하기 위해 환경을 보호해야 한다.

① ㄱ, ㄴ ② ㄱ, ㄹ ③ ㄴ, ㄷ
④ ㄴ, ㄹ ⑤ ㄷ, ㄹ

(빈출 문제) 연계 자료 → 83쪽 빈출 자료 03

11 갑, 을 사상가의 입장으로 가장 적절한 것은?

갑: 어떤 아이가 길에서 돌멩이를 발로 찼다고 해서, 돌멩이의 이익 관심이 손상되는 것은 아니다. 왜냐하면 돌멩이는 고통을 느낄 수 없기 때문이다. 그러나 쥐는 발에 차이지 않을 이익 관심을 지닌다. 왜냐하면 쥐는 발에 차인다면 고통을 느낄 것이기 때문이다.

을: 정상적인 인간은 도덕적 행위자로서의 도덕적 지위를 지닌다. 그리고 다른 포유류들은 기쁨과 통증을 느끼는 감정적인 생활을 할 뿐만 아니라 희망과 목적을 추구할 수 있는 삶의 주체이기 때문에 도덕적 지위를 지닌다.

① 갑: 이성을 지닌 인간만을 도덕적으로 고려해야 한다.
② 갑: 자연 안의 모든 존재들은 동등한 도덕적 가치를 지닌다.
③ 을: 성장한 포유동물들은 삶의 주체이기 때문에 도덕적 지위를 지닌다.
④ 을: 인간은 유일하게 가치 있는 존재이고, 나머지는 인간을 위한 도구이다.
⑤ 갑, 을: 인간은 동물에 대해 간접적 의무만을 가지고 있다.

유사 선택지 문제

11_ ❶ 갑은 동물도 인간처럼 쾌고 감수 능력을 지닌다고 본다. (○ / ×)

11_ ❷ 을은 삶의 주체인 동물의 권리를 의무론의 관점에서 존중해야 한다고 본다. (○ / ×)

11_ ❸ 갑, 을은 인간만이 아니라 모든 생명체가 동등한 가치를 지닌다고 본다. (○ / ×)

12 다음은 어떤 학생이 작성한 노트 필기의 일부이다. ㉠~㉤ 중 옳지 않은 것은?

주제: 동물 중심주의 윤리

1. 특징
   - 도덕적 고려의 대상은 인간만인 아님 ········ ㉠
   - 공장식 사육 방식 중단, 단순 오락을 위한 사냥 및 동물 학대 금지 ········ ㉡
2. 대표 사상가
   - 싱어: 공리주의에 근거하여 동물 해방론 주장 ········ ㉢
   - 레건: 동물도 삶의 주체로서 자신만의 고유한 삶의 영역을 지니고 있음을 인정해야 함 ········ ㉣
3. 한계
   - 생태 공동체의 선을 개별 생명체의 가치보다 우선시하기 때문에 환경 파시즘으로 흐를 수 있음 ········ ㉤

① ㉠ ② ㉡ ③ ㉢ ④ ㉣ ⑤ ㉤

13 서양 사상가 갑이 을에게 할 수 있는 비판으로 적절한 것을 《보기》에서 고른 것은?

갑: 자기가 속한 종(種)의 이익을 옹호하면서 다른 종의 이익을 배척하는 차별적인 태도는 도덕적으로 정당화될 수 없다. 따라서 인간이 좀 더 나은 지적 능력을 소유하고 있다고 해서 쾌락과 고통을 느낄 수 있는 존재를 착취할 권한을 가질 수는 없다.

을: 우리는 인간 외에는 의무를 질 능력이 있는 다른 존재를 알지 못한다. 인간은 다른 존재와 관련한 자기의 의무를 이들 존재에 대한 의무로 혼동해서는 안 된다.

《보기》
ㄱ. 인간과 더불어 동물도 이익 관심이 있다는 점을 간과하고 있다.
ㄴ. 인간이 다른 존재와 구별되는 유일한 도덕적 존재임을 모르고 있다.
ㄷ. 쾌고 감수 능력을 지닌 동물을 도덕적으로 고려해야 함을 모르고 있다.
ㄹ. 인간은 인간 자신에 대해서만 직접적인 의무를 지닌다는 점을 간과하고 있다.

① ㄱ, ㄴ ② ㄱ, ㄷ ③ ㄴ, ㄷ
④ ㄴ, ㄹ ⑤ ㄷ, ㄹ

14 (가) 사상가의 입장을 (나)의 그림으로 나타낼 때, A, B에 들어갈 적절한 질문을 《보기》에서 고른 것은?

(가) 우리가 동물을 고려해야 하는 이유는 동물이 삶의 주체로서 자신만의 고유한 삶을 영위할 권리를 가지기 때문이다. 삶의 주체란 단순히 살아 있다는 의미를 넘어서 자신의 삶을 영위할 수 있는 능력을 가진 행위자이다. 동물도 하나의 삶의 주체이므로 인간을 위한 수단으로 취급해서는 안 된다.

(나)

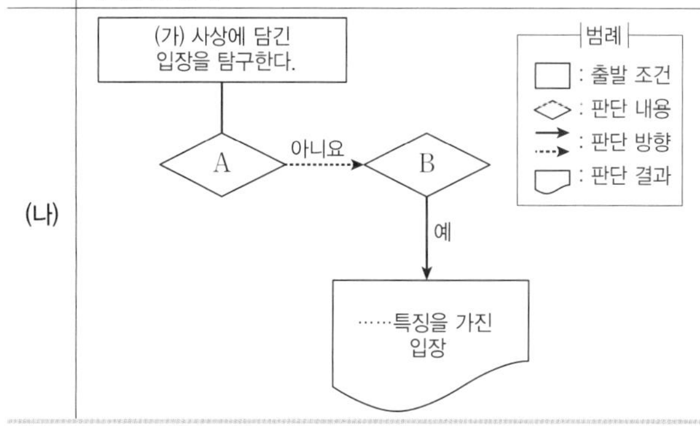

《보기》
ㄱ. A: 동물의 내재적 가치를 인정해야 하는가?
ㄴ. A: 식물도 권리를 존중하고 도덕적으로 고려해야 하는가?
ㄷ. B: 쾌고 감수 능력은 도덕적 고려의 기준인가?
ㄹ. B: 이성과 자율성을 지닌 존재만이 도덕적 지위를 갖는가?

① ㄱ, ㄴ ② ㄱ, ㄹ ③ ㄴ, ㄷ ④ ㄴ, ㄹ ⑤ ㄷ, ㄹ

15 갑, 을, 병이 모두 지지할 수 있는 견해로 가장 적절한 것은?

> 갑: 자연을 무자비하게 파괴하고자 하는 성향은 인간의 자신에 대한 의무에 어긋난다.
> 을: 삶의 주체는 단순히 살아 있다는 의미를 넘어서 자신의 삶을 영위할 수 있는 능력을 가진 존재로 보아야 한다.
> 병: 인간은 자기가 도울 수 있는 모든 생명체를 도와주고 어떤 생명체에도 해가 되는 행동을 하지 않을 때 비로소 진정한 의미에서 윤리적이라 하겠다.

① 인간과 자연은 서로 분리되어 존재한다.
② 인간을 포함한 모든 생명체는 내재적 가치를 지닌다.
③ 인간은 도덕적으로 존중받아야 할 가치가 있는 존재이다.
④ 무생물을 포함한 생태계 전체를 도덕적으로 고려해야 한다.
⑤ 동물에 대한 학대 금지는 인간의 의무에 간접적으로만 포함된다.

(빈출 문제) 연계 자료 → 85쪽 빈출 자료 04

16 갑, 을 사상가의 입장에서 갑은 부정, 을은 긍정의 답을 할 질문으로 적절한 것은?

> 갑: 만일 한 존재가 고통을 받는다면 평등의 원칙에 따라 어떤 존재의 고통을 어떤 다른 존재와 대략의 비교가 이루어질 수 있는 한, 그러한 존재들의 비슷한 고통과 동등한 것으로 보아야 한다.
> 을: 윤리적인 인간은 이 생명 혹은 저 생명이 얼마나 값진가를 묻지 않으며, 그것이 나에게 얼마나 이익이 되는가를 묻지 않는다. 그에게는 생명 그 자체가 거룩하다. 그는 나무에서 나뭇잎 하나를 함부로 따지 않고, 어떤 꽃도 망가뜨리지 않으며, 어떤 곤충도 밟아 죽이지 않도록 항상 주의한다.

① 무생물을 도덕 공동체의 범위에 포함시켜야 하는가?
② 모든 생명체는 신성하고 동등한 가치를 지니고 있는가?
③ 쾌고 감수 능력은 도덕적 지위를 가질 수 있는 유일한 조건인가?
④ 이성적인 행동을 할 수 있는 존재만이 직접적인 의무의 대상인가?
⑤ 인간만이 유일하게 도덕적 의무를 실천할 수 있는 능력을 지니고 있는가?

유사 선택지 문제

16_ ❶ 갑은 고통을 느끼는 존재의 인격성을 강조한다. (○ / ×)
16_ ❷ 갑, 을은 고통을 느끼는 생명체의 도덕적 지위를 인정한다. (○ / ×)
16_ ❸ 갑, 을은 동물을 도덕적으로 배려해야 할 존재로 본다. (○ / ×)

17 (가) 사상가들의 입장을 (나)의 그림으로 나타낼 때, A~C에 들어갈 적절한 진술을 《보기》에서 고른 것은?

(가)
갑: 인간은 도와줄 수 있는 모든 생명을 도와주라는 명령에 따르고, 살아 있는 어떤 것이건 해치지 않을 때에만 진정으로 윤리적이 된다. 인간은 이 생명, 저 생명을 모두 귀한 존재라고 인식하고 이것이 우리의 동정심을 얼마나 받을 만한가를 묻지 않는다.
을: 모든 생명체는 의식의 유무와 상관없이 자기의 생존, 성장, 발전, 번식이라는 목적을 추구하고, 이를 위해 환경에 적응하려고 애쓰는 존재이다. 예를 들어 식물은 광합성을 하기 위해 태양을 향한다.

(나)
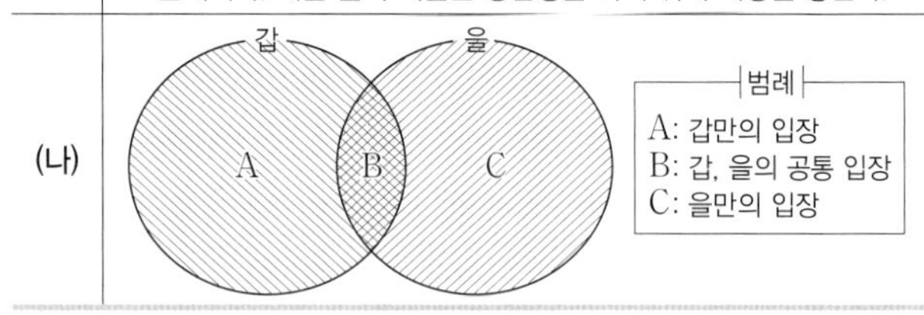

《보기》
ㄱ. A: 생명을 유지하고 증진하는 것이 선이고, 생명을 억압하는 것은 악이다.
ㄴ. A: 모든 생명체는 인간의 필요에 따라 고유한 가치를 지닌다.
ㄷ. B: 인간의 가장 중요한 임무는 생태계의 안정을 유지하는 것이다.
ㄹ. C: 모든 생명체는 목적론적 삶의 중심이다.

① ㄱ, ㄴ ② ㄱ, ㄹ ③ ㄴ, ㄷ ④ ㄴ, ㄹ ⑤ ㄷ, ㄹ

18 밑줄 친 '그'가 주장한 생명체에 대한 네 가지 의무에 해당하지 않는 것은?

> 그는 모든 생명체가 의식의 유무와는 상관없이 생존, 성장, 발전 등 자기 보존을 향한 목적 지향적 활동을 한다고 보았다. 또한 이를 위해 환경에 적응하려고 애쓰는 존재로서 단일화된 체계이며, 본래적 가치를 지닌 도덕적 고려의 대상이라고 주장하였다.

① 어떤 생명체도 함부로 해치지 말아야 한다는 의무
② 생태계 전체를 도덕적 고려의 대상으로 삼고 배려해야 한다는 의무
③ 인간이 다른 생명체에게 해를 끼쳤을 때 그 피해를 보상해야 한다는 의무
④ 개체 생명의 자유를 침해하거나 생태계를 조작 · 통제해서는 안 된다는 의무
⑤ 동물 사냥 등 인간의 즐거움을 위해 야생 동물을 기만하는 행위를 해서는 안 된다는 의무

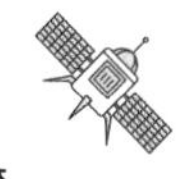

19 다음 사상가의 주장과 일치하는 관점에 모두 'V'를 표시한 학생은?

'가빌란(매의 일종)의 노래'에서 먹이는 돌고 도는 것이다. 물론 거기에는 당신의 음식뿐만 아니라 참나무의 음식도 포함된다. 참나무는 사슴의 먹이가 되고 사슴은 퓨마의 먹이가 되고 퓨마는 참나무 밑에서 죽어 자신의 지난날 먹이들을 위해 도토리로 되돌아간다. 이것은 참나무에서 시작하여 참나무로 되돌아가는 많은 먹이 사슬 가운데 하나일 뿐이다.

관점 ＼ 학생	갑	을	병	정	무
도덕 공동체의 범위를 대지(大地)로 확대해야 한다.	V	V		V	
기계론적 자연관을 바탕으로 생명을 이해한다.	V		V		V
생태계 전체를 하나의 도덕 공동체로 보고 존중해야 한다.		V		V	V
인간은 생명 공동체의 정복자가 아니라 한 구성원일 뿐이다.			V	V	V

① 갑 ② 을 ③ 병 ④ 정 ⑤ 무

20 서양 사상가 갑, 을에 대한 설명으로 옳은 것은?

갑: 과학의 목적은 자연을 인간의 의도에 맞도록 변형함으로써 인간의 활동 영역을 넓히는 것이다. 예를 들면 동물을 해부하고, 실험하는 것은 인간의 육체에 담긴 비밀을 밝히는 도구로 활용하기 위해서이다.

을: 우리는 '큰 자아실현'과 '생명 중심적 평등'을 추구해야 한다. 큰 자아실현은 자기를 자연의 일부로서 자연과의 상호 연관 속에서 존재하는 것으로 이해하는 과정이다. 생명 중심적 평등은 모든 생명체가 상호 연결된 전체의 평등한 구성원이며, 동등한 가치를 가진다는 것이다.

① 갑은 인간과 자연의 관계를 유기적 관계로 이해한다.
② 갑은 자연이 본래적이고 내재적인 가치를 가진다고 본다.
③ 을은 인간에게 자연을 이용할 수 있는 우월한 가치가 있다고 본다.
④ 을은 생태적 위기를 해결하기 위해서는 생태 중심적 세계관으로 전환해야 한다고 본다.
⑤ 갑, 을은 자연이 인간의 행복을 위해 존재하므로 인간은 자연에 머물 때 가장 행복하다고 본다.

(빈출 문제) 연계 자료 → 85쪽 빈출 자료 05

21 서양 사상가 갑, 을의 입장에서 다음 질문에 대해 모두 바르게 대답한 것은?

갑: 이익 평등 고려의 원칙에 따라 우리가 속한 종(種)과 다르다는 이유로 다른 종을 착취할 권리는 없다.

을: 대지(大地)는 인간을 비롯한 자연의 모든 존재들이 서로 그물망처럼 얽혀 있는 공동체이다. 따라서 생태계 전체를 하나의 도덕 공동체로 보아 이를 존중해야 한다.

	질문	대답	
		갑	을
①	인간은 도덕적 행위의 주체인가?	예	아니요
②	윤리적 고려의 대상을 무생물에까지 확대하는가?	예	예
③	인간은 다른 생명체보다 높은 존엄성을 지닌 존재인가?	아니요	예
④	고통을 느낄 수 있는 생명체를 도덕적으로 고려해야 하는가?	아니요	아니요
⑤	개별 생명체보다는 생태계 전체를 우선적으로 고려해야 하는가?	아니요	예

유사 선택지 문제

21_ ❶ 갑은 동물도 인간과 마찬가지로 도덕적으로 존중받아야 한다고 본다. (○ / ×)
21_ ❷ 갑은 고통을 느낄 수 없는 존재는 도덕적 고려의 대상이 아니라고 본다. (○ / ×)
21_ ❸ 을은 생물과 무생물이 어우러져 있는 대지에도 도덕적인 지위를 부여해야 한다고 본다. (○ / ×)

22 갑, 을은 긍정, 병은 부정의 대답을 할 질문으로 옳은 것은?

갑: 인간은 자신에게 부여했던 생명에의 경외(敬畏)를 살려고 하는 의지를 지닌 모든 존재에게도 부여해야 한다.

을: 어떤 것이 생태계 전체의 온전성, 안정성, 아름다움을 보전하는 경향이 있으면 옳은 것이고, 그것을 보존하지 않는 것은 그른 것이다.

병: 어떤 개체가 쾌락과 고통의 감정을 갖고, 자기의 욕구와 목표를 위해 행위하며, 자신의 정체성을 느낄 수 있는 능력 등을 갖는다면 그 개체는 삶의 주체이다.

① 생태계 내의 모든 생명체가 고유한 가치를 지니는가?
② 동물 보호는 인간의 도덕적 실천 과제로 성립 가능한가?
③ 포유류 같은 고등 동물들은 인간과 동등한 권리를 지니는가?
④ 생태계 전체를 하나의 도덕 공동체로 보아 존중해야 하는가?
⑤ 고통을 느낄 수 있는 생명체를 도덕적으로 고려해야 하는가?

23 ㉠에 들어갈 개념에 대한 설명으로 옳은 것은?

> ㉠ (이)란 미래 세대가 자신의 욕구를 충족할 수 있는 능력을 해치지 않으면서도 현세대의 욕구를 충족하는 발전을 뜻한다. 예를 들어 친환경 기술인 태양광 기술을 이용하면 환경 보전과 경제 성장의 효과를 동시에 얻을 수 있다.

① 환경보다는 사람을 더 중요하게 본다.
② 화석 연료를 중요한 에너지원으로 강조한다.
③ 환경적 고려보다는 경제 성장을 더 중시한다.
④ 미래 세대보다 현세대의 행복을 더 강조한다.
⑤ 양적 성장주의에 대한 반성이 바탕이 되어야 한다.

(빈출 문제) 연계 자료 → 85쪽 빈출 자료 06

24 그림은 한 학생의 서술형 평가 답안지이다. ㉠~㉤ 중 옳지 않은 것은?

서술형 평가

◉ 문제: 탄소 배출권 거래제에 대한 찬성과 반대의 주장을 비교하여 서술하시오.

◉ 학생 답안

탄소 배출권 거래제는 ㉠ 이산화 탄소와 같은 온실가스 배출량을 나라별로 할당한 후, 그 배출권을 사고팔 수 있도록 한 제도이다. 탄소 배출권 거래제 도입을 찬성하는 사람들은 ㉡ 할당된 감축량이 적은 저개발 국가들이 남은 배출권을 선진국에 팔아 금전적 이득을 취할 수 있고, ㉢ 선진국들은 경제적 부담을 줄이기 위해서 배출량을 줄일 것이라고 주장한다. 하지만 탄소 배출권 거래제를 반대하는 사람들은 ㉣ 탄소 배출권 거래제가 지나치게 이상적인 방안이어서 현실적으로 실현 불가능하며, ㉤ 환경 문제 해결에 대한 인류 공동의 책임감을 약화시킨다고 비판한다.

① ㉠ ② ㉡ ③ ㉢ ④ ㉣ ⑤ ㉤

유사 선택지 문제

24_❶ 탄소 배출권 거래제는 지나치게 시장 논리적 접근을 취하고 있다고 비판받는다. (○ / ×)
24_❷ 탄소 배출권 거래제는 환경을 오염할 권리를 돈으로 살 수 있다는 비판을 받는다. (○ / ×)
24_❸ 탄소 배출권 거래제는 기후 변화를 막기 위해 제시된 대표적인 국제 협력 방안이다. (○ / ×)

25 A 사상가의 입장으로 옳지 않은 것은?

> A는 인류가 존재해야 한다는 당위적 요청을 근거로 인류 존속에 관한 현세대의 책임을 강조하였다. A에 따르면 우리의 책임은 일차적으로 미래 세대의 존재를 보장하는 것이며, 이차적으로는 그들의 삶의 질을 배려하는 것이다.

① 인류 존속을 위한 현세대의 책임이 중요하다.
② 미래 세대를 위해 자연을 최대한 개발해야 한다.
③ 우리의 행동이 미래에 미칠 영향을 고려해야 한다.
④ 미래 세대가 건강한 자연환경에서 살아갈 권리를 존중해야 한다.
⑤ 현세대가 지녀야 할 덕목에는 두려움, 겸손, 검소, 절제 등이 있다.

서술형 문제

26 다음 글을 읽고 물음에 답하시오.

> 갑: 윤리의 확장은 생태학적 진화의 과정이며, 생태계 모든 구성원들의 공생을 추구하는 것이므로 이 땅의 모든 존재들의 윤리인 대지의 윤리에 이르게 된다.
> 을: 더 넓은 관점인 자연과 나의 동일시를 통하면, 환경 보호 덕분에 자기 이익에도 도움이 된다는 것을 알 수 있다. … … 자기실현을 협소한 자아의 만족으로 보는 것은 자신을 심각하게 과소평가하는 일이라는 것을 알 때, 우리는 사람들에게 더 큰 나라는 관념을 이야기할 수 있다.

(1) 갑, 을 사상가가 누구인지 쓰고, 공통된 주장을 서술하시오.

(2) 갑, 을이 공통으로 비판받는 점을 서술하시오.

27 다음 글을 읽고 물음에 답하시오.

> 개발론자는 ㉠ 자연이 도구적 가치를 지니며 개발에 따른 환경 문제는 경제 성장과 기술 발달로 해결할 수 있다는 점에 근거하여 자연 개발을 강조한다. 반면 보존론자는 자연의 내재적 가치와 자연을 보존하는 것이 장기적으로도 큰 이익이 된다는 점을 강조한다. 이러한 딜레마를 해결하기 위해 제시된 개념이 ㉡ '환경적으로 건전하고 지속 가능한 발전'이다.

(1) ㉠으로 인한 문제점을 두 가지 서술하시오.

(2) ㉡의 의미를 서술하시오.

상위 4% 문제

| 수능 기출 응용 |

01 (가) 사상가들의 입장을 (나)의 그림으로 나타낼 때, A~D에 해당하는 적절한 진술만을 《보기》에서 있는 대로 고른 것은?

(가)
갑: 어떤 존재의 고통을 고려하지 않는 도덕적 논증은 있을 수 없다. 이익 평등 고려의 원리는 존재들 간의 고통을 동일하게 고려할 것을 요구한다.
을: 생명체가 목적론적 삶의 중심이라는 것은 그 활동이 목표 지향적이라는 뜻으로, 생명 활동을 성공적으로 수행하는 항상적인 경향성이 있다는 말이다.
병: 인류는 대지 공동체의 평범한 구성원이 되어야 한다. 이러한 인류의 역할은 동료 구성원과 대지 공동체 자체에 대한 존중을 필연적으로 수반한다.

(나)
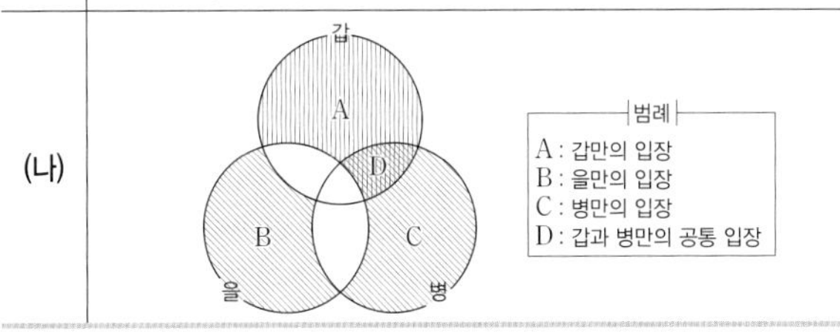

《보기》
ㄱ. A: 인간과 동물이 선호하는 이익 관심의 대상은 동일하다.
ㄴ. B: 인간은 쾌락을 위해 동물을 속이는 행위를 해서는 안 되는 성실의 의무를 지닌다.
ㄷ. C: 개체주의적 관점을 지양하고 인간 중심주의에서 벗어나야 한다.
ㄹ. D: 고통을 느끼는 존재를 잔혹하게 다루는 것은 잘못이다.

① ㄱ, ㄹ ② ㄴ, ㄷ ③ ㄴ, ㄹ
④ ㄱ, ㄴ, ㄷ ⑤ ㄱ, ㄷ, ㄹ

02 갑의 입장에 비해 을의 입장이 갖는 상대적 특징을 그림의 ㉠~㉤ 중에서 고른 것은?

갑: 동물을 잔인하게 다루는 것은 인간 자신에 대한 의무를 훨씬 심각하게 거스르는 것이다. 그래서 인간은 이러한 것을 삼가야 할 의무를 지니고 있다. 왜냐하면 이는 인간의 고통이라는 공유된 감정을 무디게 하며, 사람 간의 관계의 도덕성에 이바지할 수 있는 자연적인 소질을 약화시키고, 점차 그 소질을 제거하기 때문이다.
을: 인간은 도와줄 수 있는 모든 생명을 도와주라는 명령에 따르고, 살아 있는 것은 어떤 것이든 해치지 않을 때에만 진정으로 윤리적이 된다.

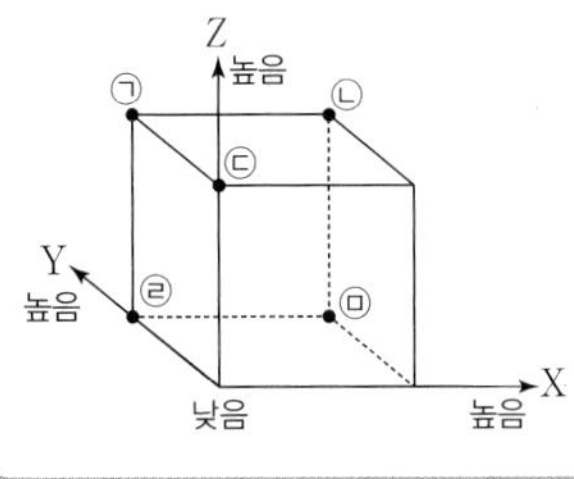

• X: 생명체 간의 차등적 위계 질서를 인정하는 정도
• Y: 생명에 대한 인간의 직접적 의무를 강조하는 정도
• Z: 생명에 대한 내재적 가치를 인정하는 정도

① ㉠ ② ㉡ ③ ㉢ ④ ㉣ ⑤ ㉤

03 (가) 사상가들의 입장을 (나)의 그림으로 나타낼 때, A~D에 해당하는 적절한 질문만을 《보기》에서 있는 대로 고른 것은?

(가)
갑: 동물을 이용하는 것이 자연법을 거스르는 것은 아니다. 하지만 인간이 동물의 고통에 동정심을 느낀다면 인간에게는 더 많은 동정심을 갖게 될 것이다. 이것이 바로 신의 뜻이다.
을: 이익 평등 고려의 원칙에서 볼 때 한 개체가 어떤 종에 속해 있다는 이유로 그 존재를 차별하는 것은 일종의 편견이며 도덕적으로 정당화될 수 없다.
병: 생명 중심적 평등에 대한 기본적인 직관은 생태계의 모든 유기체들과 실재들이 상호 관련된 전체의 부분들로서 평등한 본질적인 가치를 갖는다는 것이다.

(나)
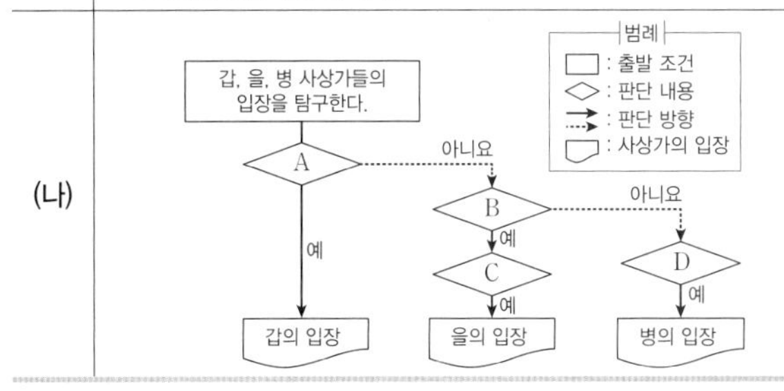

《보기》
ㄱ. A: 인간이 동물의 고통을 경감시켜 주는 것이 바람직한가?
ㄴ. B: 생태계 전체보다 개별 생명체를 우선적으로 고려하는가?
ㄷ. C: 공리주의적 관점에서 동물의 복지를 강조하는가?
ㄹ. D: 무생물은 도덕적 고려의 대상이 아닌가?

① ㄱ, ㄴ ② ㄱ, ㄹ ③ ㄴ, ㄷ
④ ㄱ, ㄷ, ㄹ ⑤ ㄴ, ㄷ, ㄹ

| 수능 기출 응용 |

04 그림은 서술형 평가 문제와 학생의 답안이다. 학생 답안의 ㉠~㉤ 중 옳지 않은 것은?

서술형 평가

◉ 문제: (가), (나) 사상의 자연에 대한 관점을 비교하여 서술하시오.

(가) 인드라망은 끝없이 큰 그물로서 이음새마다 보석처럼 투명하게 빛나는 구슬이 자리 잡고 있다. 구슬들은 혼자 빛날 수 없으며 반드시 다른 구슬의 빛을 받아야만 세상을 밝힐 수 있다.
(나) 군자는 동식물을 사랑하지만 인애(仁愛)하지는 않고, 백성들을 인애하지만 친애(親愛)하지는 않는다. 부모를 친애하고, 백성들을 인애하며, 동식물을 사랑한다.

◉ 학생 답안

(가)는 ㉠ 자연 만물에 고정된 실체가 없다고 보고, ㉡ 살아 있는 모든 생명에 대한 존중을 강조한다. 이에 비해 (나)는 ㉢ 하늘[天]을 인간이 따라야 하는 도덕 원리의 원천으로 보며, ㉣ 하늘 아래 만물이 무위(無爲)의 자연스러움을 따라야 함을 강조한다. 한편 ㉤ (가), (나) 모두 자연 만물을 상의(相依)와 화해(和諧)의 관계에 놓인 것으로 본다.

① ㉠ ② ㉡ ③ ㉢ ④ ㉣ ⑤ ㉤

V. 문화와 윤리

12 예술과 대중문화 윤리

출제 경향
★ 예술에 대한 도덕주의와 예술 지상주의의 특징과 차이점
★ 대중문화에 대한 윤리적 논쟁과 다양한 관점

01 미적 가치와 윤리적 가치

1. 예술과 윤리의 관계

(1) 예술의 의미: 미적 가치를 추구하는 활동으로, 아름다움을 표현하고 창조하는 인간의 활동과 그 산물

(2) 예술의 영향

① 문화 다양성 형성에 기여하여 삶을 풍요롭게 함

② 현실화하기 어려운 인간의 잠재적 욕망을 해소시켜 정신을 정화하는 데 기여함

③ 현실을 넘어 새로운 사상과 가치를 표현하여 대중의 의식과 사회를 개혁하는 데 도움을 줌

(3) 예술과 윤리의 관계에 대한 입장 빈출 자료 01 빈출 자료 02

입장	특징
도덕주의	• 대표 사상가: 플라톤, 톨스토이, 공자, 정약용 • 도덕적 가치를 미적 가치보다 우위에 둠 • 예술은 인간의 도덕적 품성을 함양하는 데 목적을 두어야 함 → 도덕적 교훈이나 모범을 제공해야 함 • 예술이 미치는 사회적 영향력을 고려하여 예술가는 도덕적 책임 의식을 가져야 함 • 참여 예술론을 지지함 • 한계: 예술의 자율성을 침해할 수 있음
예술 지상주의	• 대표 사상가: 와일드, 스핑건 • 도덕적 가치와 미적 가치는 서로 무관함 • 예술은 예술 자체만을 추구하므로 미적 가치 추구만이 예술의 유일한 목적임 • 예술의 자율성과 독창성을 강조 → 예술가는 도덕적 책임 의식을 가질 필요가 없음 → 윤리적 기준이나 관습에 상관없이 예술가가 순수하게 표현할 수 있는 자율성과 독창성을 인정해야 함 • 순수 예술론을 지지함 • 한계: 예술이 미치는 사회적 영향력과 책임감을 간과함

(4) 예술과 윤리적 가치의 조화

① 공자: 예(禮)에서 사람이 서고, 악(樂)에서 인격이 완성된다고 주장함 → 유교에서는 예와 악을 상호 보완적인 관계로 보는 예악 사상을 강조함

② 칸트: 미(美)와 선(善)은 형식이 유사하므로 미는 도덕적 선의 상징이 됨

③ 예술은 미적 가치를 추구할 뿐만 아니라, 윤리적 가치와의 조화로운 관계를 추구함으로써 인격 형성에 긍정적인 영향을 미칠 수 있음

2. 예술의 상업화

(1) 예술의 상업화 현상의 확산: 예술 작품의 대량 생산과 소비 가능 → 상품을 사고파는 행위를 통해 이윤을 얻는 일이 예술 작품에도 적용됨

(2) 예술의 상업화에 대한 입장 빈출 자료 03

긍정적으로 보는 입장	• 일반 대중들도 예술 작품을 누릴 수 있게 됨 • 예술가에게 경제적 이익을 주어 창작 의욕을 북돋움 • "나는 상업 미술가로 출발했지만, 사업 미술가로 마감하고 싶다. …… 사업에서 성공하는 것은 환상적인 예술이다. 돈 버는 일은 예술이고, 일하는 것도 예술이며, 잘되는 사업은 최고의 예술이다."(앤디 워홀)
부정적으로 보는 입장	• 예술 작품이 부의 축적 수단이 됨 • 예술의 미적·윤리적 가치를 경시할 가능성 증대 • "미술 전체가 거대한 투기 산업이 되었다. 진정으로 그림을 좋아하는 사람은 많지 않다. 대부분 속물적인 의도로 그림을 구매해 미술관에 맡겨 둔다."(페기 구겐하임)

02 대중문화와 관련된 윤리 문제

1. 현대 대중문화의 중요성

(1) 대중문화의 의미: 다수의 사람들이 공통으로 쉽게 접하고 즐기는 문화 → 대중 매체의 발전과 더불어 누구나 예술을 즐길 수 있게 됨

(2) 대중문화의 중요성

① 삶이 대중문화에 일상적으로 노출되어 있음 → 개인의 가치관이나 행동 양식에 영향을 줌

② 현실 문제를 비판·평가함 → 사회나 정치적 변화를 이끎

2. 대중문화와 관련된 윤리 문제

(1) 대중문화와 관련된 윤리 문제

선정성 및 폭력성	대중문화가 흥행이나 수익성만을 지나치게 추구하여 과도하게 자극적인 요소를 포함함 → 대중의 정서에 악영향을 주거나, 심지어 모방 범죄로 이어지기도 함
자본 종속 문제	자본의 힘이 대중문화를 지배 → 상업적 이익을 우선하여 작품이 선정되고 제작됨 → 문화의 다양성이 감소하고 획일화되는 경향 증대 → 대중의 삶도 획일화될 수 있음

(2) 대중문화의 윤리적 규제에 대한 입장

규제 찬성	• 인격적 가치를 훼손하는 대중문화(예 성 상품화) 규제 필요 • 청소년의 정서에 해로운 대중문화를 규제를 통해 걸러내야 함
규제 반대	• 문화의 자율성 및 표현의 자유를 존중해야 함 • 대중은 다양한 대중문화를 즐길 권리가 있음

(3) 대중문화에 대한 올바른 자세

① 소비자는 대중문화를 비판적으로 수용해야 함: 문화의 맹목적 수용 지양, 문화를 주체적으로 선별하여 수용

② 생산자는 건전한 대중문화를 보급하려고 노력해야 함: 지나친 이윤 추구 지양, 의미 있고 유익한 문화 생산

③ 사회적 차원의 노력: 법적 장려 혹은 제재를 통해 대중문화의 생산과 소비에 대한 공적 책임 부여, 사회적 기구를 통한 문화 참여 및 자정 노력

빈출 특강

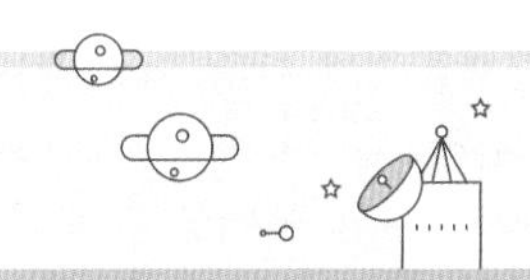

대표 유형

빈출 자료 01 예술에 대한 도덕주의의 입장
| 연계 문제 → 96쪽 01번

> 만약 즐거움을 위한 시가 훌륭한 법질서를 갖는 국가 안에 존재해야 할 이유가 있다면, 우리는 기꺼이 시를 받아들일 것이다. 시가 즐거움을 줄 뿐만 아니라 국가와 인간 생활에 이로운 것임이 밝혀진다면 우리에게도 분명 이득이 될 것이기 때문이다. 시인이나 설화 작가들이 모방을 할 경우에는 용감하고 절제 있고 경건하며 자유인다운 사람들을 모방해야만 한다.

| 자료 분석 | 제시문의 사상가는 플라톤이다. 플라톤은 예술이 인간의 성품을 순화하고 도덕적 교훈을 제공해야 한다고 보았다. 그는 리듬이나 화음은 영혼으로 젖어 들며, 영혼을 강력하게 사로잡기에 고상한 사람으로 만드는 데 기여한다고 보았다.

빈출 자료 02 예술에 대한 다양한 입장
| 연계 문제 → 96쪽 03번

> 갑: 예술 세계에서는 어떤 거짓말도 허용된다. 중요한 것은 오차 없는 진실이 아니라 아름다운 거짓이다. 아름다운 것에서 추악한 의미를 발견하는 사람은 타락한 사람이다. 아름다운 것에서 아름다운 의미를 발견하는 사람은 교양 있는 사람이다.
> 을: 최고의 예술은 질서와 사랑을 통해 구현되며, 반항적이고 저급한 피조물을 거룩하게 만든다. 예술의 목적은 인간의 종교를 강화하고, 인간의 윤리적 상태를 완전하게 만드는 데 있다.

| 자료 분석 | 갑은 예술은 아름다움만을 추구해야 한다고 보는 예술 지상주의자, 을은 예술의 목적이 윤리적 가치에 있다고 보는 도덕주의자이다.

빈출 자료 03 예술의 상업화에 대한 아도르노의 관점
| 연계 문제 → 97쪽 05번

> • 자본주의의 한 양식으로서의 문화 산업은 예술의 상품화를 확산시킨다. 그것은 대중의 욕구를 일괄적으로 처리하고, 나아가 그러한 욕구마저 창출하여 조정한다. 문화 산업은 일상생활의 구석구석까지 사람들의 의식을 지배하여 심미적 경험의 빈곤화를 극한으로 진행한다. 그 결과 문화 산업이 독점한 대중문화는 사람들의 모든 사고를 동질적으로 반응하게 만든다.
> • 현대 자본주의 사회는 과거보다 교묘하고 효과적인 방식으로 대중을 다룰 수 있게 되었다. 대중 예술에 투사된 세계는 갈등이 조화롭게 해결되는 듯한 느낌을 주지만 이는 기만적 대리 만족이다. 문화 산업은 대중을 통제함으로써 지배 계급의 이념을 재생산한다. 개인은 자유가 있는 것 같지만 실은 경제적 · 사회적 장치의 산물이다. 문화 산업이 독점한 대중 예술은 개인의 특성을 획일화하여 자신의 논리를 관철한다.

| 자료 분석 | 제시문은 아도르노의 주장이다. 아도르노는 대중 예술품의 주된 가치는 시장 가격에 의해 정해지며, 문화 산업은 사람들을 스스로의 힘으로는 의식적으로 판단하고 결정할 수 없는 존재가 되게 함으로써 자율적이고 독립적인 개인의 발전을 방해한다고 주장하였다.

자주 나오는 오답 선택지

빈출 자료 01 에서 자주 나오는 오답 선택지

① 예술에서의 미(美)와 도덕에서의 선(善)은 유사할 필요가 없다.
→ 플라톤은 미가 선을 모방해야 한다고 주장했다.

② 예술과 도덕은 분리되어 각각의 기준에 따라 판단해야 한다.
→ 플라톤은 예술이 인간에게 도덕적 본보기를 제공해야 한다고 보았으므로, 예술을 도덕적 기준과 분리하여 판단해서는 안 된다고 주장할 것이다.

③ 미(美)는 도덕에 종속되지 않는 자율성을 지닌다.
→ 플라톤은 미가 도덕과의 연관성 속에서 이해되어야 한다고 주장했다.

④ 미(美)에 대한 평가는 사회적 책임에서 자유로워야 한다.
→ 플라톤은 예술이 사회적 책임에서 자유로울 수 있다고 보지 않았다.

⑤ 예술가는 아름다움을 창조하는 사람으로 어떤 것이든 표현할 수 있다. → 플라톤은 예술가가 감상자의 도덕성에 기여하는 것만을 표현해야 한다고 주장했다.

빈출 자료 02 에서 자주 나오는 오답 선택지

① 갑은 예술의 목적이 인간의 윤리적 상태를 완전하게 하는 데 있다고 본다. → 갑은 예술의 목적을 오직 예술 안에서 찾아야 한다고 본다.

② 을은 예술이 종교적 이상과 세속적 삶의 분리에 기여해야 한다고 본다.
→ 을은 예술이 종교와 현실의 분리를 강조해야 한다고 보지 않는다.

③ 갑, 을은 예술이 공동체의 질서 유지에 기여해야 한다고 본다.
→ 갑은 예술이 그 자체로서 존중받아야 한다고 본다.

④ 갑, 을은 예술 작품에 대한 도덕적 검열이 필요하다고 본다.
→ 갑은 예술이 도덕성과 관련 없이 미적 측면에서만 평가받아야 한다고 본다.

빈출 자료 03 에서 자주 나오는 오답 선택지

① 대중문화와 문화 산업은 상호 독립적이다.
→ 아도르노는 예술이 상업화되면서 대중문화와 문화 산업은 상호 연관되어 있다고 보았다.

② 문화 산업은 예술을 상품화하여 교환 가치를 저하시킨다.
→ 아도르노는 문화 산업이 예술을 상품화하여 교환 가치를 높인다고 보았다.

③ 대중 예술의 영역과 사회적 권력의 영역은 상호 무관하게 작동한다. → 아도르노는 대중 예술의 영역이 사회적 권력이나 자본력에 의해 지배당할 수 있다고 보았다.

④ 대중 예술의 감상은 획일화되지 않은 개인의 고유한 체험이다.
→ 아도르노는 대중 예술의 감상은 감상자를 획일화시키기 쉽다고 보았다.

⑤ 대중 예술은 원작이 가지고 있는 유일성의 가치를 높여 준다.
→ 아도르노는 대중 예술이 원작이 가지고 있는 유일성의 가치를 감소시킨다고 보았다.

⑥ 문화 산업은 예술의 도구적 가치를 배제한다.
→ 아도르노는 자본주의 사회의 문화 산업에서 어떤 미술 작품에 대한 가치는 그 미술 작품이 가지는 고유한 속성이나 분석 또는 비판을 통해 측정되는 것이 아니라 오직 돈으로 측정되는 것으로, 예술 작품은 모든 사고를 동질적으로 반응하게 만들기 위한 도구라고 보았다.

시험에 꼭 나오는 문제

개념 확인 문제

01 빈칸에 들어갈 알맞은 말을 쓰시오.

예술과 윤리에 관한 입장
- 특징: 도덕적 가치가 미적 가치보다 우위에 있다고 봄
- 대표 사상가 (   ): 예술은 이데아를 모방하는 것이어야 함, 예술은 인간의 도덕적 품성을 함양하는 데 도움을 주어야 함
- 한계: 예술의 사율성을 침해할 수 있음

02 예술에 대한 관점과 관계 깊은 사상가를 바르게 연결하시오.

(1) 도덕주의 •   • ㉠ 스핑건
(2) 예술 지상주의 •   • ㉡ 톨스토이

03 다음에서 설명하는 사상가를 《보기》에서 골라 쓰시오.

《보기》
ㄱ. 공자   ㄴ. 칸트
ㄷ. 와일드   ㄹ. 톨스토이

(1) 예(禮)에서 사람이 서고 악(樂)에서 인격이 완성된다고 주장하였다.
(2) 미(美)와 선(善)은 형식이 유사하므로 미는 도덕적 선의 상징이 된다고 주장하였다.
(3) 예술은 예술 그 자체만을 추구하므로 미적 가치 추구만이 예술의 유일한 목적이라고 주장하였다.

(빈출 문제) 연계 자료 → 95쪽 빈출 자료 01

01 다음 사상가의 관점과 일치하는 설명만을 《보기》에서 있는 대로 고른 것은?

만약 즐거움을 위한 시가 훌륭한 법질서를 갖는 국가 안에 존재해야 할 이유가 있다면, 우리는 기꺼이 시를 받아들일 것이다. 시가 즐거움을 줄 뿐만 아니라 국가와 인간 생활에 이로운 것임이 밝혀진다면 우리에게도 분명 이득이 될 것이기 때문이다. 시인이나 설화 작가들이 모방을 할 경우에는 용감하고 절제 있고 경건하며 자유인다운 사람들을 모방해야만 한다. 반면에 그 어떤 창피스러운 것도 모방하지 말아야 하며, 이런 것을 모방하는 데 능한 사람들이 되어서도 안 된다.

《보기》
ㄱ. 예술은 도덕적 본보기를 제공해야 한다.
ㄴ. 예술은 사회적 요구로부터 자유로워야 한다.
ㄷ. 예술은 감상자의 도덕성 함양에 기여해야 한다.
ㄹ. 예술에 대한 평가는 도덕적 가치와 분리해야 한다.

① ㄱ, ㄷ   ② ㄴ, ㄹ   ③ ㄱ, ㄴ, ㄷ
④ ㄱ, ㄷ, ㄹ   ⑤ ㄴ, ㄷ, ㄹ

02 다음에서 강조하는 내용으로 옳지 않은 것은?

현대 자본주의 사회는 과거보다 교묘하고 효과적인 방식으로 대중을 다룰 수 있게 되었다. 대중 예술에 투사된 세계는 갈등이 조화롭게 해결되는 듯한 느낌을 주지만 이는 기만적 대리만족이다. 문화 산업은 대중을 통제함으로써 지배 계급의 이념을 재생산한다. 개인은 자유가 있는 것 같지만 실은 경제적, 사회적 장치의 산물이다. 문화 산업이 독점한 대중 예술은 개인의 특성을 획일화하여 자신의 논리를 관철한다.

① 대중문화와 문화 산업은 상호 연관되어 있다.
② 문화 산업은 대중의 미적 체험을 획일화시킨다.
③ 대중문화가 상업화될수록 예술의 도구적 가치는 감소한다.
④ 문화 산업은 지배 계급의 이념을 대중에게 각인시킬 수 있다.
⑤ 거대 자본은 대중문화를 자신들이 원하는 대로 통제할 수 있다.

(빈출 문제) 연계 자료 → 95쪽 빈출 자료 02

03 갑이 을에게 제기할 수 있는 비판으로 가장 적절한 것은?

갑: 예술 세계에서는 어떤 거짓말도 허용된다. 중요한 것은 오차 없는 진실이 아니라 아름다운 거짓이다. 아름다운 것에서 추악한 의미를 발견하는 사람은 타락한 사람이다. 아름다운 것에서 아름다운 의미를 발견하는 사람은 교양 있는 사람이다.
을: 최고의 예술은 질서와 사랑을 통해 구현되며, 반항적이고 저급한 피조물을 거룩하게 만든다. 예술의 목적은 인간의 종교를 강화하고, 인간의 윤리적 상태를 완전하게 만드는 데 있다. 예술은 이런 일들을 물질적으로 구현하는 것이다.

① 예술 활동에서 미적 요소를 배제해야 함을 간과하고 있다.
② 예술은 공동체의 질서 유지에 기여해야 함을 간과하고 있다.
③ 예술은 예술 이외의 다른 목적을 추구할 필요가 없음을 간과하고 있다.
④ 예술에 대한 도덕적 규제를 통해 예술의 가치를 증대시켜야 함을 간과하고 있다.
⑤ 예술의 자유는 다수가 합의한 도덕적 범위 내에서 보호되어야 함을 간과하고 있다.

유사 선택지 문제

03_ ❶ 갑은 을에게 예술의 사회성보다는 예술의 자율성을 중시해야 함을 간과하고 있다고 비판할 수 있다. (○ / ×)

03_ ❷ 갑은 을에게 공동체의 도덕적 목적은 예술 작품으로 구현되어야 함을 간과하고 있다고 비판할 수 있다. (○ / ×)

03_ ❸ 갑은 을에게 아름다움의 가치와 도덕적 가치의 형식이 유사함을 간과하고 있다고 비판할 수 있다. (○ / ×)

04 예술에 대한 다음 사상가의 주장으로 옳은 것은?

> 음악이란 성인이 즐겼던 바이고, 그것을 가지고 백성의 마음을 선하게 할 수 있다. 음악은 사람들에게 깊은 감동을 주어 풍습과 풍속을 변화시킨다. 그러므로 선왕이 예와 음악으로 이끌면 백성들이 화목했던 것이다.

① 예술은 가치 중립성을 유지해야 한다.
② 예술은 오직 미를 기준으로 평가해야 한다.
③ 예술은 사회적 가치를 배제하고 순수성을 유지해야 한다.
④ 예술은 현실과 무관한 이상 세계를 표현하는 것이어야 한다.
⑤ 예술은 개인의 인격 수양과 공동체의 화합에 기여해야 한다.

(빈출 문제) 연계 자료 → 95쪽 빈출 자료 03

05 다음 입장과 일치하는 내용만을 《보기》에서 있는 대로 고른 것은?

> 자본주의의 한 양식으로서의 문화 산업은 예술의 상품화를 확산시킨다. 그것은 대중의 욕구를 일괄적으로 처리하고, 나아가 그러한 욕구마저 창출하여 조정한다. 문화 산업은 일상생활의 구석구석까지 사람들의 의식을 지배하여 심미적 경험의 빈곤화를 극한으로 진행한다. 그 결과 문화 산업이 독점한 대중문화는 사람들의 모든 사고를 동질적으로 반응하게 만든다.

《보기》
ㄱ. 문화 산업은 대중의 욕구를 조절할 수 있다.
ㄴ. 대중문화의 상업화는 문화의 다양성을 증대시킨다.
ㄷ. 거대 자본은 문화 산업을 통해 대중을 획일화시킬 수 있다.
ㄹ. 대중문화는 사이버 공간에서만 대중의 삶에 영향을 미친다.

① ㄱ, ㄷ　② ㄱ, ㄹ　③ ㄴ, ㄹ
④ ㄱ, ㄴ, ㄷ　⑤ ㄴ, ㄷ, ㄹ

유사 선택지 문제

05_ ❶ 윗글의 사상가에 따르면 대중문화가 상업화되면 예술 작품의 가치는 경제적 교환 가치에 의해서 결정된다. (○ / ×)
05_ ❷ 윗글의 사상가에 따르면 대중문화의 상업화는 대중 예술에 대한 개인의 고유하고 다양한 체험을 증대시킨다. (○ / ×)
05_ ❸ 윗글의 사상가에 따르면 거대 자본의 투자를 받은 대중 예술은 투자 자본의 의지와 상관없이 독립적인 가치를 지닌다. (○ / ×)

06 (가), (나)의 입장에 대한 옳은 설명만을 《보기》에서 있는 대로 고른 것은?

> (가) 예술가도 사회 구성원들 중 하나이다. 예술 활동 역시 다양한 사회 활동 중 하나이다. 예술은 사회의 모순을 비판하고 사회 발전에 이바지해야 한다.
> (나) 예술 활동은 도덕적 기준이나 사회적 관습으로부터 자유롭다. 예술은 아름다움 그 자체만을 추구하고 표현해야 하며, 미적 가치만을 기준으로 판단해야 한다.

《보기》
ㄱ. (가)는 예술의 독창성과 자율성을 배타적으로 중시해야 한다고 본다.
ㄴ. (나)는 예술이 예술 이외의 다른 목적을 추구할 필요가 없다고 본다.
ㄷ. (나)는 예술이 지닌 사회 공공성을 최우선으로 강조해야 한다고 본다.
ㄹ. (가)는 (나)와 달리 사회 발전에 기여하는 예술을 좋은 예술로 본다.

① ㄱ, ㄴ　② ㄱ, ㄹ　③ ㄴ, ㄹ
④ ㄱ, ㄴ, ㄷ　⑤ ㄴ, ㄷ, ㄹ

07 예술의 상업화에 대한 갑, 을의 관점과 일치하는 설명만을 《보기》에서 있는 대로 고른 것은?

> 갑: 나는 상업 미술가로 출발했지만, 사업 미술가로 마감하고 싶다. 사업에서 성공하는 것은 환상적인 예술이다. 돈 버는 일은 예술이고, 일하는 것도 예술이며, 잘되는 사업은 최고의 예술이다.
> 을: 미술 전체가 거대한 투기 산업이 되었다. 진정으로 그림을 좋아하는 사람은 많지 않다. 대부분 속물적인 의도로 그림을 구매해 미술관에 맡겨 둔다. 이는 미술 작품의 본래적 가치를 잃어버리게 만든다.

《보기》
ㄱ. 갑은 예술이 거대 자본의 도움에서 벗어나 독립해야 한다고 본다.
ㄴ. 갑은 예술 활동이 사업과 같이 이윤을 창출하는 데 기여해야 한다고 본다.
ㄷ. 을은 예술 작품이 투기 사업의 도구로 사용되는 현상에 대해 비판하고 있다.
ㄹ. 을은 예술 작품의 매매가 예술의 본래적 가치를 잃어버리게 만들 수 있다고 본다.

① ㄱ, ㄷ　② ㄱ, ㄹ　③ ㄴ, ㄹ
④ ㄱ, ㄴ, ㄷ　⑤ ㄴ, ㄷ, ㄹ

08 ㉠에 들어갈 알맞은 내용을 《보기》에서 고른 것은?

> 나는 타인의 명예를 부당하게 훼손하는 것이 표현의 자유로 정당화되지 않듯이, 외설이 표현의 자유로 정당화될 수 없다고 생각한다. 인간은 결코 어떤 목적을 위한 수단이 될 수 없는데, 외설물은 인간의 성(性)을 상업화한다는 점에서 인간의 존엄성을 훼손하기 때문이다. 그런데 어떤 사람들은 "어떤 형태로든 미적 체험을 드러내는 방식을 제한하면 안 된다."라고 주장하면서 어떤 영역이든 예술의 대상이 될 수 있다고 강조한다. 나는 그들의 주장이 (㉠)을 간과하고 있다고 생각한다.

《보기》
ㄱ. 잘못된 미적 표현이 성 풍속과 도덕적 가치를 훼손할 수 있음
ㄴ. 예술가는 표현의 자유보다 사회적 책임과 영향력을 고려해야 함
ㄷ. 성에 대한 청소년들의 그릇된 충동은 예술가가 책임질 대상이 아님
ㄹ. 예술은 오직 예술가의 개인적 판단과 선택에 전적으로 맡겨야 할 영역임

① ㄱ, ㄴ ② ㄱ, ㄹ ③ ㄴ, ㄷ
④ ㄴ, ㄹ ⑤ ㄷ, ㄹ

09 다음과 같은 문제를 극복하기 위해 요구되는 바람직한 방안으로 적절한 것은?

> 요즘 대중문화는 흥행이나 수익성만을 지나치게 추구하여 자극적 요소를 과도하게 포함하는 경우가 많다. 이러한 문화적 현상은 대중의 정서에 악영향을 주거나, 심지어 모방 범죄로 이어지기도 한다. 그뿐만 아니라 자본의 힘이 대중문화를 지배하면서 문화의 다양성이 감소하고 획일화되는 경향이 증대되고 있다. 이로 인해 대중의 삶도 획일화될 위험이 존재한다.

① 예술 작품을 미적 가치가 아닌 시장의 원리에 따라 평가해야 한다.
② 대중의 요구에 맞추어 선정적인 표현에 집중하도록 노력해야 한다.
③ 예술 작품의 질적 수준보다는 양적인 팽창에 집중하여 창작물의 수를 늘려야 한다.
④ 예술의 수준과 양을 표준화시켜 감상자가 표준화된 삶의 양식을 가지도록 해야 한다.
⑤ 예술 고유의 자율성과 미적 가치를 존중하고 다양한 문화가 공존할 수 있도록 해야 한다.

10 갑, 을의 주장에 대한 설명으로 옳지 않은 것은?

> 갑: 예술의 상업화로 인하여 일반 대중들도 예술 작품을 쉽게 즐길 수 있게 되었습니다. 그뿐만 아니라 예술가가 상업화로 인한 경제적 이익을 누릴 수 있게 되면서, 예술가의 창작 의욕을 북돋기도 합니다.
> 을: 예술의 상업화는 예술 작품을 부의 축적 수단으로 만들어 버리는 결과를 낳았습니다. 그뿐만 아니라 예술의 미적, 윤리적 가치에 대해 경시할 가능성을 높이기도 합니다.

① 갑은 예술 작품에 대한 대중의 접근성이 향상되었다고 본다.
② 갑은 예술가에게 창작물에 대한 경제적 이익을 보상해 주어야 한다고 본다.
③ 을은 예술 작품을 경제적 이익을 얻기 위한 도구로 본다.
④ 을은 예술 작품이 지닌 아름다움에 대한 본래적 가치를 훼손하지 말아야 한다고 본다.
⑤ 갑, 을은 예술의 상업화가 대중의 삶을 변화시킨다고 본다.

서술형 문제

11 다음 글을 읽고 물음에 답하시오.

> (가) 시가 도덕적이라든가 혹은 비도덕적이라고 말하는 것은 정삼각형은 도덕적이고 이등변 삼각형은 비도덕적이라고 말하는 것과 마찬가지로 무의미하다.
> (나) 미각의 만족감이 결코 음식의 가치를 판단하는 근거가 될 수 없듯이, 예술의 진정한 가치는 인류 최고의 사랑을 완성하는 데 있다.

(1) 예술과 윤리의 관계에 대한 (가), (나)의 입장이 무엇인지 쓰시오.

(2) (가), (나)의 입장이 지닌 한계를 각각 서술하시오.

12 다음 글을 읽고 물음에 답하시오.

> 대중의 삶은 대중문화에 일상적으로 노출되어 있다. 따라서 대중문화는 개인의 가치관이나 행동 양식에 영향을 준다.

(1) 윗글을 읽고 대중문화의 소비자가 지녀야 할 올바른 자세를 서술하시오.

(2) 윗글을 읽고 대중문화의 생산자가 지녀야 할 올바른 자세를 서술하시오.

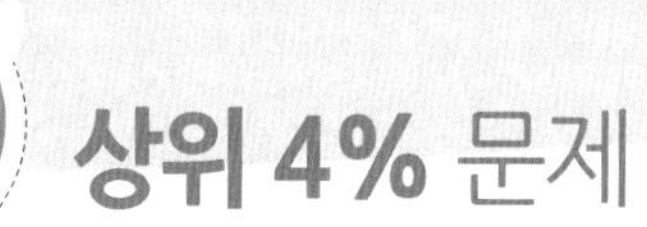

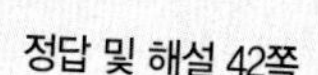

상위 4% 문제

| 교육청 기출 응용 |

01 (가) 사상가들의 입장을 (나)의 그림으로 나타낼 때, A~C에 해당하는 적절한 진술만을 《보기》에서 있는 대로 고른 것은?

(가)
갑: 아름다움을 느낄 때 우리의 마음은 감각적 쾌락을 넘어 순화되고 고귀함을 얻는다. 미적 판단은 주관적 판단이지만 이해관계를 초월한 보편적 판단이라는 점에서 미(美)는 도덕적 선(善)의 상징이 된다.
을: 아름다움을 창조해 내는 예술가가 도덕에 편승하게 되면 예술은 매너리즘에 빠진다. 세상에 도덕적이거나 비도덕적인 작품은 없다. 다만 훌륭하거나 혹은 형편없는 작품이 있을 따름이다.

(나)

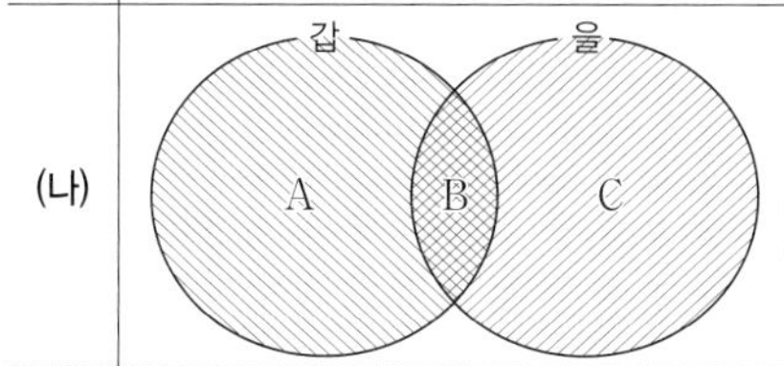

범례
A: 갑만의 입장
B: 갑, 을의 공통 입장
C: 을만의 입장

《보기》
ㄱ. A: 아름다움에 대한 판단과 선악에 대한 판단의 형식은 유사하다.
ㄴ. A: 아름다움은 도덕적 가치에 종속되지 않는 자율적 영역에 속한다.
ㄷ. B: 아름다움에 대한 감상자의 체험은 도덕성을 실현하는 데 기여한다.
ㄹ. C: 예술 작품의 아름다움은 사회가 도덕적으로 평가할 대상이 아니다.

① ㄱ, ㄴ ② ㄱ, ㄹ ③ ㄴ, ㄷ
④ ㄱ, ㄷ, ㄹ ⑤ ㄴ, ㄷ, ㄹ

02 예술과 윤리의 관계에 대한 다음 입장과 일치하는 내용을 《보기》에서 고른 것은?

예술은 드러내고 예술가는 숨기는 것이 예술의 목표이다. 예술가에게 윤리적 공감은 불필요하다. 아름다운 사물을 오직 아름다움의 의미로 받아들여야 한다. 예술가가 다른 사람의 욕구를 만족시키려는 순간, 그는 예술가이기를 포기하는 것이다.

《보기》
ㄱ. 예술은 대중의 기호를 반영해야 한다.
ㄴ. 예술은 그 자체만을 목표로 추구해야 한다.
ㄷ. 예술의 자율성보다 사회성을 중시해야 한다.
ㄹ. 예술은 선의 증진 여부와 관계없이 평가되어야 한다.

① ㄱ, ㄴ ② ㄱ, ㄹ ③ ㄴ, ㄷ
④ ㄴ, ㄹ ⑤ ㄷ, ㄹ

03 갑, 을 모두가 긍정의 대답을 할 질문으로 가장 적절한 것은?

갑: 세속의 음악은 음란하고 슬프고 바르지 못한 소리이다. 그러나 한창 음악을 앞에서 연주할 때는, 관장은 그 하급 관리를 용서해 주고, 가장은 자기 동복을 용서해 준다. 세속의 음악도 그러한데 더구나 옛 성인의 음악은 어떠하겠는가? 음악을 일으키지 않으면 교화도 끝내 시행할 수 없고 풍속도 끝내 변화시킬 수 없어서 천지의 화기에 끝내 이르게 할 수가 없다.
을: 나쁜 리듬 그리고 부조화는 나쁜 말씨와 나쁜 성격을 닮은 반면에, 그 반대의 것들은 절제 있고 좋은 성격을 닮았으며 또한 그것을 모방한 것일세. 리듬과 화음은 영혼의 내면으로 가장 깊숙이 젖어 들며, 우아함을 대동함으로써 영혼을 가장 강력하게 사로잡고, 또한 어떤 사람이 옳게 교육을 받는다면 고상한 사람으로 만들 것이기 때문이네.

① 음악은 순수하게 미적 가치만을 추구해야 하는가?
② 음악은 도덕성 함양을 위한 수단이 아님을 인식해야 하는가?
③ 음악은 인간의 도덕성 함양과 성품의 교화에 기여해야 하는가?
④ 도덕과 독립된 음악의 고유한 자율적 영역을 보장해야 하는가?
⑤ 사회적 가치와 무관한 아름다움을 추구하는 음악만을 추구해야 하는가?

| 평가원 기출 응용 |

04 다음 서양 사상가의 입장과 일치하는 설명을 《보기》에서 고른 것은?

예술 작품에 대한 기술적 복제는 수공적인 복제보다 더 큰 독자성을 지니며, 예술 작품의 존속에 아무런 손상도 입히지 않는다. 예술 작품의 기술적 복제 가능성의 시대에서 예술 작품의 아우라는 위축된다. 그러나 대량 복제 기술은 대중들로 하여금 개별적 상황 속에서 복제품을 쉽게 접하게 한다. 이러한 현상은 전시 가능성을 중시하는 대중 예술이 기존의 제의 의식에 바탕을 둔 예술을 밀어내는 결과를 초래한다.

《보기》
ㄱ. 표준화된 생산 양식은 예술 작품의 존속을 방해할 뿐이다.
ㄴ. 대중 예술은 예술 작품에 대한 신비감을 확대시킨다.
ㄷ. 복제 기술은 원작이 가지고 있는 유일성의 가치를 낮춘다.
ㄹ. 대중 예술에 대한 복제는 대중과 예술 작품의 거리를 좁힌다.

① ㄱ, ㄴ ② ㄱ, ㄹ ③ ㄴ, ㄷ
④ ㄴ, ㄹ ⑤ ㄷ, ㄹ

13 의식주 윤리와 윤리적 소비

출제 경향
★ 의복, 음식, 주거의 윤리적 의미
★ 윤리적 소비와 합리적 소비

01 의식주 윤리

1. 의복과 관련된 윤리적 문제

(1) 의복의 기능: 신체를 보호하거나 추위와 더위를 막아 주며, 인간과 동물을 구별해 주는 것

(2) 의복의 윤리적 의미

① 자아 및 가치관의 형성: 의복을 통해 개성과 가치관을 드러내기도 함 → 의복을 '제2의 피부'로 자아와 동일시하는 경향이 있음

② 예의에 관한 사회적 기준 반영: 때와 장소에 맞는 의복 착용 → 상대에게 예를 표현, 사람의 됨됨이 평가 기준

(3) 의복과 관련된 윤리적 쟁점

입장	긍정적 견해	부정적 견해
유행 추구 현상	• 개인의 선택권 존중 • 개성과 가치관의 표현 방법 • 최신 유행을 창조함으로써 새로운 가치관을 형성하는 계기가 됨	• 기업의 판매 전략에 불과함 • 동조 소비로 인한 몰개성화 • 패스트 패션으로 인한 환경 문제, 노동 착취의 문제
명품 선호 현상	• 개인의 자유로운 선택의 일환 • 우수한 품질과 희소성은 자기 만족을 넘어 품위를 높여 줌	• 그릇된 자기 과시의 욕망일 뿐임 • 과소비와 사치 풍조를 조장하여 사회 통합에 부정적 영향을 줌

2. 음식과 관련된 윤리적 문제 빈출 자료 01

(1) 음식의 윤리적 의미

① 생명권으로서의 의미: 음식 섭취를 통해 생명과 건강을 유지함

② 사회의 도덕성 및 생태계 유지: 적절한 음식의 생산 및 유통, 소비는 사회의 도덕성 구현에 도움을 주며, 생태 순환 질서에 영향을 미침

(2) 음식과 관련된 윤리적 문제

윤리적 문제	• 오염된 음식 재료 및 각종 식품 첨가물이 인간의 건강 위협 • 지나친 육식으로 인한 동물 학대 • 무분별한 식량 생산 및 소비로 인한 환경 오염
해결 방안	• 생태계를 고려하는 음식 문화 형성에 적극적으로 동참 → 음식물 쓰레기 줄이기, 로컬 푸드 운동, 슬로푸드 운동, 육류 소비 절제 • 제도적 기반 마련 → 안전한 먹거리 인증, 성분 표시 의무화, 육류 생산 과정에서 동물의 고통 최소화를 위한 노력

3. 주거와 관련된 윤리적 문제 빈출 자료 02

(1) 주거의 의미: 살아가는 장소일 뿐만 아니라 그곳에서 이루어지는 생활까지 포함함

(2) 주거의 윤리적 의미

① 심리적 안정감과 휴식 제공: 인간다운 삶을 위한 기본 터전

② 유대감과 소속감을 형성할 수 있도록 도움

(3) 주거와 관련된 윤리적 문제

윤리적 문제	• 집의 실존적 의미 상실로서 '고향 상실의 문제' → 본래적 의미의 주거 공간을 상실하고 있음 • 아파트와 같은 공동 주택 보급 → 익명성과 소외의 삶(이웃과의 소통 단절), 집을 경제적 가치의 관점에서만 인식하는 경향 팽배 • 도시에 주거 밀집 → 환경 오염, 교통 혼잡, 녹지 공간 부족 등으로 인한 삶의 질 하락
해결 방안	• 볼노브: "인간은 어떤 특정한 자리에 정착하여 거주할 공간인 집을 필요로 한다."라며 주거가 인간의 삶을 위한 기본 바탕이 되어야 한다고 주장함 • 하이데거: "인간은 집에서 비로소 평화를 누리게 된다."라며 자기 자신에게 돌아갈 수 있는 내적 공간으로서 집의 본래적 의미를 찾아야 한다고 주장함

02 윤리적 소비

1. 윤리적 소비의 의미와 특징

(1) 합리적 소비의 의미: 자신의 경제력 안에서 최선의 제품을 구매

(2) 합리적 소비의 한계: 원가 절감을 위한 생산자의 부도덕한 행위 발생 가능(환경 오염, 노동 착취, 부적절한 원료 사용, 동물 학대 등) → 윤리적 소비 필요

(3) 윤리적 소비: 윤리적 가치 판단에 따라 상품이나 서비스를 구매하고 사용 → 타인과 사회는 물론 생태계 전체에 어떤 결과를 가져올지 고려한 소비 실천

2. 윤리적 소비 실천의 필요성 빈출 자료 03

인권 존중	• 개발 도상국 노동자들의 인권을 보호할 수 있음 • 공정 무역을 통해 소규모 생산자들에게 노동에 대한 정당한 대가를 지불할 수 있음
정의 실현	• 저소득층, 장애인 등 취약 계층을 고려하여 제품을 소비 • 사회 복지 시설 운영 등 사회적 기업의 이윤을 보호할 수 있음
환경 보호	• 멸종 위기 동식물을 이용한 제품을 구매하지 않음 • 농약, 화학 비료 등을 억제한 농산물 구입 • 미래 세대까지 고려할 수 있음

3. 윤리적 소비를 실천하기 위한 노력

(1) 개인적 차원: 윤리적 소비를 실천하려는 의지 함양

• 인권, 정의, 환경을 해치는 기업의 제품 구입을 거부하는 불매 운동
• 소비자 단체가 제시하는 윤리적 등급에 따른 상품을 비교하여 구매
• 공정 무역 제품이나 친환경 농산물 등 바람직한 윤리적 상품 구매

(2) 사회적 차원: 윤리적 소비 확산을 위한 제도 마련

• 친환경 제품 인증과 환경 마크 마련
• 기업의 윤리 경영을 촉진하기 위한 제도 마련
• 사회적 기업의 활동을 지원하는 법률 제정

빈출 특강

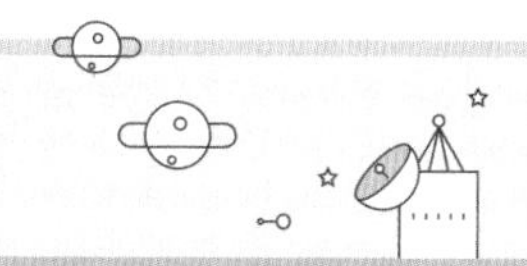

대표 유형

빈출 자료 01 먹을거리의 윤리적 문제

| 연계 문제 → 102쪽 01번

> 저소득 계층이 신선한 먹을거리에 접근하기는 쉽지 않다. 저소득 계층은 대체로 유기농 음식보다 값싼 패스트푸드를 먹고 있으며, 음식을 못 먹어서 죽기보다는 잘못된 음식을 먹어 죽는 경우가 많다. 이처럼 좋은 먹을거리에 대한 접근이 소득과 관련이 있다는 점으로 볼 때, 저소득층 주민에게 신선한 양질의 먹을거리를 제공해야 할 사회적 의무가 제기된다.
> – 변순용 외, "음식 윤리"

| 자료 분석 | 제시문에 따르면 음식을 먹는 행위는 생명을 유지하기 위한 생물학적 차원 이외에도 다양한 문화적 의미와 윤리적 의미를 지니고 있으며, 인간은 음식을 생산, 유통, 소비하는 과정에서 인류 및 환경 전체에 대한 연대 의식과 소속감을 가져야 한다.

빈출 자료 02 주거 공간에 대한 볼노브의 관점

| 연계 문제 → 102쪽 02번

> 인간은 체험을 통해 자신이 위치한 공간을 삶의 중심으로 형성할 수 있다. 체험된 공간은 가치를 지향하는 삶의 관계들을 통해서 사람과 관계된다. 체험된 모든 공간은 그것을 체험한 인간과 서로 분리될 수 없다. 인간과 집의 관계는 집을 짓고 그 안에 살면서 자기 집 같고, 마음 편하며, 믿을 만한 친숙함이 있다고 이해될 수 있다. 인간은 이성적 노력을 통해 자신의 집을 지어야 하며, 그 집에서 자기 삶의 질서를 만들어 나가야 하고, 혼란을 일으키는 외부 세계와의 끊임없는 투쟁 속에서 이러한 질서를 지켜 내야 할 책임을 갖는다.
> – 볼노브, "인간과 공간"

| 자료 분석 | 제시문은 볼노브의 관점이다. 볼노브는 집을 소유하는 문제보다 집과 내적인 관계를 맺는 문제가 더 중요하다고 보고, 집과의 내적 관계를 위해 마음 편함, 믿을만한 친숙함 등과 같은 집의 거주성을 강조하였다.

빈출 자료 03 공정 무역의 필요성

| 연계 문제 → 103쪽 04번

> 개발 도상국에서는 1400만 명에 이르는 사람들이 카카오 생산으로 생계를 꾸려 나가고, 약 1억 가구가 면화 생산에 종사한다. 개발 도상국의 심각한 문제 중 하나가 아동 노동인데, 그 수는 2억 1800만 명으로 전 세계 아이들의 7분의 1에 해당한다. 아동 노동 착취의 원인은 사회 관습, 문화적 배경, 교육 제도와 복지 제도의 부재 등이며 대부분의 경우 경제적 빈곤이 원인이다. 빈곤의 악순환을 끊기 위해 생산자가 합리적인 이익을 얻을 수 있도록 공정 무역 가격을 설정하고 있다. 공정 무역을 통해 생산자가 안정되고 적정한 수입을 얻게 되면 아이들이 일터로 내몰리는 일은 사라질 것이다.

| 자료 분석 | 공정 무역은 선진국과 개발 도상국 사이의 불공정한 무역 구조에서 발생하는 부의 편중, 노동력 착취 등의 문제를 해결하기 위해 나타난 무역 형태이다. 공정 무역은 생산자에게 공정한 가격을 지불함으로써 정의로운 국제 무역 질서를 확보할 수 있도록 돕는다. 소비자들은 공정 무역의 과정을 준수한 제품을 선택함으로써 사회 정의를 실현하는 데 기여할 수 있다.

자주 나오는 오답 선택지

빈출 자료 01 에서 자주 나오는 오답 선택지

① 음식은 형평성이 아닌 효율성에 따라 분배되어야 정의롭다.
→ 음식은 효율성보다 형평성에 따라 분배되어야 정의롭다.

② 음식은 오직 개인의 능력과 노력에 전적으로 의지하여 분배되어야 한다. → 음식의 분배를 오직 개인의 노력에 의지하면, 빈곤한 사람들의 생존이 위협당할 수 있다.

③ 인간의 충분한 영양소 섭취를 위해 육식의 양을 최대한으로 늘려야 한다. → 인간과 다른 생명의 공존을 위해 음식 재료를 얻는 과정에서 동물에 대한 고통을 최소화하는 것이 바람직하다.

④ 식물의 맛과 질을 유지하기 위해 유전자 변형 농산물을 최대한으로 이용해야 한다.
→ 식품 안정성의 차원에서 유전자 변형 농산물을 지나치게 남용해서는 안 된다.

빈출 자료 02 에서 자주 나오는 오답 선택지

① 인간에게 진정한 거주는 단순히 공간을 점유하는 행위로 국한된다. → 볼노브는 거주 공간을 단순한 공간의 점유를 넘어선 체험과 가치를 지향하는 행위 전체를 포함하는 곳이라고 주장한다.

② 인간은 특정한 공간에 지속적으로 거주함으로써 자신의 본질을 실현하는 데 방해를 받는다. → 볼노브는 특정 공간에서의 거주는 인간의 본질을 실현하는 데 도움을 준다고 본다.

③ 집의 외부 공간은 집의 내부 공간에 비해 휴식을 취할 수 있는 안정과 평화를 준다. → 집의 내부 공간은 외부 공간에 비해 마음의 안정과 휴식을 취할 수 있는 곳이다.

④ 진정한 삶의 실현을 위해 거주 공간이 반드시 필요하다고 볼 수는 없다. → 볼노브는 진정한 삶의 실현을 위해 거주 공간이 반드시 필요하다고 본다.

빈출 자료 03 에서 자주 나오는 오답 선택지

① 공정 무역은 선진국보다는 후진국에게 불이익을 주기 때문에 착한 무역이라고 할 수 없다.
→ 공정 무역은 선진국보다는 후진국에게 유리한 무역 형태이다.

② 공정 무역의 확대는 소비자들에게 물신 숭배 및 황금만능주의를 조장한다. → 공정 무역의 확대는 인권, 국제 정의 실현에 도움을 주기 때문에 물신 숭배 풍조나 황금만능주의를 조장한다고 볼 수 없다.

③ 공정 무역은 윤리적 소비문화보다 합리적 소비문화를 조장한다.
→ 공정 무역은 합리적 소비보다는 윤리적 소비와 관련된 하나의 방법이다.

④ 공정 무역 인증제는 세계 무역 확대를 위한 유일한 대안으로 보아야 한다. → 공정 무역 인증제는 공정한 무역을 위한 방안으로 세계적인 무역 확대와는 관련이 적다.

V

시험에 꼭 나오는 문제

개념 확인 문제

01 빈칸에 들어갈 알맞은 말을 쓰시오.

의식주와 관련된 윤리 문제
- 의
  - 윤리 문제: 유행 추구, (   ) 선호 현상 등
  - 해결 방안: 환경을 고려하는 절제 있는 소비 등
- 식
  - 윤리 문제: 유전자 변형 식품의 안정성, 패스트푸드, 정크 푸드, 동물에 대한 비윤리적 대우 등
  - 해결 방안: 슬로푸드 운동, 동물의 (   )을/를 최소화하는 제도 마련
- 주
  - 윤리 문제: 경제적 가치로만 집을 평가하는 태도, 도시 문제 등
  - 해결 방안: 이웃 간의 (   ) 형성, 집의 본래적 의미에 대한 자각

02 다음 개념에 대한 설명을 《보기》에서 골라 쓰시오.

《보기》
ㄱ. 슬로푸드 운동 ㄴ. 패스트 패션
ㄷ. 공정 무역 인증제 ㄹ. 안전 먹거리 인증제

(1) 천천히 요리되는 음식이라는 의미, 전통적이고 친환경적인 농산물 사용과 관련한 운동이다.
(2) 바람직한 음식 문화를 확립하기 위해 안전한 먹거리를 공식적으로 확인하고 인증하는 제도이다.

03 소비의 종류와 이에 대한 설명을 바르게 연결하시오.

(1) 합리적 소비 • • ㉠ 경제적 효용의 극대화 추구
(2) 윤리적 소비 • • ㉡ 인권, 정의, 환경을 고려

(빈출 문제) 연계 자료 → 101쪽 빈출 자료 01

01 다음 입장에 대한 옳은 설명만을 《보기》에서 있는 대로 고른 것은?

저소득 계층이 신선한 먹을거리에 접근하기는 쉽지 않다. 저소득 계층은 대체로 유기농 음식보다 값싼 패스트푸드를 먹고 있으며, 음식을 못 먹어서 죽기보다는 잘못된 음식을 먹어 죽는 경우가 많다. 이처럼 좋은 먹을거리에 대한 접근이 소득과 관련이 있다는 점으로 볼 때, 저소득층 주민에게 신선한 양질의 먹을거리를 제공해야 할 사회적 의무가 제기된다.

《보기》
ㄱ. 먹을거리 선택은 개인의 취향에만 의존해야 한다.
ㄴ. 누구나 안전한 먹거리의 혜택을 누릴 수 있어야 한다.
ㄷ. 먹는 행위를 통해 자신의 경제적 지위를 과시해야 한다.
ㄹ. 먹을거리의 분배는 사회 정의의 차원에서 고려되어야 한다.

① ㄱ, ㄷ ② ㄴ, ㄹ ③ ㄱ, ㄴ, ㄷ
④ ㄱ, ㄷ, ㄹ ⑤ ㄴ, ㄷ, ㄹ

(빈출 문제) 연계 자료 → 101쪽 빈출 자료 02

02 다음에서 강조하는 내용으로 옳은 것은?

인간은 체험을 통해 자신이 위치한 공간을 삶의 중심으로 형성할 수 있다. 체험된 공간은 가치를 지향하는 삶의 관계들을 통해서 사람과 관계된다. 체험된 모든 공간은 그것을 체험한 인간과 서로 분리될 수 없다. 인간과 집의 관계는 집을 짓고 그 안에 살면서 자기 집 같고, 마음 편하며, 믿을 만한 친숙함이 있다고 이해될 수 있다. 인간은 이성적 노력을 통해 자신의 집을 지어야 하며, 그 집에서 자기 삶의 질서를 만들어 나가야 하고, 혼란을 일으키는 외부 세계와의 끊임없는 투쟁 속에서 이러한 질서를 지켜 내야 할 책임을 갖는다.

① 집은 보다 넓은 사회로 나아가게 하는 생존 터전이다.
② 집은 사회 구성원으로서의 자아 정체성 형성을 방해한다.
③ 집은 외부와 내부를 구분하여 인간을 내부에 가두어 놓는다.
④ 집은 인간이 사회적 존재로서 생활하기 위한 공적 영역이다.
⑤ 집은 인간이 이성적으로 생활하는 공간이 아닌, 감성적인 휴식을 취하는 공간이다.

03 을이 갑에게 제기할 수 있는 비판으로 가장 적절한 것은?

갑: 소비의 목적은 비용을 지불한 사람의 만족감을 극대화하는 것이다. 소비자는 자신의 소득 범위 내에서 최소 비용으로 최대 만족을 얻기 위한 상품을 적절하게 선택해야 한다.
을: 소비는 재화가 만들어지는 전 과정을 고려하면서 이루어져야 한다. 생산, 유통의 과정에 영향을 미친 모든 사회 구성원 및 자연에 이르기까지를 모두 고려하여 상품을 선택해야 한다.

① 자신의 경제적 수준을 반영한 소비를 해야 함을 모르고 있다.
② 환경 보호와 같은 사회적 책임을 고려한 소비가 필요함을 모르고 있다.
③ 소비 행위는 자신의 경제력뿐만 아니라 개성을 표현하는 것임을 모르고 있다.
④ 과시 소비로 인한 사치와 낭비가 자신의 인생을 위협할 수 있음을 모르고 있다.
⑤ 구매할 물품이 지니고 있는 실질적인 유용성을 최우선으로 고려해야 함을 모르고 있다.

유사 선택지 문제

03_ ❶ 을은 갑에게 최소 비용으로 최대 효과를 얻을 수 있는 소비를 해야 함을 모르고 있다고 비판할 수 있다. (○ / ×)

03_ ❷ 을은 갑에게 개인의 도덕적 신념과 타인이나 사회, 자연에 미칠 장기적 영향을 함께 고려해야 함을 모르고 있다고 비판할 수 있다. (○ / ×)

(빈출 문제) 연계 자료 → 101쪽 빈출 자료 03

04 다음에서 강조하고 있는 내용으로 옳은 것은?

> 개발 도상국에서는 1400만 명에 이르는 사람들이 카카오 생산을 통해 생계를 꾸려 나가고 있고, 약 1억 가구가 면화 생산에 종사하고 있습니다. 개발 도상국이 안고 있는 심각한 문제 중 하나로 아동 노동을 들 수 있습니다. 그 수는 2억 1800만 명으로 전 세계 아이들의 7분의 1에 해당합니다. 아동 노동 착취가 일어나는 요인으로는 사회의 관습, 문화적 배경, 교육 제도와 복지 제도의 부재 등을 들 수 있으며 대부분의 경우 경제적 빈곤이 원인입니다. 빈곤의 악순환을 끊기 위해 생산자가 합리적인 이익을 얻을 수 있도록 공정 무역 가격을 설정하고 있습니다. 공정 무역을 통해 생산자가 안정되고 적정한 수입을 얻게 되면 아이들이 일터로 내몰리는 일은 사라질 것입니다.

① 공정 무역은 거대 국제 기업의 이윤 극대화를 추구한다.
② 공정 무역은 소비자들의 황금만능주의 풍조를 부추긴다.
③ 공정 무역의 확대는 합리적인 소비문화 정착을 방해한다.
④ 공정 무역은 세계 시장의 효율성 증진을 목적으로 한다.
⑤ 공정 무역은 선진국과 후진국 간의 분배 정의 실현에 기여한다.

05 갑의 입장에서 〈문제 상황〉에 대해 할 수 있는 조언만을 《보기》에서 있는 대로 고른 것은?

> 갑: 집은 외부의 위협으로부터 인간을 보호하고, 개인의 사생활을 영위하게 해 주며, 정서적 안정을 취하게 해 준다. 따라서 집은 인간의 신체 안전과 마음의 안정을 도모하고, 인간의 행복한 삶을 위한 기본 터전이라고 할 수 있다.
>
> 〈문제 상황〉
>
> 집이 생존을 위한 장소가 아닌 '화폐'가 되고 있다. 사는 곳(living)이 아닌 사는 것(buying)이 되었다. 우리는 언제부터인가 집을 보고 평수가 얼마이며, 시기가 얼마인지부터 묻는다.

《 보기 》
ㄱ. 삶의 휴식을 누릴 수 있는 거주 공간을 찾아야 한다.
ㄴ. 집을 주거 목적이 아닌 투자의 수단으로 인식해야 한다.
ㄷ. 인간다운 삶을 누리기 위해서 값비싼 집을 선택해야 한다.
ㄹ. 생존을 위한 터전이라는 집의 본질적 의미를 되살려야 한다.

① ㄱ, ㄷ ② ㄱ, ㄹ ③ ㄴ, ㄹ
④ ㄱ, ㄴ, ㄷ ⑤ ㄴ, ㄷ, ㄹ

유사 선택지 문제

05_ ❶ 갑에 따르면 대물림 되는 가난을 극복하기 위해 가계 부채를 활용해서라도 아파트를 사야 한다. (○ / ×)

05_ ❷ 갑에 따르면 집은 거주자의 정체성을 드러낼 수 있는 것으로 집주인의 삶의 방식이 드러나기도 한다. (○ / ×)

06 ㉠에 들어갈 내용으로 옳은 것만을 《보기》에서 있는 대로 고른 것은?

> 명품 선호 현상을 긍정적으로 보는 관점에서는 명품이 '뛰어나거나 이름난 물건'이라는 점에 주목한다. 사람들이 명품을 선호하면 기업은 명품을 만들고자 노력할 것이며, 이는 결국 제품의 질적 향상으로 이어진다고 보는 것이다. 그러나 명품 선호 현상을 부정적으로 보는 관점에서는 명품의 후광 효과로 얻는 '명품이 곧 나'라는 생각으로 인해 사람들이 정체성의 위기를 겪을 수도 있다고 본다. 또한 명품 선호 현상은 [㉠]고 본다.

《 보기 》
ㄱ. 사치를 조장하여 대중들의 과소비를 부추길 수 있다
ㄴ. 값비싼 재화만을 명품으로 여기는 왜곡 현상이 발생할 수 있다
ㄷ. 사회 계층 간의 위화감을 완화하여 사회 질서를 위협할 수 있다
ㄹ. 대중들이 자신의 정체성을 소유한 재화와 분리하여 생각하도록 만든다

① ㄱ, ㄴ ② ㄱ, ㄹ ③ ㄷ, ㄹ
④ ㄱ, ㄴ, ㄷ ⑤ ㄴ, ㄷ, ㄹ

07 갑, 을의 관점에 대한 옳은 설명만을 《보기》에서 있는 대로 고른 것은?

> 갑: 음식물에 대한 욕망은 자연적이다. 그러므로 결핍되면 채우려고 한다. 하지만 지나칠 정도로 먹고 마시는 것은 자연의 한도를 넘어서는 것이다. 이런 사람은 노예나 다름없는 사람이다.
>
> 을: 소박한 식사와 물만으로 만족하고 호사스러운 삶의 쾌락을 멀리할 때 나의 몸은 상쾌하기 그지없다네. 내가 무절제하고 향락적인 삶을 멀리하는 까닭은 그러한 삶 자체가 나쁘기 때문이라기보다는 그러한 삶 뒤에 찾아오는 해악 때문이라네.

《 보기 》
ㄱ. 갑은 음식을 먹고 싶어 하는 욕망을 제거해야 한다고 본다.
ㄴ. 갑은 생존을 위해 필수적인 음식 섭취는 자연적이라고 본다.
ㄷ. 을은 음식에 대한 지나친 과욕은 삶에 고통을 가져온다고 본다.
ㄹ. 갑, 을은 음식에 대한 이성적인 절제와 조절이 필요하다고 본다.

① ㄱ, ㄷ ② ㄱ, ㄹ ③ ㄴ, ㄹ
④ ㄱ, ㄴ, ㄷ ⑤ ㄴ, ㄷ, ㄹ

V

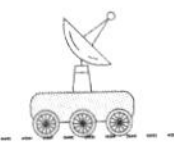

정답 및 해설 43쪽

08 ㉠에 알맞은 내용을 《보기》에서 고른 것은?

> 푸드 마일리지(food mileage)는 음식 재료가 산지에서 소비지까지 수송되는 거리를 말한다. 푸드 마일리지가 높을수록 배출하는 온실가스의 양이 많다는 뜻이므로, 푸드 마일리지가 낮은 음식 재료를 이용하면 환경 오염에 미치는 영향을 줄일 수 있다. 이러한 의식과 더불어 음식 재료의 생산자와 소비자 사이의 거리를 단축하여 식품의 신선도를 극대화하자는 취지에서 로컬 푸드 운동이 등장하였다. 이러한 운동은 (㉠)

《보기》

ㄱ. 음식 재료의 이동 거리를 줄여 환경 오염을 줄일 수 있다.
ㄴ. 세계 무역의 주축인 다국적 기업의 이익을 극대화할 수 있다.
ㄷ. 소비자가 보다 싼값에 질적으로 높은 음식 재료를 구할 수 있다.
ㄹ. 지역 주민들을 저임금으로 착취하기 위한 법적 근거를 마련할 수 있다.

① ㄱ, ㄴ ② ㄱ, ㄷ ③ ㄴ, ㄷ
④ ㄴ, ㄹ ⑤ ㄷ, ㄹ

09 밑줄 친 ㉠과 같은 사람이 하는 행동으로 옳지 않은 것은?

> 미식가란 단순히 잘 먹는 사람 또는 잘 차려진 식탁을 선호하는 사람을 의미하는 편협한 단어가 아니다. ㉠진정한 미식가는 먹을거리의 생산부터 소비에 이르기까지 전 과정을 이해하고, 그러한 과정에서 '좋음', '깨끗함', '공정함'이 제대로 이루어지고 있는지 감시하는 역할도 해야 한다. 나아가 이들이 '미식가 네트워크'를 형성함으로써 공동선이라는 대의명분을 수행할 수도 있을 것이다.

① 과도한 식품 첨가물이 들어간 음식에 대한 구매를 자제하고자 노력한다.
② 동물에게 과도하게 고통을 주어 만들어진 음식 재료를 사용하지 않도록 노력한다.
③ 합리적인 가격으로 해당 지역에서 생산되는 친환경 농산물을 소비하고자 노력한다.
④ 저렴한 가격 유지를 위해 아동 노동력을 이용한 음식 재료를 대량 구입하고자 노력한다.
⑤ 생산자의 노동력에 대해 제대로 보상하는 공정한 생산 방식을 취한 음식 재료를 구매하고자 노력한다.

10 다음에서 알 수 있는 '패스트 패션'의 윤리적 문제에 대한 설명으로 옳은 것은?

> 패션 제품의 저렴한 가격은 쇼핑의 무질서 상태를 부추기고 있다. 이제 미국 사람들 전체가 한 해 동안 사들여 쌓아 두는 옷은 약 200억 벌에 이른다. …… 석유와 물은 점점 부족해지고, 빙산은 녹고 있다. 우리는 지구의 기후를 영원히 달라지게 만들었다. …… 요즘 우리가 입는 옷의 대부분을 생산하고 국민들의 패션 취향이 나날이 발전하는 중국은 환경 위기에 처해 있다.

① 개인의 미적 감각과 가치관을 표현하는 의복의 기능이 약화되었다.
② 외부 위협으로부터 신체를 보호하는 의복의 기능이 사라지고 있다.
③ 희소성 있는 값비싼 의복을 구매함으로써 물질 숭배 현상이 만연하고 있다.
④ 자원을 손쉽게 낭비하고 버림으로써 심각한 환경 파괴의 위험에 노출되고 있다.
⑤ 사회적 지위나 신분을 드러내는 의복의 역기능이 강화되어 위화감을 조성하고 있다.

서술형 문제

11 다음 글을 읽고 물음에 답하시오.

> 갑: 나는 나의 욕구와 상품에 대한 정보를 고려해 나의 경제력 내에서 최선의 제품을 구매할 거야.
> 을: 나는 장기적 관점에서 환경과 인권 등을 고려한 소비를 해서 지구촌의 정의 실현을 추구할 거야.

(1) 갑, 을이 추구하는 소비 형태가 무엇인지 각각 쓰시오.

(2) 갑과 을이 추구하는 소비 형태의 특징을 각각 서술하시오.

12 다음과 같은 문제를 해결하기 위해 지녀야 할 바람직한 자세를 두 가지 서술하시오.

> 집은 사람이 삶을 영위하기 위한 필수 요소이다. 그러나 한국 사회에서 집은 의식주의 구성 요소 가운데 하나라는 것을 뛰어넘는 의미를 지닌다. 오늘날 한국에서 집은 투자와 투기의 대상, 자산 마련과 노후 대비의 수단, 사회적 지위와 계급 격차를 드러내는 표상이 되었다.

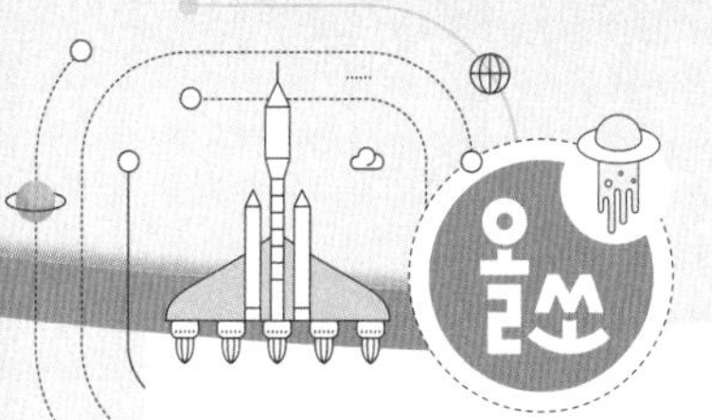

상위 4% 문제

| 수능 기출 응용 |

01 (가) 사상가들의 입장을 (나)의 그림으로 나타낼 때, A~C에 해당하는 적절한 진술만을 《보기》에서 있는 대로 고른 것은?

(가)

갑: 집은 위험과 희생의 공간인 외부 공간과 구분되는 안정과 평화의 공간이다. 인간은 자신의 중심점인 집을 스스로 만들어 그곳에 뿌리내리고 살 때 진정한 거주를 실현한다. 인간은 이러한 거주의 실현을 통해 단순히 공간을 점유하는 것이 아닌 거주자가 됨으로써 자신의 본질을 실현하고 온전한 의미에서 인간이 될 수 있다.

을: 집은 거주자의 정체성을 드러낸다. 집안에 있는 각각의 공간을 합치면 집주인의 삶의 방식이 지도처럼 그려진다. 여행자가 어느 곳을 돌아다녔는지 보여 주는 여권 도장처럼, 거주자가 어떤 생활을 하는지 어떤 취향인지 고스란히 드러난다. 인간이 집과 맺고 있는 결속 방식은 특별한 것이다. 집은 그 집과 시공간으로 관련된 모든 이의 영혼과 그 집에 대한 모든 기억, 그 집을 향한 모든 그리움을 품고 있다.

(나)

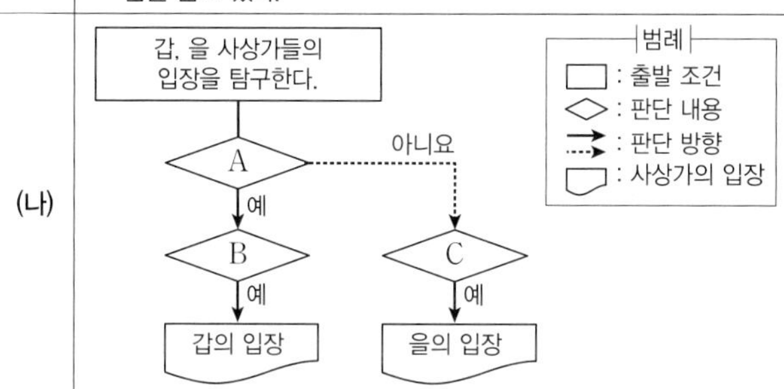

《보기》

ㄱ. A: 집은 거주자의 정체성과 사고방식을 드러내는 공간인가?
ㄴ. B: 진정한 거주는 단순히 공간을 점유하는 것을 의미하는가?
ㄷ. C: 집에는 거주자의 개인적 취향과 기호가 반영되어 있는가?
ㄹ. C: 집은 거주자의 과거와 현재를 담고 있는 기억의 공간인가?

① ㄱ, ㄴ　② ㄱ, ㄹ　③ ㄷ, ㄹ
④ ㄱ, ㄷ, ㄹ　⑤ ㄴ, ㄷ, ㄹ

| 평가원 기출 응용 |

02 다음 글에서 강조하는 내용을 《보기》에서 고른 것은?

음식물에 대한 욕망은 자연적이다. 먹고 마시는 욕망을 추구함에 있어서 잘못하는 경우는 주로 지나친 쪽으로 잘못하는 것이다. 사실 어떤 것이든 더 이상 먹고 마실 수 없을 때까지 먹고 마시는 것은 양에 있어 자연에 따르는 것을 넘어서는 것이다. 이런 이유로 사람들은 마땅한 것을 넘어 자신의 배를 채우는 사람을 폭식가라고 부른다. 이런 사람이 바로 지나칠 정도로 노예적인 사람이다.

《보기》

ㄱ. 식욕은 자연스러운 욕망으로 적절히 충족되어야 한다.
ㄴ. 인간은 이성에 의해 자신의 먹는 행위를 조절해야 한다.
ㄷ. 먹을거리에 대한 개인의 취향을 전적으로 존중해야 한다.
ㄹ. 충분한 영양을 위해 동물성 단백질을 최대한 섭취해야 한다.

① ㄱ, ㄴ　② ㄱ, ㄹ　③ ㄴ, ㄷ
④ ㄴ, ㄹ　⑤ ㄷ, ㄹ

03 다음의 관점에서 긍정의 대답을 할 질문으로 가장 적절한 것은?

유행은 한편에서는 동등한 위치에 있는 사람들과의 결합을, 다른 한편에서는 낮은 신분의 사람들에 대한 집단적 폐쇄성을 의미한다. 유행은 모방이라는 점에서 사회에 대한 의존 욕구를 충족하고, 다른 한편으로는 구분하고 변화하고 부각하려는 경향을 통해 차별화 욕구를 만족시킨다. 이는 유행이 언제나 계층적으로 분화한다는 사실에도 입각한다. 상류층의 유행은 그보다 신분이 낮은 계층의 유행과 구분되고 낮은 신분의 계층에 동화되는 순간 소멸한다는 사실이 이를 입증해 준다.

① 유행은 오직 개인의 기호만이 반영된 결과인가?
② 유행은 기업의 명품 판매 전략을 극복하려는 시도인가?
③ 유행은 상류 계층에 대한 모방의 욕구가 표현된 것인가?
④ 유행은 과소비와 사치 풍조를 약화시키는 기능을 갖는가?
⑤ 유행은 우수 품질의 제품이 생산되었을 때에만 발생하는가?

04 다음에서 알 수 있는 내용을 《보기》에서 고른 것은?

고도로 산업화된 사회에서 명성을 획득할 수 있는 근거는 재력이다. 재력을 과시하는 방편인 동시에 명성을 획득하고 유지하는 방편은 과시적 여가와 과시적 소비이다. 두 가지 방편은 모두 그런 여가나 소비의 가능성을 지닌 중하류 계급에서도 유행하기에 이른다. 과시적 여가와 과시적 소비의 발달 과정을 탐색해 보면 공통으로 낭비라는 요소가 작용했음을 알 수 있다. 그것은 한편으로는 시간과 노력의 낭비이고, 다른 한편으로는 재화의 낭비이다. 명성 획득을 위한 수단으로 유용할 뿐만 아니라 체면 유지를 위한 요소로도 강조되는 과시적 소비는 개인의 인간적인 접촉이 가장 광범위하게 이루어지고 인구 이동이 가장 심한 사회의 구성원들에게는 최선의 소비로 여겨진다.

《보기》

ㄱ. 과시적 소비는 주로 생필품 시장에서 발생한다.
ㄴ. 재력가를 모방하려는 일반 대중들이 사치품을 구매하기도 한다.
ㄷ. 가격이 오르고 있음에도 불구하고 과시욕 때문에 수요가 증가하기도 한다.
ㄹ. 과시적 소비는 홀로 은둔 생활을 하는 고립된 자아를 가진 사람들이 주도한다.

① ㄱ, ㄴ　② ㄱ, ㄹ　③ ㄴ, ㄷ
④ ㄴ, ㄹ　⑤ ㄷ, ㄹ

14 다문화 사회의 윤리

출제 경향
★다문화 사회에서의 관용, 종교에서의 관용
★다문화를 바라보는 다양한 관점

01 문화의 다양성과 존중

1. 다문화 사회와 다문화에 대한 존중

(1) 다문화 사회의 특징

긍정적 측면	• 삶의 경험과 문화 자원을 풍부하게 해 줌 • 상호 존중과 공존의 지혜를 학습하도록 도움
부정적 측면	• 다양한 문화적 요소가 충돌하여 갈등이 발생하기도 함 • 문화적 편견, 차별 등으로 사회 통합이 저해되기도 함

(2) 다문화 존중의 이유

① 각기 다른 특성을 지니는 문화는 그 자체로 가치가 있음

② 문화적 역동성을 증진하여 사회를 발전시킴

2. 다문화 사회를 설명하는 여러 유형 빈출 자료 01

(1) 다양한 다문화 정책

동화주의	• 이민자를 주류 사회의 언어나 문화에 동화시켜 이들에게 국민이라는 정체성을 부여함 • 동일성 논리에 따라 소수 민족의 정체성을 고려하지 않음
문화 다원주의	• 문화의 다양성을 인정하면서도 주류 문화가 있어야 한다고 봄 • 외래 소수 민족의 문화적 정체성을 존중하지만, 주류 문화를 바탕으로 문화적 다원성을 수용함
다문화주의	• 한 사회 안의 다양한 문화를 평등하게 인정함 • 이민자들이 그들의 고유한 문화를 유지하는 것을 인정하면서 공존을 지향함 • 사회적 연대와 통합에 한계를 지님

(2) 다문화 사회를 설명하는 여러 가지 이론

용광로 이론	• 여러 금속을 용광로에 넣고 하나의 새로운 금속을 만듦 → 다양한 문화를 섞어서 하나의 새로운 문화를 만듦 • 다양한 이주민의 문화를 주류 사회에 융합하여 편입시키려는 관점 • 한계: 문화적 역동성이 파괴되고, 소수 민족의 문화적 정체성 유지가 불가능함
국수 대접 이론	• 면 위에 고명을 얹어 국수의 맛을 내듯이 주류 문화를 중심으로 비주류 문화를 조화함 • 주류 문화와 비주류 문화가 각각 자신의 정체성을 유지하면서 조화롭게 공존함
샐러드 그릇 이론	• 다양한 채소와 과일을 서로 대등한 관점에서 섞는다는 것 • 각각의 문화가 고유성을 유지하면서 대등하게 조화를 이루며 공존함

3. 다문화 사회의 시민 의식

(1) 문화적 편견 극복

① 자문화 중심주의 극복: 자신의 문화를 최고로 여기며 다른 나라의 문화를 무시하는 태도 극복

② 문화 사대주의 극복: 다른 나라의 문화를 맹목적으로 추종하는 태도 극복

(2) 윤리적 상대주의 지양: 비도덕적인 행위까지 그 사회의 관습이나 전통이라는 명목으로 정당화할 위험 극복

(3) 바람직한 문화적 정체성 확립: 문화의 다양성을 수용하면서도 보편적 규범을 간직해야 함

(4) 관용의 자세: 상대의 주장이나 가치관을 이해하려고 노력하며 타인의 인권을 존중하고 평화를 실현하려는 자세 → 타인의 인권, 자유, 공동체의 질서를 침해하지 않는 범위 내에서 관용해야 함

02 종교의 공존과 관용

1. 종교의 의미과 윤리와의 상관성

(1) 종교의 의미: 유한한 삶 속에서 직면하는 초월적 존재에 대한 믿음이 구체적인 형태로 나타난 것

(2) 종교의 구성 요소

① 내용적 요소: 성스럽고 거룩한 것에 관한 체험과 믿음 → 직관과 감정, 체험, 이성 등을 통해 파악할 수 있음

② 형식적 요소: 경전과 교리, 의례와 형식, 교단을 포함 → 종교 공동체를 구성하여 예배, 미사, 법회 등과 같은 의식과 제의를 통해 초월적이고 절대적인 존재와 교류하고자 함

(3) 종교에 관한 엘리아데의 관점 빈출 자료 02

① 종교의 의미: 일상 속에서 성스러움과 만나는 것

② 일상적인 삶 자체가 성스러움의 드러남

③ 세속과 성스러움의 세계가 조화롭게 공존하는 종교 생활을 강조함

(4) 종교와 윤리의 관계

구분	차이점	공통점
종교	• 초월적 세계, 궁극적 존재를 상정 • 종교적 신념이나 교리에 근거함	• 모든 종교는 보편 윤리를 포함함 • 인간의 존엄성 및 사회 정의 중시
윤리	• 현실 세계에서 누구나 지켜야 할 규범 • 인간의 이성, 양심 등에 근거함	

2. 종교 간 갈등 원인과 극복 방안

(1) 종교 갈등의 유형

① 다른 종교 간의 갈등: 인도 및 파키스탄, 필리핀 등에서 발생

② 종파 간의 갈등: 이슬람교 수니파와 시아파 간의 갈등

(2) 종교 간 갈등 원인과 극복 방안 빈출 자료 03

갈등 원인	• 다른 종교에 대한 배타적인 태도 → 자신이 믿는 종교만을 맹신하고 타 종교의 존재를 인정하지 않는 태도 • 타 종교에 대한 무지와 편견 → 자신의 종교적 지식에만 근거하여 타 종교를 판단
극복 방안	• 종교의 자유를 인정하고 타 종교에 대해 관용의 태도를 지님 • 종교 간에 적극적으로 대화하고 협력함

빈출 특강

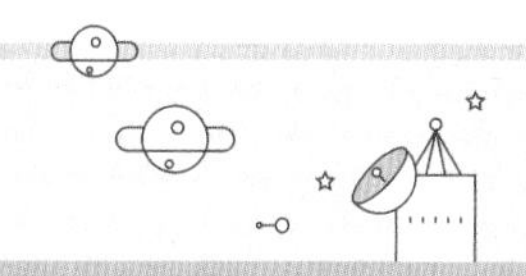

대표 유형

빈출 자료 01) 다문화와 문화적 정체성에 관한 여러 이론

| 연계 문제 → 108쪽 01번, 109쪽 06번

- 동화주의: 다양한 문화를 섞어 주류 문화 중심으로 통합하거나, 하나의 새로운 문화를 형성한다. 사회 구성원이 통일된 하나의 문화를 가질 수 있지만, 소수 문화를 무시하고 문화 다양성을 훼손할 수 있다. 대표적으로 용광로 이론이 있다.
- 문화 다원주의: 주류 문화를 중심으로 하되, 다양한 이질적인 비주류 문화를 허용해 줌으로써 문화의 다양성을 존중한다. 소수 문화의 정체성을 존중하지만, 주류 문화가 주체로서 존재해야 한다는 점을 강조한다. 대표적으로 국수 대접 이론이 있다.
- 다문화주의: 한 사회 안에서 다양한 문화를 평등하게 인정하여 이민자나 소수자의 문화를 존중하고 문화 간의 갈등을 줄이는 데 기여한다. 전통적인 관점에서 사회 통합을 이루기 어렵다는 문제가 있다. 대표적으로 샐러드 볼 이론이 있다.

빈출 자료 02) 종교에 관한 엘리아데의 관점

| 연계 문제 → 108쪽 02번

인간이 성스러움을 아는 것은 그것이 속된 것과는 전혀 다른 어떤 것으로서 스스로 드러내어 보여 주기 때문이다. 이 성스러운 것의 현현을 여기서는 성현이라는 말로 불러 본다. 가장 원시적인 것에서부터 고도로 발달한 것에 이르기까지 종교의 역사는 많은 성현, 즉 성스러운 여러 실재의 현현으로 이루어져 있다고 말할 수 있다. 가장 원시적인 성현(예를 들어 돌이나 나무와 같은 일상적 대상 속에서 성스러운 것이 나타나는 것)에서 높은 수준의 성현(그리스도교에서 예수 안에 하느님의 신성이 부여되는 것)에 이르기까지 일관된 연속성이 흐르고 있다. 즉 이 세상 것이 아닌 하나의 실재가 이 자연적인 '속된 세계'의 여러 사물 가운데 나타나는 사건에 직면하게 된다.

– 엘리아데, "성과 속"

| 자료 분석 | 제시문은 엘리아데의 주장이다. 엘리아데는 종교를 인간의 일상 속에서 성스러움이 드러나는 현상으로 설명한다. 또한 종교는 인간의 의식 구조에 내재된 것이며 모든 종교는 근원적으로 일치한다고 본다.

빈출 자료 03) 종교 간의 대화를 강조한 큉

| 연계 문제 → 109쪽 04번

세계의 모든 종교가 이단자에 대해 거듭 관용하는 자세를 취하지 못하고 있는 한, 대화 역량이라는 덕목에 관해 아무런 이해도 하지 못한다는 사실만큼은 분명하다. 아울러 이 대화 역량에 우리의 모든 정신적 생존은 물론 심지어는 윤리적 생존도 달려 있다는 사실 역시 분명하다. 왜냐하면 종교 사이의 대화를 배제하고는 국가 사이의 어떠한 평화도 불가능하고, 신학적인 기본 연구를 배제하고서는 종교 사이의 어떠한 태도도 불가능하기 때문이다.

– 큉, "세계 윤리 구상"

| 자료 분석 | 큉은 대화를 통해 평화에 이를 수 있다고 강조한다. 그는 대화가 정신적 생존과 윤리적 생존을 좌우한다고 강조하면서, 세계 평화는 종교 평화에서, 종교 평화는 종교 대화에서, 종교 대화는 신학적인 기본 연구에서 출발한다고 주장한다.

자주 나오는 오답 선택지

빈출 자료 01) 에서 자주 나오는 오답 선택지

① 동화주의는 소수 문화의 정체성과 고유성을 다수 문화와 동등하게 존중해야 한다고 본다.
→ 동화주의는 소수 문화의 정체성을 인정하지 않는다.

② 문화 다원주의는 주류 문화에 비주류 문화를 섞어 하나의 문화로 통합해야 한다고 본다. → 동화주의의 입장이다. 문화 다원주의는 주류 문화를 중심으로 다양한 비주류 문화의 공존을 허용한다.

③ 다문화주의는 주체로서의 주류 문화를 중심으로 소수 문화의 정체성을 존중해야 한다고 본다. → 문화 다원주의의 입장이다. 다문화주의는 주류 문화와 소수 문화를 주체와 객체로 구분하지 않고 동등하게 대우한다.

④ 문화 다원주의와 다문화주의는 사회 구성원이 하나의 문화에 적응하게 만들어 문화적 다양성을 훼손할 수 있다.
→ 문화 다원주의와 다문화주의는 다양한 문화적 정체성을 존중하기 때문에 문화적 다양성을 훼손한다고 보기 어렵다.

빈출 자료 02) 에서 자주 나오는 오답 선택지

① 신은 인간의 심리적 필요에 의해 만들어진 인위적인 산물이다.
→ 엘리아데는 우주는 신의 창조물이고, 세계는 신의 손으로 완성된 것이라고 본다. 그는 신을 인간이 만들어 낸 산물이라고 보지 않는다.

② 성스러움이 아닌 인간의 현실적인 성공과 명예를 쌓는 것을 중시해야 한다. → 엘리아데는 종교적 체험을 통해 얻는 성스러움을 중시한다.

③ 초자연적인 것과 자연적인 것을 분리하여 성스러움과 세속적인 것을 구분해야 한다. → 엘리아데는 성스러움과 세속적인 것을 구분하지 않으며, 성스러운 경험을 중시한다.

④ 인간은 살아 있는 동안 경험을 통해서는 성스러움을 만날 수 없다.
→ 엘리아데는 인간이 살아 있는 동안 감각적 경험을 통해서도 성스러움을 만날 수 있다고 본다.

빈출 자료 03) 에서 자주 나오는 오답 선택지

① 모든 이질적인 종교를 통합하여 새로운 세계 종교를 건설해야 한다. → 큉은 새로운 세계 종교 건설을 주장하지 않으며, 종교 간의 대화를 통해 서로에 대한 관용의 자세를 가질 것을 강조한다.

② 단일한 종교 문화를 만들어 종교 간의 갈등을 근본적으로 제거해야 한다. → 큉은 단일한 종교 문화를 만들어야 한다고 주장하지 않는다.

③ 모든 종교인의 어떤 행위도 세속의 윤리적 기준으로 평가해서는 안 된다. → 큉은 종교 간 대화를 통해 자신이 믿는 종교에 대한 윤리적 성찰이 필요하다고 본다.

④ 종교 간의 원활한 대화 및 진정한 관용의 실천을 위해 자신이 믿는 종교의 진리를 포기해야 한다. → 큉은 종교 간의 대화를 강조하였지만 자신이 믿는 종교의 진리를 포기할 것을 주장하지 않는다.

시험에 꼭 나오는 문제

개념 확인 문제

01 빈칸에 들어갈 다문화와 관련된 이론을 쓰시오.

- (   ): 여러 금속을 용광로에 넣고 하나의 새로운 금속을 만든다는 것으로, 다양한 문화를 섞어서 하나의 새로운 문화를 만들어 내는 것
- (   ): 면 위에 고명을 얹어 국수의 맛을 내듯이 주류 문화를 중심으로 비주류 문화를 조화하는 것
- (   ): 다양한 채소와 과일을 서로 대등한 관점에서 섞는다는 것으로, 각각의 문화가 고유성을 유지하면서 대등하게 조화를 이루며 공존하는 것

02 다음에서 설명하는 개념을 《보기》에서 골라 쓰시오.

《보기》
ㄱ. 동화주의　　　ㄴ. 문화 다원주의
ㄷ. 문화 사대주의　　ㄹ. 자문화 중심주의

(1) 자신의 문화를 최고로 여기며 다른 나라의 문화를 무시하는 태도
(2) 문화의 다양성을 인정하면서도 주류 문화가 있어야 한다는 입장
(3) 문화적 편견의 하나로 다른 나라의 문화를 맹목적으로 추종하는 태도

03 종교 갈등과 관련된 태도를 바르게 연결하시오.

(1) 갈등의 원인 •　　　• ㉠ 관용의 태도
(2) 갈등 극복 방안 •　　　• ㉡ 배타적 태도

(빈출 문제) 연계 자료 → 107쪽 빈출 자료 01

01 갑, 을의 입장에 대한 옳은 설명만을 《보기》에서 있는 대로 고른 것은?

갑: 다문화 사회에서는 다양한 문화를 섞어 주류 문화 중심으로 통합하거나, 하나의 새로운 문화를 형성해야 한다. 사회 구성원이 통일된 하나의 문화를 가질 때 사회 안정과 질서 유지에 도움이 되기 때문이다.
을: 다문화 사회에서는 주류 문화를 중심으로 하되, 다양한 이질적인 비주류 문화를 허용해 줌으로써 문화의 다양성을 존중해야 한다.

《보기》
ㄱ. 갑은 각 문화가 지니고 있는 특수성을 유지해야 한다고 본다.
ㄴ. 을은 주류 문화와 비주류 문화가 존재할 수 있다고 본다.
ㄷ. 갑은 을보다 문화 통합을 통한 새로운 문화의 창출을 강조한다.
ㄹ. 갑과 을은 각 문화의 정체성을 존중해야 한다고 강조한다.

① ㄱ, ㄷ　② ㄴ, ㄷ　③ ㄱ, ㄴ, ㄹ
④ ㄱ, ㄷ, ㄹ　⑤ ㄴ, ㄷ, ㄹ

(빈출 문제) 연계 자료 → 107쪽 빈출 자료 02

02 다음 사상가의 입장으로 가장 적절한 것은?

인간이 성스러움을 아는 것은 그것이 속된 것과는 전혀 다른 어떤 것으로서 스스로 드러내어 보여 주기 때문이다. 이 성스러운 것의 현현을 여기서는 성현이라는 말로 불러 본다. 가장 원시적인 것에서부터 고도로 발달한 것에 이르기까지 종교의 역사는 많은 성현, 즉 성스러운 여러 실재의 현현으로 이루어져 있다고 말할 수 있다. 가장 원시적인 성현(예를 들어 돌이나 나무와 같은 일상적 대상 속에서 성스러운 것이 나타나는 것)에서 높은 수준의 성현(그리스도교에서 예수 안에 하느님의 신성이 부여되는 것)에 이르기까지 일관된 연속성이 흐르고 있다. 즉 이 세상 것이 아닌 하나의 실재가 이 자연적인 '속된 세계'의 여러 사물 가운데 나타나는 사건에 직면하게 된다.

① 인간은 체험을 통해 신을 느낄 수 있는 종교적 존재이다.
② 일상에서 벗어나 모든 욕구를 버려야 성스러움을 체험할 수 있다.
③ 신념이나 믿음을 버리고 이성적으로 종교적 교리에 접근해야 한다.
④ 성스러운 것과 세속적인 것은 완전히 다른 것으로 공존할 수 없다.
⑤ 자연적인 것과 초자연적인 것을 철저하게 분리하여 각각의 근원을 탐구해야 한다.

03 갑과 을은 긍정, 병은 부정의 대답을 할 질문으로 가장 적절한 것은?

갑: 종교는 사회 그 자체이다. 종교는 사회적 필요에 의해 만들어진 산물이다.
을: 종교는 아직 그 자신을 발견하지 못하거나 자신을 상실한 사람들의 자의식이다. 인간이 종교를 만들지, 종교가 인간을 만들지 않는다.
병: 종교는 인간의 의식 구조 속에 본격적으로 내재된 것이며, 모든 종교는 근원적으로 일치한다.

① 종교는 인간의 필요에 의해 만들어진 산물인가?
② 모든 종교는 본질적으로 동일한 교리를 가지는가?
③ 초월적이고 영원불변하는 존재인 신은 실재하는가?
④ 종교는 인간의 의식 속에 선천적으로 내재한 것인가?
⑤ 신은 인간의 삶과 자연 세계를 창조한 절대적인 선인가?

(빈출 문제) 연계 자료 → 107쪽 빈출 자료 03

04 다음에서 강조하고 있는 내용으로 옳은 것은?

> 세계의 모든 종교가 이단자에 대해 거듭 관용하는 자세를 취하지 못하고 있는 한, 대화 역량이라는 덕목에 관해 아무런 이해도 하지 못한다는 사실만큼은 분명하다. 아울러 이 대화 역량에 우리의 모든 정신적 생존은 물론 심지어는 윤리적 생존도 달려 있다는 사실 역시 분명하다. 왜냐하면 종교 사이의 대화를 배제하고는 국가 사이의 어떠한 평화도 불가능하고, 신학적인 기본 연구를 배제하고서는 종교 사이의 어떠한 태도도 불가능하기 때문이다.

① 모든 종교를 하나로 통합하여 세계 종교로 단일화해야 한다.
② 자신이 믿는 종교의 절대성을 타 종교에 합리적으로 설득해야 한다.
③ 모든 종교에 대한 비판적 의식을 가지고 종교 자체를 불신해야 한다.
④ 종교적 행위에 대한 어떤 비판도 용납하지 않는 단호함을 가져야 한다.
⑤ 자신이 믿는 종교의 신앙을 유지하면서도 타 종교와 지속적으로 대화해야 한다.

05 ㉠, ㉡에 대한 옳은 설명만을 《보기》에서 있는 대로 고른 것은?

> • [㉠]: 자신의 문화를 최고로 여기며 다른 나라의 문화를 무시하는 태도
> • [㉡]: 다른 나라의 문화를 맹목적으로 추종하는 태도

《 보기 》
ㄱ. ㉠은 자문화 중심주의, ㉡은 문화 사대주의이다.
ㄴ. ㉠은 자국에 대한 다른 나라의 문화적 지배와 종속의 질서를 정당화한다.
ㄷ. ㉡은 자기 문화와 다른 나라의 문화를 평등하게 인정하려는 시도에서 비롯된다.
ㄹ. ㉠, ㉡은 모두 문화에 대한 공정하지 못한 치우친 편견에서 비롯된다.

① ㄱ, ㄷ ② ㄱ, ㄹ ③ ㄴ, ㄹ
④ ㄱ, ㄴ, ㄷ ⑤ ㄴ, ㄷ, ㄹ

(빈출 문제) 연계 자료 → 107쪽 빈출 자료 01

06 갑의 입장에서 〈문제 상황〉 속 A국에게 할 수 있는 조언만을 《보기》에서 있는 대로 고른 것은?

> 갑: 커다란 그릇 안에서 각기 다른 맛, 향, 색을 가진 다양한 채소와 과일들이 섞여 각자 고유의 맛을 지키면서도 하나의 샐러드가 되듯이 여러 문화가 각각의 고유한 특성을 대등하게 유지하면서 조화를 이루어야 한다.
>
> 〈문제 상황〉
>
> A 국가는 이민자가 급증하면서 다문화 사회에 진입하고 있다. 이에 A국의 정부는 이민자들이 쉽게 적응하도록 돕기 위해 A국의 전통과 역사, 문화를 이민자에게 교육하는 등 그들이 A국에 동화될 수 있도록 다양한 정책적 기반을 마련하고 있다.

《 보기 》
ㄱ. 개별 문화가 지닌 고유성을 지키도록 도와야 한다.
ㄴ. 문화 통합을 통해 새로운 단일 문화를 창출해야 한다.
ㄷ. 이민자의 문화와 원주민의 문화를 동등하게 취급해야 한다.
ㄹ. 주류인 원주민 문화와 비주류인 이주민 문화를 구분해야 한다.

① ㄱ, ㄷ ② ㄱ, ㄹ ③ ㄴ, ㄹ
④ ㄱ, ㄴ, ㄷ ⑤ ㄴ, ㄷ, ㄹ

유사 선택지 문제

06_ ❶ 갑에 따르면 이민자들이 자신들의 문화적 정체성을 유지할 수 있도록 도와야 한다. (○ / ×)

06_ ❷ 갑에 따르면 이질적인 문화가 유입될 때는 기존 문화와의 서열을 확실히 정해야 한다. (○ / ×)

07 ㉠에 들어갈 내용으로 옳은 것만을 《보기》에서 있는 대로 고른 것은?

> 다문화 사회에서는 새로운 문화 요소가 도입되어 사회 구성원의 문화 선택의 폭이 넓어지고 문화가 발전할 수 있는 기회가 확대된다. 그뿐만 아니라 구성원들이 상호 존중 의식과 공존의 지혜를 학습하도록 돕는다. 그러나 다문화 사회로 진입하면서 발생하는 부정적 측면도 있다. 예를 들어 [㉠]

《 보기 》
ㄱ. 여러 문화를 접할 수 있는 다양한 기회가 줄어든다.
ㄴ. 다양한 문화적 요소가 충돌하여 갈등이 발생하기도 한다.
ㄷ. 문화적 편견이나 차별로 인해 사회 통합이 저해되기도 한다.
ㄹ. 획일적, 수직적 문화의 유행으로 문화 역동성이 낮아진다.

① ㄱ, ㄴ ② ㄴ, ㄷ ③ ㄷ, ㄹ
④ ㄱ, ㄴ, ㄹ ⑤ ㄴ, ㄷ, ㄹ

08 ㉠에 들어갈 알맞은 내용을 《보기》에서 고른 것은?

다문화 사회에서는 다른 나라의 문화를 상대의 관점에서 인정하고 존중하는 문화 상대주의의 자세가 필요하다. 그러나 문화의 다양성을 인정하자는 주장이 윤리적 상대주의로 흐르는 것은 경계해야 한다. 나라마다 부모에게 효(孝)를 표현하는 방식은 다를 수 있지만, 그 안에 담겨 있는 부모에 대한 사랑의 정신은 공통적이다. 하지만 윤리적 상대주의는 [㉠]는 위험이 있다.

《보기》
ㄱ. 인류 전체의 보편적 가치와 규범을 무시할 수 있다
ㄴ. 개별 문화의 고유성과 정체성을 지속적으로 훼손한다
ㄷ. 비도덕적인 행위를 관습이라는 명목으로 정당화할 수 있다
ㄹ. 시대와 장소에 따라 마땅히 따라야 할 도덕이 다름을 무시한다

① ㄱ, ㄴ ② ㄱ, ㄷ ③ ㄴ, ㄷ
④ ㄴ, ㄹ ⑤ ㄷ, ㄹ

09 다음에서 알 수 있는 종교의 특징으로 옳지 않은 것은?

종교는 다음과 같은 구성 요소를 지닌다. 내용적 측면에서 종교는 성스럽고 거룩한 것에 관한 체험과 믿음을 포함한다. 형식적 측면에서 종교는 경전과 교리, 의례와 형식, 그리고 교단을 포함한다. 종교는 초월적인 힘을 가진 절대자에 대한 설명과 체계를 바탕으로 종교 공동체를 구성한다. 그리고 예배, 미사, 법회 등과 같은 나름대로의 의식과 제의를 통하여 초월적이고 절대적인 존재와 교류하고자 한다.

① 종교의 모든 내용을 합리적, 과학적으로 증명하고 이해할 수 있다.
② 종교적 체험은 직관, 감정과 같은 비이성적인 방법으로도 가능하다.
③ 종교는 유한한 인간이 현실의 불안과 고통을 극복하는 데 도움을 준다.
④ 종교는 성스럽고 경건한 것에 대한 믿음을 바탕으로 한 의식과 절차를 가진다.
⑤ 인간은 종교적 체험을 통해 절대자인 신과 교류함으로써 심리적 안정을 얻기도 한다.

10 다음의 마지막 물음에 대한 답변으로 가장 적절한 것은?

인도 · 파키스탄, 필리핀 등에서는 서로 다른 종교 간의 갈등이 발생하고 있다. 또한 이슬람교 수니파와 시아파 간 갈등에서 알 수 있듯이 정통성의 계승, 경전과 교리의 해석을 둘러싸고 종교 내부의 종파 간 갈등이 발생하고 있다. 세계 곳곳에서 벌어지는 이러한 갈등은 유혈 사태로까지 번져 많은 살상자를 내기도 한다. 이러한 종교 간의 갈등을 극복하기 위해 어떤 노력을 해야 할까?

① 무력을 통해 효율적으로 종교의 단일화를 추구해야 한다.
② 종교가 없는 사람에게 자신의 믿음을 전하고 이를 강하게 권해야 한다.
③ 과학적으로 증명되지 않는 교리를 가진 종교를 이단으로 배척해야 한다.
④ 종교의 자유를 인정하고 보편적 도덕성을 위반하는 종교도 허용해야 한다.
⑤ 타 종교에 대한 이해를 바탕으로 종교 간 상호 존중의 자세를 가져야 한다.

서술형 문제

11 다음 글을 읽고 물음에 답하시오.

문화나 사회 현상에 대한 무조건적 관용은 오히려 아무도 관용을 보장받지 못하게 되는 ㉠관용의 역설에 빠지게 한다. 그래서 ㉡관용에 대한 한계 범위를 넘지 않도록 노력해야 한다.

(1) ㉠의 의미를 쓰시오.

(2) ㉡에 해당하는 범위 두 가지를 쓰시오.

12 다음 글을 읽고 물음에 답하시오.

불교에서는 다른 사람을 사랑하고 자신이 가진 것을 베푸는 자비를 강조한다. 그리스도교에서는 이웃에 대한 사랑을 강조하며, 이슬람교에서도 다른 사람에 대한 친절과 배려를 강조한다. 이처럼 대부분의 건전한 종교는 도덕성을 중시한다.

(1) 위에서 알 수 있는 종교들의 공통된 특징을 쓰시오.

(2) 종교 간의 갈등이 발생하는 원인이 무엇인지 서술하시오.

올쏘 상위 4% 문제

정답 및 해설 47쪽

| 수능 기출 응용 |

01 (가)의 갑, 을 사상가들의 입장을 (나)의 그림으로 나타낼 때, A~C에 해당하는 적절한 진술만을 《보기》에서 있는 대로 고른 것은?

(가)
갑: 종교는 신앙을 통해 진리로 나아갈 수 있도록 하는 매혹적이고 신비한 감정의 체험이다. 세계는 신비로 가득하므로 인간 이성이 과학적으로 인식하는 틀 속에 가둘 수 없다. 방향을 잡기 어려운 현실에서 종교를 통해 삶의 의미와 목적을 추구해야 한다.
을: 과학은 사실에 토대하며 현상이 어떻게 일어나는지 그 원인을 찾고 반증 가능성에 대해 열린 자세를 취해야 한다. 물리적인 것 외에는 실재성이 이성적으로 증명될 수 없으므로, 객관적으로 입증 가능한 사실에 근거하여 진리를 추구해야 한다.

(나)
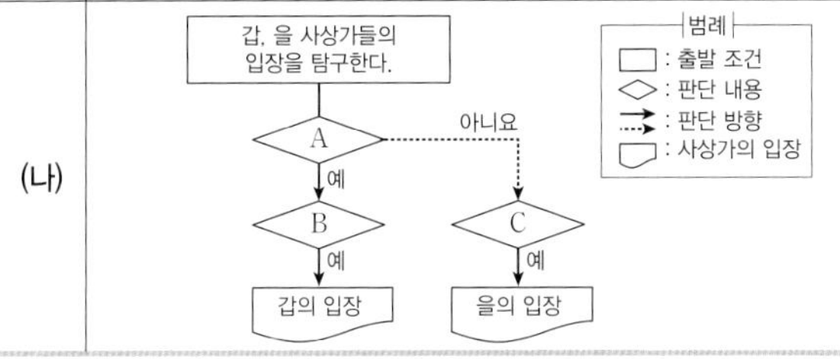

《보기》
ㄱ. A: 과학적 인식의 한계 내에서만 종교적 진리를 추구해야 하는가?
ㄴ. B: 직관적인 종교적 체험을 통해 삶의 진리와 목적을 찾을 수 있는가?
ㄷ. B: 종교적 지식은 오직 합리적인 근거에 의해서만 반증될 수 있는가?
ㄹ. C: 종교를 포함한 모든 진리를 객관적이고 실증적으로 탐구해 보아야 하는가?

① ㄱ, ㄴ ② ㄱ, ㄷ ③ ㄴ, ㄹ
④ ㄱ, ㄷ, ㄹ ⑤ ㄴ, ㄷ, ㄹ

02 다음 사상가의 주장으로 옳은 것을 《보기》에서 고른 것은?

우리는 나무를 단지 나무로 보면서도 동시에 나무 이상의 나무로 보기도 한다. 앞의 나무는 우리가 일상적으로 경험하는 나무로 속(俗)에 속하며, 뒤의 나무는 독특한 경험을 통해서만 드러나는 나무로 성(聖)에 속한다. 초자연적인 것은 자연적인 것과 불가분의 관계에 있으며, 세계는 그것을 초월하는 어떤 것을 드러낸다. 따라서 인간이 느끼고, 접촉하고, 사랑한 모든 것은 '성의 드러남'이 될 수 있다.

《보기》
ㄱ. 현실 속에 성스러움과 속됨이 공존함을 알아야 한다.
ㄴ. 초자연적인 것은 배제하고, 자연적인 것을 추구해야 한다.
ㄷ. 세속적인 것에도 성스러움이 드러날 수 있음을 알아야 한다.
ㄹ. 과학적 탐구 방법을 통해 성스러운 자연물을 찾아야 한다.

① ㄱ, ㄴ ② ㄱ, ㄷ ③ ㄴ, ㄷ
④ ㄴ, ㄹ ⑤ ㄷ, ㄹ

03 갑은 부정, 을은 긍정의 대답을 할 질문으로 가장 적절한 것은?

갑: 이민자들이 기존에 자신들이 가지고 있는 언어, 문화, 사회적 특성을 완전히 포기할 때에만 주류 사회의 일원으로 수용해야 한다. 주류 사회는 자국의 구성원이 될 준비가 끝나고, 기존의 문화적 정체성을 포기한 사람에 한하여 부분적으로 구성원으로서의 자격을 부여해야 한다.
을: 이민자들은 자신들만의 문화적 정체성을 유지할 수 있어야 한다. 어느 나라라도 소수 민족의 문화를 자국의 문화와 대등하게 공존할 수 있도록 정책적으로 도와주어야 한다. 이민자들은 누구든지 자신의 언어와 습관, 종교 등을 부정하지 않고 기존의 사람들과 공존할 수 있어야 한다.

① 이주민들이 자신의 문화를 포기해야만 주류 사회에 편입할 수 있는가?
② 이민자들의 문화를 주류 문화로 편입시켜 보다 나은 문화로 탄생시켜야 하는가?
③ 주류 사회에서는 이민자의 문화적 정체성을 구분하여 선별적으로 받아들여야 하는가?
④ 이민자들의 고유한 정체성을 인정하면서도 기존 문화보다 열등한 것을 인정해야 하는가?
⑤ 이민자들의 소수 문화가 고유한 정체성을 잃지 않고 기존 문화와 대등하게 공존해야 하는가?

| 평가원 기출 응용 |

04 갑, 을의 입장에 대한 옳은 설명을 《보기》에서 고른 것은?

갑: 도덕의 최종 근거는 만물을 창조한 신의 영역에서 찾아야 합니다. 불완전한 인간의 판단은 오류가 가능하지만 신의 명령은 무조건 옳기 때문입니다.
을: 신의 명령과 상관없이 그 자체로 옳은 보편타당한 도덕 원리가 있습니다. 인간은 타고난 이성 능력으로 그러한 원리를 인식하여 선악을 판단할 수 있습니다.

《보기》
ㄱ. 갑: 보편적인 도덕 판단의 기준은 존재할 수 없다.
ㄴ. 갑: 종교적 믿음이나 권위는 도덕 판단의 최종 근거가 될 수 있다.
ㄷ. 을: 도덕 판단은 신에 대한 신념보다 합리적 이성에 근거해야 한다.
ㄹ. 을: 모든 인간의 이성적 판단은 어떤 상황에서도 오류를 일으키지 않는다.

① ㄱ, ㄴ ② ㄱ, ㄹ ③ ㄴ, ㄷ
④ ㄴ, ㄹ ⑤ ㄷ, ㄹ

15 갈등 해결과 소통의 윤리 & 민족 통합의 윤리

출제 경향
★소통과 담론의 윤리
★분단 비용, 평화 비용, 통일 비용, 통일 편익

01 갈등 해결과 소통의 윤리

1. 사회 갈등과 사회 통합

(1) 현대 사회의 갈등

지역 갈등	지역 발전 시설, 투자 유치 과정에서 대립과 충돌
세대 갈등	일자리 문제나 노인 부양 문제 등
이념 갈등	이념의 차이로 인한 대립과 충돌

(2) 사회 갈등의 원인: 생각이나 가치관의 차이, 이해관계의 대립, 원활한 소통의 부재

(3) 사회 통합의 필요성 및 실현 방안

① 사회 통합의 필요성: 개인의 행복한 삶 실현, 사회 발전 및 국가 경쟁력 강화, 갈등 해결을 위한 사회적 비용 발생

② 사회 윤리의 기본 원리

연대성	인간은 사회의 일부, 공동체에 참여하고 서로 긴밀하게 연결됨
공익성	사익뿐만 아니라 공익을 존중할 때 자신의 인간 존엄성도 보장 가능
보조성	• 개인이나 공동체가 제대로 기능하지 못하면 국가의 도움이 필요 • 국가는 개인이나 공동체의 권리를 침해하지 않으면서 도와줘야 함

③ 사회 통합을 위한 노력

제도적 차원	공정한 절차의 법치주의 준수
의식적 차원	대화와 토론, 다양성 인정

2. 소통과 담론의 윤리

(1) 소통과 담론의 윤리 빈출 자료 01

공자의 화이부동(和而不同)	• "군자는 다른 사람들과 평화롭게 지낸다. 하지만 그들과 동화되어 같아지지는 않는다." • 자기 것을 지키되 남의 것도 존중 → 서로 다른 생각이 공존
스토아학파의 세계 시민주의	모든 사람을 세계의 동등한 시민으로 대우해야 함
원효의 화쟁 사상	• 일심(一心)을 통한 극복: 여러 교설은 부처의 가르침으로부터 나온 것임을 깨달아야 함 • 의의: 각자의 입장에서 벗어나 대승적으로 융합해야 함 → 자신에 대한 집착과 상대에 대한 편견을 버려야 함
하버마스의 담론 윤리	• 합리적인 의사소통의 과정을 거쳐 대화의 당사자들이 합의한 결과를 수용하고 의무로 받아들임 • 합리적인 의사소통을 위한 조건: 돈이나 권력에 대한 왜곡과 억압이 없어야 함, 대화 당사자들의 개방성, 평등성, 호혜성이 지켜져야 함, 합의된 규범이 보편적인 도덕 원리가 되기 위해서는 진리성, 정당성, 진실성을 가져야 함
아펠의 담론 윤리적 책임	의사소통 공동체의 구성원들의 숙고적 책임 강조, 담론에 참여해야 할 책임과 공동체를 유지해야 할 책임을 동시에 지님

(2) 담론 윤리의 한계와 의의

한계	• 도덕규범의 구체적 내용이나 삶의 방향성을 제시하지 않음 • 합의된 내용에 대해 도덕적으로 옳고 그름을 평가하기 어려움
의의	• 현대 사회의 다양한 문제를 합리적 의사소통을 통해 해결하고자 함 • 담론 과정을 통해 규범의 정당성을 확보하고자 함

02 민족 통합의 윤리

1. 통일 문제를 둘러싼 쟁점

(1) 통일에 관한 입장 차이

찬성	이산가족의 고통 해소, 민족의 동질성 회복, 전쟁의 공포 해소, 군사비 감소를 통한 복지 혜택 증가, 국제적 위상 제고
반대	오랜 분단으로 인한 문화적 이질감, 북한에 대한 거부감, 막대한 통일 비용 발생, 사회적·정치적·군사적 혼란과 갈등 가능성

(2) 통일 비용과 분단 비용 빈출 자료 02

통일 비용	• 의미: 통일 과정과 통일 이후에 남북한의 경제적 격차를 해소하고 이질적인 요소를 통합하는 데 필요한 비용 • 특징: 통일 과정 및 통일 이후에 한시적으로 발생하는 투자 성격의 비용으로 다양한 통일 편익으로 이어짐
평화 비용	• 의미: 통일 이전에 투입되는 비용, 한반도의 평화를 유지하고 정착시키기 위한 비용 • 특징: 분단 비용, 통일 비용 절감에 도움
분단 비용	• 의미: 분단으로 인해 남북한이 부담하는 유무형의 모든 비용 • 특징: 분단이 이어지는 동안 발생하는 소모적 성격의 비용
통일 편익	• 의미: 통일에 따른 보상과 혜택 • 특징: 통일 이후에 지속적으로 발생, 한시적인 통일 비용보다 큼

(3) 바람직한 통일 방법

① 평화적 방법을 통해 점진적·단계적으로 이루어져야 함

② 국민적 이해와 합의에 기초하여 민주적으로 이루어져야 함

③ 주변국들과의 협력 강화 → 한반도의 통일 지지

2. 통일이 지향해야 할 가치

(1) 통일 한국이 지향해야 할 가치

평화	전쟁의 공포가 사라진 평화로운 국가 지향
자유	자신의 신념과 선택에 따른 자유로운 삶이 보장되는 국가 지향
인권	모든 사람의 존엄과 가치가 존중되는 인권 국가 지향
정의	모두가 합당한 대우를 받는 정의로운 국가 지향

(2) 남북 화해 및 평화 실현을 위한 노력

개인적 차원	소통과 배려 실천, 북한에 대한 올바른 인식, 통일에 대한 관심
국가적 차원	안보 기반 구축과 신뢰 형성, 평화적 통일을 위한 체계적인 준비, 국제 사회와의 협력 강화

(3) 통일 한국의 미래상

수준 높은 문화 국가	• 고유의 전통문화 유지 → 대륙과 해양 문화의 주체적 수용 • 세계 문화 발전의 매개자 역할, 세계적 문화 국가 형성
자주적인 민족 국가	• 자주적 역량 발휘의 장애 요인 제거 • 정치, 군사, 경제, 문화 측면에서의 자주적 민족 국가 건설
정의로운 복지 국가	• 구성원의 삶의 질 향상 • 불공정한 분배와 집단, 계층 간 갈등 해소
자유로운 민주 국가	• 국민의 의사가 반영되는 국민을 위한 정치의 실현 • 비민주적 사회 구조 및 제도의 개선

빈출 특강

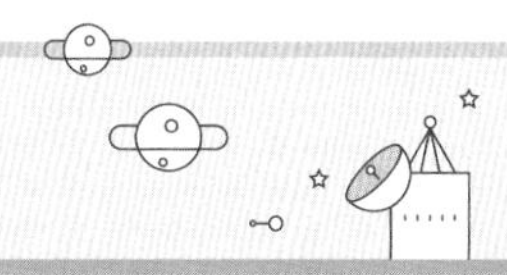

대표 유형

빈출 자료 01 하버마스의 담론 윤리 | 연계 문제 → 115쪽 06번

- 과학 기술의 비약적 발전 과정에서 우리는 이성의 도구적 측면만을 중시하고 의사소통적 측면을 간과하였다. 의사소통적 이성은 사회 집단이 자신들의 생활을 규제하는 규범을 새롭게 구축하는 과정에서 요구된다. 즉, 그것은 '담론'의 상황에서 작동되는데, 이른바 '공론장'에서 논증의 형태로 나타난다.
- 이상적 대화 상황은 자유롭고 평등한 토의가 이루어지는 상황으로, 더 나은 주장에 근거하여 도달한 합의에 따라서만 규제되는 상황을 말한다. 이러한 대화 상황을 위해서는 첫째, 표현의 이해 가능성으로, 이해 가능성을 사실적으로 전제해야 한다. 둘째, 표현하는 명제는 참된 명제이어야 한다. 셋째, 제시하는 의견이 규범적 맥락에서 정당해야 한다. 넷째, 말하는 주체가 진실하여야 하며 진지한 발언 태도를 지녀야 한다. 따라서 대화 상황에 참여하는 사람들은 본인이나 다른 대화 상대자를 기만하거나 속일 의도를 가져서는 안 된다. 또한, 대화 참여자에게 각각 담론에 효율적으로 참여할 기회가 평등하게 주어져야 한다.

| 자료 분석 | 하버마스의 입장이다. 하버마스는 가치의 충돌을 합리적으로 조정하여 도덕적 갈등을 공정하게 해결하는 것이 중요하다고 보고, 도덕 판단의 정당성을 공적 담론에서 찾았다. 그는 담론 상황에서 이상적 대화 상황이 이루어져야 한다고 강조하였다. 이는 모든 사람이 평등하게 대화 상황에 참여하고 자유롭게 의견을 제시할 수 있어야 하며, 옳고 진실한 의견을 제시하고 대화에 참여한 상대방이 이해할 수 있는 말을 해야 한다는 것이다.

빈출 자료 02 통일 비용과 분단 비용 | 연계 문제 → 116쪽 09번

(가) ㉠ 분단 비용이란 전쟁 위험으로 인해 과도하게 지출되는 군사비처럼 분단으로 인해 생겨나는 사회적 · 경제적 · 문화적 손실 등을 말한다. 군사비뿐만 아니라 남북한이 외교 경쟁을 위해 세계 각국에 들이는 외교 비용, 남북한이 중복 투자하는 기술 개발비는 물론이고, 이산가족 문제 해결에 드는 비용 및 분단에 따른 산업 구조의 왜곡 때문에 초래되는 손실 등도 넓은 의미의 분단 비용에 포함될 수 있다.

(나) ㉡ 통일 비용이란 이데올로기에 의해 분리되었던 두 체제가 통합 후 부담해야 할 비용으로, 우리나라의 경우 통일 한국이 통일로 인해 부담해야 할 모든 경제적 · 비경제적 비용이 이에 해당한다. 통일 비용은 소비하는 돈이 아니라 우리 민족에게 투자하는 것이므로 '통일 투자'라는 개념으로 생각해야 한다. 또 분단 비용은 분단이 해소되지 않는 한 계속 지출되지만 통일 비용은 10년 정도만 지불하면 된다. 게다가 분단 비용의 상당 부분은 외국에 지불하지만 통일 비용은 우리나라에 쓰이므로 그만큼 우리 경제 성장으로 되돌아온다.

| 자료 분석 | 분단 비용은 파괴적이고 소모적인 비용이다. 또 통일 비용은 건설적이고 창조적인 비용이다. 눈에 드러나는 수치만으로 통일 비용에 대해 우려할 것이 아니라 통일의 이면에 보이지 않는 이익들을 제대로 평가해 보면, 분단 비용의 지불보다 통일 비용의 지불이 더 이익임을 알 수 있다.

자주 나오는 오답 선택지

빈출 자료 01 에서 자주 나오는 오답 선택지

① 토론의 절차가 아니라 토론의 결과만을 중시해야 한다.
→ 하버마스는 토론의 결과가 아닌 문제 해결을 위한 담론의 과정, 즉 절차를 중시한다.

② 시민 사회보다 관련 국가 기관이 주도하여 정책을 수립해야 한다.
→ 하버마스는 국가 기관보다 시민 사회가 주도하여 정책을 수립해야 한다고 본다.

③ 이익 집단 간의 세력 균형이 이루어지도록 정책을 수립해야 한다.
→ 하버마스는 권력 집단의 이익보다 시민 사회의 담론에 따라 정책을 수립해야 한다고 본다.

④ 정책 수립 과정에 있어서 효율성을 최고의 기준으로 삼아야 한다.
→ 하버마스는 정책 수립 과정의 효율성보다는 시간과 비용이 더 들어가더라도 공론의 장에서 의사소통을 통해 새롭게 보편화 가능한 도덕규범을 구축하는 과정을 중시한다.

⑤ 담론의 참여자들은 서로의 주장을 비판해서는 안 된다.
→ 하버마스에 따르면 담론에 참여한 사람들은 누구나 평등하게 의사소통 과정에 참여할 수 있어야 하고, 어떤 주장이든 자유롭게 개진할 수 있어야 한다.

⑥ 공적 문제에 대한 문제 제기는 민주주의의 발전을 저해한다.
→ 하버마스는 시민은 누구나 평등하게 담론에 참여할 수 있고, 어떤 주장이든 자유롭게 개진할 수 있기 때문에 공적 문제에 대한 담론은 민주주의를 더욱 발전시킨다고 본다.

⑦ 토론의 결과가 반영된 법에 대해 다시 토론해서는 안 된다.
→ 하버마스는 토론의 결과로 만들어진 법이라도 나중에 문제가 발생할 수 있기 때문에 다시 토론할 수 있다고 본다.

⑧ 정치적 문제 해결을 위해 공적 토론을 권장할 필요는 없다.
→ 하버마스는 정치적 문제와 관련된 공적 결정에 있어 시민들의 참여가 중요하므로 공적 토론이 활발하게 이루어져야 한다고 본다.

빈출 자료 02 에서 자주 나오는 오답 선택지

① ㉠은 통일을 준비하는 과정에서 발생할 수 있는 전쟁 위기와 안보 불안을 해소하고 평화를 유지하기 위해 지출하는 비용이다.
→ ㉢에 대한 설명이다.

② ㉠은 통일 이후에도 지속적으로 발생한다.
→ 분단 비용은 통일 이후에는 발생하지 않는다.

③ ㉠은 통일로 얻게 되는 경제적 · 경제 외적 보상과 혜택을 말한다. → 통일 편익에 대한 설명이다.

④ ㉠에는 제도 통합 비용, 위기 관리 비용, 경제적 투자 비용 등이 해당한다. → ㉡에 해당한다.

⑤ ㉡에는 대북 지원에 소요되는 비용, 남북 경제 협력에 쓰이는 비용이 해당한다. → ㉠에 해당한다.

⑥ ㉡에는 전쟁 가능성에 대한 공포, 이산가족의 고통, 이념적 갈등과 대립이 해당한다. → ㉠에 해당한다.

⑦ ㉡은 통일 이전에 한반도의 평화를 유지하고 정착시키기 위한 비용이다. → 평화 비용에 대한 설명이다.

⑧ ㉡은 분단 상태가 지속하여 발생하는 경제적 · 경제 외적 비용의 총체이다. → ㉠에 대한 설명이다.

VI

시험에 꼭 나오는 문제

개념 확인 문제

01 다음 내용이 옳으면 ○, 틀리면 ×표 하시오.

(1) 기술이나 규범의 변화에 빠르게 적응하는 세대와 상대적으로 그렇지 못한 세대 간의 갈등이 심화되고 있다. (　　)

(2) 사회 갈등은 한정된 사회적 자원을 놓고 집단 간에 이해관계가 충돌할 때 발생한다. (　　)

(3) 구성원들은 공익 대신 사익을 추구할 때 자신의 인간 존엄성 역시 보장받을 수 있다. (　　)

(4) 바람직한 통일은 정치적 · 군사적 측면에서 빠르게 이루어져야 한다. (　　)

02 빈칸에 들어갈 알맞은 말을 쓰시오.

(1) (　　)은/는 다른 지역에 대한 편견이나 좋지 않은 감정 내지 지역 발전을 위한 시설이나 투자 유치 과정에서 벌어지는 지역 간 대립과 충돌이다.

(2) 원효는 (　　) 사상을 통해 모든 이론적 종파의 특수성과 상대적 가치를 충분히 인정하는 바탕에서 더 높은 차원으로 통합을 추구함으로써 조화를 이루고자 하였다.

(3) 하버마스는 개인의 주관적인 도덕 판단만으로는 규범이 성립될 수 없기 때문에 (　　)이/가 필요하다고 주장하였다.

03 다음에서 설명하는 개념을 《보기》에서 골라 쓰시오.

《보기》
ㄱ. 분단 비용　　ㄴ. 통일 비용
ㄷ. 평화 비용　　ㄹ. 통일 편익

(1) 통일 이후 남북한의 경제 격차를 해소하고 이질적 요소를 통합하기 위한 비용이다.

(2) 통일로 얻게 되는 보상과 혜택을 말한다.

01 다음 사진에 나타난 갈등을 해결하기 위한 자세로 옳은 것은?

① 노사는 모두 상대방의 주장을 무조건 수용해야 한다.
② 노사는 갈등이 무조건 나쁜 것이므로 회피해야 한다.
③ 노사는 협상을 하기보다 사회의 결정을 수용해야 한다.
④ 노사는 정부가 제시한 결정을 우선적으로 따라야 한다.
⑤ 노사는 서로 상대방의 입장을 이해하고 조화를 추구해야 한다.

02 다음 대화와 같은 사회 갈등의 원인만을 《보기》에서 있는 대로 고른 것은?

> 갑: 쓰레기 소각장을 우리 지역이 설치하는 건 적절하지 않습니다. 이곳엔 남는 부지가 없습니다. 두 후보지 중에 그쪽 지역에 설치하는 게 적절해요.
> 을: 남는 부지가 없는 건 여기도 마찬가지입니다. 지난 번에 우리 지역에 발전소를 지었으니 이번엔 그 지역 차례입니다.
> 갑: 그건 그거죠. 왜 지난 번 일을 꺼냅니다. 그와는 관련 없이 결정해야 하는 문제입니다.
> 을: 됐고요. 우리 지역은 한 번 희생했으니 그쪽 지역도 한 번 희생할 차례입니다.

《보기》
ㄱ. 특정 집단의 이익을 추구하기 때문이다.
ㄴ. 사회 현상에 대한 생각이나 가치 판단이 동일하기 때문이다.
ㄷ. 자신의 생각만을 절대시하고 타인의 생각을 무시하기 때문이다.
ㄹ. 소통이 부족하거나 한쪽에게만 유리한 결론이 도출되기 때문이다.

① ㄱ, ㄴ　② ㄱ, ㄷ　③ ㄴ, ㄹ
④ ㄱ, ㄷ, ㄹ　⑤ ㄴ, ㄷ, ㄹ

03 ㉠~㉢에 해당하는 사회 윤리의 기본 원리를 바르게 연결한 것은?

> 인간은 고립되어 살아가지 않으며 사회의 일부로서 공동체의 일에 참여하고 서로 긴밀하게 연결되어 있다. 따라서 ㉠구성원들 간에는 함께 살아가야 한다는 것을 인식하고 공통으로 나누어 가지는 귀속 의식이 필요하다. 또한 ㉡사회 구성원들은 사익뿐만 아니라 공익을 존중할 때 자신의 인간 존엄성 역시 보장받을 수 있다. 만약 개인이나 소규모 공동체가 제대로 기능을 못하여 국가의 도움을 받아야 할 경우, ㉢국가는 개인이나 공동체의 권리를 침해하지 않으면서 이들을 도와주어야 한다.

	㉠	㉡	㉢
①	연대성	공익성	보조성
②	연대성	공공성	보완성
③	통합성	공공성	보조성
④	공동체성	효율성	신뢰성
⑤	공동체성	공익성	신뢰성

04 ㉠에 들어갈 말로 가장 적절한 것은?

"군자는 다른 사람들과 평화롭게 지낸다. 하지만 그들과 동화되어 같아지지는 않는다."라는 말에서 알 수 있듯이, 공자는 자기 것을 지키되 남의 것도 존중하여 서로 다른 생각이 공존하도록 노력해야 한다는 [㉠]의 정신을 제시하였다. 이는 갈등 극복의 정신적 바탕이 될 수 있다.

① 동이불화(同而不和)　② 화이부동(和而不同)
③ 온고지신(溫故知新)　④ 동도서기(東道西器)
⑤ 근묵자흑(近墨者黑)

05 갑의 입장에서 〈문제 상황〉을 해결하기 위한 조언으로 적절한 것을 《보기》에서 고른 것은?

갑: 내가 옳고 그르다는 시비(是非)의 다툼은 나와 다른 사람을 구분하여 자신만의 입장을 정당화하기 때문에 발생한다. 여러 교설은 모두 부처의 가르침에서 비롯된 것이며, 그것이 지향하는 바는 모두 깨달음이라는 점에서 한마음[一心]이다.

〈문제 상황〉

국회 환경 노동 위원회가 '정년 60세 연장법'을 통과시켜 정년이 60세 이상으로 늘어난다. 재계는 정년 연장을 의무화하면 인건비 등 부담이 커질 것이라고 우려하는 반면, 노동계는 일하는 사람은 줄고 부양할 고령자가 급속도로 늘어나는 상황에서 정년 연장은 효과적인 대처법이라며 환영하고 있다.

《 보기 》

ㄱ. 자신에 대한 집착과 상대방에 대한 편견을 버려야 한다.
ㄴ. 이것 아니면 저것이라는 흑백만 존재한다는 생각을 가져야 한다.
ㄷ. 나의 기준에서 판단하는 것이 전부이고 진리라고 생각해야 한다.
ㄹ. 특수하고 상대적인 각자의 입장에서 벗어나 대승적 차원에서 융합해야 한다.

① ㄱ, ㄴ　② ㄱ, ㄹ　③ ㄴ, ㄷ
④ ㄴ, ㄹ　⑤ ㄷ, ㄹ

유사 선택지 문제

05_ ❶ 갑에 따르면 다양성을 인정하면서 더 높은 차원의 통합을 추구해야 한다. (○ / ×)

05_ ❷ 갑에 따르면 상황의 일면만을 보고 전체를 판단해야 한다. (○ / ×)

05_ ❸ 갑에 따르면 편견과 집착을 넘어 소통하면서 대립을 극복해야 한다. (○ / ×)

빈출 문제 연계 자료 → 113쪽 빈출 자료 01

06 다음 사상가의 주장과 일치하는 관점에 모두 'V'를 표시한 학생은?

우리가 사는 생활 속에는 의사소통의 합리성이 작용하고 있다. 의사소통의 합리성이란 상호 간의 논증적인 토론 과정을 거쳐 보편적인 합의에 도달하는 것을 말한다. 인간은 사회적 존재로서 자신을 비롯한 다른 구성원들 모두 의사소통의 합리성을 지니고 있고, 다른 사람의 주장을 수용하거나 거부할 수 있으며, 자신의 의사 표현에 대해 책임을 질 수 있는 존재이다.

관점 \ 학생	갑	을	병	정	무
다른 사람의 주장을 거부해서는 안 된다.	V	V		V	
담론에 참여할 기회가 모든 사람에게 개방되어야 한다.	V		V		V
담론에 참여한 사람들은 누구나 평등하게 발언할 수 있어야 한다.		V		V	V
담론 과정의 참여자들은 합의된 규범을 실천할 것을 상호 기대할 수 있어야 한다.			V	V	V

① 갑　② 을　③ 병　④ 정　⑤ 무

유사 선택지 문제

06_ ❶ 하버마스에 따르면 생활에서 의사소통의 합리성을 전제로 해야 한다. (○ / ×)

06_ ❷ 하버마스에 따르면 서로를 이해하여 합의를 이루어 나가는 과정을 중시해야 한다. (○ / ×)

06_ ❸ 하버마스에 따르면 서로 간의 논증적인 토론 과정을 거쳐 보편적인 합의에 도달해야 한다. (○ / ×)

07 ㉠에 해당하는 내용으로 적절하지 않은 것은?

하버마스는 수많은 의견이 갈등하는 다원주의 사회에서도 대화와 타협, 담론(談論)으로 공정하게 판단하고 이상적인 합의에 도달할 수 있다고 보았다. 특히 그는 담론 상황에서 ㉠이상적 대화 상황이 이루어져야 한다고 강조하였다.

① 옳고 진실한 의견을 제시해야 한다.
② 타인의 주장에 대해 비판하지 말아야 한다.
③ 누구나 평등하게 대화 상황에 참여할 수 있어야 한다.
④ 어떤 주장이든 자유롭게 의견을 제시할 수 있어야 한다.
⑤ 대화에 참여한 상대방이 이해할 수 있는 말을 해야 한다.

08 다음은 신문 칼럼의 일부이다. ㉠에 들어갈 제목으로 가장 적절한 것은?

○○ 신문 ○○○○년 ○월 ○일

칼 럼

㉠

남북한의 진정한 통합을 위해서는 먼저 남북한 사람들 간의 이해와 화해 그리고 서로 간의 신뢰 회복이 중요하다. 이를 위해 우리는 남과 북을 나누어 차별하지 않고 서로 다름을 수용하여 존중하는 삶의 자세를 지녀야 한다. ……

① 국제 사회에 보이기 위한 외형적 통일의 중요성
② 남북한 문화적 갈등을 줄이기 위해 필요한 자세
③ 북한 주민의 경제적 자립을 위한 국제 사회의 원조
④ 남한의 주류 문화에 북한의 문화를 통합시키는 방안
⑤ 남북한의 정치 · 경제의 발전을 통해 이룬 진정한 통합

(빈출 문제) 연계 자료 → 113쪽 빈출 자료 02

09 ㉠~㉢에 대한 설명으로 옳은 것은?

통일에 대한 입장의 차이는 주로 [㉠]에 대한 인식의 차이에 기인한다. 남북통일 이후 막대한 [㉠]이/가 들 것으로 보이며, 이를 부담스럽게 여겨 통일에 소극적인 사람들도 있다. 그러나 남북통일이 된다면 분단 상황에서 영구히 지출되어야 할 [㉡]을/를 지출하지 않아도 되고, 남북 경제 통합으로 시너지 효과가 발생하는 등 장기적으로 더 큰 [㉢]을/를 기대할 수 있다.

① ㉠은 통일 한국을 실현하는 투자 성격의 생산적 비용이다.
② ㉠은 남북통일로 얻을 수 있는 경제적 · 비경제적 편익이다.
③ ㉡은 북한의 생산 및 기반 시설 확충, 남북한 철도 연결 등의 경제적 비용이다.
④ ㉡은 남북한 주민 간에 발생할 수 있는 사회적 갈등을 해소하기 위해 지출되는 비용이다.
⑤ ㉢은 분단으로 인한 대결과 갈등 때문에 지출되는 유 · 무형의 비용이다.

유사 선택지 문제

09_ ❶ ㉠은 국방비, 외교적 경쟁 비용 등의 소모성 지출 비용이다. (○ / ×)

09_ ❷ ㉡은 이산가족과 국군 포로 및 납북자 가족의 슬픔과 고통, 남남 갈등 등을 해소하기 위해 지출되는 비용이다. (○ / ×)

09_ ❸ ㉢은 통일 이후 경제 통합으로 시장의 규모가 확대되면서 교역의 증가, 생산성 향상, 국토의 효율적 이용 등이 있다. (○ / ×)

10 다음 수업 장면에서 교사의 질문에 대한 답으로 적절하지 않은 것은?

① ㉠ ② ㉡ ③ ㉢ ④ ㉣ ⑤ ㉤

서술형 문제

11 갈등이 해결되고 소통이 이루어지는 사회를 만들기 위해 그림의 (가), (나)에 들어갈 내용을 서술하시오.

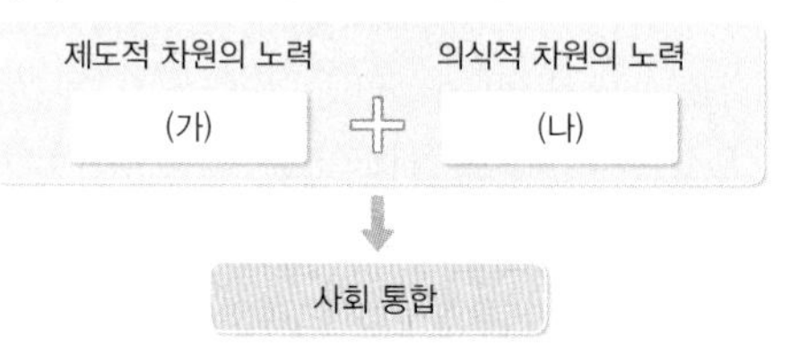

12 다음 글을 읽고 물음에 답하시오.

우리는 평화 통일을 바탕으로 통일에 쓰이는 비용을 최소화할 수 있는 방법을 모색해야 한다. 이와 관련하여 우리는 [㉠]을/를 고려해 보아야 한다. 이는 통일을 준비하는 과정에서 발생할 수 있는 전쟁 위기와 안보 불안을 해소하고 평화를 유지하기 위해 지출되는 비용이다.

(1) ㉠에 들어갈 말을 쓰시오.

(2) ㉠이 가져다 줄 혜택에 대해 서술하시오.

상위 4% 문제

정답 및 해설 50쪽

| 평가원 기출 응용 |

01 다음 서양 사상가의 입장에서 긍정의 답을 할 질문으로 적절한 것은?

> 오늘날 시민들은 공적 장소에서 토론할 기회를 제대로 가질 수 없을 뿐만 아니라, 그러한 공적 토론이 시민들에게 권장되지도 않는다. 시민들 간의 합리적 의사소통이 없으면 건강한 민주 사회를 유지할 수 없게 된다. 이러한 문제를 극복하기 위해서는 자유롭고 평등한 시민들에 의해 공적 문제에 대한 문제 제기와 토론이 활성화되어야 한다. 민주적 공론장에서 이성적인 시민들이 모두가 합의할 수 있는 논증의 형태로 대화에 참가하고, 그 토론의 결과가 법체계에 반영된다면 현대 사회의 다양한 정치적 · 윤리적 문제를 해결할 수 있을 것이다.

① 도덕 문제 해결의 토대를 공정한 담론 과정에 두어야 하는가?
② 도덕 행위의 토대는 주로 타인에 대한 배려의 감정에서 비롯되는가?
③ 도덕 판단의 정당성은 개인의 주관적 판단에 의해서만 이루어지는가?
④ 도덕 판단에서 유덕한 성품을 지닌 사람의 실천적 지혜를 가장 중시해야 하는가?
⑤ 도덕 문제 해결을 위해 가장 큰 효용을 가져오는 결과가 무엇인지를 최우선으로 생각해야 하는가?

| 평가원 기출 응용 |

02 그림의 강연자가 지지할 입장으로 적절하지 않은 것은?

① 공론장에서 기업과 정부가 시민의 의견을 경청해야 한다.
② 공론장에서 행정 및 경제 체계의 효율성을 강조해야 한다.
③ 공정한 담론 절차를 준수한 합의의 결과를 수용해야 한다.
④ 시민이 참여할 수 있는 공론장의 개방성을 유지해야 한다.
⑤ 공론장에서는 정확하고 이해 가능하며 진실한 말로 주장해야 한다.

| 교육청 기출 응용 |

03 ㉠에 들어갈 내용으로 적절한 것을 《보기》에서 고른 것은?

> 통일은 반드시 이루어져야 하는 민족 최대의 과업임에도 불구하고 우리 사회에서 통일의 필요성에 대한 부정적이고 회의적인 시각이 대두되고 있다. 분단의 장기화로 인해 국민들의 관심이 감소하고 통일 비용에 대한 부담감이 커지면서 통일의 당위성에 대한 논란이 가중되어 '남남(南南) 갈등'이 발생하고 있는 것이다. 그러므로 통일을 위한 '남남 갈등'을 극복하기 위해 [㉠] 노력이 필요하다.

《 보기 》
ㄱ. 통일 비용을 증대하여 통일 이후를 준비하는
ㄴ. 통일에 대한 국민적 공감대 형성을 우선하는
ㄷ. 현실적 평화를 지속하기 위해 분단을 유지하는
ㄹ. 국민적 이해와 합의에 기초하여 민주적으로 진행하려는

① ㄱ, ㄴ ② ㄱ, ㄹ ③ ㄴ, ㄷ
④ ㄴ, ㄹ ⑤ ㄷ, ㄹ

| 수능 기출 응용 |

04 다음 사례를 통해 우리나라가 통일을 준비하는 데 있어 얻을 수 있는 시사점으로 적절한 것을 《보기》에서 고른 것은?

> 갑작스럽게 통일이 이루어진 이후, 동서독 주민들은 통일 이전의 상이한 체제에서 비롯된 사고방식과 정서의 차이로 심각한 갈등을 겪었다. 서독인은 동독인을 가난하고 게으르다는 의미인 '오씨(Ossi)'로, 동독인은 서독인을 거만하고 잘났다는 의미인 '베씨(Wessi)'로 부르는 현상이 나타났다.

《 보기 》
ㄱ. 이데올로기적인 편향성에 기초한 통일 정책을 마련해야 한다.
ㄴ. 남북한의 조속한 통합을 위해 외형적인 통일을 강조해야 한다.
ㄷ. 남북한의 다양한 사회적 · 문화적 교류를 통해 단계적으로 통일을 추진해야 한다.
ㄹ. 남북한 주민들이 통일 이후에 겪게 될 갈등을 극복하기 위한 방안을 마련해야 한다.

① ㄱ, ㄴ ② ㄱ, ㄹ ③ ㄴ, ㄷ
④ ㄴ, ㄹ ⑤ ㄷ, ㄹ

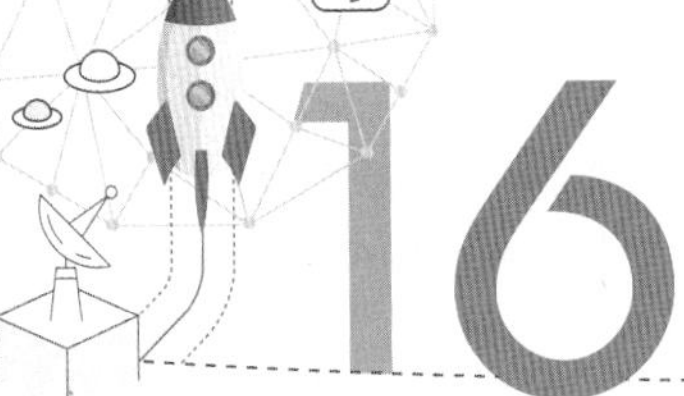

16 지구촌 평화의 윤리

출제 경향
★국제 관계에 대한 현실주의, 구성주의, 이상주의 입장
★칸트의 영구 평화론
★해외 원조에 대한 싱어, 롤스, 노직의 입장

01 국제 분쟁의 해결과 평화

1. 지구촌 시대의 국제 분쟁

(1) 국제 분쟁의 원인과 윤리적 문제

국제 분쟁의 원인	• 영역과 자원을 둘러싼 갈등 예 북극권을 둘러싼 여러 나라의 영역 및 자원 갈등, 영토 분쟁 등 • 문화적·종교적 차이에 따른 갈등 예 카슈미르 분쟁
윤리적 문제	지구촌 평화 위협, 인간의 존엄성과 정의 훼손

(2) 국제 분쟁의 해결과 지구촌 평화의 실현을 위한 노력

관련 사상	• 칸트의 환대권: 이방인이 적으로 간주되지 않고 존중받을 권리 • 묵자의 겸애 사상: 자국을 사랑하듯이 타국을 사랑할 것
국제적 차원	• 반인도적 범죄 처벌 강화 예 국제 형사 재판소 • 분쟁 중재를 위해 노력 예 국제 사법 재판소, 국제 해양법 재판소 • 분쟁에 대한 적극적인 개입 예 국제 연합 평화 유지군

(3) 국제 분쟁 해결에 대한 다양한 입장

현실주의	• 국가의 의무는 국민의 안녕과 국익을 지키는 것 → 국가의 이익이 도덕성과 충돌할 때 국가의 이익을 우선해야 함 • 국가의 힘을 키워 세력 균형을 유지하는 것이 중요함
구성주의	상대국과 어떤 관계를 맺고 어떻게 상호 작용을 하느냐에 따라서 국익이 좌우됨 → 상대국과의 긍정적인 상호 작용이 중요함
이상주의	• 국가의 이익보다는 인간의 존엄성, 자유, 평등과 같은 보편적 가치를 우선시해야 함 • 국제기구, 국제법과 같은 도덕성에 근거한 집단 안보를 형성하는 것이 중요함

2. 국제 평화의 중요성

(1) 전쟁에 관한 입장 빈출 자료 01

평화주의	• 무력은 어떤 형태이든 정당화될 수 없음 • 모든 형태의 전쟁과 무력의 사용 금지
현실주의	• 국가 간에는 도덕적 관계가 없으며, 자국의 이익만 있을 뿐임 • 자국의 이익을 위해 전쟁은 불가피한 측면이 있음
정의 전쟁론	• 무력이 정의를 수행하기 위한 수단이 될 수 있음 • 무고한 사람의 인권 보호 및 회복, 적국의 침입에 대한 방어 수단으로서의 전쟁은 허용될 수 있음 • 전쟁은 모든 평화적 수단을 동원한 다음에 수행되는 최후의 수단 • 왈처: 전쟁이 때로는 도덕적으로 정당화될 수 있음을 주장 • 아퀴나스: 정당한 전쟁의 세 가지 요건(적법한 군주의 권한=합법적 권위, 정당한 이유, 전쟁 수행자의 정당한 의도) 제시
영구 평화론	• 칸트: "평화는 저절로 주어지는 것이 아니라 스스로 만들어 가는 것이다."라고 하면서 전쟁을 없애야 한다고 주장함 • 국내적으로 내정 간섭을 받지 않는 공화제를 도입하고, 국제적으로 보편적 우호 관계에 따라 국제법을 적용하는 국제적 연맹 창설 구상

(2) 갈퉁의 적극적 평화 빈출 자료 02

① 소극적 평화와 적극적 평화를 구분함

② 직접적인 폭력으로부터 벗어난 소극적 평화뿐만 아니라 빈곤, 인권 침해, 정치적 억압, 종교적 차별과 같은 구조적·문화적 폭력까지도 제거된 적극적인 평화 상태 추구

02 국제 사회에 대한 책임과 기여

1. 국제 사회에 대한 책임

(1) 세계화의 의미와 책임

의미	과학 기술의 발전으로 지구 공간이 상대적으로 축소되고 이데올로기의 퇴조로 세계가 밀접하게 연결되는 현상
특징	정치, 경제, 문화, 교육 등 다양한 분야의 상호 의존성이 증대 → 교류를 통한 공동의 번영 기대, 전 지구적 문제의 공동 해결 기회 제공
문제점	• 선진국 중심의 세계화 → 강대국 중심의 시장과 자본의 독점 • 국가 간 빈부 격차와 절대 빈곤 문제 발생 → 인간다운 삶을 어렵게 함, 지구촌의 분배 정의 실현을 가로막음

(2) 국제 사회의 정의 실현

구분	형사적 정의	분배적 정의
의미	범죄의 가해자를 정당하게 처벌함으로써 실현됨	재화의 공정한 분배를 통해 실현됨
국제 정의를 해치는 사례	전쟁이나 집단 학살, 테러와 같이 무고한 생명을 앗아가며, 인간의 존엄성을 훼손하는 반인도주의적 범죄 등	특정 국가나 계층의 부의 편중으로 말미암은 빈곤과 기아
국제 정의 실현을 위한 노력	국제 형사 재판소를 상설화하여 반인도적 범죄의 가해자와 집단을 처벌함	공적 개발 원조를 통해 선진국이 빈곤 국가에 경제적 지원 및 기술 이전을 함으로써 부의 격차를 줄임

(3) 해외 원조의 윤리적 근거 빈출 자료 03

의무의 관점	칸트	• 타인의 곤경에 무관심한 태도는 보편적 윤리에 어긋남 • 약소국에 대한 선행의 실천은 도덕적 의무임
	싱어	• 이익 평등 고려 원칙에 따라 인종, 국적에 따른 차별 반대 • 공리주의 입장에 따라 해외 원조를 통해 빈곤에 따른 개인의 고통을 감소시킬 것을 강조
	롤스	해외 원조는 무질서로 인해 고통받는 국가가 '질서 정연한 사회'로 이행하도록 돕는 것으로, 사회 구조적 측면에서 이루어져야 함 → 차등의 원칙을 적용한 경제적 분배를 의미하는 것이 아님
자선의 관점	노직	• 개인의 절대적 소유권을 강조 • 원조와 기부는 개인의 자발적인 선택 → 훌륭한 일이자 윤리적 행위로 평가함

2. 국제 사회의 기여 노력

(1) 해외 원조의 목적

인도주의적 차원의 원조	• 인간 존엄성 실현 • 정치적 이해관계를 초월하기 때문에 평화로운 국제 사회를 만드는 데 기여함
이해관계나 외교 정책으로 인한 원조	원조 수혜국의 주인 의식이나 자립 능력을 약화시킬 수 있음 → 원조의 딜레마

(2) 해외 원조의 방식

직접적 원조	긴급한 구호를 위한 식량 및 의약품 제공, 구조대 파견 등
간접적 원조	인적 자원 개발, 인권 보호, 성 평등 실현, 환경 보호, 정보 통신 체계 구축 등

빈출 특강

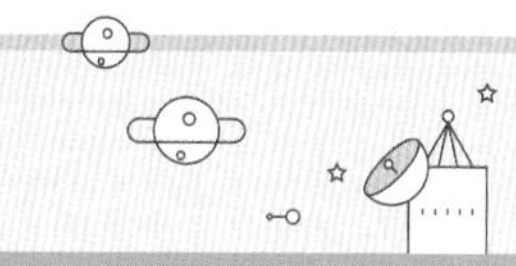

대표 유형

빈출 자료 01 전쟁에 관한 입장 | 연계 문제 → 122쪽 09번

> '전쟁'과 '정의'는 서로 반대 의미를 가진 단어처럼 보인다. 폭력과 파괴, 인명 살상을 수반하는 전쟁은 세계 평화를 위해 결코 바람직하지 않다는 것이 보편적인 생각이다. 이런 의미에서 정의로운 전쟁과 정의롭지 않은 전쟁을 구분하는 것은 자칫 위험해 보일 수 있다. 왜냐하면 정의로운 전쟁이라는 말은 마치 전쟁을 옹호하는 것처럼 들릴 수 있기 때문이다. 하지만 정의를 실현하기 위한 수단으로서의 전쟁은 필요하다.

| 자료 분석 | 제시문은 왈처의 정의 전쟁론이다. 왈처는 모든 국가가 평화 유지를 위해 힘써야 하지만 최후의 수단으로 전쟁이 정당화될 수 있음을 인정하였다. 왈처는 정의로운 전쟁의 정당화 조건으로 개전의 동기뿐만 아니라 그 과정과 결과까지 고려해야 한다고 보았다.

빈출 자료 02 갈퉁의 적극적 평화 | 연계 문제 → 124쪽 16번

> 폭력을 줄이는 것도 중요하지만, 폭력을 예방하는 것이 더 중요하다. 전자는 소극적 평화를 목표로 하지만, 후자는 적극적 평화를 지향하는 것이다. 따라서 전쟁, 테러, 폭행 등 신체에 직접 해를 가하는 직접적 · 물리적 폭력이 제거된 소극적 평화 상태뿐만 아니라, 억압, 착취 등의 구조적 폭력과 종교와 사상, 언어와 예술, 과학과 법, 대중 매체와 교육의 내부에 존재하는 문화적 폭력까지 모두 사라진 적극적 평화 상태를 추구해야 한다.

| 자료 분석 | 제시문은 갈퉁의 입장이다. 갈퉁은 전쟁이나 테러와 같은 물리적 · 직접적인 폭력이 없는 소극적 평화 상태와 물리적 폭력은 물론 종교, 사상, 언어, 예술, 학문 등의 이름으로 폭력이 합법화되거나 용인되는 문화적 폭력과 인간의 잠재 능력을 충분히 실현할 수 없는 상태의 사회 구조나 정치 구조를 가지는 구조적 폭력까지 사라진 적극적 평화 상태를 지향한다.

빈출 자료 03 해외 원조의 윤리적 근거 | 연계 문제 → 125쪽 20번, 22번

> 갑: 전 세계 사람들의 이익은 그 사람의 국적과 상관없이 동등하게 고려되어야 한다. 우리 모두는 세계 시민으로서 전 지구적 차원의 원조에 동참해야 한다.
> 을: 우리를 불가침의 개인들로 간주하는 정의로운 국가는 최소 국가뿐이다. 원조는 개인의 자유로운 선택에 근거해야 한다.
> 병: 만민은 정의롭거나 적정 수준의 사회 체제로 나아가는 데 있어서 불리한 여건으로 인해 고통받고 있는 사회의 국민들을 도와야 한다.

| 자료 분석 | 갑은 싱어, 을은 노직, 병은 롤스이다.

- 갑: 싱어는 인류 전체의 행복을 증진시켜야 한다는 공리주의적 입장에 입각하여 빈곤으로 고통받는 사람들을 돕는 것을 인류의 의무로 본다.
- 을: 노직은 개인이 정당하게 취득한 재산에 대한 배타적 소유권을 강조하면서 해외 원조는 개인의 자율적 선택에 맡겨야 한다고 본다.
- 병: 롤스는 빈곤의 원인이 정치적 · 사회적 제도의 결함에 있다고 보고, '질서 정연한 사회'에 살고 있는 만민은 불리한 여건으로 인해 '고통받는 사회', '질서 정연하지 않은 사회'에 대해 원조할 의무가 있다고 하였다.

자주 나오는 오답 선택지

빈출 자료 01 에서 자주 나오는 오답 선택지

① 개전의 선한 동기는 전쟁을 정당화한다.
→ 왈처는 개전의 선한 동기뿐만 아니라 전쟁 과정, 전쟁 이후까지 정의로워야 한다고 보았다.

② 정의 실현을 위한 전쟁은 도덕적 제약을 받지 않는다.
→ 왈처는 정의 실현을 위한 전쟁은 도덕적 제약을 받아야 한다고 보았다.

③ 전쟁 수행 과정의 정당성은 전쟁 동기의 정당성에 의해 결정된다.
→ 왈처는 정의로운 전쟁의 정당화 조건으로 개전의 동기만이 아니라 그 과정과 결과까지 고려해야 하며, 각 단계의 정당성이 그 이전이나 그 다음 단계의 정당성까지 보장하는 것은 아니라고 주장하였다.

④ 무력 개입은 인권 유린을 가하고 있는 당사국의 동의 하에 이루어져야 한다. → 왈처는 사람들에게 가해지는 잔악성과 고통의 정도가 극심하고 그 지역의 어떠한 세력도 문제 해결 능력이 없는 것처럼 보일 때 내전 개입을 해야 한다고 보았다.

빈출 자료 02 에서 자주 나오는 오답 선택지

① 적극적 평화를 위한 직접적인 폭력 사용은 인정되어야 한다.
→ 갈퉁은 평화를 위해 직접적인 폭력의 사용이 없는 상태를 지향한다.

② 직접적인 폭력과 달리 간접적인 폭력의 제거가 중요하다.
→ 갈퉁은 눈에 보이는 직접적인 폭력보다 눈에 보이지 않는 간접적인 폭력(구조적 폭력과 문화적 폭력)을 더 무서운 폭력이라고 규정하였으며, 직접적 폭력과 간접적 폭력 모두 제거되어야 한다고 보았다.

③ 국제 평화 개념은 국가 간에 전쟁이 없는 상태로 국한되어야 한다.
→ 갈퉁이 주장하는 국제 평화의 개념은 국가 간에 전쟁이 없는 소극적 평화뿐만 아니라 구조적 · 문화적 폭력까지 사라진 적극적 평화의 상태를 의미한다.

④ 폭력의 개념은 공인되지 않는 비합법적인 무력의 사용으로 한정된다. → 갈퉁은 폭력의 개념을 전쟁이나 테러와 같은 직접적인 무력 사용뿐만 아니라 문화적 폭력과 구조적 폭력도 포함하는 것으로 보았다.

빈출 자료 03 에서 자주 나오는 오답 선택지

① 갑은 원조의 의무를 실행하기 위한 과세는 강제 노동과 같다고 본다. → 을(노직)의 입장이다.

② 갑은 원조를 할 때 인종이나 국적을 고려해야 한다고 본다.
→ 갑(싱어)은 이익 평등 고려의 원칙에 따라 인종이나 국적에 상관없이 빈곤으로 고통받는 사람들을 도와야 한다고 본다.

③ 을은 원조를 인류의 행복 증진을 위한 의무 이행이라고 본다.
→ 갑(싱어)의 입장이다.

④ 을은 절대 빈곤 해결을 위한 원조를 보편적 의무로 간주한다.
→ 갑(싱어)의 입장이다.

⑤ 병은 지구촌의 모든 빈곤한 사람들에게 원조를 해야 한다고 본다.
→ 갑(싱어)의 입장이다.

⑥ 병은 국제 사회의 최소 수혜자에게 가장 유리하도록 원조해야 한다고 본다. → 병(롤스)은 최소 수혜자에게 최대 이익을 주는 차등의 원칙을 국제 사회에 적용하는 것에 반대한다. 그는 원조의 목적을 고통받는 사회를 질서 정연한 사회로 만드는 것이라고 본다.

⑦ 갑, 을, 병은 해외 원조를 통해 모든 국가들의 복지 수준을 균등하게 해야 한다고 본다. → 갑, 을, 병 모두 해당하지 않는다.

VI

시험에 꼭 나오는 문제

개념 확인 문제

01 다음에서 설명하는 개념을 《보기》에서 골라 쓰시오.

《 보기 》
ㄱ. 현실주의　　ㄴ. 구성주의　　ㄷ. 이상주의

(1) 국가의 이익이 도덕성과 충돌할 때 국가의 이익을 우선해야 한다는 입장이다.
(2) 상대국과 어떤 관계를 맺고 어떻게 상호 작용을 하느냐에 따라서 국익이 좌우된다는 입장이다.

02 다음에서 설명하는 개념을 쓰시오.

(1) 차별과 억압에서 벗어나 인권을 보장받는 삶의 질을 향상하는 평화의 개념이다.
(2) 국제 사회의 상호 의존성이 증가하고 세계가 긴밀하게 통합되어 가는 현상이다.
(3) 선진국의 정부 또는 공공 기관이 개발 도상국이나 국제기관에 도움을 주는 것이다.
(4) 무고한 사람의 인권 보호 및 회복, 적국의 침입에 대한 방어 수단으로 전쟁을 허용하는 입장이다.

03 다음 내용이 옳으면 ○, 틀리면 ×표 하시오.

(1) 싱어는 약소국에 대한 원조를 자선의 관점에서 보았다. (　　)
(2) 롤스는 원조의 목적을 고통받는 사회의 구조나 제도의 개선으로 보았다. (　　)
(3) 노직은 개인에게 원조의 의무를 부과하는 것을 소유권의 침해라고 보았다. (　　)

---

01 (가)~(다)의 사례에 해당하는 국제 분쟁의 종류를 바르게 연결한 것은?

(가) 동중국해에 매장되어 있는 천연가스와 석유 자원을 놓고 중국과 일본이 서로 영유권을 주장하며 분쟁 중이다.
(나) 유대인들이 1948년 이스라엘을 건국하면서 주변의 이슬람 국가들과의 분쟁이 야기되었고 네 차례의 중동 전쟁을 치렀다.
(다) 케냐에서는 대통령 선거에서 부정이 있었다는 의혹으로 서로 다른 후보를 지지하는 민족 간에 분쟁이 발생하였다.

	(가)	(나)	(다)
①	자원 분쟁	종교 분쟁	영토 분쟁
②	종교 분쟁	영토 분쟁	자원 분쟁
③	인종 · 민족 간의 분쟁	종교 분쟁	영토 분쟁
④	영토 분쟁	자원 분쟁	인종 · 민족 간의 분쟁
⑤	자원 분쟁	종교 분쟁	인종 · 민족 간의 분쟁

02 다음과 같은 국제 분쟁이 낳은 결과를 《보기》에서 고른 것은?

'인도의 화약고'로 불리는 인도령 카슈미르에서 분리주의 시위대와 경찰이 대규모로 충돌하면서 23명이 사망하고 수백 명이 다쳤다. 인도령 카슈미르는 힌두교를 믿는 인도에서 유일하게 이슬람 인구가 과반을 차지하고 있지만 1947년 인도와 파키스탄이 각각 영국으로부터 독립할 때 이슬람 국가인 파키스탄이 아닌 인도령이 됐다. 인도와 파키스탄은 독립 직후부터 이 지역의 영유권을 놓고 다툼을 벌였으며 전쟁도 치렀다. 1989년 이후부터는 독립이나 파키스탄 편입을 주장하는 10여 개 분리주의 반군이 인도 정부 측과 교전하면서 지금까지 6만 8,000여 명이 사망했다. – 연합 뉴스, 2016. 7. 11.

《 보기 》
ㄱ. 인류가 지향하는 보편적 가치가 훼손된다.
ㄴ. 지구촌 전체의 불안이 가중되고 평화를 위협받는다.
ㄷ. 반인도적 범죄의 가해자를 찾아 처벌하기가 용이하다.
ㄹ. 세계 시민으로서의 결합과 단결을 증폭시키는 계기가 된다.

① ㄱ, ㄴ　② ㄱ, ㄷ　③ ㄴ, ㄷ
④ ㄴ, ㄹ　⑤ ㄷ, ㄹ

03 (가) 사상의 입장에서 (나)의 문제를 해결하기 위해 제시할 조언으로 가장 적절한 것은?

(가)	남의 나라를 자신의 나라 보듯이 하고, 남의 집안 보기를 자신의 집안 보듯이 하며, 남 보기를 자신을 보듯이 한다. 그래서 제후들이 서로를 사랑하게 되면 침략과 약탈 전쟁이 일어나지 않고, 가장(家長)들이 서로 사랑하게 되면 재물과 목숨을 빼앗는 일이 없으며, 사람과 사람이 서로 사랑하게 되면 서로를 해치지 않는다.
(나)	팔레스타인 지역에 이스라엘이 국가를 수립하면서 유대인과 아랍인 간에 여러 차례 영토 분쟁이 발생하였다.

① 나와 너를 분별하지 말고 차별 없이 사랑해야 한다.
② 국제기구를 활용하여 화해와 중재를 실천해야 한다.
③ 국제 사회는 지구촌의 형사적 정의를 바로 세워야 한다.
④ 자국의 이익을 우선하여 국제 평화 유지에 힘써야 한다.
⑤ 국제 연합 평화 유지군 활동과 같이 분쟁에 적극 개입해야 한다.

04 다음 사상가가 긍정의 대답을 할 질문으로 가장 적절한 것은?

> 환대(歡待)란 이방인이 낯선 땅에 도착했을 때 적으로 간주하지 않는 것을 말한다. 모든 사람은 이방인을 적대적으로 다루어서는 안 된다. 환대의 권리는 인류가 지구 땅덩어리를 공동으로 소유함에 따라 자연적으로 부여된 권리이다. 이를 통해 지구상의 각 지역이 서로 평화적으로 관계를 맺게 되고, 인류는 세계 시민적 체제에 점차 가까이 다가설 수 있게 된다.

① 자국의 이익을 가장 중시해야 하는가?
② 영토를 확장하기 위한 전쟁은 허용될 수 있는가?
③ 자신의 이익을 위해 타인을 해치는 일은 정당한가?
④ 전쟁 방지를 위해 서로 존중하는 자세가 필요한가?
⑤ 평화를 실현하기 위해서는 군사력을 강화해야 하는가?

05 국제 관계에 대한 현실주의와 이상주의를 비교한 표이다. (가)~(다)에 들어갈 내용으로 적절하지 않은 것은?

구분	현실주의	이상주의
갈등의 원인	(가)	잘못된 제도, 무지, 오해
갈등의 해결	국가 간 세력 균형	(나)
한계	(다)	현실과 낙관적 전망 사이의 괴리

① (가): 자국의 이익을 최우선으로 함
② (가): 타 국가를 자국의 생존을 위협하는 잠재적 위협 요소로 인식함
③ (나): 국제기구, 국제법, 국제 규범을 통한 제도의 개선
④ (나): 국가 간의 대화와 협력을 바탕으로 한 국제 규범 규정
⑤ (다): 개인, 국제기구, 비정부 기구 등의 능동적 노력을 지나치게 강조함

06 ㉠, ㉡을 담당하는 국제기구를 바르게 연결한 것은?

> 지구촌 평화를 실현하기 위해서는 국제 사회의 다양한 노력이 필요하다. 우선 ㉠반인도적 범죄를 저지른 가해자를 엄정하게 처벌하여 피해자의 고통을 해소해야 한다. 또한 ㉡다양한 국제 분쟁을 중재하여 평화롭게 해결해야 한다.

	㉠	㉡
①	국제 사법 재판소	국제 형사 재판소
②	국제 사법 재판소	국제 해양법 재판소
③	국제 형사 재판소	국제 사법 재판소
④	국제 해양법 재판소	국제 연합 평화 유지군
⑤	국제 연합 평화 유지군	국제 형사 재판소

07 다음 입장에서 긍정의 답을 할 질문으로 가장 적절한 것은?

> 전쟁을 말하면서 전쟁의 비참함을 나열하는 것은 의미가 없다. 누구도 무지 때문에 전쟁을 벌이는 것이 아니라 싸우는 것이 이익이 될 것이라고 생각하기 때문에 공포심이 들어도 전쟁을 피하지 않는 것이다. 국가는 전쟁을 통한 이익이 전쟁에 따른 손실보다 크다고 생각할 경우에는 전쟁의 위험을 기꺼이 감수해야 한다.

① 세계 정부의 수립을 통한 국제 평화의 실현이 가능한가?
② 보편적 국제 규범을 통해 국가 간의 분쟁을 해결할 수 있는가?
③ 국익을 극대화하려는 국가 정책이 분쟁의 원인인가?
④ 강대국들의 상비군 폐지를 통해 국제 평화가 실현될 수 있다고 보는가?
⑤ 전쟁을 도덕의 문제로 간주하여 협상을 통해 해결할 수 있다고 여기는가?

시험에 꼭 나오는 문제

08 다음 국제 관계를 바라보는 관점과 일치하는 진술로 가장 적절한 것은?

> 국가는 상대국과의 상호 작용을 통해서 정체성을 형성하고 관계를 정립한다. 즉, 자국과 상대국이 적, 친구 혹은 경쟁자 중 어떤 관계인지, 어떻게 상호 작용할 것인지에 따라서 국익이 좌우된다. 따라서 자국과 상대국의 긍정적인 상호 작용을 통해 분쟁을 해결할 수 있다.

① 국제 분쟁은 국가 간 도덕성을 확보해야 해결된다.
② 국제 관계는 국가 간 상호 작용을 통해서 구성된다.
③ 국제 정치는 권력의 관점에서 정의된 국가 이익 투쟁이다.
④ 국가의 이익보다 보편적 가치를 우선하여 달성해야 한다.
⑤ 국가의 힘을 키워서 세력 균형을 유지해야 국제 분쟁이 해결된다.

빈출 문제 연계 자료 → 119쪽 빈출 자료 01

09 갑, 을, 병 사상가의 입장으로 옳지 않은 것은?

> 갑: 전쟁이 끝난 후 잠시 평화가 찾아와도 국가들은 더욱 강화된 재무장과 적대 정책을 세운다. 이런 악순환을 막기 위해 국가 간의 항구적인 평화 조약이 요구된다.
> 을: 전쟁은 국가가 자기의 이익을 실현하기 위해 취하는 행동으로 도덕적 평가가 필요 없다.
> 병: 전쟁의 목적이 침략에 대한 방어와 같이 정당하고, 수행 과정에서 지켜야 할 도덕적 원칙을 위반하지 않는다면, 그 전쟁은 도덕적으로 정당화될 수 있다.

① 갑: 항구적 평화는 국가 간의 세력 균형으로 실현되어야 한다.
② 갑: 국제법은 자유로운 모든 국가의 연맹에 토대를 두어야 한다.
③ 을: 자국의 이익을 위한 전쟁은 불가피하다.
④ 을: 국가 간의 관계에서 도덕적 고려는 필요 없다.
⑤ 병: 민간인 살상 행위가 만연할 때 인도적 관점에서 내전에 개입한 경우는 정당하다.

유사 선택지 문제

09_ ❶ 갑의 영구 평화론에 따르면 모든 전쟁은 정당하지 않다. (○ / ×)

09_ ❷ 을의 입장에서 전쟁은 항구적 평화를 이루기 위한 최후의 정치 수단이다. (○ / ×)

09_ ❸ 병의 입장에 따르면 개전 명분과는 별개로 전쟁 과정에서도 정당화 요건이 필요하다. (○ / ×)

10 다음 가상 대화 속의 ㉠에 들어갈 적절한 말을 《보기》에서 고른 것은?

인류는 전쟁을 통해 수많은 인명과 귀한 문화 유산들을 잃었습니다. 전쟁과 폭력은 또 다른 전쟁으로 이어집니다. 따라서 어떠한 전쟁도 용인될 수 없습니다.

물론 모든 전쟁이 정의롭지는 않습니다. 하지만 도덕적인 이유로 전쟁이 불가피한 경우도 있습니다. 어떤 전쟁은 정의의 수단이 되기도 합니다.

그렇다면 선생님은 어떤 경우에 전쟁이 정당화될 수 있다고 생각하십니까?

㉠

《보기》
ㄱ. 전쟁의 정당한 명분을 사회 전체의 효용에서 찾은 경우입니다.
ㄴ. 인권 유린 행위를 자체적으로 처리할 수 없어 개입이 필요한 경우입니다.
ㄷ. 문제 해결을 위한 평화로운 방법이 불가능하며 최후의 수단인 경우입니다.
ㄹ. 전쟁의 사후 처리를 제외한 전쟁의 시작과 진행 과정이 정의로운 경우입니다.

① ㄱ, ㄴ　② ㄱ, ㄷ　③ ㄴ, ㄷ
④ ㄴ, ㄹ　⑤ ㄷ, ㄹ

11 ㉠에 들어갈 말로 적절한 것은?

> 칸트는 영구 평화로 나아가기 위해 국가 간 주권 보장은 물론 타국에 대해 내정 간섭을 하지 말아야 한다고 주장하였다. 또한 국내적으로는 시민의 정책 결정이 가능한 공화제가 도입되어야 하며, 국제적으로는 보편적 우호 관계에 기반한 국제법이 적용되는 국제적인 연맹을 창설해야 한다고 보았다. 이러한 칸트의 시각은 [㉠]이/가 만들어지는 데 큰 영향을 끼쳤다.

① 국제 연합(UN)
② 국제 통화 기금(IMF)
③ 세계 무역 기구(WTO)
④ 경제 협력 개발 기구(OECD)
⑤ 국제 연합 아동 기금(UNICEF)

12 갑, 을 사상가 모두 긍정의 대답을 할 질문을 《보기》에서 고른 것은?

갑: 전쟁은 신법(神法)을 지키고 공동선과 평화를 위한 것이다. 전쟁이 정의롭기 위해서는 적법한 권위를 지닌 군주에 의해서만 수행되어야 하며, 공격의 정당한 이유와 올바른 의도가 있어야 한다. 전쟁은 한 국가가 백성들에게 부당하게 차지한 것을 돌려주길 거부할 경우 그 악을 징벌하는 것이어야 한다.

을: 전쟁 수행의 과정은 정의롭게 이끌어져야 한다. 불간섭주의는 절대적인 도덕 원칙이 아니다. 지방이나 나라의 인종 청소, 종교나 민족 공동체에 대한 조직적 학살 등 일어나고 있는 일들이 용인될 수 없는 경우가 생긴다. 이처럼 사람들에게 가해지는 잔학성과 고통이 극심하고, 그 지역의 세력도 문제 해결 능력이 없는 것처럼 보일 때에 전쟁은 도덕적으로 필요하다.

《보기》

ㄱ. 국가 간의 전쟁이 언제나 도덕적 제약을 받는 것은 아닌가?

ㄴ. 전쟁은 평화와 정의를 지키는 정당한 수단이 될 수 있는가?

ㄷ. 적국의 침입을 방어하기 위해 무력을 사용하는 것은 정당한가?

ㄹ. 개별 국가에서 모든 형태의 폭력은 전쟁 선포의 정당한 명분이 될 수 있는가?

① ㄱ, ㄴ ② ㄱ, ㄷ ③ ㄴ, ㄷ
④ ㄴ, ㄹ ⑤ ㄷ, ㄹ

13 밑줄 친 사상가 A의 입장으로 적절하지 않은 것은?

A에게 있어서 세계의 영원한 평화란 당장 달성하기는 어려운 하나의 이상이었다. 그러나 그는 평화란 경험적으로 실현 가능하며 도덕적인 명령이므로 추구해야 한다는 것을 보이고자 하였다. 그뿐만 아니라 A가 그의 앞 시대 사람들보다 더욱 전진한 것은 개인적 도덕성의 규칙을 사회적 영역으로 확대한 것이다. 즉, 그에 있어서 국가들은 서로서로 도덕적 관계 속에 존재하는 도덕적 실재이다.

① 세계 시민법은 보편적 우호의 조건들에 국한되어야 한다.
② 자유 국가들 간의 연방 단계에서 세계 정부를 수립해야 한다.
③ 국내적으로는 시민의 정책 결정이 가능한 공화제를 도입해야 한다.
④ 영구 평화를 위해 국가 간의 주권 보장과 내정 간섭을 하지 말아야 한다.
⑤ 보편적 우호 관계에 기반한 국제법이 적용되는 국제적인 연맹을 창설해야 한다.

14 교사의 질문에 대해 (가)에 들어갈 대답으로 옳은 것은?

① 세계 평화의 정착을 위해 개별 국가의 주권을 폐지해야 합니다.
② 강대국 간에 서로 견제할 수 있는 세력 균형을 정립해야 합니다.
③ 전 세계의 평화를 위해 민주적인 세계 공화국을 수립해야 합니다.
④ 세계 평화는 실제로는 불가능하나 정치적 의무로 설정해야 합니다.
⑤ 전쟁에서 벗어나기 위해서 각국은 국제법 적용을 통한 평화 연맹을 구성해야 합니다.

15 ㉠에 들어갈 내용으로 가장 적절한 것은?

전쟁과 같은 폭력 외에도 다양한 폭력이 존재하며 각 폭력들은 상호 작용하여 서로 영향을 미칩니다. 이러한 다양한 폭력들을 모두 제거해야 진정한 평화가 달성될 수 있습니다. 그러나 어떤 사람들은 평화는 단순히 전쟁이 없는 상태라고 주장합니다. 저는 이러한 입장이 (㉠)고 생각합니다.

① 모든 전쟁의 종식이 적극적 평화의 실현을 보장함을 간과한다
② 폭력의 개념을 공인되지 않은 비합법적인 무력의 사용으로 한정한다
③ 간접적인 폭력의 제거가 직접적인 폭력의 제거보다 중요함을 강조한다
④ 빈곤, 인권 침해 등으로 인간의 삶이 저하되는 상태도 폭력임을 간과한다
⑤ 진정한 평화는 직접적 폭력과 간접적 폭력이 모두 없는 상태임을 강조한다

올쏘 시험에 꼭 나오는 문제

(빈출 문제) 연계 자료 → 119쪽 빈출 자료 02

16 갑, 을의 평화에 대한 입장으로 옳은 설명만을 《보기》에서 있는 대로 고른 것은?

> 갑: 평화란 직접적인 폭력이 없는 상태를 의미합니다.
> 을: 평화란 직접적 폭력뿐만 아니라 구조적 폭력과 문화적 폭력까지 제거하여 인간다운 삶을 영위할 수 있는 상태입니다.

《보기》
ㄱ. 갑은 평화를 빈곤과 기아로부터 벗어난 상태라고 본다.
ㄴ. 갑은 평화를 전쟁이나 테러가 발생하지 않는 상태라고 본다.
ㄷ. 을은 평화를 인간 안보 차원으로 확장해서 본다.
ㄹ. 을은 갑이 다양한 차원의 고통을 경시한다고 본다.

① ㄱ, ㄴ ② ㄱ, ㄷ ③ ㄴ, ㄹ
④ ㄱ, ㄷ, ㄹ ⑤ ㄴ, ㄷ, ㄹ

유사 선택지 문제

16_❶ 갑은 평화를 범죄, 테러, 전쟁 등과 같은 직접적 폭력이 없는 상태로 인식한다. (○ / ×)
16_❷ 을은 사회의 구조적 차원이나 문화적 차원에서 폭력을 묵인하거나 정당화하는 것도 폭력으로 규정한다. (○ / ×)
16_❸ 을은 직접적 폭력과 구조적 폭력, 문화적 폭력은 서로 연결되지 않는다고 본다. (○ / ×)

17 다음과 같은 현대 사회의 변화 추세에 따라 나타날 수 있는 현상으로 적절하지 않은 것은?

> 오늘날 세계는 정치, 경제, 사회 · 문화의 전 영역에서 민족과 국가 간의 경계가 사라지고, 전 세계가 하나의 생활 단위로 되어 가고 있다. 이는 초고속 운송 수단과 인터넷 및 매스 미디어의 발달로 국가들의 정치, 경제, 문화의 상호 의존성이 커졌기 때문이다.

① 국가 및 개인 간의 빈부 격차가 심화된다.
② 국가는 자족적인 정치 단위로 바뀌어 간다.
③ 국가 간의 상호 협력이 중요한 과제로 대두된다.
④ 국제기구나 민간 기구 등의 역할이 더욱 커진다.
⑤ 강대국의 문화가 약소국에 확산되어 문화의 획일화를 초래한다.

18 다음 글에 나타난 문제점을 해결하기 위한 방안을 《보기》에서 고른 것은?

> 무한정의 범지구적 경쟁은 우리를 '생산적 경쟁'이 아닌 '파괴적 경쟁'으로 몰아세운다. 세계화된 시장에서 경쟁력 있는 상품을 만들기 위해 값싼 원료와 값싼 생산 입지를 찾아 자본은 범지구적으로 움직인다. 이 과정에서 원시림이나 원주민이 평화롭게 살고 있는 아름다운 자연과 마을, 그리고 건강하고 정이 넘치는 인간관계를 유지하고 있던 사람들의 삶이 파괴된다. 이제 사람들은 그 자체로 소중하게 대접받는 것이 아니라 일개 생산 요소에 불과한 '노동력'으로 전락한다. 자연과 인간이 동시에 빠른 속도로 파괴되고 있는 것이다.
>
> – 마르틴 · 슈만, "세계화의 덫"

《보기》
ㄱ. 국민 국가의 권한과 기능을 축소시킨다.
ㄴ. 자유 경쟁과 자유 무역을 확대해 나간다.
ㄷ. 인간적인 정이 넘치는 작은 공동체를 지원한다.
ㄹ. 민족 고유의 정체성과 특수성을 유지하면서 세계화를 추구한다.

① ㄱ, ㄴ ② ㄱ, ㄷ ③ ㄴ, ㄷ
④ ㄴ, ㄹ ⑤ ㄷ, ㄹ

19 다음에서 설명하고 있는 현대 사회의 특징으로 적절한 것은?

> • 국제 사회에서 상호 의존성이 증가하고 세계 전체가 긴밀하게 연결된 사회 체계로 통합되어 가는 현상
> • 개인이나 집단의 교류와 협력이 정치, 경제, 사회, 문화 등의 영역에서 지구 전체에 확대됨으로써 특정 장소에서 일어나는 일들이 세계의 다른 곳으로 즉각적으로 알려지고 영향을 미치게 되는 현상

① 이데올로기적 대립 구조의 확산으로 세계를 양분화하고 있다.
② 소수의 다국적 기업이 세계의 시장과 자본을 독점하고 있다.
③ 시장의 개방으로 인하여 자국 내의 계층 갈등이 약화되고 있다.
④ 사회 · 문화적 교류가 축소되어 인류 문화 발전을 저해하고 있다.
⑤ 전 지구적 문제에 대한 공동 대응 및 협력 체계가 무너지고 있다.

(빈출 문제) 연계 자료 → 119쪽 빈출 자료 03

20 다음 사상가의 입장과 일치하는 관점에 모두 '∨'를 표시한 학생은?

> 이익 평등 고려의 원칙에서 보면, 고통을 덜어 주어야 할 궁극적이고 도덕적인 이유는 고통이 그 자체로 바람직하지 않기 때문이다. 인종은 이익을 고려하는 데 아무런 상관이 없다. 왜냐하면 중요한 것은 이익 자체이기 때문이다. 어떤 고통에 관하여 그것이 특정한 인종이 겪는 고통이라는 이유로 고려를 덜 한다면 이는 자의적인 차별이 될 것이다.

관점 \ 학생	갑	을	병	정	무
해외 원조는 국적을 고려하여 실시해야 한다.	∨	∨		∨	
모든 사람의 고통을 동등하게 고려해야 한다.	∨		∨		∨
해외 원조는 자선의 차원에서 이루어져야 한다.		∨		∨	∨
기본적 욕구를 충족하고 남는 소득을 기부할 필요가 있다.			∨	∨	∨

① 갑 ② 을 ③ 병 ④ 정 ⑤ 무

유사 선택지 문제

20_ ❶ 윗글의 사상가에 따르면 원조는 개인이 아닌 국가적 차원에서 이루어져야 한다. (○ / ×)

20_ ❷ 윗글의 사상가에 따르면 원조는 자국의 국제적 위상과 이익을 위해 행해져야 한다. (○ / ×)

20_ ❸ 윗글의 사상가에 따르면 가난한 사람을 돕는 것은 세계 시민으로서의 의무이다. (○ / ×)

21 다음 사상가가 긍정의 대답을 할 질문을 《보기》에서 고른 것은?

> 원조의 목적은 고통을 겪는 사회가 자신의 문제들을 합당하게 관리할 수 있도록 도와주어 그 사회가 질서 정연한 사회가 되도록 하는 것이다.

《보기》
ㄱ. 모든 국가의 복지 및 부의 수준을 일치시켜야 하는가?
ㄴ. 질서 정연하지만 가난한 사회에 대한 원조를 중단해야 하는가?
ㄷ. 인권을 강조하는 것은 빈곤과 기아 문제 해결에 도움이 되는가?
ㄹ. 해외 원조의 목적은 질서 정연하고 부유한 사회를 만드는 것인가?

① ㄱ, ㄴ ② ㄱ, ㄷ ③ ㄴ, ㄷ ④ ㄴ, ㄹ ⑤ ㄷ, ㄹ

(빈출 문제) 연계 자료 → 119쪽 빈출 자료 03

22 (가) 사상가의 입장을 (나)의 그림으로 나타낼 때, A~C에 들어갈 적절한 진술을 《보기》에서 고른 것은?

(가)
갑: 시민들의 기본적인 정치적 권리가 보장되는 '질서 정연한 사회'에 살고 있는 국민들이 불리한 여건으로 고통받는 다른 국가의 국민들을 돕는 것은 윤리적 의무이다.
을: 해외 원조를 통해 얻을 수 있는 이익이 비용보다 클 경우, 원조를 할 수 있는 사람은 원조를 받는 사람이 어느 공동체에 속해 있든 상관없이 도움을 주어야 한다.

(나)
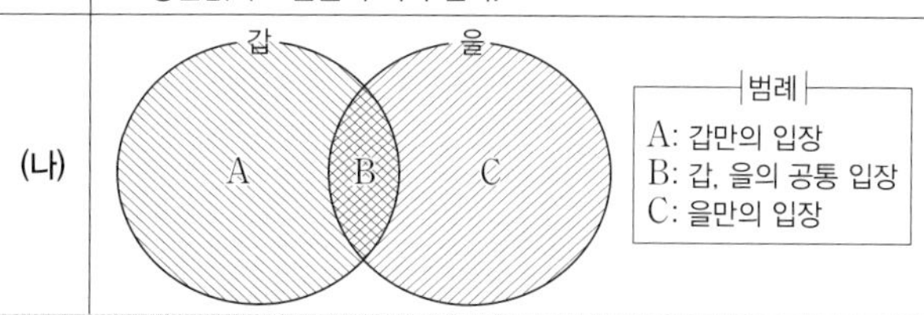

《보기》
ㄱ. A: 지구촌의 모든 빈곤한 사람에게 원조를 해야 한다.
ㄴ. A: 자유로운 정치 체제의 형성을 위해 해외 원조를 해야 한다.
ㄷ. B: 해외 원조보다 자국의 약자에 대한 배려를 중시해야 한다.
ㄹ. C: 인류 전체의 공리 증진을 위해 원조의 의무를 실천해야 한다.

① ㄱ, ㄴ ② ㄱ, ㄹ ③ ㄴ, ㄷ ④ ㄴ, ㄹ ⑤ ㄷ, ㄹ

유사 선택지 문제

22_ ❶ 갑은 고통받는 사회가 질서 정연한 사회가 되도록 원조해야 한다고 본다. (○ / ×)

22_ ❷ 을은 큰 희생 없이 타국의 빈민을 도울 수 있다면 도와야 한다고 본다. (○ / ×)

22_ ❸ 갑, 을은 해외 원조를 자선이 아닌 당위의 차원에서 실시해야 한다고 본다. (○ / ×)

23 다음 입장과 일치하는 견해로 가장 적절한 것은?

> 자기 가족의 기본적인 욕구를 충족하고도 남는 소득이 있는 사람들은 삶에 필수적인 음식과 보금자리를 얻는 데 어려움을 겪는 지구촌의 사람들에게 적어도 소득의 1%를 나누어 주어야 한다. 그렇게 하지 않는 사람들은 전 지구적인 의무를 이행하지 않는 것이며 도덕적으로 잘못된 일을 행하는 것이다.

① 전 인류의 복지 향상을 목적으로 원조해야 한다.
② 원조의 최종 목표는 불평등한 사회 구조의 개혁이다.
③ 질서 정연한 사회의 빈민은 원조의 대상이 될 수 없다.
④ 원조를 통해 모든 사회의 복지 수준을 일치시켜야 한다.
⑤ 풍요로운 사회의 시민들이라고 해서 빈곤국을 원조해야 할 의무는 없다.

24 (가) 사상가의 입장을 (나)의 그림으로 나타낼 때, A, B에 들어갈 적절한 질문을 《보기》에서 고른 것은?

(가)	• 네 의지의 준칙이 언제나 동시에 보편적 입법의 원리가 될 수 있도록 행위하라. • 너 자신과 다른 모든 사람의 인격을 결코 단순히 수단으로 취급하지 말고 언제나 동시에 목적으로 대우하도록 행위하라.
(나)	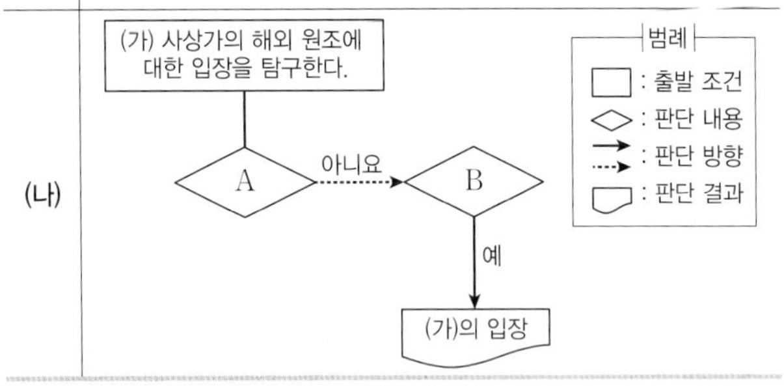

《보기》
ㄱ. A: 타인의 곤경에 무관심한 것은 도덕 법칙에 어긋나는가?
ㄴ. A: 절대 빈곤에 처한 사람에 대한 원조는 자율적 선택의 문제인가?
ㄷ. B: 원조의 대상은 자국의 국민으로 한정해야 하는가?
ㄹ. B: 절대 빈곤에 처한 사람에 대한 원조를 실천하지 않는 것은 비윤리적 행위인가?

① ㄱ, ㄴ ② ㄱ, ㄹ ③ ㄴ, ㄷ
④ ㄴ, ㄹ ⑤ ㄷ, ㄹ

25 ㉠~㉢에 들어갈 말을 순서대로 바르게 연결한 것은?

> 국제 정의를 실현하는 방법은 크게 두 가지이다. 첫째, [㉠]은/는 법에 따라 정당한 제재를 가함으로써 실현된다. 가령 국제 형사 재판소, 국제 형사 경찰 기구 등을 상설화하여 반인도주의적 범죄를 저지른 국가나 개인을 정당하게 처벌하여 실현할 수 있다. 둘째, [㉡]은/는 가치나 재화의 공정한 분배로 실현된다. 선진국 정부 또는 공공 기관이 개발 도상국에 자금을 지원하거나 기술 원조를 하는 [㉢]을/를 통해 분배 정의를 실현할 수 있다.

	㉠	㉡	㉢
①	분배적 정의	교정적 정의	국제 연합
②	형사적 정의	분배적 정의	공적 개발 원조
③	절차적 정의	형사적 정의	국제 사법 재판소
④	분배적 정의	절차적 정의	국제 사면 위원회
⑤	형사적 정의	교정적 정의	경제 개발 협력 기구

26 다음에 나타난 문제점을 해결하기 위한 노력으로 적절하지 않은 것은?

> 원조 환상이란 부유한 나라가 하루 1달러 미만으로 생계를 유지하고 있는 가난한 나라에 부족한 돈을 더 주기만 하면 세계의 빈곤이 사라질 것이라는 생각을 말한다. 세계 빈곤 문제를 해결하고 죽어 가는 아이들의 생명을 구하는 일은 배관을 고치거나 망가진 차를 수리하는 일처럼 공학적인 일이 아니다. 원조 수혜국의 빈곤 문제는 단순히 자원이나 기회가 부족하기 때문이 아니다. 열악한 제도와 미숙한 정부, 부패한 정치 등 구조적인 문제와 연결되어 있으므로 소위 한쪽에서 물을 공급하면 다른 쪽으로 쏟아져 나오는 것처럼 오히려 원조 수혜국의 빈곤 상황을 악화시킬 수 있다.
> – 디턴, "위대한 탈출"

① 빈곤국의 제도가 개선될 수 있도록 지원한다.
② 원조 수혜국이 스스로 자립할 수 있도록 돕는다.
③ 원조 수혜국의 정치 문화가 질서 정연해지도록 후원한다.
④ 장기적인 경제적 이익을 바라보고 물질적 원조에 주력한다.
⑤ 원조 수혜국 정부가 효율적으로 국민들을 위해 일할 수 있도록 돕는다.

서술형 문제

27 ㉠~㉢에 들어갈 내용을 각각 쓰시오.

국제 관계를 바라보는 관점	분쟁 해결 방법
현실주의	㉠
㉡	자국과 상대국의 긍정적인 상호 작용을 통해 분쟁을 해결한다.
이상주의	㉢

28 다음 글을 읽고 물음에 답하시오.

> 취득에서의 정의 원칙에 따라 소유물을 획득한 사람에게는 그 소유물에 대한 소유 권리가 있다. 최소 국가는 강압, 절도, 사기, 강제 계약 등으로부터의 보호와 같은 협소한 기능에만 한정되기 때문에 정당화된다. 이를 넘어서는 포괄 국가는 무엇인가를 행하도록 강제되어서는 안 되는 개인의 권리를 침해할 것이다.

(1) 위와 같이 주장한 사상가의 이름을 쓰시오

(2) 아래와 같은 물음에 대한 위 사상가의 입장을 서술하시오.

> 빈곤으로 고통받는 사람들을 돕기 위한 해외 원조와 기부는 모든 사람에게 주어진 윤리적 의무인가?

상위 4% 문제

정답 및 해설 55쪽

| 평가원 기출 응용 |

01 (가) 사상가들의 입장을 (나)의 그림으로 나타낼 때, A~D에 들어갈 적절한 질문을 《보기》에서 고른 것은?

(가)
갑: 무고한 사람을 죽이는 것은 옳지 않다. 그런데 전쟁에 대한 책임이 없는 무고한 인간들을 살상하지 않을 수 없다. 그러므로 모든 전쟁은 부도덕한 것이다.
을: 전쟁은 정치적 목적을 위한 여러 수단 중 하나이며, 다른 수단에 의한 정책의 연속일 뿐이다. 불가능한 평화를 얻으려고 지금 얻을 수 있는 승리를 놓치는 것은 어리석다.
병: 전쟁은 찬양되어서는 안 되지만, 도덕적 제약을 전제로 최고의 합법적 권위에 의해 선포되는 경우와 나를 지키기 위해 적을 죽이지 않으면 안 되는 경우에는 허용될 수 있다.

(나)
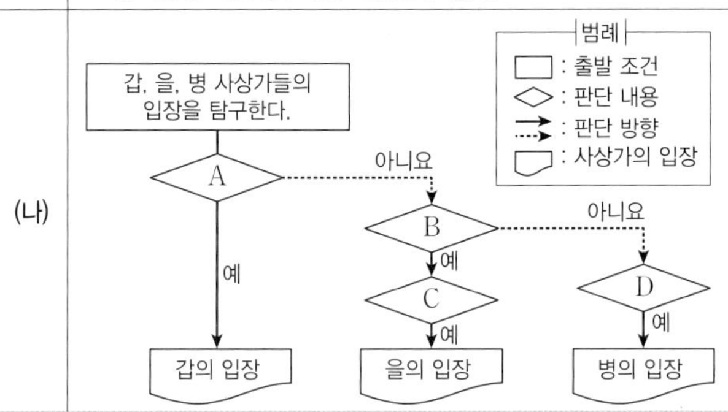

《보기》
ㄱ. A: 국제 평화는 국가 간의 세력 균형으로 실현해야 하는가?
ㄴ. B: 전쟁은 국가 이익을 극대화하기 위한 정치적 행위인가?
ㄷ. C: 자국의 이익을 침해받았을 경우, 국제기구나 국제법에 의존해야 하는가?
ㄹ. D: 정당한 방어를 목적으로 하는 전쟁은 허용될 수 있는가?

① ㄱ, ㄴ ② ㄱ, ㄹ ③ ㄴ, ㄷ
④ ㄴ, ㄹ ⑤ ㄷ, ㄹ

| 평가원 기출 응용 |

02 해외 원조에 대한 갑, 을 사상가의 입장으로 옳은 것은?

갑: 만약 국제 사회에서 어떤 사회가 불리한 여건 때문에 고통을 겪고 있다면, 그 사회가 적정 수준의 문화를 형성하여 질서 정연한 사회가 될 수 있도록 도와야 한다.
을: 만약 도덕적으로 상응하는 중요한 것을 희생하지 않고, 나쁜 일이 일어나는 것을 막을 수 있는 힘이 우리에게 있다면, 우리는 마땅히 그러한 나쁜 일을 막아야 한다.

① 갑은 원조의 목표를 개인들의 복지 향상으로 본다.
② 갑은 부유한 나라의 약소국에 대한 원조를 자율적 선택의 문제로 본다.
③ 을은 가난한 사람들이 자신의 빈곤을 스스로 해결해야 한다고 본다.
④ 을은 많은 사람의 고통을 감소시키고 행복을 증진시키기 위해 원조를 해야 한다고 본다.
⑤ 갑, 을은 가난한 사람들을 돕는 것은 전적으로 국가가 책임져야 한다고 본다.

| 교육청 기출 응용 |

03 다음 사상가가 긍정의 대답을 할 질문만을 《보기》에서 있는 대로 고른 것은?

'전쟁'과 '정의'는 서로 반대 의미를 가진 단어처럼 보인다. 폭력과 파괴, 인명 살상을 수반하는 전쟁은 세계 평화를 위해 결코 바람직하지 않다는 것이 보편적인 생각이다. 이런 의미에서 정의로운 전쟁과 정의롭지 않은 전쟁을 구분하는 것은 자칫 위험해 보일 수 있다. 왜냐하면 정의로운 전쟁이라는 말은 마치 전쟁을 옹호하는 것처럼 들릴 수 있기 때문이다. 하지만 정의를 실현하기 위한 수단으로서의 전쟁은 필요하다.

《보기》
ㄱ. 군사력은 정의의 실현을 위한 수단이 될 수 있는가?
ㄴ. 내전 개입을 정의와 부정의로 구분하는 것은 가능한가?
ㄷ. 적국의 침입을 방어하기 위한 경우에도 평화적 타협을 고수해야 하는가?
ㄹ. 모든 평화적 수단을 동원한 다음에 최후의 수단으로서의 전쟁은 허용 가능한가?

① ㄱ, ㄷ ② ㄱ, ㄹ ③ ㄴ, ㄷ
④ ㄱ, ㄴ, ㄹ ⑤ ㄴ, ㄷ, ㄹ

| 평가원 기출 응용 |

04 (가) 사상가들의 입장을 (나)의 그림으로 나타낼 때, A~D에 해당하는 적절한 진술만을 《보기》에서 있는 대로 고른 것은?

(가)
갑: 약소국에 대한 원조는 쾌락의 증진과 고통의 감소를 추구하는 공리주의 이론에 근거하여 판단해야 한다. 따라서 빈곤으로 고통받는 사람들을 돕는 것은 도덕적 의무이다.
을: 해외 원조를 하려고 개인에게 세금을 부과하는 것은 국가가 개인의 자유와 권리를 침해하는 것이다. 그러므로 약소국에 대한 해외 원조는 개인의 자유에 맡겨야 한다.
병: 불리한 여건으로 인해 '고통받는 사회'를 '질서 정연한 사회'가 되도록 돕는 것은 인류의 도덕적 의무이다. 따라서 우리는 약소국에 대한 원조를 의무로 받아들여야 한다.

(나)
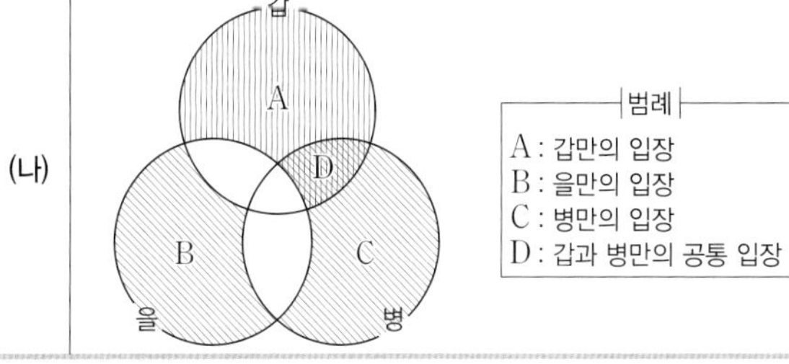

《보기》
ㄱ. A: 원조는 인류의 행복 증진을 위한 의무 이행이어야 한다.
ㄴ. B: 원조의 의무를 실행하기 위한 과세는 강제 노동과 같다.
ㄷ. C: 원조의 대상은 질서 정연한 빈곤국까지도 포함해야 한다.
ㄹ. D: 원조의 최종 목표는 국가 간의 경제적 불평등 해소이다.

① ㄱ, ㄴ ② ㄱ, ㄹ ③ ㄷ, ㄹ
④ ㄱ, ㄴ, ㄷ ⑤ ㄴ, ㄷ, ㄹ

Memo

올쏘
내신强자
고등 생활과 윤리

수능과 내신을 한 번에 잡는

프리미엄 고등 영어
수프림 시리즈

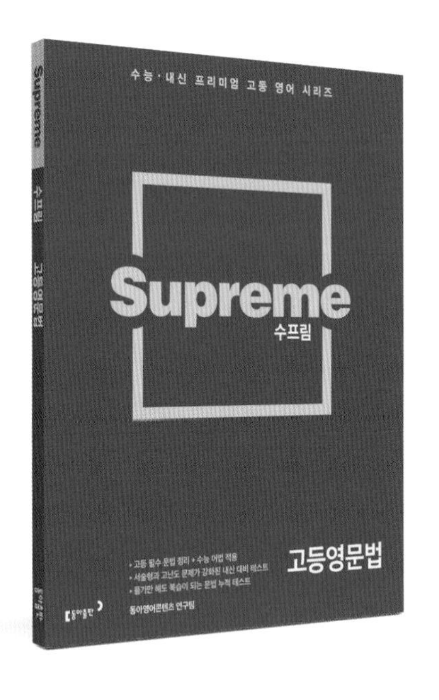

Supreme
고등영문법

고등 내신과 수능을 미리 준비하는 고등영문법!
- 핵심 문법을 마스터하고 수능 어법까지 미리 준비
- 내신 및 서술형, 수능 어법 유형 문제까지 촘촘한 배치로 내신 완벽 대비
- 풀기만 해도 복습이 되는 문법 누적 테스트

Supreme
수능 어법 기본

고등 문법 정리, 수능 어법 시작!
- 핵심만 뽑은 문법으로 어법 학습 전 문법 정리
- 최근 수능 기출 어법 문항을 분석하여 정리한 어법 포인트 72개
- 최근 증가 추세인 서술형 어법 문제로 내신 서술형 대비
- 수능 실전 어법 지문으로 실전 감각 기르기

Supreme
수능 영어
듣기 모의고사
20회 기본

수능 영어 듣기의 시작!
- 수능 듣기 유형별 특징 분석 및 주요 표현 정리
- 고1-2 학력평가와 수능 기출 듣기 문항을 철저히 분석하여 만든 듣기 모의고사
- 핵심 단어와 표현, 잘 안 들리는 발음에 빈칸을 넣어 듣기 실력을 높여주는 받아쓰기

정답 및 해설

오개념을 바로잡는 친절한 해설

올쏘 내신 強(강) 자

고등 생활과 윤리

동아출판

올쏘
내신强자
고등 생활과 윤리

정답 및 해설

정답 및 해설

I. 현대의 삶과 실천 윤리

01 현대 생활과 실천 윤리 & 윤리 문제에 대한 탐구와 성찰

개념 확인 문제 본문 10쪽

01 (1) ㄷ (2) ㄴ (3) ㄱ 02 (1) ㉡ (2) ㉠ 03 소크라테스, 아리스토텔레스

시험에 꼭 나오는 문제 본문 10~12쪽

01 ④ 02 ② 03 ⑤ 04 ⑤ 05 ③ 06 ④ 07 ③
08 ④ 09 ④ 10 ④ 11~12 해설 참조

01 현대 사회에서 나타나는 새로운 윤리 문제의 특징

현대 사회에서 나타나는 새로운 윤리 문제의 특징은 파급 효과가 광범위하다는 점, 책임 소재를 가리기가 쉽지 않다는 점, 그리고 전통적인 윤리 규범만으로는 해결하기 어렵다는 점이다.

오답 선택지 풀이 ㄹ. 현대의 윤리 문제는 새로운 문제의 등장과 복잡성으로 인해 과거에 비해 옳고 그름의 판단을 내리거나 구체적인 해결 방안을 찾기가 어렵다.

02 분석 윤리학과 실천 윤리학

제시문의 갑은 분석(메타) 윤리학, 을은 실천 윤리학의 입장이다. 분석 윤리학은 도덕적 언어의 의미 분석과 도덕적 추론의 정당성을 검증하기 위한 논리 분석에 주된 관심을 둔다. 한편 실천 윤리학은 현대인이 직면하는 구체적인 문제들에 대해 윤리 이론을 적용하여 해결책을 모색하는 데 초점을 둔다. 실천 윤리학의 입장에서 분석 윤리학을 비판할 내용을 찾으면 된다.

오답 선택지 풀이 ① 갑은 윤리학이 도덕적 언어의 분석을 핵심 과제로 삼아야 함을 강조한다.
③ 도덕적 현상에 대한 객관적 기술을 주목적으로 하는 것은 기술 윤리학이다.
④, ⑤ 실천 윤리학의 입장이다.

유사 선택지 문제

02 ❶ × ❷ × ❸ ×

03 실천 윤리학의 영역과 쟁점

동물 실험 및 뇌사와 안락사의 허용 여부 문제는 생명 윤리의 쟁점에 해당하며, 기업의 사회적 책임의 범위, 소수자 우대 정책의 정당성 등의 문제는 사회 윤리의 쟁점에 해당한다.

⑤ 옳음과 그름에 대한 의미와 용법을 탐구하는 학문은 분석 윤리학이다.

04 윤리학의 종류와 특징

제시문은 윤리학을 분석 윤리학과 규범 윤리학으로 구분한 것이다.

⑤ 실천 윤리학은 이론 윤리학에서 제공하는 도덕 원리를 토대로 윤리 문제의 바람직한 해결 방안을 모색한다.

오답 선택지 풀이 ① 분석 윤리학은 윤리학의 학문적 성립 가능성을 모색하기 위해 도덕적 언어의 의미 분석과 도덕적 추론의 정당성을 검증하기 위한 논리 분석에 주된 관심을 둔다.
② 분석 윤리학에 관한 설명이다.
③ 기술 윤리학에 관한 설명이다.
④ 실천 윤리학의 입장에서 볼 때, 분석에 치중하는 분석 윤리학은 윤리 문제의 해결에 한계가 있으며, 현실적인 윤리 문제 해결에 도움을 주는 것은 실천 윤리학이다.

올쏘 만점 노트 윤리 문제에 대한 다양한 윤리학적 접근의 예시

윤리학은 한 가지 주제에 대해 다양한 방식으로 접근할 수 있다. 예를 들어, 인간 배아 세포를 이용한 실험에 대한 도덕 판단을 내릴 때 관련된 사실 자료들을 분석하고, 이를 토대로 허용 여부에 대한 가치 판단을 내릴 수 있으며, 이러한 분석 및 사고 과정에서 사용되는 용어의 정확한 의미를 분석할 수 있다.

- 기술 윤리학적 접근의 예시: "인간 배아 세포를 이용한 실험이 인간 존엄성을 훼손하는가?"에 대한 설문 조사에서 생명 공학 전문가 집단의 70 %는 "그렇다."라고 대답했다.
- 규범 윤리학적 접근의 예시: 인간 배아 세포를 이용한 실험은 인간 존엄성을 훼손하기 때문에 허용해서는 안 된다.
- 분석 윤리학적 접근의 예시: 인간 배아 세포를 이용한 실험과 관련하여 사용되는 '인간'의 의미는 무엇인가?

05 이론 윤리학과 실천 윤리학

이론 윤리학과 실천 윤리학은 독립적인 관계가 아니라 유기적인 관계에 있다. 예를 들어 '안락사를 허용해야 하는가?'와 같은 질문이 주어졌을 때, 실천 윤리학은 생명의 존엄성 실현 또는 사회적 효용성 증대 등과 관련된 이론 윤리학의 연구 성과를 적극적으로 활용한다.

㉢ 실천 윤리학은 이론 윤리학에서 제공하는 도덕 원리를 토대로 윤리 문제의 바람직한 해결 방안을 모색한다.

유사 선택지 문제

05 ❶ × ❷ × ❸ ○

06 토론의 필요성

제시문은 밀의 "자유론"의 일부이다. 밀은 인간이 오류를 범할 가능성이 있다는 사실을 스스로 인식하고 있지만 판단을 내릴 때는 이를 별로 문제 삼지 않는다고 보았다. 따라서 밀은 인간은 오류 가능성을 지닌 불완전한 존재로서 토론을 통해 자신의 생각을 성찰할 필요가 있다고 보았다.

오답 선택지 풀이 ① 밀은 인간의 오류 가능성을 인정한다.
② 인간의 오류 가능성으로 인해 토론이 필요하다.
③ 자유롭게 토론한다고 해서 인간의 오류 가능성이 없어지는 것은 아니다.
⑤ 토론은 자기주장을 관철하거나 상대방의 주장을 비판하기보다 상대방을 설득하거나 이해하고 이를 바탕으로 최선의 해결책을 모색하기 위해 하는 것이다.

07 도덕적 탐구의 방법

(가)는 도덕적 탐구의 방법이다. 도덕적 탐구는 일반적으로 '윤리적 쟁점 또는 딜레마 확인 단계', '자료 수집 및 분석 단계', '입

장 채택 및 정당화 근거 제시 단계', '최선의 대안 도출 단계', '반성적 성찰 및 입장 정리 단계'의 다섯 단계로 이루어진다. 이때 정당화 근거 제시 단계에서 정당화 근거의 타당성을 확보하기 위해 역할 교환 탐색과 보편화 가능성 탐색을 할 수 있다. 따라서 ㉢이 정답이다.

오답 선택지 풀이 ㉠ 윤리적 문제의 핵심을 파악하기 위해 관련된 사람, 문제의 발생 이유 등을 검토하는 단계이다.
㉡ 윤리적 문제를 정확하게 이해하고 해결하기 위해 다양한 자료를 수집하고 분석하는 단계이다.
㉣ 제시된 해결책의 장단점을 비교하는 상호 토론 과정을 거쳐 최선의 대안을 마련하는 단계이다.
㉤ 탐구 과정에서 달라진 생각은 무엇인지, 왜 그렇게 바뀌었는지 등에 대해 반성하고 정리하는 단계이다.

08 토론의 과정

토론의 과정은 '주장하기 → 반론하기 → 재반론하기 → 정리하기'의 순서로 이루어진다. '주장하기'는 자신의 주장에 대한 근거를 찾고 자신의 주장을 발표하는 단계, '반론하기'는 상대방 주장의 오류나 부당성을 밝히는 단계, '재반론하기'는 상대방의 반론이 옳지 않음을 밝히거나 자신의 주장을 뒷받침할 더 많은 근거를 제시하는 단계, '정리하기'는 상대방의 반론을 참고하여 자신의 최종 입장을 발표하는 단계이다.

오답 선택지 풀이 ㄱ. '반론하기' 단계에 대한 설명이다.
ㄴ. '재반론하기' 단계에 대한 설명이다.
ㄷ. '주장하기' 단계에 대한 설명이다.

09 윤리적 성찰의 방법

동서양의 풍부한 윤리적 전통에 근거한 윤리적 성찰의 방법에는 여러 가지가 있다. 동양의 경우, 유교에서는 증자가 제시한 일일삼성이나 거경의 수양 방법이 있으며, 불교에서는 참선이 있다. 서양의 경우, 성찰하는 삶을 강조했던 소크라테스와 때와 장소에 맞는 적절한 행동인 중용의 실천을 강조했던 아리스토텔레스의 성찰 방법이 있다.

오답 선택지 풀이 ① 불교에서는 때와 장소에 걸맞게 행동할 것을 주장한다.
② 유교 사상가 증자가 제시한 성찰 방법이다.
③ 유교의 성찰 방법이다.
⑤ 소크라테스가 제시한 성찰 방법이다.

올쏘 만점 노트 증자와 소크라테스의 윤리적 성찰

- 증자는 말했다. "나는 날마다 다음 세 가지 점에 대해 나 자신을 반성한다. 남을 위하여 일을 꾀하면서 진심을 다하지 못한 점은 없는가? 벗과 사귀면서 신의를 지키지 못한 일은 없는가? 배운 것을 제대로 익히지 못한 것은 없는가?" – "논어"
- 내가 하는 일이라야 돌아다니며 늙은이와 젊은이를 막론하고 여러분 혼의 최선의 상태에 관심을 쏟는 것을 최우선으로 생각하도록 여러분을 설득하는 것이 전부이니까요. …… 내가 대화를 통해 나 자신과 다른 사람들에게 캐묻곤 하던, 여러분이 들었던 그런 주제들에 관해 날마다 대화하는 것이야말로 인간에게는 최고선이며, 캐묻지 않는 삶은 인간에게는 살 가치가 없다고 말한다면, 여러분은 내 말을 더더욱 믿지 않을 것입니다. – 플라톤, "소크라테스의 변론"

10 윤리적 성찰

제시문의 ㉡에는 윤리적 성찰이 포함되는 질문이 들어가야 한다. 이대로 살아도 괜찮은지, 바르게 산다는 것은 무엇인지, 내가 생각하고 믿는 것들이 정당한지에 관한 질문은 윤리적으로 성찰하는 질문이다.

오답 선택지 풀이 ㄹ. '지금도 성인(聖人)은 존재하는가?'라는 질문을 통해 윤리적 성찰, 윤리적 반성을 기대하기는 어렵다.

11 토론의 과정

(1) 반론하기
(2) | 모범 답안 | 상대방의 반론이 옳지 않음을 밝히거나 자신의 주장을 뒷받침할 더 많은 근거를 제시한다.

채점 기준	배점
'반론하기'라는 용어의 의미를 정확하게 서술한 경우	상
주장을 반박한다고만 서술한 경우	하

12 유교의 성찰 방법

(1) 일일삼성(一日三省)
(2) | 모범 답안 | 마음을 한곳으로 모아 흐트러짐이 없이 하고, 몸가짐을 삼가 덕성을 함양하는 것

채점 기준	배점
'마음을 한곳으로 모아 흐트러짐이 없이 하는 것'과 '몸가짐을 삼가 덕성을 함양하는 것' 두 가지 내용을 정확하게 서술한 경우	상
두 가지 내용 중 하나의 내용만 정확하게 서술한 경우	중
두 가지 내용을 모두 정확하게 서술하지 못한 경우	하

올쏘 상위 4% 문제 본문 13쪽

01 ⑤ 02 ⑤ 03 ⑤ 04 ③

01 실천 윤리학의 등장 배경과 특징

자료 분석

윤리학의 근본 과제는 도덕적으로 올바른 행위를 판단하기 위한 기본 원리와 토대를 제공하고 일반화하는 데 있다. 그런데 오늘날 과학 기술의 급격한 발달은 기존의 이론 중심 윤리학만으로는 해결하기 어려운 도덕적 문제 상황들을 초래하였고, 그 결과 실제 생활과 관련하여 논쟁이 되는 윤리적 과제들이 대두되었다.(실천 윤리학의 등장 배경) 이에 따라 이러한 윤리적 과제들을 해결하기 위해 이 윤리학이 등장하게 되었다. 이 윤리학은 [㉠]

실천 윤리학이 등장하게 된 배경에 대한 내용이다. 실천 윤리학은 의무론, 공리주의, 덕 윤리 같은 이론 윤리를 현대 사회의 여러 문제에 적용하여 구체적인 규범과 원칙을 마련하고 윤리 문제를 해결하는 데 초점을 둔 학문이다. 실천 윤리학은 학제적 성격을 지니며, 도덕 원리를 구체적인 삶의 문제에 적용하여 윤리 문제의 해결책을 모색한다.

정답 및 해설

제시문은 실천 윤리학이 등장하게 된 배경에 관한 내용이다. 따라서 ㉠에는 실천 윤리학과 관련된 내용의 진술이 들어가야 한다. 실천 윤리학은 이론 윤리학에서 제공하는 도덕 원리를 토대로 현실의 다양한 윤리 문제의 해결 방안을 모색한다. 이 때문에 실천 윤리학은 '문제 중심 윤리학' 또는 '응용 윤리학'이라고 불리며 실천 지향적 성격을 지닌다.

오답 선택지 풀이 ① 기술 윤리학의 입장이다.
② 분석 윤리학의 입장이다.
③ 실천 윤리학은 현실 도덕 문제에 대한 해결책 모색을 강조한다.
④ 실천 윤리학은 이론 윤리학, 즉 도덕적 행위의 근거가 되는 도덕 원리를 토대로 해결 방안을 모색한다.

02 밀의 토론에 대한 관점

자료 분석

의견 발표를 억압하는 것은 그 의견을 지지하거나 반대하는 사람 모두에게 손해를 끼친다. (자유로운 토론의 중요성 강조=밀) 한 사람 이외의 모든 인류가 동일한 의견이고, 한 사람만이 반대 의견을 갖는다 해도, 인류에게는 그 한 사람에게 침묵을 강요할 권리가 없다.

밀은 인간이 불완전한 존재로서 오류를 범할 가능성이 있으므로, 자신과 다른 생각을 허용하는 자유로운 토론이 중요하다고 주장한다.

밀은 자유롭게 논박하는 토론을 통해 진리에 대한 참된 이해가 가능하고 진리의 가치를 재확인할 수 있다고 말한다. 또한 소수의 의견이 진리이고 다수의 의견이 오류일 수도 있으므로, 단 한 사람의 반대 의견도 침묵을 강요해서는 안 된다고 주장한다.

오답 선택지 풀이 ㄱ. 밀에 따르면, 소수의 의견일지라도 진리일 수 있으며, 만장일치로 합의해야 진리가 되는 것은 아니다.

03 분석 윤리학과 규범 윤리학

자료 분석

갑: '인공 임신 중절은 나쁘다.'라는 진술은 인공 임신 중절에 대한 부정적 감정을 표현하는 것에 불과해. 왜냐하면 그러한 진술은 논리적으로도 경험적으로도 검증이 불가능하기 때문이야. (도덕적 진술의 논리적 검증=분석 윤리학)

을: 너는 윤리학이 당위에 관한 학문이라는 것을 간과하고 있어. 우리는 객관적 도덕 원리를 정립함으로써 무엇이 옳은지 그른지를 판단할 수 있어. (도덕 원리 정립=이론 윤리학)

병: 나도 을의 입장에 동의해. 하지만 인공 임신 중절과 같은 도덕 문제를 해결하기 위해서는 새로운 의학 정보를 고려하면서 도덕규범을 구체적인 문제 상황에 적용하는 것이 중요해. (문제 상황에 도덕규범을 적용하여 해결책 모색=실천 윤리학)

- 갑: 도덕적 진술의 논리적 검증을 중시하는 분석 윤리학의 입장이다.
- 을: 도덕 원리의 정립을 강조하는 이론 윤리학의 입장이다.
- 병: 도덕규범을 구체적인 문제 상황에 적용하여 해결책을 모색하는 실천 윤리학의 입장이다.

이론 윤리학과 실천 윤리학은 모두 규범 윤리학에 속하므로, 도덕적 판단을 위한 도덕규범의 필요성을 중시한다.

오답 선택지 풀이 ① 실천 윤리학의 입장이다.
② 기술 윤리학의 입장이다.
③ 분석 윤리학의 입장이다.
④ 이론 윤리학의 입장이며, 분석 윤리학의 관심사는 아니다.

04 실천 윤리학의 분석 윤리학 비판

자료 분석

왼쪽 사람은 분석 윤리학의 입장이고, 오른쪽 사람은 실천 윤리학의 입장이다. ㉠에는 실천 윤리학의 입장에서 지적할 수 있는 분석 윤리학의 내용이 들어가야 한다.

갑은 도덕적 언어 및 명제의 의미 분석, 도덕적 논증의 타당성을 중시하며 윤리학 자체의 학문적 성립 가능성 탐구를 강조하는 분석 윤리학의 입장이다. 을은 현실의 윤리 문제 해결을 중시하는 실천 윤리학의 입장이다.

오답 선택지 풀이 ① 분석 윤리학에서는 도덕적 명제의 의미 분석을 중시한다.
② 분석 윤리학은 윤리학 자체의 학문적 성립 가능성 탐구를 강조한다.
④ 실천 윤리학의 입장이다.
⑤ 기술 윤리학의 입장이다.

02 현대 윤리 문제에 대한 접근

개념 확인 문제 본문 16쪽

01 (1) ㉢ (2) ㉠ (3) ㉡ 02 (1) ㄷ (2) ㄹ (3) ㄴ 03 좌망, 심재

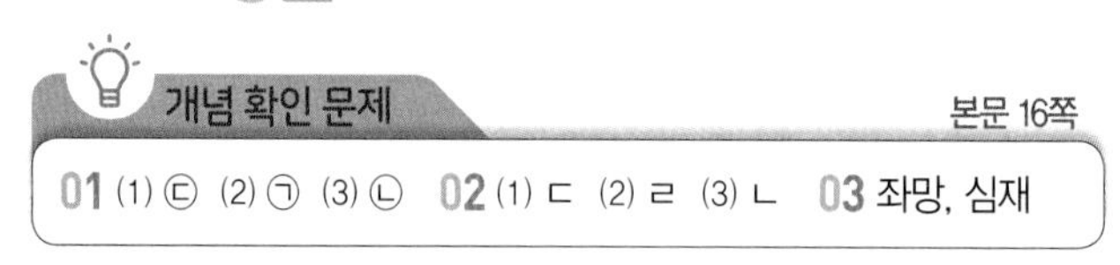

시험에 꼭 나오는 문제 본문 16~20쪽

01 ⑤	02 ④	03 ①	04 ④	05 ④	06 ④	07 ②
08 ①	09 ②	10 ⑤	11 ④	12 ④	13 ①	14 ②
15 ③	16 ④	17 ③	18 ①	19~20 해설 참조		

01 유교 윤리

제시문의 첫 번째 인용문은 "시경", 두 번째 인용문은 "중용"에 나오는 내용으로, 둘 다 유교 윤리와 관련 있다. 유교에서는 하늘을 인간에게 도덕적 본성을 부여하는 존재로 보며, 통치자가 백성을 감화하는 정치, 즉 덕치(德治)로 선한 본성을 실현하는 이상 사회를 지향한다. 또한 자기 수양을 통해 도덕적으로 완성된 군자나 성인을 이상적 인간으로 보는데, 이때 성인과 군자는 자신의 몸과 마음을 수양하고 가족과 나라를 다스리며 천하를

평안하게 하는 수기이안인(修己而安人)을 실현한다.
⑤ 탐욕[貪], 분노[瞋], 어리석음[癡]은 삼독(三毒)으로 불교 윤리에서 강조하는 내용이다.

올쏘 만점 노트 유교 윤리: 사단과 오륜

- 사단(四端)
  - 측은지심(惻隱之心): 불쌍히 여기는 마음
  - 수오지심(羞惡之心): 옳지 못함을 부끄러워하고 착하지 못함을 미워하는 마음
  - 사양지심(辭讓之心): 양보하고 공경하는 마음
  - 시비지심(是非之心): 옳고 그름을 가리는 마음
- 오륜(五倫)
  - 부자유친(父子有親): 어버이와 자식 사이에는 친함이 있어야 한다.
  - 군신유의(君臣有義): 임금과 신하 사이에는 의로움이 있어야 한다.
  - 부부유별(夫婦有別): 부부 사이에는 구별이 있어야 한다.
  - 장유유서(長幼有序): 어른과 아이 사이에는 차례와 질서가 있어야 한다.
  - 붕우유신(朋友有信): 친구 사이에는 믿음이 있어야 한다.

02 불교의 연기설

제시문은 불교의 연기설에 관한 내용이다. 불교에서는 나와 만물의 상호 의존성을 바탕으로 자비를 베풀 것을 강조한다. 다시 말해, 나에 대한 집착을 끊고 만물이 상호 의존한다는 연기의 깨달음을 통해 자타불이(自他不二), 즉 나와 만물이 둘이 아닌 하나임을 체득하여 만물을 사랑하는 자비를 실천해야 한다고 본다.

오답 선택지 풀이 ① 불교 윤리는 모든 존재가 인연에 의해 생겨났다 사라지므로 고정된 실체가 없다고 본다.
② 유교 윤리에서 강조할 자세이다.
③, ⑤ 도가 윤리에서 강조할 자세이다.

03 도가 윤리와 유교 윤리

제시문의 갑은 노자이며, 을은 공자이다. 유교 윤리에서는 도덕규범이 강조되지만, 도가 윤리에서는 모든 도덕규범이나 제도 등을 인위적인 것으로 보아 이에 반대한다. 특히 노자는 유교에서 주장하는 인의, 예절, 지혜 등을 억지스러운 강요로 여겨 분별지(分別智)를 버려야 한다고 주장한다.

오답 선택지 풀이 ② 도가 윤리에서는 자연에 따르는 삶을 살기 위해 도덕규범에 반대한다.
③ 도가 윤리에서는 외적인 규제에 반대한다.
④ 유교 윤리의 입장이다.
⑤ 도가 윤리에서는 제도 확충에 반대한다.

04 장자의 도가 윤리

제시문은 장자의 주장이다. 장자는 도의 관점에서 볼 때 세상 만물은 평등한 가치를 지닌다고 보고, 선입견과 편견을 버리고 모든 사건과 사물을 차별하지 않는 진정한 자유의 경지에 이를 것을 주장한다.

오답 선택지 풀이 ㄱ. 도가에서는 감각적 인식과 편견에 사로잡혀 가치를 인위적으로 판단하면 사물의 본질을 바르게 인식하지 못하고 도(道)를 망각하게 된다고 본다.
ㄷ. 도가에서는 세상 만물을 인위적으로 차별하는 분별지에서 벗어날 것을 주장한다.

05 장자의 도가 윤리

㉠ 사상가는 장자이다. 장자는 도가 사상가로, 세상 만물은 평등한 가치를 지닌다고 보고 세상 만물을 차별하지 않고 한결같이 보는 상태인 제물을 강조하였다. 장자에 따르면 제물의 경지에 이르는 방법으로는 좌망과 심재가 있는데, 좌망은 조용히 앉아 일체의 구속을 잊어버리는 것이고, 심재는 마음을 비우는 것이다.

오답 선택지 풀이 ① 유교 사상가인 공자의 주장이다.
② 유교 사상가인 맹자의 주장이다.
③ 불교 윤리의 주장이다.
⑤ 유교 윤리의 주장이다.

06 장자의 도의 관점

제시문은 "장자"에 나오는 우화이다. 장자는 인위적인 판단에서 벗어나 도의 관점에서 만물을 평등하게 바라보고 구별하지 말아야 한다고 주장한다. 장자는 사회 혼란과 문제의 근본적인 원인이 인위적인 판단에 의한 옳고 그름, 선과 악, 아름다움과 추함 등과 같은 구별에서 비롯된다고 본다. 장자는 이러한 구별이 차별을 낳고 결국 타고난 본성을 해치게 되어 불행으로 이어진다고 주장한다.

오답 선택지 풀이 ㄹ. 도가 윤리에서는 인위적인 것에 반대한다.

유사 선택지 문제

06 ❶ ○ ❷ ○ ❸ ○

07 노자의 도가 윤리

제시문은 "도덕경"에 나오는 내용으로, 노자의 사상을 담고 있다. 노자는 인위적인 문화가 인간을 잘못된 길로 이끈다고 보고 무위자연의 삶을 강조하였으며, 자연에 따라 평화롭고 소박하게 살아가는 소국 과민을 이상적인 사회의 모습으로 제시하였다. 이러한 노자의 관점에서 볼 때 성형은 원래 자신의 자연스러운 모습을 훼손하는 것이므로 노자는 성형 수술에 반대할 것이다.

오답 선택지 풀이 ① 노자는 성형에 반대할 것이며, 제시된 내용은 공리주의의 입장이다.
③, ⑤ 노자는 성형에 반대할 것이며, 제시된 내용은 유교 윤리의 입장이다.
④ 불교 윤리의 입장이다.

08 자연법 윤리

의무론은 언제 어디서나 우리가 따라야 할 보편타당한 법칙이 존재하며, 우리의 행위가 이 법칙을 따르면 옳고 따르지 않으면 그르다고 판단한다. 이와 같은 의무론의 대표적인 윤리 사상으로는 칸트 윤리와 자연법 윤리가 있다.
㉠ 자연법은 인간의 본성에 의거하는 절대적인 법으로서, 모든 인간에게 자연적으로 주어져 있는 보편적인 법이다.

09 칸트의 보편화 정식

제시문은 칸트의 보편화 정식에 관한 내용이다. 칸트는 윤리적 의사 결정 과정에서 보편화 가능성과 인간 존엄성을 중시하였는데, 그는 어떤 준칙이 도덕 법칙이 될 수 있는지 검토하기 위

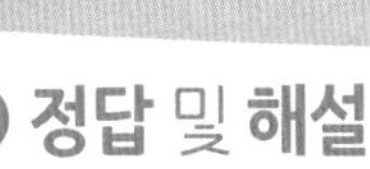

해 먼저 해당 준칙을 보편 진술로 바꾼 후에 그 진술을 보편화 가능성과 인간 존엄성의 관점에서 검토할 것을 주장한다. 즉, 그는 그 진술이 이 검토를 통과하면 도덕 법칙으로 받아들이고 통과하지 못하면 거부해야 한다고 본다.

오답 선택지 풀이 ① 쾌락의 계산법은 벤담의 주장이다.
③ 제시문의 내용과 무관하다.
④ 공리주의의 입장이다.
⑤ 유덕한 사람이 지닌 품성을 강조하는 것은 덕 윤리이다.

올쏘 만점 노트 칸트의 보편화 검사와 목적 검사

칸트는 구체적인 행위의 지침을 마련하려면 준칙에 대한 보편화 검사와 목적 검사를 한 후 의무를 도출하여 실천해야 한다고 보았다. 보편화 검사는 준칙을 보편화할 수 있는지 검토하는 것이고, 목적 검사는 준칙이 인간 존엄성을 침해하는지 검토하는 것이다.

10 칸트의 보편화 정식과 인간성 정식

제시문을 주장한 사상가는 칸트이다. 칸트는 의무론적 윤리의 입장에서 행위의 결과보다 동기를 중시하고, 오로지 의무 의식에서 나온 행위만이 도덕적 가치를 지닌다고 본다. 또한 칸트는 이성적이고 자율적인 인간은 보편적인 도덕 법칙을 인식할 수 있다고 보며, 도덕 법칙을 정언 명령의 형식으로 제시한다.

⑤ 칸트는 보편화 가능성과 인간 존엄성을 모두 중시한다. 그는 인간은 그 자체로서 존엄하며 존중받아야 한다고 보았다. 이는 제시문의 두 번째 문장에 드러나 있다. 제시문의 첫 번째 문장은 칸트의 보편화 가능성에 대한 것이다.

11 칸트의 의무에 따른 행위

제시문은 칸트의 주장이다. 칸트는 감정이나 욕구가 아니라 도덕 법칙을 존중하려는 의무 의식에서 비롯된 행위만이 도덕적 가치를 지닌다고 본다.

오답 선택지 풀이 ① 칸트는 자연적 경향성인 욕구에 따르는 행위를 도덕적 행위로 보지 않는다.
② 공리주의의 입장이다.
③ 칸트는 감정에 근거한 행위를 도덕적 행위로 보지 않는다.
⑤ 칸트는 인간을 수단이 아니라 목적으로 대우해야 한다고 주장한다.

유사 선택지 문제

11 ❶ × ❷ ○ ❸ ○

12 벤담과 밀의 공리주의

제시문의 갑은 양적 공리주의자인 벤담이고, 을은 질적 공리주의자인 밀이다. 공리주의는 쾌락의 증진과 고통의 감소, 즉 행복을 가져다주는 유용성을 기준으로 공리의 원리를 도출하여 어떤 행위가 결과적으로 얼마나 많은 행복을 산출해 내는지에 초점을 맞춘다.

오답 선택지 풀이 ① 의무론의 입장으로, 갑과 을 모두 부정의 대답을 할 질문이다.
② 규칙 공리주의 입장이다. 갑과 을은 행위 공리주의 입장으로, 모두 부정의 대답을 할 질문이다.
③ 밀은 쾌락의 질적 차이를 강조하였다.
⑤ 을만이 긍정의 대답을 할 질문이다.

13 밀의 질적 공리주의와 칸트의 의무론적 윤리

제시문의 갑은 질적 공리주의자인 밀이고, 을은 의무론자인 칸트이다. 밀은 육체적 쾌락보다 정신적 쾌락의 우위성을 강조하며, 칸트는 오로지 의무 의식에서 나온 행위이자 옳다는 이유만으로 행한 행위를 도덕적 행위로 간주한다.

오답 선택지 풀이 ㄷ. 칸트는 보편화 가능성과 인간 존엄성을 중시한다.
ㄹ. 공리주의에서는 행위의 결과를 고려한 행위를, 의무론에서는 행위의 동기를 고려한 행위를 도덕적 행위로 간주한다.

14 규칙 공리주의

제시문은 규칙 공리주의에 관한 내용이다. 규칙 공리주의에서는 유용성의 원리를 행위의 규칙에 적용한다. 어떤 규칙이 최대의 유용성을 산출하는지 판단한 후, 그 규칙에 부합하는 행위를 옳은 행위로 보는 것이다. 규칙 공리주의에 따르면, 어떤 행위가 최대의 유용성을 산출한다고 해도 그 행위가 최대의 유용성을 산출하는 규칙에 어긋나면 그 행위는 옳은 행위가 아니다. 또한 어떤 규칙을 따르는 것은 그 규칙이 더 나은 결과를 가져오기 때문이다.

오답 선택지 풀이 ① 책임 윤리와 관련된 내용이다.
③ 덕 윤리와 관련된 내용이다.
④ 칸트 윤리와 관련된 내용이다.
⑤ 배려 윤리와 관련된 내용이다.

올쏘 만점 노트 책임 윤리, 배려 윤리, 담론 윤리

책임 윤리	• 전통적으로 책임은 이미 행해진 행위나 그 결과를 묻는 과거 지향적 개념이었음 • 행위나 행위 결과에 대한 책임은 물론, 부여된 과제나 역할에 따른 책임과 보편적인 도덕적 책임까지 강조함 • 책임의 범위와 대상도 개인을 넘어 집단, 미래 세대, 동물, 생태계 등 시공간적으로 확장됨 • 대표 사상가: 요나스
배려 윤리	• 수용성, 관계성, 응답성에 근거한 사랑과 모성적 배려를 강조함 • 사람들 사이의 관계, 즉 다른 사람을 보살피고 배려하는 공동체적 관계에 주목함 • 상대방이 처해 있는 문제 상황과 구체적인 요구를 살펴야 한다고 주장함 • 대표 사상가: 길리건, 나딩스
담론 윤리	• 도덕은 이성적인 존재들 사이의 상호 작용에 관한 규범의 체계이고, 이 규범은 이성적 존재들 간에 합의 가능한 것이어야 한다고 봄 • 윤리 문제의 해결을 위해 누구나 자신의 의견을 자유롭게 주장할 수 있고, 상대방의 의견을 존중하고 이해하려는 대화와 합의가 필요하다고 봄 • 대표 사상가: 하버마스

15 질적 공리주의와 양적 공리주의

제시문의 갑은 밀, 을은 벤담이다. 벤담과 밀은 공리주의 사상가로, 벤담은 양적 공리주의, 밀은 질적 공리주의 입장을 지닌다. 벤담은 모든 쾌락에는 질적 차이가 없으며 양적으로 더 큰 쾌락을 충족시키는 행위를 추구할 것을 주장한다. 반면, 밀은 쾌락에는 질적 차이가 분명히 존재하며, 우월함과 열등함이 존재한다고 본다. 밀은 신체의 안락과 편안함을 주는 저차원적 쾌락보다 사색하고 철학하는 고차원적 쾌락을 추구할 것을 주장한다.

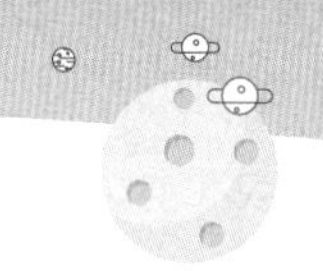

오답 선택지 풀이 ① 벤담과 밀 모두 긍정의 대답을 할 질문이다.
② 칸트가 긍정의 대답을 할 질문이다.
④ 자연법 윤리의 입장에서 긍정의 대답을 할 질문이다.
⑤ 규칙 공리주의의 입장에서 긍정의 대답을 할 질문이다.

16 매킨타이어의 덕 윤리

그림의 강연자는 덕 윤리학자인 매킨타이어이다. 그는 근대의 의무론과 공리주의가 행위자 내면의 덕성의 중요성을 간과하고, 개인의 자유와 권리를 지나치게 강조하여 공동체가 중시하는 덕목을 무시한다고 비판한다. 또한 매킨타이어는 덕성의 함양이 역사와 전통이라는 구체적 맥락을 지닌 공동체 안에서 가능하다는 점을 강조한다.

오답 선택지 풀이 ① 덕 윤리는 옳고 그름을 판단하는 특정한 원리보다는 유덕한 품성을 강조한다. 반면에 의무론이나 공리주의는 특정한 도덕 원리나 규칙을 근거로 행위의 도덕성을 평가한다.
② 유덕한 사람에게 도덕적 행위란 평소 습관화·내면화된 것이므로 힘들고 고통스럽기보다는 자연스러운 것으로 볼 수 있다.
③ 덕 윤리는 의무론과 공리주의 등의 근대 윤리를 비판하고 그 한계를 극복하고자 등장하였다.
⑤ 매킨타이어는 역사와 전통을 가진 공동체 안에서 덕성의 함양이 가능하다는 점을 강조한다.

17 아리스토텔레스의 품성적 덕

제시문은 아리스토텔레스의 "니코마코스 윤리학"에 나오는 덕에 관한 설명이다. 아리스토텔레스는 덕을 지성적 덕과 품성적 덕의 두 종류로 나누고, 전자는 주로 교육을 통해 길러지며, 후자는 습관을 통해 길러진다고 본다. 그는 유덕한 행위를 지속적으로 실천하여 습관화함으로써 품성적 덕을 형성할 수 있으며, 유덕한 품성을 갖춘 인간이 될 수 있다고 본다.

오답 선택지 풀이 ① 일반적으로 공리주의적 관점에서 유용성을 계산하는 방법이다.
② 공리주의의 입장이다.
④ 밀의 질적 공리주의에 관한 내용이다.
⑤ 칸트의 의무론에 관한 내용이다.

18 덕 윤리

제시문은 덕 윤리에 관한 내용이다. 덕 윤리는 특정한 도덕 원리나 규칙에 근거한 행위에 대해 옳고 그름을 논하는 기존의 의무론과 공리주의의 한계를 벗어나고자 하였다. 이에 윤리적 의사 결정을 내릴 때 덕 윤리는 특정 상황에서 유덕한 행위자가 할 법한 것을 행하라고 요구한다.

오답 선택지 풀이 ② 아퀴나스가 제시한 가장 기본적인 자연법적 도덕 원리이다.
③ 의무론자인 칸트가 제시한 도덕 원리이다.
④ 규칙 공리주의의 도덕 원리이다.
⑤ 행위 공리주의의 도덕 원리이다.

19 장자의 도가 윤리

(1) 제물(齊物)
(2) | 모범 답안 | 좌망: 조용히 앉아서 자신을 구속하는 일체의 것을 잊어버린다.
심재: 마음을 비워 깨끗이 한다.

채점 기준	배점
좌망과 심재의 의미를 정확하게 서술한 경우	상
좌망과 심재의 의미 중 한 가지만 정확하게 서술한 경우	하

20 아퀴나스의 자연법 윤리

(1) 선을 행하고 악을 피하라.
(2) | 모범 답안 | 무고한 인간 생명인 태아를 죽여서는 안 된다(태아는 무고한 인간 생명이므로 죽여서는 안 된다).

채점 기준	배점
제시된 답안의 두 문장 중 한 가지를 서술한 경우	상
태아를 죽여서는 안 된다고만 서술한 경우	하

올쏘 상위 4% 문제

본문 21쪽

01 ③ 02 ③ 03 ③ 04 ③

01 노자와 장자의 도가 윤리

자료 분석

갑: 으뜸가는 선(善)은 물과 같다.(상선약수=노자) 성인(聖人)은 만물을 이롭게 하고 다투는 일이 없으며 모두가 싫어하는 낮은 곳에 처한다.
을: 도(道)는 오로지 빈[虛] 곳에만 모이는 것이니 이렇게 마음을 비움이 심재(心齋)이다.(심재=장자) 성인의 다스림은 밖을 다스리는 것이 아니라 자기를 바르게 한 후에 행동하는 것에 그친다.

• 갑: 노자의 상선약수(上善若水)에 관한 내용이다. 노자는 물이 낮은 곳으로 흐르면서 만물을 이롭게 하고 남과 다투지 않는 성질이 도(道)와 가장 가깝다고 본다.
• 을: 장자는 제물에 이르는 방법으로 좌망과 심재를 제시하는데, 심재는 마음을 비운다는 의미이다.

노자와 장자는 모두 도가 윤리 사상가로, 인위를 거부하며 자연에 순응해야 함을 강조한다. 노자는 통치자가 갖추어야 할 덕으로 무위를 강조하며, 장자는 좌망과 심재를 통해 분별적 지식에서 벗어나 만물을 평등하게 바라보는 제물의 경지에 이를 것을 주장한다.

오답 선택지 풀이 ㄱ. 노자와 장자 모두 '예'라고 답할 질문이다.
ㄷ. 유교 윤리의 입장에서 '예'라고 답할 질문이다.

02 노자의 도가 윤리

자료 분석

배와 수레가 있더라도 탈 일이 없고, 갑옷과 무기가 있더라도 쓸 일이 없다. 이웃 나라가 서로 보이고 닭 울고 개 짖는 소리가 들려도, 서로 오가지 않는다.(소국 과민 사회=노자의 이상 사회)

제시문은 도가 윤리 사상가인 노자가 제시한 이상 사회인 소국 과민의 모습 중 일부이다.

노자는 작은 나라에 적은 백성이 살아 수많은 도구가 있어도 사용하지 않게 하고 생명을 소중히 여기도록 하며 먼 곳으로 떠나는 일이 없도록 하면 소국 과민 사회가 될 것이라고 보았다.

오답 선택지 풀이 ①, ②, ④, ⑤ 노자가 긍정의 대답을 할 질문이다.

03 아퀴나스의 자연법

자료 분석

신 안에 있는 법이 영원법이고, 영원법이 인간에게 분유되어 있는 것이 자연법이다. (영원법에 근거를 둔 자연법=아퀴나스) 인간에게는 자신의 본성을 포함하여 공동선을 위한 실천 원리를 파악할 수 있는 이성이 있다. 그러므로 인간은 "선을 행하고 악을 피하라."라는 자연법의 제1원리를 파악할 수 있다.

아퀴나스는 세상을 다스리는 신의 영원한 법칙인 영원법에 근거한 자연법을 이성을 통해 파악할 수 있다고 보았다.

아퀴나스에 따르면 자연법은 인간의 본성에 의거하는 절대적인 법으로서 모든 인간에게 자연적으로 주어져 있는 보편적인 법이다. 인간은 이성이나 신이 부여한 직관을 통해 "선을 행하고 악을 피하라."와 같은 자연법의 제1원리를 인식하고 이를 지켜 나가고자 한다. 또한 자연법의 제1원리는 인간의 타고난 자연적 성향, 즉 자기 생명을 보존하려는 성향, 종족을 보존하려는 성향, 신에 대하여 알고자 하는 성향, 사회적 삶을 영위하고자 하는 성향에 의해 구체화되고 정당화된다고 본다.

오답 선택지 풀이 ① 영원법은 자연법에 반영되어 있으므로 서로 독립적인 것이라고 할 수 없다.
② 인간은 본성적으로 자기 생명 보존, 종족 보존 등의 자연적 성향을 타고난다고 본다.
④ 인간은 이성이나 신이 부여한 직관을 통해 자연법의 원리를 파악할 수 있다.
⑤ 모든 인간에게 자연의 질서를 이해하고 그에 따라 행위할 수 있는 능력이 주어진다.

04 벤담과 밀의 공리주의

자료 분석

갑: 모든 쾌락과 고통은 측정될 수 있다. 그 기준은 강도, 지속성, 확실성, 근접성, 범위이다. (쾌락 계산법=벤담) 어떤 쾌락이나 고통이 또 다른 쾌락이나 고통과 연결될 때 그 쾌락이나 고통도 측정될 수 있다. 그 기준은 다산성과 순수성이다.

을: 어떤 쾌락에는 만족보다 불만족의 양이 많아서 사람들은 그 쾌락 대신에 다른 쾌락을 누릴 수도 있다. 그럼에도 여전히 사람들은 불만족의 양이 더 많은 쾌락을 포기하지 않는다. 그 이유는 불만족의 양이 더 많은 쾌락이 질적으로 우월하기 때문이다. (쾌락의 질적 차이 강조=밀)

- 갑: 양적 공리주의자인 벤담은 모든 쾌락은 오직 양적 차이만 있다고 보고, 쾌락을 양적으로 계산하기 위해 강도, 지속성, 확실성, 근접성, 범위, 다산성, 순수성을 기준으로 하는 쾌락 계산법을 제시한다.
- 을: 질적 공리주의자인 밀은 쾌락의 양뿐만 아니라 질적인 차이도 고려해야 한다고 본다.

벤담은 이익 당사자의 행복을 증진시키는 행위가 옳은데, 이익 당사자가 일반 공동체라면 그 공동체의 행복이 되며, 이익 당사자가 특정 개인이라면 그 개인의 행복이 될 것이라고 보았다. 밀도 공공의 복리를 생각하는 경우는 극히 이례적인데, 이런 이례적인 경우를 제외한 다른 모든 경우에는 모두 사적 공리, 즉 극히 적은 몇몇 사람들의 행복만 신경써도 충분하다고 보았다.

③ 벤담과 밀은 모두 공리주의의 입장으로, 공리주의에서는 최대의 행복을 가져올 유덕한 행위는 공리의 원리에 부합한다고 본다.

오답 선택지 풀이 ① 공리주의에서는 쾌락은 선이고 고통은 악으로 보므로, 벤담과 밀 모두 해당되지 않는다.
② 공리주의에서는 개인의 쾌락을 배제하지 않으므로, 벤담과 밀 모두 해당되지 않는다.
④ 밀은 질적 공리주의자로 쾌락에는 질적 차이가 있다고 본다.
⑤ 칸트의 의무론적 윤리에 해당한다.

03 삶과 죽음의 윤리

개념 확인 문제 본문 24쪽

01 장자, 석가모니 02 (1) ㄱ (2) ㄷ (3) ㄹ 03 (1) ㉡ (2) ㉠ (3) ㉢

시험에 꼭 나오는 문제 본문 24~28쪽

01 ③	02 ③	03 ②	04 ⑤	05 ③	06 ③	07 ②
08 ④	09 ⑤	10 ④	11 ③	12 ③	13 ②	14 ④
15 ④	16 ⑤	17 ⑤	18 ①	19~20 해설 참조		

01 죽음에 대한 유교의 입장

제시문은 유교 사상가인 공자의 주장이다. 유교에서는 죽음의 문제보다는 현실에서의 도덕적 삶에 충실할 것을 강조하였다. 제시문의 인(仁)은 유교에서 강조하는 도덕적 덕목에 해당하는데, 자신을 희생하여 인을 이룬다는 내용에서 도덕적 삶을 강조함을 알 수 있다.

오답 선택지 풀이 ① 죽음을 또 다른 세계로 윤회하는 것이라고 보는 사상은 불교이다.
② 삶과 죽음을 기(氣)의 변화에 의한 것이라고 보는 사상은 도가이다.
④ 불교와 도가의 입장에 해당한다.
⑤ 인위적 규범에 얽매이지 않는 삶을 강조하는 것은 도가이다.

02 죽음에 대한 하이데거의 입장

제시문은 실존주의 사상가인 하이데거의 주장이다. 하이데거는 현존재인 인간만이 자신에게 다가올 죽음을 염려할 수 있고, 죽음에 대한 사유를 통해 자기의 고유성을 자각하고 자신의 삶을 더욱 충실하게 살 수 있다고 보았다.

오답 선택지 풀이 ① 육체를 순수한 인식을 불가능하게 하는 감옥이라고 본 사상가는 플라톤이다.
② 하이데거는 현실의 삶에서 죽음을 자각할 때 참된 실존을 회복할 수 있다고 보았다.
④ 삶과 죽음의 순환 과정에서 벗어나 해탈의 경지에 도달해야 한다고 본 사상은 불교이다.

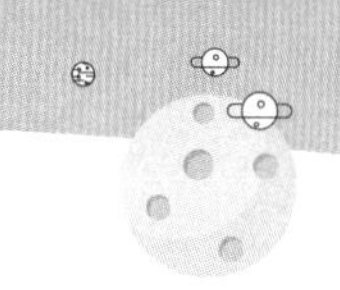

⑤ 하이데거는 죽음의 고통에서 벗어나 이상 세계에 도달해야 한다고 보지 않았다. 그는 현실에서 죽음에 대한 자각을 통해 참된 실존, 즉 진정한 자아를 발견해야 한다고 주장하였다.

03 죽음에 대한 불교와 도가의 입장

(가)는 불교, (나)는 도가 사상의 입장이다. 불교에서는 생로병사를 삶의 고통으로 간주하며, 이러한 고통에서 벗어나 해탈에 도달하기 위한 깨달음을 추구한다.

오답 선택지 풀이 ① 불교에서는 태어남과 죽음 모두 고통으로 간주한다.
③ 도가에서는 인의예지의 덕의 실천을 강조하지 않는다. 인의예지를 강조하는 것은 유교이다.
④ 도가에서는 옳고 그름에 대한 분별에서 벗어날 것을 강조한다.
⑤ 불교만의 입장이다.

유사 선택지 문제

03 ❶ ○ ❷ × ❸ ○

올쏘 만점 노트 죽음에 대한 불교와 도가의 입장

- 불교에서는 죽음을 고통이라고 보며, 우리는 생로병사라는 끊임없는 고통의 삶을 반복하는 윤회의 사슬에 매여 있다고 본다. 내세에서의 좋은 삶을 위해 현생에서의 도덕적 삶을 강조하며, 윤회의 고통에서 벗어나기 위해 해탈에 이르는 깨달음을 제시한다.
- 도가에서는 삶과 죽음을 기가 변하여 생긴 것이라고 보며, 삶과 죽음은 계절의 변화와 같이 자연스러운 과정이므로 삶을 기뻐하고 죽음을 슬퍼할 필요가 없다고 본다.

04 죽음에 대한 에피쿠로스와 플라톤의 입장

갑은 에피쿠로스, 을은 플라톤이다. 에피쿠로스는 인간이 죽음을 경험할 수 없고, 인간이 죽으면 인간을 이루고 있던 원자가 흩어져 더 이상 존재하지 않으므로 죽음에 대한 두려움을 가질 필요가 없다고 보았다. 플라톤은 지혜를 사랑하며 산 사람의 경우 죽음을 통해 진리의 세계인 이데아의 세계로 들어간다고 보아 죽음에 대한 두려움을 가질 필요가 없다고 보았다.

오답 선택지 풀이 ① 에피쿠로스는 죽음 이후에는 아무것도 없다고 보았기 때문에 내세를 위한 삶을 주장하지 않았다.
② 에피쿠로스는 죽음을 고통으로 간주하지 않았다.
③ 플라톤은 이데아를 죽음 이후에 더 분명하게 파악할 수 있다고 보았다.
④ 에피쿠로스의 입장이다.

자료 분석

갑: 죽음이 두려운 일이 아니라는 사실을 진정으로 깨달은 사람은 살아가면서 두려워할 것이 없다. 우리가 존재하는 한 죽음은 우리와 함께 있지 않고, 죽으면 이미 우리는 존재하지 않기 때문이다.
(죽음은 경험할 수 없으므로 두려워할 필요가 없음=에피쿠로스)

을: 순수한 영혼의 상태에 있을 때 우리는 이데아를 온전히 파악할 수 있다. 우리가 육체로부터 떠났을 때에야 오로지 영혼만을 사용하여 사물 그 자체를 볼 수 있다.
(죽음을 통해 이데아 파악=플라톤)

- 갑: 에피쿠로스는 인간이 죽으면 인간을 이루던 원자가 흩어져 더 이상 존재하지 않게 된다고 보았다.
- 을: 플라톤은 세계를 감각으로 인식할 수 있는 현상계와 이성으로만 인식할 수 있는 이데아계로 구분하였으며, 선한 삶을 산 사람의 경우 육체에 갇혀 있던 영혼이 죽음을 통해 영원불변하는 이데아의 세계로 들어간다고 보았다.

05 죽음에 대한 하이데거의 입장

제시문은 하이데거의 입장이다. 하이데거는 인간만이 자신에게 다가올 죽음을 자각할 수 있는, 즉 자신의 유한성을 자각할 수 있는 유일한 존재라고 보았으며, 인간이 자신의 죽음을 자각할 때 참된 실존을 회복하고 삶을 더욱 충실하게 살 수 있다고 보았다.

오답 선택지 풀이 ㄱ. 하이데거는 인간만이 자신에게 다가올 죽음을 인지하여 염려할 수 있는 존재라고 보았다.
ㄹ. 하이데거는 인간이 죽음의 가능성을 극복할 때가 아니라 자신이 죽음을 극복할 수 없다는 사실을 깨닫고 죽음 앞에 직면할 때 진정한 자신인 참된 실존을 회복할 수 있다고 보았다.

06 죽음에 대한 에피쿠로스의 입장

제시문은 에피쿠로스의 입장이다.
ㄴ. 에피쿠로스는 유물론자로서 인간은 원자로 이루어진 존재이며, 이러한 인간을 이루고 있던 원자가 흩어지는 것을 죽음이라고 보았다.
ㄷ. 에피쿠로스는 사람들이 죽음에 대한 막연한 두려움을 가지고 있는데, 인간이 죽음을 경험할 수 없기 때문에 이러한 두려움은 잘못된 것이라고 주장하였다.

오답 선택지 풀이 ㄱ. 에피쿠로스는 죽음을 두려워하고 죽음을 고통이라고 생각하는 사람들의 생각은 잘못된 것이라고 보았다.
ㄹ. 에피쿠로스는 인간이 죽으면 아무것도 없다고 보았기 때문에 내세의 삶에 대하여 언급하지 않았다.

07 죽음에 대한 장자의 입장

제시문은 도가 사상가인 장자의 주장이다.
ㄱ. 장자는 삶과 죽음을 기가 모이고 흩어지는 자연의 한 과정이라고 보았다.
ㄹ. 장자는 삶과 죽음은 계절의 변화와 같이 자연스러운 것이기 때문에 차별이 없으므로, 태어남을 기뻐할 필요도 없고 죽음을 슬퍼할 필요도 없다고 보았다.

오답 선택지 풀이 ㄴ. 장자는 기가 흩어진다고 해서 삶이 영원히 소멸되는 것으로 보지 않았으며, 기가 다시 모이면 삶이 시작된다고 보았다.
ㄷ. 불교의 입장이다.

08 인공 임신 중절에 대한 윤리적 쟁점

제시문의 ㉠에 들어갈 내용은 인공 임신 중절의 찬성 논거이다.
ㄱ. 인공 임신 중절을 찬성하는 입장에서는 여성이 자기방어와 정당방위의 권리를 지니기 때문에 일정한 조건 아래서는 인공 임신 중절을 할 권리를 지닌다고 주장한다.
ㄴ. 인공 임신 중절을 찬성하는 입장에서는 여성이 자신의 삶을 자율적으로 영위할 권리를 지니기 때문에 인공 임신 중절도 자율적으로 결정할 수 있다고 주장한다.
ㄷ. 인공 임신 중절을 찬성하는 입장에서는 태아가 여성의 신체 일부이므로 여성이 인공 임신 중절을 선택할 권리를 지닌다고 주장한다.

오답 선택지 풀이 ㄹ. 인공 임신 중절을 반대하는 입장의 논거이다. 인공 임신 중절을 반대하는 입장에서는 태아가 일정한 발생 과정을 거쳐 성숙한 인간으로 발달할 잠재성을 지니고 있으므로 태아를 죽음에 이르게 하는 인공 임신 중절을 해서는 안 된다고 주장한다.

09 인공 임신 중절에 대한 아퀴나스의 입장

제시문은 아퀴나스의 입장으로 아퀴나스는 자연법 윤리를 주장한 사상가이다. 자연법 윤리에서는 인공 임신 중절을 자기 보존과 종족 보존이라는 자연적 성향에 어긋나는 행위로 보아 반대할 것이다.

오답 선택지 풀이 ① 자연법 윤리에서는 행위의 결과로서의 처벌을 고려하여 행위하기보다는 인간의 본성인 자연적 성향에 맞는 행위를 할 것을 주장한다.

② 자연법 윤리에서는 자신의 이익을 행위 선택의 기준으로 제시하지 않는다.

③ 사회에 유용한 결과를 행위를 선택하는 기준으로 삼는 것은 공리주의이다.

④ 자연법 윤리는 인간 본성에 따르는 자연적 성향을 보편적 원리로 제시하는 의무론의 입장이다.

10 자살에 대한 칸트의 입장

제시문은 칸트의 주장이다.

ㄴ. 칸트는 자살을 자율적 인간으로서 지켜야 할 도덕 법칙인 자기 보존의 의무를 위반한 행위라고 비판한다.

ㄹ. 칸트는 자살을 고통에서 벗어나기 위해 자신의 생명과 인격을 한낱 수단으로 삼은 행위라고 비판한다.

오답 선택지 풀이 ㄱ. 불교의 입장이다.

ㄷ. 칸트는 의무론적 윤리의 입장에 해당하므로 행위의 결과를 고려하지 않고 도덕 법칙을 준수하려는 의무 의식을 중시한다.

올쏘 만점 노트 자살에 대한 서양 사상의 입장

그리스도교	신으로부터 부여받은 목숨을 스스로 끊어서는 안 됨
아퀴나스	자기 보존이라는 자연적 성향을 위반한 행위임
칸트	자신의 생명과 인격을 수단으로 삼는 행위이자 자기 보존의 의무를 위반한 행위임
쇼펜하우어	자신의 능력을 발휘할 가능성을 파괴하는 행위임

11 자살에 대한 유교와 불교의 입장

(가)는 유교, (나)는 불교 사상이다.

ㄴ. 유교에서는 부모로부터 물려받은 신체를 훼손하는 행위를 불효로 보는데, 자살은 바로 이 불효에 해당한다.

ㄷ. 불교에서는 자살을 생명을 해쳐서는 안 된다는 불살생의 계율을 어긴 행위로 간주한다.

오답 선택지 풀이 ㄱ. 무위의 덕을 강조하는 것은 도가 사상이다.

ㄹ. 유교의 관점에는 해당하지 않는다.

12 인공 임신 중절에 대한 윤리적 쟁점

제시문의 ㉠에 들어갈 내용은 인공 임신 중절에 대한 반대 논거이다.

ㄴ. 인공 임신 중절을 반대하는 입장에서는 모든 인간의 생명은 존엄하며, 태아 역시 생명이 있는 인간이므로 존엄성과 생명권을 지닌다고 주장한다.

ㄷ. 인공 임신 중절을 반대하는 입장에서는 무고한 인간을 죽이는 것은 잘못된 행위인데, 태아는 무고한 인간이므로 태아를 죽이는 인공 임신 중절을 해서는 안 된다고 주장한다.

오답 선택지 풀이 ㄱ. 인공 임신 중절을 찬성하는 입장의 논거로서 태아는 여성의 신체 일부이며 여성은 자신의 신체에서 일어난 일을 선택할 권리를 지닌다고 본다.

ㄹ. 인공 임신 중절을 찬성하는 입장의 논거로서 태아를 생명을 지닌 인간으로 인정한다고 해도 태아가 임신부의 생명을 심각하게 위협하는 경우에는 임신한 당사자의 생명을 지키기 위하여 인공 임신 중절을 할 수 있다고 본다.

13 안락사에 대한 공리주의 입장

(가)는 공리주의 사상이고, (나)의 ㉠은 안락사이다. ② 공리주의적 입장에서 안락사를 찬성한다면 그 이유는 다음과 같다. 공리주의적 입장에서는 불치병 환자에게 행하는 연명 치료가 환자 본인과 가족에게 심리적 · 경제적 부담을 줄 경우 이러한 부담을 줄이기 위해서는 안락사를 선택하는 것이 좋다고 본다.

오답 선택지 풀이 ① 공리주의적 입장에서는 안락사의 찬성 이유로 인간 생명의 존엄성 존중을 제시하지는 않는다.

③ 인간을 목적으로 대우해야 한다는 것은 의무론의 입장에 해당한다.

④ 공리주의는 행위의 결과를 중시하는 입장이기 때문에 결과를 고려하지 않는 입장은 답이 될 수 없다.

⑤ 자연의 질서에 부합해야 한다는 것은 자연법 윤리의 입장에 해당한다.

14 안락사의 유형

안락사는 환자의 동의 여부에 따라 자발적 안락사와 비자발적 안락사로 나뉘며, 죽음에 이르게 하는 수단에 따라 적극적 안락사와 소극적 안락사로 나뉜다.

ㄱ. 자발적 안락사는 환자 본인이 직접 안락사에 동의한 경우이다.

ㄷ. 적극적 안락사는 약물이나 주사 등으로 환자를 죽음에 이르게 하는 것이다.

ㄹ. 소극적 안락사는 연명 치료를 중단하거나 치료를 하지 않음으로써 환자를 죽음에 이르게 하는 것이다.

오답 선택지 풀이 ㄴ. 비자발적 안락사는 환자가 의사를 표현할 능력이 없는 상태에서 가족이나 국가의 요구에 의해 행해지는 안락사이다.

15 뇌사의 윤리적 쟁점

제시문은 뇌사를 죽음의 판정 기준으로 인정하는 입장이다.

ㄱ. 뇌사를 죽음의 판정 기준으로 인정하는 데 찬성하는 입장 중에서는 회복 불가능한 뇌사 상태의 환자를 치료하는 것은 무의미하며 환자 본인과 가족의 고통을 가중시킨다고 주장하기도 한다.

ㄴ. 뇌사를 죽음의 판정 기준으로 인정하는 데 찬성하는 입장 중에서는 뇌사를 인정하면 장기 이식을 통해 더 많은 사람의 생명을 살릴 기회를 늘릴 수 있다고 주장하기도 한다.

ㄹ. 뇌사를 죽음의 판정 기준으로 인정하는 데 찬성하는 입장 중에서는 뇌사를 인정하면 한정된 의료 자원을 효율적으로 사용하여 의료 자원의 비효율성을 막을 수 있다고 주장하기도 한다.

오답 선택지 풀이 ㄷ. 심폐사만을 죽음의 판정 기준으로 보아야 한다고 주장하는 입장의 논거이다. 이 입장에서는 인간이 심장을 비롯한 다양한 장기의 상호 작용으로 생명을 유지하기 때문에 뇌사 상태를 죽음으로 인정해서는 안 된다고 주장한다.

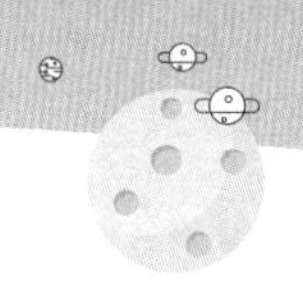

16 안락사에 대한 자연법 윤리의 입장

제시문은 아퀴나스의 자연법 윤리에 대한 주장이다. 자연법 윤리에서는 안락사와 같이 인위적으로 생명을 단축시키는 행위를 자기 보존의 자연적 성향에 위배되는 행위라고 비판한다. 따라서 자연법 윤리의 입장에서는 〈문제 상황〉 속 A에게 자신의 생을 마감하지 말고 자기 보존의 성향에 따라 생명을 유지하라고 조언할 것이다.

오답 선택지 풀이 ① 아퀴나스의 자연법은 선을 행하고 악을 피하라는 내용을 담고 있다.
② 자연법을 극복할 수 있는 행위가 아니라 자연법에 따르는 행위를 하라고 제시해야 한다.
③ 칸트의 의무론에서 제시할 수 있는 조언이다.
④ 아퀴나스는 실천 이성을 부정하지 않는다.

17 죽음에 대한 플라톤의 입장

제시문은 플라톤의 입장이다. 플라톤은 지혜를 사랑하며 산 철학자는 죽음을 육체의 감옥에서 벗어난 영혼이 참된 진리의 세계인 이데아의 세계로 들어가게 된다고 주장하였다.

오답 선택지 풀이 ① 플라톤은 철학자의 죽음을 고통으로 보지 않았다. 오히려 죽음을 이데아의 세계로 들어갈 수 있는 축복이라고 보았다.
② 불교에서 긍정의 대답을 할 질문이다. 불교에서는 삶과 죽음이 하나라는 생사일여(生死一如)를 주장한다.
③ 플라톤에 의하면, 철학자는 이성을 통해서 인식하던 참된 실재를 죽음을 통해 더 분명하고 확실하게 인식할 수 있다.
④ 플라톤은 죽음 이후에도 혼이 존재한다고 보았다.

18 죽음에 대한 불교의 입장

제시문은 불교 사상이다.

ㄱ. 불교에서는 생로병사, 즉 태어남과 늙음, 병듦과 죽음을 고통으로 본다.

ㄴ. 불교에서는 인간이 태어남과 죽음을 반복한다는 윤회설을 주장하는데, 윤회 과정에서 인간의 선행과 악행은 죽음 이후의 삶을 결정한다고 본다.

오답 선택지 풀이 ㄷ. 지혜를 사랑하는 삶을 산 사람의 경우, 죽음 이후에 순수한 지혜를 더 명확하게 발견할 수 있다고 본 사상가는 플라톤이다.
ㄹ. 불교에서는 죽음을 삶의 끝이라고 보지 않으며, 죽음 이후에는 또 다른 삶이 시작된다는 윤회설을 주장한다.

19 뇌사의 윤리적 쟁점

(1) 뇌사

(2) | 모범 답안 | 인간은 심장을 비롯한 다양한 장기의 상호 작용으로 생명을 유지하므로 뇌 기능의 정지를 죽음으로 볼 수는 없다. 현대 의학의 수준에서는 뇌사 판정 과정에서 오류 가능성이 여전히 존재한다. 뇌사를 죽음으로 인정할 경우 장기 적출을 위해 뇌사를 남용하거나 악용할 소지가 있다.

채점 기준	배점
뇌사를 죽음의 판정 기준으로 인정하는 입장에 대한 반대 논거를 두 가지 이상 모두 옳게 서술한 경우	상
뇌사를 죽음의 판정 기준으로 인정하는 입장에 대한 반대 논거를 한 가지만 옳게 서술한 경우	하

20 안락사의 윤리적 쟁점

(1) 안락사

(2) | 모범 답안 | 환자는 자율적 주체로 자신이 죽을 방법을 선택할 수 있으며 인간답게 죽을 권리를 지닌다. 무의미한 연명 치료는 환자 본인과 가족에게 심리적 · 경제적 고통을 안겨 줄 뿐이다. 치료 불가능한 환자에게 제한된 의료 자원을 사용하는 것은 비효율적이며 사회 전체의 이익에도 부합하지 않는다.

채점 기준	배점
안락사를 찬성하는 입장의 논거를 두 가지 이상 옳게 서술한 경우	상
안락사를 찬성하는 입장의 논거를 한 가지만 옳게 서술한 경우	하

상위 4% 문제

본문 29쪽

01 ③ 02 ⑤ 03 ③

01 죽음에 대한 에피쿠로스, 플라톤, 하이데거의 입장

자료 분석

갑: 죽음이라는 공포는 우리에게 가장 고통스러운 악(惡)이다. 하지만 죽음은 우리에게 아무것도 아니므로 두려워할 필요가 없다. 왜냐하면 죽으면 모든 감각이 사라져 어떠한 것도 느낄 수 없기 때문이다.
(죽음은 경험할 수 없으므로 두려워할 필요가 없음=에피쿠로스)

을: 사유(思惟)는 청각이나 시각이나 또 고통이나 쾌락이 정신을 괴롭히는 일이 전혀 없을 때 가장 잘 되는 것이다. 다시 말하면, 영혼이 육체적 감각이나 욕망을 전혀 갖지 않고 참으로 존재하는 것을 추구할 때 가장 잘 사유하게 된다.
(육체적 감각을 벗어난 영혼의 사유=플라톤)

병: 불안에는 일정한 대상이 없다. 그것은 무(無), 즉 죽음에 대한 불안이다. 현존재는 원래 유한한 존재요, 죽음에의 존재이다. 현존재는 유한한 존재로서 무에 접하고 있고, 죽음 앞에 서 있다는 것을 느낀다. 이것이 불안의 근원이다.
(현존재의 죽음에 대한 자각=하이데거)

- 갑: 에피쿠로스는 죽음이 고통스러운 악이 아니라 죽음에 대한 막연한 두려움이 고통스러운 악이라고 보았다. 그는 우리가 죽음을 경험할 수 없으므로 죽음은 우리에게 아무것도 아니며 두려워할 필요가 없다고 주장하였다.
- 을: 플라톤은 우리가 육체적 감각이나 욕망에서 벗어날 때 가장 잘 사유할 수 있다고 보았다. 그는 선한 삶을 산 사람의 경우 죽음을 통해 육체적 감옥에서 벗어날 때 이데아의 세계로 들어갈 수 있다고 주장하였다.
- 병: 하이데거는 우리가 죽음 앞에 직면하고 죽음을 자각할 때 비로소 참된 존재로서의 실존을 회복하고 의미 있는 삶을 살 수 있다고 주장하였다.

ㄷ. 플라톤은 지혜를 사랑하며 산 사람(철학자)의 경우 육체적 죽음 이후에 영원불변한 실재의 세계인 이데아의 세계에 들어갈 수 있다고 보았다.

ㄹ. 하이데거는 우리가 죽음을 직면하여 죽음을 자각할 때 참된 존재를 회복하고 주체적 삶을 살아갈 수 있다고 보았다.

오답 선택지 풀이 ㄱ. 에피쿠로스는 죽음을 두려워할 필요가 없다고 하였지, 죽음을 소망하며 살아야 한다고 말하지는 않았다.
ㄴ. 플라톤이 아니라 에피쿠로스가 긍정의 대답을 할 질문이다.

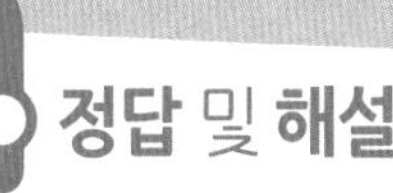

02 죽음에 대한 도가와 불교의 입장

자료 분석

(가) 생명이란 본래 자연에서 빌린 것이니 마치 티끌과 같고, 삶과 죽음의 이치는 밤낮의 변화와 같다. (삶과 죽음은 자연의 현상=도가) 이제 우리는 그 자연스러운 변화를 바라보노니, 그것이 내게 왔다고 해서 어찌 싫어하겠는가.

(나) 오온(五蘊)의 부서짐, 생명의 끊어짐을 죽음이라 한다. (오온의 부서짐이 죽음=불교) 태어남이 있을 때에만 죽음이 있다. 삶의 모든 현상은 꿈과 같고 이슬 같고 그림자 같고 번개와 같으니 그대, 마땅히 그렇게 바라보아야 한다.

- (가): 장자는 삶과 죽음의 이치는 밤낮의 변화와 같다고 하였는데, 이는 삶과 죽음이 자연스러운 현상이라는 의미이다. 장자는 삶과 죽음이 기(氣)가 모이고 흩어지는 자연스러운 과정이므로 죽음을 슬퍼할 필요가 없다고 주장하였다.
- (나): 불교에서는 인간을 구성하는 다섯 가지 요소인 색수상행식을 오온(五蘊)이라고 하며 이러한 오온의 부서짐을 죽음이라고 보았다.

도가에서는 삶과 죽음이 계절의 변화와 같은 자연스러운 과정이라고 보았다. 불교에서는 삶과 죽음이 하나라는 생사일여(生死一如)를 주장하면서 윤회설을 주장하였다. 따라서 두 사상 모두 삶과 죽음을 차별해서는 안 되는 자연스러운 과정으로 본다.

오답 선택지 풀이 ① 도가에서는 윤리적인 관점을 인위적인 것으로 보고 윤리적인 관점에서 벗어날 것을 주장한다.
② 도가에서는 삶과 죽음을 자연스러운 것으로 보며 악순환으로 보지 않는다.
③ 불교에서 말하는 삶의 모든 번뇌가 소멸한 상태는 죽음이 아니라 해탈이다.
④ 불교에서는 삶과 죽음을 고통으로 본다.

03 인공 임신 중절의 윤리적 쟁점

갑은 태아가 생명이 있는 인간이므로 태아를 죽음에 이르게 하는 모든 인공 임신 중절 행위에 대해 반대한다. 을은 갑과 마찬가지로 태아를 생명을 지닌 인간으로 인정하지만 여성의 자기방어와 같은 특별한 경우의 인공 임신 중절에 대해서는 찬성한다. 따라서 ③ '여성의 자기방어를 위한 인공 임신 중절은 정당한가?'라는 질문에 대해 갑은 부정, 을은 긍정의 대답을 할 것이다.

오답 선택지 풀이 ① 갑은 긍정, 을은 부정의 대답을 할 질문이다. 갑은 모든 인공 임신 중절 행위를 비도덕적이라고 보는 데 비해, 을은 여성의 자기방어를 위한 인공 임신 중절 행위를 비도덕적이라고 보지 않는다.
② 갑, 을 모두 긍정의 대답을 할 질문이다.
④ 갑, 을 모두 긍정의 대답을 할 질문이다. 을의 경우 여성의 자기 방어를 위한 인공 임신 중절은 찬성하지만, 태아를 생명을 지닌 인간 존재로 보기 때문에 인공 임신 중절 행위를 함부로 행하는 것에는 반대한다.
⑤ 갑, 을 모두 부정의 대답을 할 질문이다. 갑은 어떠한 인공 임신 중절 행위도 허용하지 않는다. 을은 여성의 정당방위권 행사를 위한 인공 임신 중절에는 찬성하지만, 태아를 인간으로 인정하는 입장이다.

04 생명 윤리

개념 확인 문제 본문 32쪽

01 도가, 불교 02 (1) ○ (2) ○ (3) × (4) ○ 03 (1) ㉢ (2) ㉡ (3) ㉠

시험에 꼭 나오는 문제 본문 32~34쪽

01 ③ 02 ② 03 ④ 04 ③ 05 ⑤ 06 ⑤ 07 ②
08 ⑤ 09 ② 10 ② 11~12 해설 참조

01 배아 복제에 대한 공리주의 입장

(가)는 공리주의 사상가인 벤담의 주장이다. 공리주의에서는 사회 전체의 행복이나 유용성 증진을 행위의 목표로 삼는다. 따라서 공리주의 입장에서는 과학자 A에게 어떤 선택이 사회 전체에 유용함을 가져다줄 수 있는지를 따져보아야 한다고 조언할 것이다.

오답 선택지 풀이 ① 공리주의는 행위의 결과를 중시한다.
② 생명의 상호 의존성을 강조하는 것은 불교 사상이다.
④ 공리주의에서는 유용성이 있다면 인간의 생명을 인위적으로 조작하는 것을 허용할 수 있다고 볼 것이다.
⑤ 인간 생명 자체의 존엄성을 강조하는 것은 의무론의 입장이다.

02 유전자 치료의 윤리적 쟁점

제시문의 갑은 치료 목적의 유전자 조작은 물론 미래 세대의 나은 삶을 위한 유전자 조작도 허용해야 한다고 본다. 반면에 을은 치료 목적의 유전자 조작은 허용해야 하지만 우생학적 목적의 유전자 조작에는 반대한다.

ㄱ. 갑은 유전자 조작을 통해 우생학적으로 뛰어난 능력을 지닌 미래 세대를 탄생시키는 것에 찬성한다.
ㄹ. 갑과 을은 모두 치료 목적의 유전자 조작에 찬성한다.

오답 선택지 풀이 ㄴ. 을은 치료 목적의 유전자 조작에는 찬성하고 있다.
ㄷ. 을은 우생학적 조치, 즉 유전자 개량을 위한 유전자 조작에 반대하고 있다.

03 동물 복제의 윤리적 쟁점

ㄱ. 동물 복제는 같은 유전자를 지닌 동물을 양산함으로써 종의 다양성을 해친다.
ㄴ. 동물 복제는 인간이 동물 생명에 인위적으로 개입하는 것으로 자연의 질서에 어긋나는 행위이다.
ㄹ. 동물 복제는 인간의 이익을 위하여 동물의 생명을 도구로만 이용하는 행위이다.

오답 선택지 풀이 ㄷ. 동물 복제를 찬성하는 사람들은 동물 복제를 통해 희귀 동물을 보존하고, 멸종 동물을 복원할 수 있다고 주장한다.

04 인간 배아 복제의 윤리적 쟁점

제시문의 갑은 인간 배아를 인간이 될 수 있는 잠재성을 지닌 존재로 보고 있는 반면, 을은 인간 배아를 인간으로서의 존엄성을 지닌 인간 존재로 보고 있다. 을은 인간 배아를 훼손하는 실험에 반대한다. 인간 배아 복제는 배아 줄기세포를 얻기 위한 것으로 이 과정에서 인간 배아에 대한 훼손이 발생한다. 따라서 을은 인간 배아 복제에 반대한다.

① 갑은 인간 배아를 인간이 될 수 있는 잠재성을 지닌 인간으로 간주하지만 제한된 지위를 갖는다고 본다.
② 갑은 인간 배아가 완전한 인간이 아니므로 사회 전체의 이익을 위해 인간 배아를 실험할 수 있다고 주장한다.

④ 을은 인간 배아를 훼손하는 실험이 인간을 훼손하는 실험과 다름없다고 본다.
⑤ 갑, 을 모두 인간 배아를 단순한 세포 덩어리로 취급하는 것에 반대한다.

05 인간 개체 복제의 윤리적 쟁점

제시문의 ㉠에 들어갈 내용은 인간 개체 복제의 문제점이다.
ㄱ. 인간 개체 복제는 동일한 유전자를 지닌 인간을 만들어 냄으로써 인간이 지닌 고유성을 상실하게 만든다.
ㄷ. 인간 개체 복제는 자연 발생적 출생을 통해 형성되는 전통적 가족 관계에 커다란 혼란을 가져올 수 있다.
ㄹ. 인간 개체 복제는 인간을 제작하거나 대체 가능한 존재로 생각하는 풍조를 확산시켜 인간의 존엄성을 훼손한다.

오답 선택지 풀이 ㄴ. 인간 개체 복제의 목적에는 유전적으로 우월한 인간을 복제하여 인간을 개량하려는 의도도 있다. 따라서 유전적으로 우월한 인간의 생산을 가로막는다는 것은 인간 개체 복제의 문제점으로 적절하지 않다.

06 싱어의 동물 중심주의

제시문은 싱어의 주장이다. 싱어는 동물도 인간과 마찬가지로 쾌고 감수 능력을 지니므로 인간과 동물의 이익을 동등하게 고려해야 하며, 동물을 종이 다르다는 이유로 차별하는 것은 종 차별주의로 인종 차별과 다를 바 없다고 본다.

오답 선택지 풀이 ① 싱어는 모든 생명이 아니라 쾌고 감수 능력을 지닌 동물을 도덕적으로 고려해야 한다고 본다.
② 싱어는 도덕적 고려의 기준으로 쾌고 감수 능력을 제시한다. 따라서 고통을 느끼지 못하는 동물은 도덕적으로 고려할 필요가 없다고 본다.
③ 싱어는 동물도 도덕적 고려의 대상이라고 보기 때문에 동물에게 고통을 주며 이용하는 행위는 정당하지 않다고 본다.
④ 싱어는 도덕적 고려의 기준으로 쾌고 감수 능력을 제시한다.

유사 선택지 문제

06 ❶ ○ ❷ × ❸ ○

올쏘 만점 노트 싱어의 동물 중심주의

싱어는 도덕적 고려의 기준을 쾌고 감수 능력의 여부에 둔다. 쾌락과 고통을 느낄 수 있는 존재는 이성을 지니고 있는지의 여부에 상관없이 도덕적 고려를 받을 수 있다는 것이다. 싱어는 많은 동물이 쾌고 감수 능력을 지닌다고 보며 이러한 동물들의 이익을 인간의 이익과 동등하게 고려해야 한다는 이익 평등 고려의 원칙을 제시한다. 만일 인간과 종이 다르다는 이유로 동물의 고통을 외면한다면 이는 인종 차별과 다를 바 없는 종 차별주의라고 비판한다.

07 레건의 동물 중심주의

제시문은 레건의 주장이다. 레건은 일부 동물은 인간과 마찬가지로 믿음, 욕구, 지각, 기억, 감정 등을 지니고 자신의 삶을 영위할 수 있는 능력을 지닌 삶의 주체이므로 인간처럼 내재적 가치를 지닌다고 본다.

오답 선택지 풀이 ① 레건은 도덕적 행위자만이 도덕적 권리를 지닌다고 보지 않는다. 그는 한 살 정도 이상의 포유류는 삶의 주체로서 내재적 가치를 지니므로 도덕적 행위자는 아니지만 도덕적 무능력자로서 도덕적 권리를 지닌다고 본다.
③ 레건은 삶의 주체가 되는 동물이 도덕적 권리를 지니기 때문에 동물을 인간의 목적을 위한 수단으로만 사용하는 것은 부당하다고 주장한다.
④ 싱어의 입장이다.
⑤ 레건은 한 살 정도 이상의 포유동물을 도덕적 고려 대상으로 삼는다.

올쏘 만점 노트 레건의 동물 중심주의

레건이 제시하는 삶의 주체가 되는 조건에는 싱어가 제시한 쾌고 감수 능력이 포함된다. 하지만 레건은 쾌고 감수 능력 말고도 믿음, 욕구, 기억 등의 조건도 추가로 제시한다. 이것은 레건이 제시하는 도덕적 고려 대상의 범위가 싱어의 범위보다 좁다는 것을 의미한다. 레건은 동물 중에서 한 살 정도 이상의 성장한 포유동물만이 삶의 주체가 될 수 있다고 본다.

08 칸트의 인간 중심주의

제시문은 칸트의 주장이다. 칸트는 인간 중심주의자로서 인간만이 도덕적 지위를 지니며, 동물은 도덕적 지위를 갖지 못한다고 본다.
ㄴ. 칸트는 동물 학대 금지는 동물에 대한 직접적 의무가 아니라 우리의 인간성 실현을 위한 간접적 의무에 해당한다고 본다. 즉, 동물 학대 금지는 동물을 위한 것이 아니라 인간을 위한 것이라고 본다.
ㄷ. 칸트는 우리가 동물을 잔혹하게 다루게 되면 인간에 대한 잔혹한 처우로 이어질 수 있기 때문에 그러한 행위를 해서는 안 된다고 본다.
ㄹ. 칸트는 동물을 함부로 다루는 행위가 인간의 품성에 부정적 영향을 끼칠 수 있다는 이유로 그러한 행위를 해서는 안 된다고 주장한다.

오답 선택지 풀이 ㄱ. 동물 중심주의의 입장이다.

09 아퀴나스의 인간 중심주의

제시문은 아퀴나스의 주장이다. 아퀴나스는 인간 중심주의자로서 인간만이 도덕적 지위를 지니며, 동물은 도덕적 지위를 지니지 못한다고 본다.

오답 선택지 풀이 ① 싱어의 이익 평등 고려의 원칙에 해당한다.
③ 아퀴나스는 인간 중심주의자로서 동물의 내재적 가치를 인정하지 않는다.
④ 아퀴나스는 동물을 인간의 목적을 위한 수단으로 사용하는 것에 찬성한다.
⑤ 아퀴나스는 인간이 동물을 배려하고 존중하기보다 신의 섭리에 의해 동물을 사용하도록 운명 지어졌다고 주장한다.

10 싱어와 레건의 동물 중심주의

갑은 싱어, 을은 레건이다.
ㄱ. 싱어는 쾌고 감수 능력을 지닌 동물은 인간과 마찬가지로 도덕적 고려의 대상이 된다고 본다.
ㄹ. 싱어와 레건 모두 인간의 이익을 넘어선 탈인간 중심주의인 동물 중심주의를 주장한다.

오답 선택지 풀이 ㄴ. 칸트의 입장이다.
ㄷ. 레건은 삶의 주체가 되는 동물은 인간과 같은 도덕적 행위자는 아니지만 도덕적 무능력자로서 도덕적 권리를 지닌다고 본다.

올쏘 만점 노트 싱어와 레건의 동물 중심주의 비교

구분	싱어	레건
관점	공리주의적 관점에서 동물에 대한 도덕적 고려를 제시함	의무론적 관점에서 동물의 도덕적 권리를 제시함
도덕적 고려의 범위	인간을 포함하여 쾌고 감수 능력을 지닌 동물까지를 포함함	인간을 포함하여 쾌고 감수 능력, 믿음, 욕구 등을 지닌 삶의 주체가 되는 동물까지를 포함함

11 동물 실험의 반대 논거

| 모범 답안 | 인간과 동물은 생물학적으로 차이가 있어 동물 실험 결과를 그대로 인간에게 적용하는 데는 한계가 있다. 인간과 동물의 존재 지위는 별 차이가 없기 때문에 동물 또한 도덕적 지위를 갖는 생명체로 인정해야 하므로 동물을 인간의 목적을 위해 희생시키는 동물 실험은 옳지 않다.

채점 기준	배점
동물 실험에 대한 반대 논거 두 가지를 모두 옳게 서술한 경우	상
동물 실험에 대한 반대 논거 중 한 가지만을 옳게 서술한 경우	하

12 인간 배아 복제의 반대 논거

(1) 인간 배아 복제

(2) | 모범 답안 | 인간 배아는 인간으로 발달할 잠재성을 지닌 생명이므로 보호받아야 한다. 인간 배아 복제 과정에서 많은 수의 난자를 사용하게 되는데, 이는 여성의 몸을 수단으로 이용하는 것이며 여성의 건강권을 훼손한다.

채점 기준	배점
인간 배아 복제에 대한 반대 논거 두 가지를 옳게 서술한 경우	상
인간 배아 복제에 대한 반대 논거 중 한 가지만 옳게 서술한 경우	하

올쏘 상위 4% 문제 본문 35쪽

01 ③ 02 ③ 03 ④

01 동물 권리에 대한 레건, 칸트, 싱어의 관점

자료 분석

갑: 삶의 주체가 된다는 것은 단지 살아 있거나 의식을 갖고 있다는 것 이상을 의미한다. 그것은 믿음, 욕구, 지각, 기억, 쾌락과 고통 등의 감정을 느낄 수 있다는 것, 타자와는 별개로 자신의 삶이 좋을 수도 나쁠 수도 있다는 의미에서 자신의 복지를 갖고 있다는 것이다.
(레건이 제시한 삶의 주체가 되는 조건)

을: 이성은 없지만 생명이 있는 동물들을 잔학하게 다루는 것은 인간의 자기 자신에 대한 의무에 어긋난다. 그리고 자연 중에 생명이 없지만 아름다운 것을 파괴하려는 성향도 인간의 자기 자신에 대한 의무에 어긋난다.
(동물에 대한 간접적인 의무=칸트)

병: 쾌고 감수 능력은 고통이나 즐거움을 느낄 수 있는 이익을 갖기 위한 전제 조건이다. 즉 고통과 즐거움을 느낄 수 있는 능력은 어떤 존재가 이익 관심을 갖는다고 말할 수 있기 위한 필요조건일 뿐만 아니라 충분조건이기도 하다. 예를 들어 돌멩이는 이익을 갖지 않는다. 왜냐하면 고통을 느끼지 못하기 때문이다. 하지만 쥐는 차여서 길에 굴러다니지 않을 이익을 분명 갖고 있다. 왜냐하면 쥐는 차일 경우 고통을 느낄 것이기 때문이다.
(쾌고 감수 능력=이익을 갖기 위한 전제 조건=싱어)

- 갑: 레건은 인간을 포함하여 일부 동물은 삶의 주체로서 내재적 가치를 지니기 때문에 도덕적 권리를 지닌다고 보았다. 레건은 삶의 주체가 될 수 있는 조건에 쾌고 감수 능력을 비롯하여 지각, 기억, 믿음, 정체성 등을 제시하였다.
- 을: 칸트는 인간 중심주의자이다. 그는 동물이나 다른 자연 존재들을 보호해야 한다고 주장하였는데, 그 이유를 동물이나 다른 자연 존재가 지닌 내재적 가치가 아니라 인간의 도덕성 유지에서 찾았다.
- 병: 싱어는 쾌고 감수 능력을 지닌 동물도 인간과 마찬가지로 도덕적 고려를 받을 수 있는 지위를 지닌다고 보았다. 그는 돌멩이는 고통을 느낄 수 없기 때문에 도덕적으로 고려할 필요가 없는 반면, 쥐는 고통을 느낄 수 있기 때문에 도덕적 고려 대상이 된다고 주장하였다.

ㄴ. 칸트는 동물 보호가 동물을 위한 인간의 직접적 의무가 아니라 인간을 위한 간접적 의무에 해당한다고 보았다.

ㄹ. 레건과 싱어는 동물도 도덕적 지위를 지닌다고 보기 때문에 인간의 이익을 위한 동물 실험에 반대한다.

오답 선택지 풀이 ㄱ. 레건은 삶의 주체가 되는 동물은 내재적 가치를 지닌다고 본다.

ㄷ. C에는 싱어만의 입장이 들어가야 하는데, 동물이 도덕적 지위를 지닌다고 보는 것은 싱어와 레건의 공통 입장(D)에 해당한다.

02 동물 실험의 윤리적 쟁점

자료 분석

갑: 동물이 이성적 사유 능력, 언어 능력 등에 있어 인간과 다르기 때문에 인간은 동물보다 우월하다. 생물학적으로는 인간과 동물이 유사하므로 질병 치료와 의학 발전을 위해 동물 실험을 시행해야 한다.
(인간의 우월성 주장)

을: 동물이 인간의 특성을 갖지 못한다고 해서 동물과 인간을 차별하는 것은 옳지 않다. 동물도 도덕적 지위를 갖는 생명체로서 존중받아야 하며, 동물이 인간의 목적을 위해 희생되거나 고통받아서는 안 된다.
(동물의 도덕적 지위 인정)

- 갑: 동물은 이성, 언어 능력이 떨어지므로 인간이 동물보다 우월하며 인간의 목적을 위해 동물을 이용하는 동물 실험이 가능하다고 본다.
- 을: 동물이 생명체로서 지닌 도덕적 지위를 인정해야 하며, 인간의 목적을 위해 동물에게 고통을 가해서는 안 된다고 본다.

ㄴ. 갑은 인간이 동물보다 우월하므로 인간의 목적 달성을 위해 동물을 사용해도 된다고 보는 반면, 을은 동물이 도덕적 지위를 지니므로 인간의 목적 달성을 위해 동물에게 고통을 가해서는 안 된다고 본다.

ㄹ. 을은 동물의 도덕적 지위를 인정하며, 인간의 목적 달성을 위해 동물에게 고통을 가하는 행위는 옳지 않다고 보기 때문에 동물 실험에 반대할 것이다.

오답 선택지 풀이 ㄱ. 갑은 인간이 동물보다 우월하다고 보기 때문에 인간과 동물이 동일한 도덕적 지위를 지닌다고 여기지 않는다.

ㄷ. 을은 동물과 인간의 특성이 동일하다고 보지 않는다.

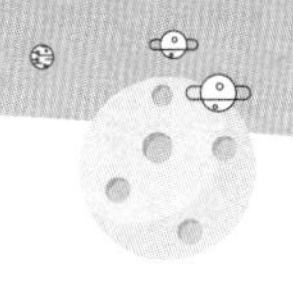

03 유전자 치료의 윤리적 쟁점

첫 번째 관점: 제시문에 따르면 환자의 질병을 치유하기 위한 유전자 치료는 허용되어야 한다.

두 번째 관점: 제시문에는 인간 종의 개량을 목적으로 하는 유전자 조작은 금지되어야 한다고 나와 있으므로, 우생학적 목적을 위한 유전자 조작 기술 허용을 반대한다.

세 번째 관점: 제시문에는 유전자 개량을 통해 미래 세대가 동의하지 않는 삶을 살도록 기획하는 것은 옳지 않다고 나와 있으므로, 유전자 조작을 통해 자녀를 출산하려는 부모의 시도에 반대한다.

오답 선택지 풀이 네 번째 관점: 제시문은 생식 세포의 조작을 통해 인간의 자질을 강화하려는 우생학적 시도에 반대한다.

05 사랑과 성 윤리

개념 확인 문제 본문 38쪽

01 성의 자기 결정권, 성 상품화 02 (1) ○ (2) × (3) × 03 (1) ㉠ (2) ㉢ (3) ㉡

시험에 꼭 나오는 문제 본문 38~40쪽

01 ② 02 ⑤ 03 ① 04 ⑤ 05 ⑤ 06 ⑤ 07 ⑤
08 ② 09 ③ 10 ④ 11~12 해설 참조

01 프롬의 사랑의 요소

제시문은 프롬의 주장이다. 프롬은 사랑의 요소로 보호, 책임, 존경, 이해를 제시하였다. 프롬은 사랑이란 상대방을 위해 자신을 희생하거나 상대방이 자신을 위해 희생하도록 요구하는 것이 아니라고 보았다. 그는 사랑이란 상대방이 나에게 봉사하거나 희생을 하도록 요구하는 것이 아니라, 상대방이 성장하고 발전하기를 원하는 것이라고 주장하였다.

① 프롬이 제시한 사랑의 요소 중 이해에 해당한다.
③ 프롬이 제시한 사랑의 요소 중 존경에 해당한다.
④ 프롬이 제시한 사랑의 요소 중 책임에 해당한다.
⑤ 프롬은 사랑이 인간 존재를 타인과 결합시키는 능력이라고 주장하고 있다.

올쏘 만점 노트 프롬의 사랑의 기술

프롬은 삶을 살아가는 것이 일종의 기술인 것처럼 사랑도 정서적 감정이 아니라 의지와 노력의 산물인 기술이라는 것을 깨달아야 진정한 사랑을 얻을 수 있다고 보았다. 그리고 진정한 사랑은 보호, 책임, 존경, 이해(지식)의 네 가지 요소를 포함해야 한다고 주장한다.

02 성의 인격적 가치

제시문은 인간의 성이 종족 보존의 욕구나 쾌락적 욕구를 넘어서 타인과 하나가 되고자 하는 욕구, 즉 사랑으로 연결된다고 주장한다.

ㄷ. 제시문은 인간의 성에는 상대방과 신체적 · 정서적 · 정신적으로 합일하고자 하는 욕구가 있으며 이러한 욕구가 향하는 대상이 사랑이라고 본다.

ㄹ. 제시문은 인간의 성이 타인과 일체가 되고자 하는 욕구를 지닌다고 본다. 이러한 욕구는 상대방에 대한 존중과 배려를 실현하는 사랑으로 나아가므로 이런 측면에서 인간의 성은 인격적 가치를 지닌다고 볼 수 있다.

오답 선택지 풀이 ㄱ. 제시문은 인간의 성이 단순한 종족 보존의 욕구, 즉 생식적 가치의 측면을 넘어선다고 본다.
ㄴ. 제시문은 인간의 성이 쾌락에 대한 욕구, 즉 쾌락적 가치의 측면을 넘어선다고 본다.

03 사랑과 성의 관계

사랑과 성의 관계에서 갑은 보수주의 입장, 을은 자유주의 입장이다.

ㄱ. 갑은 성의 목표가 출산에 대한 책임과 양육의 안정성에 있다고 본다. 즉, 부부 간에 종족 보존을 위한 성만을 도덕적으로 정당하다고 본다.

ㄷ. 을은 성에 관한 결정이 개인의 자유의사에 근거해야 한다고 본다.

오답 선택지 풀이 ㄴ. 사랑이 있는 성을 제시하는 것은 중도주의 입장이다.
ㄹ. 갑은 성의 가치 중 생식적 가치를 가장 중시한다.

유사 선택지 문제

03 ❶ ○ ❷ × ❸ ×

올쏘 만점 노트 사랑과 성의 관계

보수주의	결혼과 출산 중심의 성 윤리. 성의 생식적 가치 중시
중도주의	사랑 중심의 성 윤리. 성의 인격적 가치 중시
자유주의	자발적 동의 중심의 성 윤리. 성의 쾌락적 가치 중시

04 사랑과 성의 관계

제시문은 사랑과 성의 관계에 대한 중도주의 입장이다. 중도주의에서는 사회의 존속 여부를 기준으로 성적 관계가 정당한지를 판단하지는 않는다.

오답 선택지 풀이 ① 보수주의 입장이다.
② 자유주의 입장이다.
③ 중도주의의 입장에 해당하지 않는다. 중도주의에서는 사랑을 전제로 한 성적 관계만이 정당하다고 본다.
④ 보수주의 입장이다.

05 성 상품화의 윤리적 문제

제시문은 칸트의 주장이다. 칸트는 자신의 성을 상품화하는 것은 자신의 인격을 도구나 물건처럼 사용하는 것이므로 도덕적으로 옳지 못한 행위라고 본다.

오답 선택지 풀이 ① 공리주의의 입장에 해당한다.
②, ③ 칸트는 자신의 성을 상품화하는 행위는 도덕적으로 옳지 않다고 비판한다.
④ 칸트는 성을 상품화하는 행위를 자신의 인격을 도구화함으로써 인격을 목적으로 대우해야 한다는 정언 명령에 위배되는 비도덕적 행위라고 비판한다.

06 성의 자기 결정권

성의 자기 결정권은 남용될 경우 심각한 성적 방종을 유발하고 인공 임신 중절 등 생명을 훼손하는 문제가 발생하므로 타인의 권리를 침해하지 않는 범위에서 올바로 행사되어야 한다.

ⓜ 성의 자기 결정권을 올바로 행사하기 위해서는 자신이 내린 결정에 대한 책임의 문제에서 자유로워서는 안 되며, 자신이 내린 결정에 대하여 책임을 지는 자세를 지녀야 한다.

07 성 상품화의 윤리적 쟁점

제시문의 ㉠에 들어갈 내용은 성 상품화의 문제점이다.

ㄴ. 성 상품화는 인간의 성을 상품처럼 취급함으로써 인간의 성이 지닌 본래의 가치를 변질시킨다.

ㄷ. 성 상품화는 외모 지상주의를 조장하여 과도한 성형이나 다이어트에 집착하게 하는 부작용을 초래한다.

ㄹ. 성 상품화는 인간의 성을 상품처럼 취급하여 인간의 성이 지니는 인격적 가치를 훼손한다.

오답 선택지 풀이 ㄱ. 성 상품화를 반대하는 입장에 대한 반대의 논거이다.

08 음양론에 따른 부부 관계

(가)는 음양론이고, (나)의 ㉠은 '부부'이다. 음양론에 따르면 부부는 서로의 차이를 인정하고 서로 보완해 조화를 이루어야 한다.

오답 선택지 풀이 ① 부모 자녀 관계에서 지켜야 할 윤리이다.
③ 음양론에 따르면 부부는 위계 질서가 없으며 동등한 관계에 있다.
④ 음양론에 따르면 부부 관계는 차별적 구조를 형성하지 않는다.
⑤ 음양론이 음과 양의 조화를 강조하듯 부부 관계에서도 독립된 별개의 실체가 아닌 상호 간 보완과 조화를 강조한다.

자료 분석

(가) 태극이 동(動)하면 양(陽)을 낳고 동이 극에 이르면 정(靜)하고, 정하면 음(陰)을 낳는다. 정이 극에 이르면 다시 동한다. 한 번 움직이고 한 번 멈춤에 있어 서로 뿌리가 되어 음과 양이 두 표준으로 산다.
음양론

(나) 천지(天地)가 생긴 다음에 만물이 있고, 만물이 생긴 다음에 남녀가 있으며, 남녀가 생긴 다음에 ㉠ 이/가 있고, 그 이후에 부자(父子)가 있다.

• (가): 음양론은 우주나 인간 사회의 모든 현상을 음양의 변화로 설명하는 이론이다. 음과 양은 서로 다르지만 함께 하여 조화를 이룰 때 세계가 제대로 돌아갈 수 있다. 또한 음과 양은 고정불변하지 않고 수시로 변화하는 특징을 지닌다.
• (나): ㉠은 '부부'이다. 부부는 가족 관계의 시초로 부부로부터 자녀가 태어나 가족 관계가 형성되고 형제자매 관계가 이루어진다.

09 밀의 여성관

제시문은 양성평등을 주장한 밀의 입장이다.

ㄴ. 밀은 여성이라는 이유로 사회적 지위의 결정이나 직업 선택에서 제약을 받아서는 안 된다고 본다.

ㄷ. 밀은 남성과 여성의 지성의 차이는 사회 환경 요인에 의해 설명될 수 있다고 본다. 이를 통해 남성과 여성의 지성의 차이가 선천적인 것이 아님을 알 수 있다.

오답 선택지 풀이 ㄱ. 밀은 남녀의 본성을 알 수 없다고 본다.
ㄹ. 밀은 순종을 여성의 본성이라고 남성들이 가르쳐 왔지만 이는 알 수 없는 것이라고 주장한다.

10 유교의 효 사상

제시문은 유교 사상으로, 효에 대하여 설명하고 있다.

ㄱ. 유교에서는 효를 인(仁)의 근본, 즉 모든 덕스러운 행실의 근본으로 본다.

ㄴ. 유교에서는 자신의 몸을 상하거나 훼손하지 않고 잘 보존하는 것을 효의 시작이라고 본다.

ㄹ. 어버이를 사랑하고 공경하는 사람은 남을 미워하거나 업신여기지 않는다. 이를 통해 효의 정신을 확장하여 남을 사랑하고 공경해야 함을 알 수 있다.

오답 선택지 풀이 ㄷ. 입신양명은 이름을 후세에 떨쳐 부모를 빛나게 한다는 것으로, 유교에서는 효의 마지막이라고 본다.

11 성차별의 문제점

(1) 성차별

(2) | 모범 답안 | 성차별은 차별받는 사람의 자아실현을 방해하고 인간으로서의 존엄성을 훼손한다. 개인이 지닌 능력을 발휘할 수 없도록 하여 인적 자원의 낭비와 사회적 손실을 초래한다.

채점 기준	배점
성차별의 문제점 두 가지를 모두 옳게 서술한 경우	상
성차별의 문제점 중 한 가지만 옳게 서술한 경우	하

12 성의 자기 결정권 문제

(1) 성의 자기 결정권

(2) | 모범 답안 | 예측하지 못한 임신으로 인해 인공 임신 중절 등 생명을 훼손하는 부도덕한 결과를 초래할 수 있다. 타인의 성의 자기 결정권을 침해할 경우 개인의 존엄성 침해로 이어질 수 있다.

채점 기준	배점
성의 자기 결정권을 남용할 경우 발생할 수 있는 문제점을 두 가지 옳게 서술한 경우	상
성의 자기 결정권을 남용할 경우 발생할 수 있는 문제점 중 한 가지만 옳게 서술한 경우	하

1등급 상위 4% 문제

본문 41쪽

01 ④ 02 ② 03 ④

01 사랑과 성의 관계

자료 분석

갑: 성의 자연적 목적은 출산이고, 출산에 기여하는 것만이 성의 진정한 가치이다. 오직 생식과 직접·간접으로 관련을 가지는 성만이 도덕적이고, 성 그 자체를 위한 성은 수단이 목적으로 뒤바뀐 것이기 때문에 비도덕적이다.
보수주의 입장

을: 성은 무엇보다도 그 자체가 쾌락을 산출하는 즐거운 경험 이다. 쾌락은 다른 무엇을 위해서가 아니라 그 자체로 가치 있는 것으로서, 성적 쾌락의 추구는 그 자체가 목적이 될 수 있다. 따라서 타인에게 해악을 주지 않는 한계 내에서 최대한의 성적 자유를 누려야 한다.
자유주의 입장

병: 사랑만이 인간적 성의 고유한 가치이고, 인간의 성이 특별한 가치와 존엄성을 가지도록 만들어 준다. 인간의 성은 사랑을 통해 동물적 차원에서 벗어나 인격적 차원으로 고양된다.
중도주의 입장

- 갑: 보수주의 입장으로 결혼과 출산 중심의 성 윤리를 주장한다. 보수주의에서는 출산에 기여하는 성만을 도덕적이라고 보기 때문에 성이 그 자체의 고유한 가치를 지닌다고 보지 않는다.
- 을: 자유주의 입장으로 자발적 동의 중심의 성 윤리를 주장한다. 자유주의에서는 성적 쾌락은 그 자체로 가치 있는 것이라고 보고, 타인에게 해를 끼치지 않는 범위 내에서 자유로운 성을 누려야 한다고 본다.
- 병: 중도주의 입장으로 사랑 중심의 성 윤리를 주장한다. 중도주의에서는 사랑을 성의 고유한 가치라고 보고, 사랑을 통한 성은 자아실현과 인격의 완성에 중요한 역할을 한다고 본다.

ㄱ. 보수주의 입장에서는 결혼을 통해 이루어지는 성적 관계만이 정당하고 도덕적이라고 보기 때문에 혼전이나 혼외의 성관계는 비도덕적이라고 주장한다. 따라서 갑의 입장에서 긍정할 질문이다.

ㄷ. 자유주의 입장에서는 정당한 이유, 즉 타인에게 해를 끼치는 경우를 제외하고 자유로운 성적 쾌락의 추구를 방해하는 것은 옳지 못하다고 본다. 따라서 을의 입장에서 긍정할 질문이다.

ㄹ. 중도주의 입장에서는 인간의 성을 도덕적인 것으로 만드는 것은 사랑이라고 보기 때문에 사랑은 성이 도덕적이기 위한 필요충분조건이 된다. 따라서 병의 입장에서 긍정할 질문이다.

오답 선택지 풀이 ㄴ. 을이 아니라 출산 중심의 성 윤리를 강조하는 갑의 입장에서 긍정할 질문이다.

02 유교의 부부간의 윤리와 형제자매 윤리

(가)는 인(仁)을 강조하는 유교 사상이고, (나)의 ㉠은 '부부', ㉡은 '형제자매'이다.

ㄱ. 유교에서는 부부간에 서로를 손님처럼 대하는 상경여빈을 실천해야 한다고 본다. 즉, 부부간에는 서로 친하다고 해도 손님을 공경하듯 서로 상대방의 인격과 역할을 존중해야 한다는 것이다.

ㄹ. 형제자매는 형과 아우 사이의 관계를 통해 사회적 장유 관계에서 지켜야 할 도리를 배우게 된다.

오답 선택지 풀이 ㄴ. 부부는 결혼을 통해 맺어진 관계로, 혈연적 관계는 아니다.

ㄷ. 형제자매는 효를 실천하는 관계이지만 항렬은 같다.

03 성차별에 대한 보부아르의 입장

자료 분석

여자는 언제나 남자에게 딸린 아랫사람이었다. 남녀 양성이 세계를 같이 평등하게 누린 적은 한 번도 없었다. 과거의 모든 역사는 남성에 의하여 만들어졌다. 여자는 모든 인간과 마찬가지로 자주적이고 자유로운 존재이면서도, 남자들이 여자로 하여금 타자로서 살도록 강제하는 세계에서 자기를 발견하고 선택해야 하는 존재이다.
여성도 자주적이며 자유로운 존재=보부아르

제시문은 보부아르의 저서 "제2의 성"의 일부이다. 보부아르는 여성이 태어나는 것이 아니라 만들어지는 것이라고 보면서, 과거의 모든 역사에서 남자는 주체로서 여자를 객체로 규정하고 여성다움의 삶을 강요해 왔다고 주장한다. 하지만 보부아르는 여성도 남성과 마찬가지로 자주적이고 자유로운 존재라는 점을 강조한다.

보부아르는 여성다움은 타고나는 것이 아니라 남성이 주도하는 사회에서 강요당하고 만들어진 것이라고 본다. 즉, 보부아르는 여성이 과거의 모든 역사에서 남성에 의해 만들어진 시각과 가치에 따라 살 것을 강요받아왔다고 주장한다. 이에 보부아르는 여성이 남성과 마찬가지로 자주적이고 자유로운 존재이므로 스스로 자신을 발견하고 선택해야 한다고 주장한다.

오답 선택지 풀이 네 번째 관점: 보부아르는 여성이 남성과 마찬가지로 자주적인 존재라고 주장하면서, 여성이 남성보다 선천적으로 열등한 능력을 가지고 태어났다는 주장은 남성들이 만든 것이라고 본다.

Ⅲ. 사회와 윤리

06 직업과 청렴의 윤리

개념 확인 문제 본문 44쪽

01 (1) ㄷ (2) ㄴ 02 (1) ㉢ (2) ㉡ (3) ㉠ 03 청렴

시험에 꼭 나오는 문제 본문 44~48쪽

01 ③	02 ③	03 ⑤	04 ③	05 ①	06 ④	07 ①
08 ⑤	09 ④	10 ①	11 ①	12 ①	13 ⑤	14 ②
15 ③	16 ④	17 ②	18 ②	19~20 해설 참조		

01 직업의 기능

제시문의 을은 부모님의 뜻을 따라 경제적으로 여유로운 의사라는 직업을 선택했지만 삶의 의미를 찾을 수 없었다. 하지만 요리사라는 새로운 직업을 통해 자신의 능력을 발휘하면서 삶의 의미와 보람을 느끼고 있다. 이를 통해 을은 직업의 기능 중 자아실현을 중시하고 있다고 볼 수 있다.

오답 선택지 풀이 ① 단순히 생계유지를 위한 수단으로서 요리사라는 직업을 선택한 것은 아니다.

② 소득의 안정적 확보를 위해서라면 의사라는 직업을 선택했을 것이다.

④ 자신이 만든 음식을 먹고 행복해하는 사람들을 보며 보람을 느꼈다는 측면에서 을이 직업을 사회에 참여하는 통로로 여겼다고 볼 수 있다.

⑤ 개인적으로 요리사가 되어 행복과 보람을 느꼈다는 측면에서 사회 구성원의 유기적 통합과는 거리가 멀다.

02 직업의 의미

제시문의 (가)는 공자의 정명 정신이고, (나)는 플라톤의 이상 국가론이다. 두 사상가 모두 자신이 맡은 역할과 직분에 충실해야 함을 주장한다는 점에서, 사회적 역할 분담으로서의 직업의 의미를 강조하고 있다고 볼 수 있다.

오답 선택지 풀이 ① 생계유지, ② 부와 명예의 획득, ④ 도덕성 유지, ⑤ 자아실현을 위한 능동적 활동은 제시문에서 강조하고 있는 직업의 의미, 즉 사회적 역할 분담과는 거리가 멀다.

03 순자와 맹자의 직업관

제시문의 갑은 순자이고, 을은 맹자이다. 순자는 예를 통한 사회적 역할 분담론을 주장하였고, 맹자는 대인과 소인의 역할을 구분하였다. 순자와 맹자는 공통적으로 각자에게 주어진 직분과 역할에 충실할 것을 강조하였으며, 각자의 직분에 충실할 때 사회 질서가 유지될 수 있다고 보았다.

오답 선택지 풀이 ① 순자는 자신의 직분에 충실할 때 사회 질서의 유지와 공동체의 화합에 기여할 수 있다고 본다.
② 순자는 예의 유무에 따라 사회적 지위와 역할이 정해져야 한다고 본다.
③, ④ 맹자에 따르면, 소인과 대인의 직업은 각각 구분되며, 대인은 정신노동을, 소인은 육체노동을 한다.

유사 선택지 문제

03 ❶ × ❷ × ❸ ×

04 맹자의 직업관

제시문은 맹자의 주장이다. 맹자는 항산(경제적 기반)이 없으면 항심(도덕성)을 유지하기 어렵다고 보고, 경제적 안정이 도덕성과 윤리적 삶의 토대가 된다고 보았다.

오답 선택지 풀이 ① 맹자는 도덕성이 생계 문제와 관련이 있다고 본다.
② 맹자는 직업 선택의 자유를 주장하지 않는다.
④ 맹자는 직업과 관련하여 경제적 보상을 최우선시하지 않는다.
⑤ 맹자는 선비와 달리 일반 백성은 생계유지가 보장되지 않으면 도덕성을 유지하기 어렵다고 보았다.

05 플라톤의 직업관

제시문은 플라톤의 주장이다. 플라톤은 직업을 사회적 지위나 역할의 관점에서 각 개인의 적성과 능력에 따라 사회적 역할을 분담하는 것으로 보고, 각자가 맡은바 역할을 충실히 수행할 때 정의로운 국가가 이루어진다고 보았다.

오답 선택지 풀이 ② 플라톤에 따르면 개개인의 적성과 능력에 따라 사회적 역할이 정해진다.
③ 직업을 소명의 관점에서 바라본 칼뱅의 주장이다.
④ 생산물로부터의 인간 소외를 주장한 것은 마르크스이다.
⑤ 직업 생활에서 검소와 금욕을 강조한 것은 칼뱅이다.

06 마르크스의 직업관

제시문은 마르크스의 주장이다. 마르크스는 만물의 근원을 물질로 보는 유물론의 입장에서 물질적 가치를 생산하는 노동이야말로 가치 있는 일이라는 노동 가치설을 주장하였다. 또한 그는 자본주의적 분업 방식이 생산 과정에서 노동력 착취와 노동의 소외 문제를 초래하였다고 보고, 노동을 통해 자기 본질을 실현하는 인간 존재의 특성을 되찾아야 한다고 주장하였다.

오답 선택지 풀이 ㄱ. 노동을 신이 부과한 속죄의 의미로 본 것은 중세의 그리스도교이다.
ㄷ. 프로테스탄티즘 윤리와 자본주의 정신의 관련성을 주장한 것은 베버이다.

07 동양의 직업관

동양에서 바라본 직업에 대한 다양한 관점으로는, 먼저 공자의 정명 정신, 맹자의 항산과 항심, 순자의 예를 통한 사회적 역할 분담, 우리나라의 장인 정신, 그리고 능력에 맞게 선발하여 관직을 부여할 것을 주장한 정약용 등을 들 수 있다.
① 공자는 자신의 직분에 충실해야 한다는 정명 정신을 주장하였다. 소명 정신을 주장한 사상가는 서양의 칼뱅이다.

08 직업 윤리의 일반성과 특수성

제시문의 '이것'은 직업 윤리이다. 직업 윤리의 성격은 크게 일반성과 특수성으로 나눌 수 있는데, 일반성은 직업 생활에서 모든 인간이 공통적으로 지켜야 할 윤리를 말하고, 특수성은 특정한 직업에 요구되는 윤리를 말한다. 직업 윤리의 특수성은 언제나 직업 윤리의 일반성, 즉 보편 윤리 위에 정립될 필요가 있다.
⑤ 직업 윤리가 지닌 일반성의 측면에서 볼 때, 직업 윤리에는 모든 인간이 공통으로 지켜야 하는 기본 윤리가 포함되어 있다.

09 전문직과 공직자 윤리

제시문의 ㉠에는 다른 직종의 종사자보다 전문직 종사자와 공직자의 사회적 영향력과 권한이 크기 때문에, 이들에게 특히 매우 높은 수준의 도덕성과 청렴함이 요구되며, 이들은 사회적 책임과 투철한 사명감으로 임무를 수행해야 한다는 내용이 들어가야 한다.

오답 선택지 풀이 ㄴ. 특권 의식은 전문직과 공직자가 지녀야 할 바람직한 자세가 아니다.

10 기업의 사회적 책임 논쟁

제시문의 갑은 기업의 적극적인 사회적 책임의 이행을 강조하는 애로이고, 을은 합법적 이윤 추구를 넘어선 기업의 사회적 책임을 강요해서는 안 된다고 보는 프리드먼이다.
① 애로와 프리드먼은 기업의 근본 목적이 이윤 추구 및 이윤 극대화에 있다고 보는 점에서 공통적이다.

오답 선택지 풀이 ② 장애인 고용에 관심을 기울여야 한다고 보는 것은 기업의 사회적 책임을 강조한 갑이 긍정할 질문이다.
③ 갑과 을 모두 기업은 합법적인 테두리 안에서 이윤 추구를 해야 한다고 주장할 것이다. 따라서 갑과 을 모두 긍정할 질문이다.
④ 합법적인 이윤 추구를 넘어서 사회적 책임까지도 요구하는 갑이 긍정할 질문이다.
⑤ 기업의 사회적 책임을 강조하는 갑이 긍정할 질문이다.

11 기업의 사회적 책임에 대한 프리드먼의 입장

제시문은 프리드먼의 주장이다. 그는 소극적 관점에서 기업의 목적을 이윤의 극대화로 보고, 합법적인 이윤 추구를 넘어서는 사회적 책임을 기업에 강요해서는 안 된다고 주장하였다. 즉, 고용 차별, 불합리한 해고, 환경 오염 등의 해를 끼치지 않으면서 사회 전체의 부를 극대화하는 것만을 기업의 사회적 책임이

라고 보았다.

오답 선택지 풀이 ㄷ. 프리드먼은 합법적인 이윤 추구에 앞서 사회적 책임을 강요하거나 우선시하지 않는다.

ㄹ. 프리드먼과 달리 기업의 사회적 책임을 강조하는 입장으로, 기업의 적극적인 사회적 책임 이행이 소비자의 신뢰를 얻어 장기적으로 기업의 이윤을 증대시킬 수 있다고 본다.

올쏘 만점 노트 기업의 사회적 책임에 관한 논쟁

- 기업은 사회적 책임을 져야 한다.
  - 애로(Arrow, K. J.)에 따르면, 기업가는 사회의 일원으로서 사회 구성원들 없이는 이윤을 창출할 수 없다. 따라서 그는 기업이 지역 복지 사업, 사회적 약자에 대한 경제적 지원 등과 같은 사회적 책임을 이행해야 한다고 본다.
  - 보겔(Vogel, D.)에 따르면, 보다 책임 있게 경영하는 기업은 그렇지 못한 경쟁자들에 비해 사업적 위험에 덜 노출될 것이다. 그런 기업들은 소비자들의 불매 운동을 예방하고, 보다 낮은 비용으로 자본을 조달할 수 있으며, 헌신적인 직원과 충성스러운 소비자들의 지지를 얻는 데 훨씬 유리하기 때문이다.
- 기업의 목적은 이윤 극대화이다.
  - 프리드먼(Friedman, M. J.)에 따르면, 기업에 이윤 극대화 이외의 사회적 책임을 강조하는 것은 기업가가 그에게 자본을 맡긴 기업의 소유주나 주주의 권익을 보호하는 책임을 이행하지 못하도록 막는 것과 같다.

12 기업가와 근로자의 바람직한 자세

제시된 제도는 노동 정책 및 산업 · 경제 · 사회 정책 등에 대해 근로자, 기업가, 정부가 참여하여 협의하는 대화 기구와 중소기업의 노사 간 상생 관계를 구축하기 위한 협의 기구이다. 기업가와 근로자는 근로 조건 등의 쟁점에서 서로 충돌하고 대립하기도 하지만, 동시에 개인과 사회의 발전을 위해 이러한 대화와 협의 기구를 통해 함께 협력하는 상생적 관계를 이루어 나가야 한다.

오답 선택지 풀이 ② 협의 기구를 통해 각자의 입장을 조정하여 합의점을 찾기 위한 협력이 필요하다.

③ 기업의 근본 목적은 이윤 추구이므로, 근로자의 복리 증진을 항상 우선시해서는 안 된다.

④ 기업가는 기업의 이윤 추구를 위해 근로자의 권리를 침해해서는 안 된다.

⑤ 기업의 노동 생산성을 높이기 위해 노력하는 것도 근로자 윤리에 해당한다.

13 기업의 사회적 책임

제시된 신문 기사는 기업이 적극적으로 사회적 책임을 다하고 있는 모습을 보여 주고 있다. 이 기업들은 경제적 손실을 감수하고서라도 우리 사회의 난치병 유아들을 위한 특수 분유를 생산하고, 수중 정화 활동을 자발적으로 펼치고 있다.

오답 선택지 풀이 ① 기업의 사회적 책임은 합법적 이윤 추구를 넘어선 활동이다.

② 이윤을 극대화하는 기업의 목적을 강조하는 것은 아니다.

③ 사회적 기업의 법적 책임의 한계와는 거리가 멀다.

④ 경제적 이익을 창출하기보다는 경제적 · 시간적 손실을 감수하는 활동이다.

14 부패의 문제점

제시문의 내용은 부패에 관한 설명이다. 부패는 개인적 측면에서 시민 의식의 발달을 저해하고, 사회적 측면에서는 비효율적인 업무 처리로 인해 시간과 노력을 낭비하게 만드는 등 사회적 비용을 증가시켜 사회 발전을 저해할 수 있다. 그뿐만 아니라 공정한 경쟁의 틀을 깨뜨려 국민 간의 위화감을 조성하고 사회 통합을 어렵게 한다.

② 부패는 비효율적 업무 처리로 인해 시간과 노력을 낭비하게 만들어 사회적 비용을 증가시킨다.

15 부패 발생의 기본 모델

제시된 자료는 부패 발생의 기본 원리에 관한 주인-대리인 모델과 기대 비용 모델에 관한 내용이다. 주인-대리인 모델에 따르면, 부패의 수준은 대리인의 독점권과 재량권이 높을수록, 책임성과 투명성이 낮을수록 높아진다. 기대 비용 모델에 따르면, 부패는 적발 확률, 처벌 확률, 벌칙의 강도가 높을수록 기대 비용이 많이 들기 때문에 부패가 적어진다.

③ 기대 비용 모델에 따르면, 부패에 대한 기대 비용이 많이 들수록 부패는 적어진다.

올쏘 만점 노트 부패 발생의 기본 모델

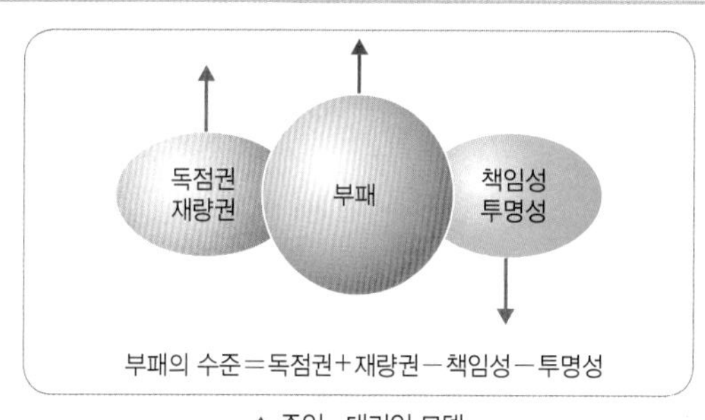

▲ 주인-대리인 모델

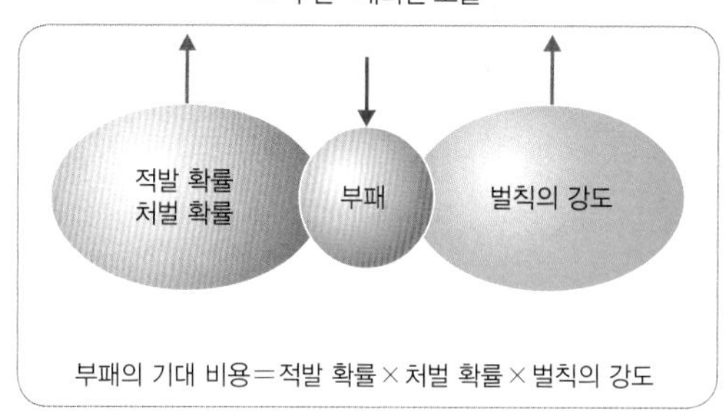

▲ 기대 비용 모델

16 정약용의 공직자 윤리

제시문은 정약용의 저서 "원목"의 내용으로, 백성이 목민관을 위해서 존재하는 것이 아니라, 목민관이 백성을 위해 존재한다는 점을 강조하고 있다. 따라서 공직자는 국민을 위해 봉사하는 자세로 공익을 실현하기 위해 노력해야 한다.

오답 선택지 풀이 ㄴ. 공직자가 자신의 모든 권한을 국민에게 위임해야 한다는 내용은 제시문과 무관하며, 공직자는 국민에게 권한을 위임받은 사람으로서 봉사하는 자세로 공익을 실현해야 한다.

17 정약용의 공직자 윤리

제시문은 정약용의 주장이다. 정약용은 그의 저서 "목민심서"에서 공직자의 자세를 제시하였는데, 나라와 백성을 위하는 관리, 즉 목민관은 무엇보다 ㄱ. 자신의 사사로운 이익을 넘어 공익을

추구하고, ㄹ. 눈앞의 이익보다 옳음을 중시하는 견리사의의 자세를 지녀야 하며, 반드시 청렴해야 할 것을 강조하였다.

오답 선택지 풀이 ㄴ. 공직자는 검소와 절약의 정신을 실천하는 청렴함을 지녀야 하나, 사사로운 욕심인 소탐을 지녀서는 안 된다.

ㄷ. 공직자는 사사로운 청탁 및 청탁의 대가를 제공해서는 안 된다.

유사 선택지 문제

17 ❶ ○ ❷ × ❸ ×

올쏘 만점 노트 정약용의 청렴

정약용은 공직 윤리로 청렴을 강조하였는데, 공직자는 청렴으로 인(仁)의 도(道)를 이루려는 큰 욕심, 즉 대탐(大貪)을 지녀야 한다고 주장하였다. 그리고 공직자의 올바른 자세를 지닌 목민관이라면 부임지를 떠날 때 백성이 슬퍼하며 다시 그를 보내달라고 왕에게 요청할 것이라고 하였다.

18 청렴 문화를 정착시키기 위한 노력

갑은 오늘날 청렴 문화를 정착시키기 위한 노력으로 전통 윤리의 인격적 덕목에 주목하고 있는 반면, 을은 투명성이 담보되는 절차 및 제도적 장치의 필요성을 강조하고 있다. 제도적 장치의 예로, ㄱ. 청렴도 측정 제도나 청렴 계약제, ㄹ. 부패 행위에 대한 처벌 및 감시와 견제 수단을 마련하는 것 등을 들 수 있다.

오답 선택지 풀이 ㄴ. 청백리 정신과 청빈한 생활 태도를 지니는 것은 전통 윤리의 인격적 덕목을 강조하는 갑의 입장이다.

ㄷ. 청렴한 자세는 전통 윤리가 강조하는 인격적 덕목으로 갑의 입장이다.

19 정명 사상

(1) 정명(正名) 사상(정신)

(2) | 모범 답안 | 자신이 맡은바 임무와 역할을 충실히 수행해야 한다.

채점 기준	배점
자신의 임무와 역할을 충실히 수행한다는 의미를 포함하여 서술한 경우	상
자신의 임무와 역할을 충실히 수행한다는 의미를 추상적으로 서술한 경우	하

20 청렴의 의미

(1) 정약용

(2) | 모범 답안 | 청렴, 성품과 품행이 맑고 깨끗하여 탐욕을 부리지 않는 것을 말한다.

채점 기준	배점
청렴이라는 용어를 쓰고, 그 의미를 정확하게 서술한 경우	상
청렴이라는 용어를 썼으나, 그 의미를 정확하게 서술하지 못한 경우	중
청렴이라는 용어를 쓰지 못하였으나, 그 의미를 추상적으로 서술한 경우	하

올쏘 상위 4% 문제

본문 49쪽

01 ③ 02 ⑤ 03 ④ 04 ③

01 맹자와 순자의 직업관

자료 분석

갑: 왕도 정치가 구현된 사회에서 농부와 목수와 기술자는 각자 생산물이나 재능을 교환함으로써 사회에 기여한다. 힘을 쓰는 노력자(勞力者)와 마음을 쓰는 노심자(勞心者) 역시 각자의 수고로움으로 서로 기여한다.
(정신 노동과 육체 노동의 구분=맹자)

을: 선왕(先王)이 예(禮)를 제정하여 사람들에게 귀함과 천함의 등급을 분별하게 하였다. 사대부의 자손이라도 예에 합하지 않으면 서민이 되어야 하고, 서민의 자손이라도 학문을 닦고 품행이 단정하여 예에 합하면 사대부가 되어야 한다.
(예에 따른 역할 구분=순자)

- 갑: 맹자는 분업을 통한 노력자와 노심자의 상호 기여, 즉 유기적인 관계를 중시하였으며, 노력자에게 일정한 생활 기반을 마련해 주어야 도덕성이 유지된다고 보았다.
- 을: 순자는 사회적 직책과 그에 따른 역할은 예를 기준으로 삼아 정해져야 한다고 보았다.

ㄷ. 맹자는 분업으로 사회적 직분 간의 유기적 관계를 이룰 수 있다고 보았으며, ㄹ. 순자는 예를 기준으로 사회적 신분이 정해져야 한다고 보았다. 한편 맹자와 순자는 공통적으로 사회 구성원 각자가 직분에 충실할 때 사회 질서가 유지되고 공동체의 화합에 기여할 수 있다고 보았다.

오답 선택지 풀이 ㄱ. 갑과 을 모두 긍정의 대답을 할 질문이다.

ㄴ. 갑이 부정의 대답을 할 질문이다. 맹자는 노력자의 경우 생계가 안정되어야 도덕성을 유지할 수 있다고 보았다.

02 순자와 맹자의 직업관

갑은 순자, 을은 맹자이다.

⑤ 순자와 맹자는 모두 능력과 재능을 고려하여 사회적 역할 분담이 이루어져야 하고, 각자 자신의 직분에 충실할 때 사회 질서가 유지된다고 본다.

오답 선택지 풀이 ① 순자는 예에 따라 사회적 역할을 분담해야 한다고 주장한다.

② 순자는 개인의 자유로운 선택이 아니라 능력과 재능에 따라 사회적 역할 분담(직업)이 이루어져야 한다고 본다.

③ 맹자에 따르면, 직업에 종사하여 일정한 생활 기반이 마련되면 백성들도 항심을 가질 수 있다.

④ 맹자는 항산(일정한 생업)이 있어야 항심(도덕성)이 유지될 수 있다고 주장한다. 따라서 경제적 안정과 윤리적 삶은 별개의 문제가 아니다.

03 정약용의 청렴 사상

제시문은 정약용의 주장이다. 그에 따르면, 목민관은 백성을 위하고 공익을 추구해야 하며, 사사로운 청탁도 허용해서는 안 된다. 또한 청백리 정신에 입각해 청빈한 생활을 실천해야 한다.

ㄱ. 정약용은 청렴을 모든 잘못을 덮어 주는 특권으로 보지 않았으며, ㄷ. 아무리 사사로운 청탁일지라도 목민관에게 허용되지 않는다고 하였다.

ㄹ. 정약용은 청백리의 칭호를 관직 상승의 수단으로 보는 것이 아니라, 공직자가 청렴하게 공직 수행을 한 결과로 본다.

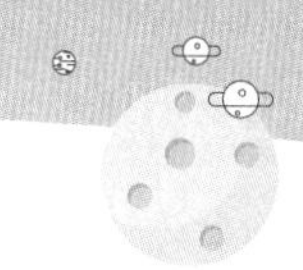

04 마르크스와 맹자의 노동관

자료 분석

갑: 노동이 분업에 의한 방식으로 바뀌면서 고용주는 자본가가 되어 지휘와 감독, 조절 기능을 담당한다. 분업은 특수한 기능에 적합한 부분 노동자를 양산하며, 노동자는 작업장의 부속물로서 자본의 소유물이 된다.
노동의 분업화 → 자본의 소유물=마르크스

을: 모든 것을 손수 만들어 사용해야 한다면, 그것은 천하의 사람들을 바쁘게 만드는 것이다. 어떤 사람은 마음을 수고롭게 하고[勞心], 어떤 사람은 몸을 수고롭게 한다[勞力]. 백성은 항산(恒産)이 없다면 항심도 없게 된다.
노력, 노심 / 항산, 항심=맹자

- 갑: 마르크스는 자본주의 경제 체제하에서 노동의 분업화가 노동자를 작업장의 부속물로 만들 뿐만 아니라 소외시킨다고 본다.
- 을: 맹자는 사회적 역할 분담, 즉 분업의 차원에서 육체노동을 하는 소인의 역할과 정신노동을 하는 대인의 역할을 구별한다.

③ 맹자는 항산이 없으면 항심도 없다고 보고, 생계의 안정과 도덕성 유지가 서로 관련 있음을 지적함으로써 직업을 통한 백성의 기본적인 생활 기반 마련, 즉 항산의 중요성을 강조하였다.

오답 선택지 풀이 ① 마르크스는 노동자가 노동을 통해 자아실현을 할 수 있어야 한다고 본다.
② 마르크스는 노동자가 생산 수단이 없기 때문에 자본가에게 예속된다고 본다.
④ 맹자는 대인과 소인의 역할을 구별하면서 각자가 자신의 역할에 충실해야 한다고 본다.
⑤ 마르크스는 노동의 분업화가 노동자를 작업장의 부속물로 만들어 인간다움의 실현을 방해한다고 본다.

07 사회 정의와 윤리

개념 확인 문제 본문 54쪽

01 (1) ○ (2) × (3) × (4) ○ 02 (1) ㄴ (2) ㄱ (3) ㄷ (4) ㅁ (5) ㄹ
03 (1) ㉡ (2) ㉠ 04 (1) 동등성 (2) 최소 국가 (3) 소수자 우대

시험에 꼭 나오는 문제 본문 54~60쪽

01 ⑤	02 ③	03 ①	04 ④	05 ③	06 ①	07 ③
08 ④	09 ②	10 ④	11 ④	12 ⑤	13 ④	14 ②
15 ⑤	16 ③	17 ③	18 ①	19 ④	20 ①	21 ⑤
22 ②	23 ③	24 ②	25~27 해설 참조			

01 개인 윤리적 관점과 사회 윤리적 관점

현대 사회에서 발생하는 다양한 윤리 문제는 더 이상 개인 윤리적 차원의 해결책인 도덕성 함양 및 양심 회복만으로 해결할 수 없으므로, 사회의 구조와 제도의 개선과 같은 사회 윤리적 차원의 해결책이 요구된다. 이에 사회 윤리의 대표적 사상가인 니부어는 개인의 도덕성이 집단의 도덕성으로 반드시 연결되는 것이 아니므로 개인 윤리와 사회 윤리를 구분할 필요가 있다고 주장하였다.

⑤ 니부어는 개인적으로 양심적이고 도덕적일지라도 그들이 모인 사회는 이기적이며 비도덕적일 수 있다는 점을 강조하였다.

02 니부어의 사회 윤리

제시문의 사상가는 니부어이다. 니부어에 따르면, 개인과는 달리 집단 간의 관계는 윤리적이라기보다는 지극히 정치적이고, 집단 간의 갈등은 합리적인 조정과 설득이 어렵다. 또한 집단 간의 관계는 집단이 가진 힘의 비율에 따라 수립되는 경우가 많으며, 집단은 개인에 비해 이기심을 조절하고 억제하는 힘이 현저히 떨어진다.

③ 니부어는 비합리적인 수단을 통해서라도 사회 부정의를 바로잡아야 한다고 본다.

유사 선택지 문제

02 ❶ ○ ❷ ○ ❸ ×

03 니부어의 사회 윤리

가상 설문 조사를 한 서양 사상가는 니부어이다. 니부어는 집단의 도덕성이 개인의 도덕성보다 현저히 떨어진다고 보고, 개인의 도덕성과 사회 집단의 도덕성이 구별되어야 한다고 주장한다. 따라서 사회 문제를 해결하기 위해서는 도덕적 권고와 같은 개인 윤리적 차원의 해결책뿐만 아니라 사회 윤리적 차원의 해결책이 필요하다고 본다.

오답 선택지 풀이 ㄴ. 니부어에 따르면, 사회 윤리는 사회 구조와 제도의 개선을 통해 사회 문제를 해결하고자 하므로 니부어가 긍정할 질문이다.
ㄹ. 니부어가 부정할 질문이다. 니부어에 따르면, 사회의 도덕성을 고양하는 데 있어 개인의 도덕성 함양은 도움이 된다. 하지만 개인의 도덕성 함양만으로는 충분하지 않으므로 개인의 도덕성 함양뿐만 아니라 사회 구조와 제도의 개선이 필요하다고 본다.

04 분배적 정의의 다양한 기준

분배적 정의의 다양한 기준 중 절대적 평등의 단점은 생산 의욕 및 효율성이 저하된다는 점이다. 업적의 장점은 동기 부여 및 생산성이 높아진다는 점이며, 업적의 단점은 사회적 약자를 배려하기 어렵다는 점이다. 그리고 능력의 단점은 능력에 선천적인 요소가 개입될 여지가 크다는 점이다. 필요의 장점은 사회적 약자를 보호할 수 있다는 점이다.

오답 선택지 풀이 분배 정의의 다양한 기준 중 ㉠은 업적의 단점, ㉡은 필요의 장점, ㉢은 절대적 평등의 단점, ㉣은 업적의 장점에 해당한다.

05 롤스의 정의의 원칙

제시문은 롤스가 주장한 정의의 두 원칙이다. 제1원칙은 평등한 자유의 원칙이라고 불리고, 제2원칙은 차등의 원칙이라고 불리면서 사회적 · 경제적 가치의 분배에 있어서 정당한 불평등의 조건을 밝히고 있다. 정의의 두 원칙에는 우선성의 규칙이 있는데, 제1원칙이 자유의 우선성을 추구하는 것으로, 제2원칙보다 선행한다. 즉, 신체의 자유나 사상의 자유와 같은 기본적 자유는 함부로 침해될 수 없다는 것이다. 한편 롤스는 원초적 입장,

즉 자신과 타인의 사회적 지위나 능력 등을 모르는 무지의 베일을 쓴 상황에서 사람들이 정의의 두 원칙에 합의하게 된다고 보았다.

③ 자유의 우선성을 추구하는 것은 제1원칙으로, 이는 제2원칙보다 선행한다.

06 롤스의 분배적 정의

롤스는 공정한 절차를 통해 합의된 것이라면 정의롭다고 보는 공정으로서의 정의를 주장하였고, 차등의 원칙을 강조함으로써 분배 정의를 실현하기 위한 국가의 재분배 정책에 찬성하는 입장이다.

오답 선택지 풀이 두 번째 관점: 개인들의 절대적인 소유 권리를 인정하는 것은 노직의 입장이다.

네 번째 관점: 롤스는 정의로운 사회에서도 경제적 불평등은 존재할 수 있다고 본다.

07 롤스의 원초적 입장

롤스가 제시한 원초적 입장에서 사람들은 타인의 이해관계에 무관심하고 타인에 대한 시기심이 없으며 자신의 이익을 합리적으로 추구하는 존재이다. 그리고 이들은 공평한 합의를 위해 자신이나 타인의 우연적인 조건들을 모르는 무지의 베일을 쓴 상태에서 정의의 원칙을 선택하게 된다.

오답 선택지 풀이 ㄱ. 원초적 입장에서 사람들은 타인의 이해관계에 무관심하다.

ㄹ. 무지의 베일을 쓴 상태에서 사람들은 자신뿐만 아니라 타인의 우연적인 조건들에 대해서도 알 수 없다.

08 롤스의 무지의 베일

롤스는 무지의 베일을 쓴 상황에서 당사자들은 자신이 가장 불우한 계층이 될 가능성을 염두에 두기 때문에, 최악의 위험을 피하기 위한 전략을 추구하여 최소 수혜자에게 최대 이익을 주는 정의의 원칙에 합의하게 된다고 본다.

오답 선택지 풀이 ① 마르크스의 입장이다.

② 롤스는 정의로운 사회에서도 경제적 불평등은 존재할 수 있다고 본다.

③ 롤스에 따르면, 무지의 베일을 쓴 상황에서 사람들은 최악의 위험을 피하고자 한다.

⑤ 롤스는 절차가 결과의 공정성을 보장한다는 공정으로서의 정의를 주장하였으나, ㉡에 들어갈 내용과는 거리가 멀다.

올쏘 만점 노트 롤스의 원초적 입장과 무지의 베일

정의의 원칙을 도출하기 위한 최초의 가상적 상황인 원초적 입장에서 사람들은 타인의 이해관계에 무관심하며, 자신의 이익을 합리적으로 추구한다. 이들은 공평한 합의를 위해 자신이나 타인의 사회적 지위나 능력, 재능, 가치관 등을 모르고 있다고 가정한다. 롤스는 이렇게 무지의 베일을 쓴 상황에서 사람들은 결과적으로 개인의 자유를 평등하게 보장하고, 사회적 약자를 배려하는 정의의 두 원칙에 합의할 것이라고 보았다.

*무지의 베일: 분배 원칙을 선택하는 데 영향을 끼칠 수 있는 개인적 정보를 마치 베일을 씌우는 것처럼 없애는 것을 말한다.

09 니부어의 사회 윤리

(가)는 니부어의 입장으로, 집단의 도덕성이 개인의 도덕성보다 현저히 떨어지므로, 개인 윤리의 목표와 사회 윤리의 목표를 구분해야 하며, 집단의 도덕성을 유지하고 정의를 실현하려면 때로는 강제력에 의한 방법도 병행해야 한다고 본다. (나)는 국가라는 집단의 이름으로 행해지는 전쟁의 비도덕성을 보여주는 사례로, 개인적으로 평범하고 도덕적인 청년들도 국가라는 집단의 이름으로 전쟁에 참가할 경우 자국의 이익을 위해 비도덕적인 행위를 저지르기 쉽다. 따라서 니부어의 입장에서 볼 때, 집단 간 전쟁의 비도덕성 문제는 개인의 선한 의지만으로는 해결하기 어려우므로, 집단적인 악을 견제하고 정의 실현을 위한 제도적 장치 및 강제력이 병행될 필요가 있다.

오답 선택지 풀이 ㄴ. 개인의 도덕성 함양이 집단 간 정의를 보장하기 위한 충분조건이 되지 못한다. 집단 간의 문제는 윤리적이기보다는 정치적이므로 때로는 정치적인 강제력에 의한 방법도 병행되어야 한다.

ㄷ. 집단 내 구성원 간의 문제는 도덕적이고 합리적인 조정과 설득을 통해 어느 정도 해결이 가능하지만, 집단 간의 문제는 합리적인 조정만으로 해결이 어려우므로 정치적인 강제력이 필요하다.

10 노직의 소유권으로서의 원칙

제시문은 노직이 제시한 소유권으로서의 원칙이다. 소유권으로서의 정의의 관점에서 분배 문제에 접근한 노직은, 재화의 최초 취득, 그것의 양도 혹은 이전, 시정의 과정이 정당하면 현재의 소유권이 정당하다고 본다. 따라서 국가를 포함한 누구도 개인의 소유권을 침해할 수 없다고 본다.

오답 선택지 풀이 ㄹ. 노직의 시정의 원칙에 따르면, 강도나 사기 등에 의해 소유물이 부정의하게 이전되었을 경우, 이러한 부정의를 교정하기 위한 최소 국가의 개입은 정당하다.

11 롤스의 차등의 원칙

(가)는 롤스의 주장이다. 롤스의 입장에서 보자면, (나)의 A~C 중 C를 선택하게 되는데, 그 이유는 최소 수혜자에게 최대 이익이 되기 때문이다. A, B, C에서 최소 수혜자는 각각 5, 12, 14만큼의 이익을 가진다. 따라서 C를 선택하는 것이 최소 수혜자에게 최대 이익이 된다.

오답 선택지 풀이 ① 전체 이익의 합이 50으로 36인 B와 48인 C에 비해 크기는 하지만, 롤스가 지향하는 사회는 최수 수혜자의 이익이 극대화된 사회이다.

② 최대 이익이 30인 경우가 있기는 하지만, 분배된 양이 롤스의 정의관에 부합하지 않는다.

③ 모두가 똑같이 분배받는 사회는 마르크스가 주장한 것이다.

⑤ 최대 다수의 최대 이익은 공리주의자 벤담이 주장한 내용이다.

12 노직과 롤스의 분배 정의

갑은 노직, 을은 롤스이다. 노직은 근로 소득에 대해 세금을 부과하는 것은 강제 노동과 다를 바 없다고 보고, 국가를 포함한 어느 누구도 개인의 소유권을 침해할 수 없다고 주장한다. 롤스는 그의 정의의 원칙에서 자유의 우선성을 강조하며, 원초적 입장에서 사람들은 최소 수혜자에게 최대 이익이 되는 정의의 원칙에 합의하게 된다고 본다.

⑤ 노직과 롤스는 모두 정의로운 사회에도 경제적 불평등이 존재할 수 있다고 본다는 점에서 공통적이다.

오답 선택지 풀이 ① 노직은 국가가 개인의 소유권을 침해해서는 안 된다고 본다.

② 노직은 취득 및 양도의 과정에서 부정의가 있다면 국가가 교정(시정)의 원칙을 통해 이를 시정해야 한다고 본다.
③ 롤스는 정의의 원칙에서 자유의 우선성을 주장하면서, 기본적 자유는 사회 이익을 포함하여 그 어떠한 명분으로도 제한할 수 없다고 본다.
④ 롤스는 정의의 원칙 수립에 있어서는 절차의 공정성이 결과의 공정성을 보장한다고 본다.

유사 선택지 문제

12 ❶ × ❷ ○ ❸ ×

13 우대 정책

우대 정책은 ① 사회적 약자에게 일정한 몫을 보장하려는 정책이며, 우대 정책 문제는 ② 몫을 분배하는 분배적 정의와 관련된 대표적인 쟁점이다. 이는 ⑤ 미국에서 흑인이 차별받아왔던 부분에 대해 재분배의 차원에서 과거의 불평등을 보상하고 교정하려고 시행하는 것이기에 ③ 차별받지 않은 현세대의 흑인 미국인에게 혜택을 주는 것이므로 이러한 혜택을 받지 못하는 백인 미국인에게는 역차별이라는 비판도 제기된다.
④ 특정 소수자에 대한 우대로 소외받는 소수자가 발생하였다는 부분은 제시문에서 확인하기 어렵다. 제시문에는 우대 정책의 대상이 되는 소수자로는 흑인만 나타나 있다.

14 우대 정책의 찬반 근거

제시된 사례의 주인공은 우대 정책의 부당성을 지적하고 이에 대해 반대하는 입장이다. 우대 정책의 반대 근거로는 소수자에 대한 우대가 일반인에 대한 또 다른 역차별과 부정의를 초래할 수 있다는 점, 과거 세대의 잘못에 대해 잘못이 없는 현세대에 책임을 묻는 것은 부당하다는 점 등을 들 수 있다.

오답 선택지 풀이 ㄴ, ㄹ. 우대 정책에 찬성하는 입장이다.

15 우대 정책의 찬반 근거

갑은 우대 정책에 대한 찬성의 입장이고, 을은 반대의 입장이다. 우대 정책을 찬성하는 근거로는 과거의 차별에 대한 현재의 보상이라는 보상의 논리, 사회적 약자는 경제적 · 사회적으로 유리한 기회를 부여받아야 한다는 재분배의 논리, 그리고 사회적 긴장을 완화하고 사회 전체의 평화와 행복을 증진할 수 있다는 공리주의 논리가 있다. 반면 우대 정책을 반대하는 근거로는 다른 집단에 대한 또 다른 차별로 이어진다는 점, 과거의 차별에 대해 잘못이 없는 현세대에게 보상의 책임을 지우는 것은 부당하다는 점, 그리고 사회적 약자에게 유리한 기회를 주는 것은 평등을 저해한다는 점 등을 들 수 있다.
⑤ 분배적 정의의 실현을 위해 능력과 업적에 따라 사회적 가치를 분배해야 한다고 보는 것은 을만의 입장이다.

16 조세 제도와 관련된 윤리적 쟁점

제시문의 종합 부동산세 제도는 일종의 부유세로, 부유세 제도에 대해 찬성하는 입장에서는 ㄴ. 부의 재분배를 통해 불평등을 해소할 수 있고, 거두어 들인 세금을 사회적 약자의 복지를 위해 사용한다면 ㄷ. 빈부 격차를 완화하여 사회 통합에 기여할 수 있다고 본다.

오답 선택지 풀이 ㄱ. 부유세에 대해 반대하는 입장의 근거로, 부유세는 세금을 두 번 부과하는 것과 같아서 부자들에 대한 또 다른 차별을 가져온다고 본다.
ㄹ. 부유세에 대해 반대하는 입장의 근거로, 부유세는 정당하게 얻은 개인의 재산권을 과도하게 침해한다고 본다.

17 공정한 처벌의 조건

공정한 처벌은 먼저 죄형 법정주의에 근거하고, 비례성의 원칙(과잉 금지의 원칙)이 충족되어야 한다. 비례성의 원칙에 따르면, 처벌로 인한 기본권의 제한이나 침해를 최소화해야 한다.
③ 공정한 처벌은 비례성의 원칙에 따라 처벌의 목적이 정당할 뿐만 아니라 처벌의 수단도 적합해야 한다.

18 처벌의 정당화 관점

처벌의 정당화 관점으로는 응보주의적 관점과 공리주의적 관점이 있다. 응보주의적 관점의 대표 사상가는 칸트이다. 칸트는 이성적 존재란 자신의 행동에 책임을 지는 존재이므로, 범죄를 저지른 사람은 자신이 스스로 저지른 행위에 대한 응분의 대가인 처벌을 받는 것이 마땅하다고 본다.
① 베카리아는 공리주의적 관점으로, 인간을 개선하기 위한 형벌은 존재해야 하지만, 사형보다는 종신 노역형이 범죄 예방에 훨씬 효과적이라고 본다.

19 사형 제도에 관한 루소의 입장

제시문은 루소의 "사회 계약론"에 나오는 내용이다. 루소는 사회 계약에 바탕을 둔 사회 방위론의 입장에서 사형 제도에 찬성한다. 루소에 따르면, ㄴ. 사람들은 자신의 생명을 보호받기 위해 살인자를 사형하는 것에 대해 동의하며, ㄱ. 사람을 살해한 자는 정당한 사회 구성원이 아닌 사회의 적으로 간주되므로 ㄹ. 그의 생명을 빼앗는 행위는 동의에 의한 사회 계약에 위반되는 것이 아니라고 본다.

오답 선택지 풀이 ㄷ. 사람을 죽인 범죄자는 스스로 저지른 살인에 대해 응분의 책임을 져야 하므로 사형을 하는 것이 마땅하다고 본 것은 칸트이다.

20 사형 제도에 관한 칸트의 입장

제시문의 사상가는 칸트이다. 칸트에 따르면, 사형은 동등성의 원리에 근거하며, 사형은 살인한 범죄자의 인격을 존중하는 것이다. 왜냐하면 사형은 자신의 자율적인 행위, 즉 스스로 저지른 살인에 대해 응분의 책임을 지는 것이기 때문이다.

오답 선택지 풀이 ㄷ. 처벌의 목적을 범죄자 교화와 범죄 예방으로 보는 것는 공리주의의 입장이다.
ㄹ. 칸트는 사형이야말로 살인범이 스스로 저지른 행위에 대해 책임질 수 있는 존재임을 인정하는 것으로 본다.

21 사형 제도에 관한 베카리아의 입장

제시문은 베카리아의 주장이다. 베카리아는 사형은 한 순간에 강렬한 인상만을 줄 뿐이며 처벌의 지속성이 없다고 말한다. 또한 그는 사형보다 종신 노역형이 사람의 생명을 빼앗은 범죄자에게 더 큰 공포를 주기 때문에 훨씬 효과적이라고 본다. 그뿐만 아니라 종신 노역형이 보는 사람들로 하여금 죄를 짓지 않도록 예방하는 데에도 훨씬 효과적이라고 주장한다.

⑤ 사회 계약에 바탕을 둔 사회 방위론의 입장에서 사형 제도에 찬성한 사람은 루소이다.

22 사형 제도에 관한 칸트와 베카리아의 입장

갑은 사형 제도에 찬성하는 칸트이고, 을은 사형 제도에 반대하는 베카리아이다. 칸트는 사형이 동등성의 원리에 근거하여 동해 보복의 차원에서 이루어져야 하며, 사형을 살인자가 스스로 저지른 행위에 대해 응당한 책임을 지는 행위로 본다. 반면, 베카리아는 종신 노역형에 비해 사형은 범죄 예방 효과가 더 적다고 보아 사형 제도에 반대한다.

오답 선택지 풀이 ① 칸트는 사형에 찬성하므로 '아니요', 베카리아는 '예'라고 답할 것이다.

③ 응보주의적 관점을 지닌 칸트는 '아니요', 공리주의적 관점을 지닌 베카리아는 '예'라고 답할 것이다.

④ 칸트는 사형이 동해 보복의 차원에서 이루어져야 한다고 보기 때문에 '예', 베카리아는 '아니요'라고 답할 것이다.

⑤ 종신 노역형이 사형에 비해 효과적이라고 보는 것은 베카리아이므로, 베카리아는 '예'라고 답할 것이다.

유사 선택지 문제

22 ❶ × ❷ ○ ❸ ○

23 베카리아의 사형 제도 폐지론

제시문은 베카리아가 "범죄와 형벌"에서 주장한 내용이다. 베카리아에 따르면, 사형은 인간을 개선시키는 것이 아니라 국가의 일방적인 살인 행위일 뿐이며, 자신의 생명을 양도하는 계약에 서명할 사람은 없기 때문에 사형 제도는 폐지되어야 한다.

오답 선택지 풀이 ① 베카리아는 인간을 개선하기 위해 형벌은 존재해야 하나, 사형 제도는 폐지되어야 한다고 본다.

② 베카리아는 사형이 종신 노역형에 비해 효과가 작다고 본다.

④ 베카리아는 가혹한 형벌인 사형은 공익에 이바지하는 바가 작고 비효율적이라고 본다.

⑤ 베카리아는 자신의 생명을 양도할 계약에 기꺼이 서명할 사람은 없다고 본다.

24 사형 제도의 찬성 논거

제시문의 ㉠에는 사형 제도에 대해 찬성하는 입장의 논거가 들어가야 한다. 사형 제도의 찬성 논거로는 범죄 억제의 효과가 크다는 점, 국민의 일반적 법 감정이 사형 제도를 지지한다는 점, 흉악 범죄인의 생명을 박탈하는 것이 사회적 정의에 부합한다는 점, 종신형 제도가 경제적 부담이 크고 비인간적이라는 점 등을 들 수 있다.

오답 선택지 풀이 ①, ③, ④, ⑤ 사형 제도에 반대하는 입장의 논거이다.

25 롤스의 정의의 원칙

(1) 롤스

(2) | 모범 답안 | 가장 불리한 여건에 있는 사람, 즉 최소 수혜자에게 최대의 이익을 보장해야 한다.

채점 기준	배점
최소 수혜자에게 최대 이익을 보장해야 한다고 서술한 경우	상
사회적 약자에게 이익을 주어야 한다고만 서술한 경우	하

26 사형 제도의 반대 논거

| 모범 답안 | 범죄 억제의 효과가 없다. 교화의 가능성을 근원적으로 포기하여 처벌의 본질에 위배된다. 오판의 가능성이 있다. 인간의 기본권인 생명권을 근본적으로 부정하는 행위이다. 정치에서 자신과 대립하거나 반대 입장에 있는 사람을 제거하는 수단으로 악용될 수 있다.

채점 기준	배점
사형 제도의 반대 논거를 세 가지 이상 서술한 경우	상
사형 제도의 반대 논거를 두 가지만 서술한 경우	중
사형 제도의 반대 논거를 한 가지만 서술한 경우	하

27 노직의 최소 국가

(1) 노직

(2) | 모범 답안 | 국가는 강압, 절도, 사기, 강제 계약의 발생을 막는 역할만을 한다.

채점 기준	배점
'강압', '절도', '사기', '강제 계약'의 용어를 포함하여 최소 국가의 역할을 서술한 경우	상
'강압', '절도', '사기', '강제 계약'의 용어 중 2~3개를 포함하여 최소 국가의 역할을 서술한 경우	중
'강압', '절도', '사기', '강제 계약'의 용어 중 1개를 포함하여 최소 국가의 역할을 서술한 경우	하

올쏘 상위 4% 문제

본문 61쪽

01 ① 02 ④ 03 ④

01 아리스토텔레스, 노직, 롤스의 분배적 정의

자료 분석

갑: 분배적 정의는 가령 사람 A와 B가 각각 물건 C와 D를 얻기 전과 후의 비율이 동등할 때 성립한다는 점에서 기하학적 비례를 추구하는 것이다.
(기하학적 비례에 따른 분배적 정의=아리스토텔레스)

을: 분배적 정의는 중립적인 개념이 아니다. 중립적인 개념은 '개인의 소유물'이다. 모든 개인이 자신의 소유물에 대해 소유 권리를 갖는 것이 정의이다.
(소유 권리 강조=노직)

병: 분배적 정의의 핵심 과제는 사회 체제의 선택이다. 사회 체제는 특수한 상황의 우연성을 처리하기 위해 순수 절차적 정의의 관념에 따라 기획되어야 한다.
(우연적 요소의 제거=롤스)

- 갑: 아리스토텔레스는 분배적 정의는 기하학적 비례에 따른 동등함을, 시정적 정의는 산술적 비례에 따른 동등함을 추구한다고 본다.
- 을: 노직은 소유권으로서의 정의의 관점에서 분배 문제에 접근하며 국가에 의한 재분배는 개인의 소유권을 침해하는 것으로 부당하다고 본다.
- 병: 롤스는 최초의 가상적 상황인 원초적 입장에서 무지의 베일을 씌워 우연적 요소들을 제거함으로써 정의의 원칙에 합의할 수 있다고 본다.

노직은 최소 국가만이 도덕적으로 정당하다고 본다. 롤스는 개인이 타고난 천부적인 재능은 우연적인 것이므로 자신만의 것이 아닌 공동의 소유물로 본다. 아리스토텔레스와 롤스는 모두 사회 구성원 각자에게 당연한 몫이 할당되는 사회를 정의로운 사회로 본다. 노직과 롤스는 공통적으로 정의로운 사회에서도 경제적 불평등이 존재할 수 있다고 본다.

① 아리스토텔레스에 따르면, 분배적 정의는 기하학적 비례를 따르고, 시정적 정의는 산술적 비례를 따르므로 모두 비례를 추구하는 특수적 정의에 해당한다.

02 니부어의 사회 윤리

자료 분석

어떤 분들은 개인의 이기심이 선의지에 의해 견제되고 있어 모든 집단은 조화를 이룰 것이라 하며, 개인의 선의지 함양을 권고하였습니다. 하지만 제 생각은 다릅니다. 그분들은 집단 이기주의가 갖는 힘, 범위, 지속성을 깨닫지 못하고 있습니다. (집단의 비도덕성 지적=니부어) 개인 간의 관계를 순전히 합리적인 조정과 설득에 의해 확립하는 일은 불가능하지는 않을 것입니다. 그러나 집단 간의 관계는 윤리적이기보다는 정치적이기 때문에, 개인의 양심은 집단 간의 갈등을 부분적으로 억제할 수는 있겠지만 완전히 해결하지는 못합니다. (개인의 양심으로 집단 갈등 해결이 어려움 → 사회 윤리 필요= 니부어)

니부어는 개인의 선의지 함양만으로는 사회의 윤리 문제를 해결하지 못한다고 보았다. 집단의 도덕성이 개인의 도덕성에 비해 현저히 떨어지기 때문에 개인 간의 문제는 합리적 조정과 설득으로 해결이 가능하나, 집단 간의 문제는 해결하기 어렵다는 것이다. 그는 집단 간의 문제는 정치적이므로 개인의 도덕성 함양뿐만 아니라, 사회 구조와 제도의 개선으로 해결해야 한다고 보았다.

그림의 강연자는 니부어이다. 니부어에 따르면, 사회 정의를 실현하기 위해서는 개인의 도덕성 함양만으로는 충분하지 않으며, 사회 구조와 제도적 차원에서 해결책이 필요하다.

오답 선택지 풀이 ① 니부어에 따르면, 사회 정의를 실현하기 위한 사회적 억제와 힘의 사용은 가능하다.

② 니부어에 따르면 선의지는 정의 실현을 위한 비합리적인 수단인 강제력을 통제해야 한다.

③ 니부어에 따르면 집단 간의 관계는 각 집단이 갖는 힘의 비율에 따라 결정된다.

⑤ 니부어는 집단의 도덕성이 개인의 도덕성에 비해 열등하다고 본다.

03 사형 제도에 대한 벤담과 베카리아의 입장

자료 분석

갑: 범죄에 대한 형벌은 사회의 최대 행복을 저해하는 경향에 비례하여 가해져야 한다. (최대 다수의 최대 행복의 원리를 바탕으로 한 형벌 기준 제시=벤담) 형벌의 목적은 범죄의 예방과 일반인에 대한 경고에 있다. 사형은 그 범죄자가 살아 있는 것이 나라 전체를 중대한 위험에 처하게 할 경우에나 적합한 형벌이다.

을: 범죄에 대한 형벌은 오직 법을 통해서만 가능하며, 이러한 권한은 사회 계약으로부터 나온다. (형벌에 대한 사회 계약론적·공리주의적 관점=베카리아) 형벌은 강도보다 지속성을 중시해야 한다. 사형은 한 시민에 대한 국가의 전쟁이기 때문에 허용되어서는 안 된다.

- 갑: 공리주의자인 벤담은 최대 다수의 최대 행복의 원리를 바탕으로, 형벌의 목적을 범죄 예방 및 범죄자의 교화, 사회적 이익의 증진으로 본다.
- 을: 형벌에 대해 사회 계약론적·공리주의적 관점을 지닌 베카리아는 사형보다는 종신 노역형이 범죄 예방에 효과적이라고 본다.

공리주의에서는 모든 형벌이 고통을 초래한다는 점에서 그 자체로 악이라고 본다. 베카리아는 사형은 강력한 인상을 주지만 지속성의 차원에서 종신 노역형이 피해자의 생명을 앗아간 범죄자에게 더 큰 공포를 안겨 주므로 사형보다 훨씬 효과적이라고 주장하며 사형 제도에 반대한다.

오답 선택지 풀이 ㄱ. 벤담과 베카리아 모두 공리주의자로서, 사회 전체의 이익 증진과 행복을 위해 형벌이 필요하다고 본다.

ㄷ. 벤담에 따르면, 형벌이 초래할 해악이 예방할 해악보다 커서는 안 된다.

08 국가와 시민의 윤리

개념 확인 문제 본문 64쪽

01 (1) ㉠ (2) ㉡ 02 (1) ㄹ (2) ㄷ (3) ㄱ (4) ㄴ 03 시민 불복종, 최후의 수단, 처벌 감수, 공개성, 공공성

시험에 꼭 나오는 문제 본문 64~68쪽

01 ⑤ 02 ④ 03 ② 04 ② 05 ② 06 ① 07 ③
08 ⑤ 09 ⑤ 10 ⑤ 11 ③ 12 ① 13 ⑤ 14 ④
15 ⑤ 16 ③ 17 ④ 18 ④ 19~20 해설 참조

01 국가 권위의 정당성

국가는 권위를 가지고 있기 때문에 구성원인 시민들에게 다양한 의무 이행을 요구한다. 국가가 가지는 권위는 강한 구속력을 가지므로, 국가가 지니는 명령권과 통치권은 정당하게 행사되어야 하고, 시민들의 지지와 동의를 바탕으로 해야 한다.

⑤ 국가의 통치 권력이 정당하게 행사되지 않거나 시민들의 지지와 동의를 바탕으로 하지 않는다면 국가 권위의 정당성은 보장되기 어렵다.

02 국가 권위의 정당화 근거

국가 권위의 정당화 근거 중 (가)는 동의의 관점, (나)는 혜택의 관점이다. 혜택의 관점에 따르면, 국방과 치안 등 개인이 제공하기 어려운 공공재뿐만 아니라, 도량형, 교통 법규와 같이 사회적 관행도 혜택에 포함된다. 또한 시민들 간의 소속감이나 연대감 등도 국가 공동체에 소속됨으로써 얻을 수 있는 혜택이라고 할 수 있다.

오답 선택지 풀이 ① 동양의 유교 사상은 정의의 관점이다.

② 최대 다수의 최대 행복의 원리에 근거하는 것은 공리주의적 관점이다.

③ 철인 통치를 주장한 플라톤은 정의의 관점이다.

⑤ 명시적 동의뿐만 아니라 묵시적 동의도 동의의 관점에 해당한다.

03 민본주의적 국가관

정약용은 통치자는 애민(愛民) 정신을 바탕으로 백성을 돌볼 것을 강조하였다. 맹자는 민본주의를 바탕으로 항산이 있어야 항심이 있다고 주장하면서 백성들의 기본적인 생활이 보장되어야 도덕심을 유지할 수 있다고 보았다. 이처럼 동양의 국가관은 백

성을 근본으로 생각하고 백성을 위하는 민본주의 정신에 바탕을 둔다.

오답 선택지 풀이 ① 소극적 국가관은 개인의 삶에 대한 국가 개입의 최소화를 주장하는 서양의 국가관이다.
③ 서양의 소극적 국가관의 특징이다.
④ 서양의 소극적 국가관의 문제점이다.
⑤ 서양의 적극적 국가관의 문제점이다.

04 동서양의 국가관

(가)는 동양의 국가관, (나)는 서양의 국가관이다. 서양의 국가관은 동양의 국가관에 비해 통치자의 도덕성과 모범을 강조하는 정도(X)는 낮고, 국가 통치에 가족의 원리를 적용하는 정도(Y)도 낮으나, 피치자의 정치적 자유와 권리를 강조하는 정도(Z)는 높다.

05 국가 권위에 대한 아리스토텔레스와 로크의 관점

제시문의 갑은 아리스토텔레스, 을은 로크이다. 아리스토텔레스는 인간을 정치적 동물이라고 정의하며 개인이 국가의 권위를 존중하고 정치적 의무를 져야 하는 근거를 인간의 본성에 찾는다. 로크는 국가는 시민의 자발적 동의와 계약에 의해 구성되었기에 시민은 계약을 준수해야 한다는 정치적 의무가 발생하고, 국가는 시민의 기본권을 보호하고 공동선을 실현하는 역할을 수행해야 한다고 본다.

오답 선택지 풀이 ㄴ. 국가 권위의 정당화 근거 중 혜택의 관점이다.
ㄹ. 국가의 권위를 민의에 기초한 천명의 관점에서 정당화하는 것은 동양의 관점이다.

06 민본주의

제시문은 "서경"에 나오는 구절로, 동양의 민본주의 사상을 엿볼 수 있다. 동양에서 국가의 역할은 민본주의와 관련이 깊다. 백성은 나라의 근본이니 백성이 튼튼해야 나라가 평안하다는 민본주의 정신을 근거로 국가는 백성이 바르고 평안하게 살도록 만들어 줄 때 백성의 마음을 얻을 수 있고, 그때 국가의 권위가 정당화된다고 본다.

오답 선택지 풀이 ②, ⑤ 사회 계약에 근거한 동의의 관점이다.
③ 민본주의에서는 백성을 정치적 주체가 아닌 통치의 대상으로 보기 때문에 피치자를 주권자로서 인정하지 않으며, 통치자와 동일한 권력을 가지고 있다고 보지 않는다.
④ 인간 본성의 관점으로 아리스토텔레스의 입장이다.

07 유교의 대동 사회

제시문은 유교 사상가인 공자가 제시한 이상 사회인 대동 사회의 모습이다. 대동 사회에서는 고용 문제와 노인 문제에 관심을 가지고, 과부, 고아, 장애인 등 사회적 약자들에 대한 인간다운 삶을 보장한다.

ㄱ. 대동 사회는 사회적 약자를 위한 복지 정책을 적극적으로 실시한다.

ㄴ. 대동 사회는 개인의 삶에 관심을 가지고 어려운 사람들을 구제하는 데 힘쓴다.

ㄷ. 서양의 소극적 국가관에 해당하며, 대동 사회는 국가가 질서 유지 이상의 기능인 복지 문제에 관심을 쏟는다.

08 소극적 국가관과 적극적 국가관

(가)는 서양의 소극적 국가관, (나)는 적극적 국가관이다. 빈부 격차가 심화될 우려가 있고, 국방과 외교, 치안 등의 질서 유지의 역할만을 강조하는 것은 소극적 국가관이다. 적극적 국가관은 국가 기능의 비대화와 비효율성이라는 문제점을 안고 있지만 빈부 격차의 심화라는 소극적 국가관의 한계를 어느 정도 극복하는 데 기여하였다.

⑤ 시민에게 최소한의 인간다운 삶을 보장하는 것은 적극적 국가관과 관련 깊다.

09 시민의 정치 참여

제시문은 민주주의 사회에서 공적 문제에 영향력을 행사하기 위해 시민들의 정치 참여가 필요하다는 내용이다. 민주주의 사회에서 정치 참여는 선거나 투표가 대표적이지만, 그밖에 지방 자치 단체의 행정 처분에 대해 지역 주민들이 통제할 수 있는 주민 소환제, 지역 주민이 직접 생활과 관련이 있는 법률인 조례를 제정하는 주민 발의제, 지방 자치 단체의 예산 편성에 주민이 직접 참여하는 주민 참여 예산제 등 다양한 제도를 통해 정치에 참여할 수 있다.

오답 선택지 풀이 ㄱ. 현실 정치에 대한 혐오감을 지닐 경우 정치에 대한 무관심으로 이어질 가능성이 크다.
ㄴ. 정치 참여를 이끌어 내기 위해서는 정치에 대한 시민들의 관심을 촉구해야 한다.

10 시민의 적극적 참여

시민이 해야 할 의무 중에 대표적인 것이 공적 활동에 참여하는 것이다. 시민의 참여를 강조한 것은 고대 그리스 시대부터인데, 고대 그리스에서는 자신의 일에만 관심을 갖는 것이 아니라 국가의 공적인 일에 관심을 갖고 직접 참여하는 것을 시민의 핵심 자질로 여겼다.

오답 선택지 풀이 ① 폴리스의 시민은 공적 활동에 직접 참여하는 직접 민주주의를 실현하였다.
② 고대 그리스의 시민의 의무는 공적 활동에 참여하는 것이었다.
③ 고대 그리스의 시민은 개인의 자유와 권리를 우선시하기보다 공동체의 일을 우선시하였다.
④ 고대 그리스의 시민은 국가의 일에 직접 참여하였다.

11 시민 불복종의 특징

제시문은 마틴 루서 킹의 "왜 우리는 기다릴 수 없는가"에 나오는 내용이다. 마틴 루서 킹은 자신이 참여한 시민 불복종 행위로서의 시위행진은 현행법 위반이므로 법에 대한 존중을 표현하기 위해 위반 행위에 대한 처벌을 기꺼이 감수해야 한다고 주장한다.

오답 선택지 풀이 ① 인간이 만든 실정법은 상위의 자연법이나 도덕률을 바탕으로 하며, 시민 불복종 행위는 자연법이나 양심 등의 도덕률에 의해 지지된다.
②, ④ 시민 불복종에 반대하는 입장의 논거로, 제시문에서 강조하는 내용과 무관하다.
⑤ 시민 불복종은 사적인 영역에 기반하지 않고 공적인 영역, 즉 부정의한 법이나 정책에 대한 저항이다.

12 소로의 시민 불복종

제시문은 소로의 "시민 불복종"에 나오는 내용이다. 소로는 국민으로서 법에 대한 존경심보다는 인간으로서의 양심을 우선해야 한다고 보고, 양심에 따라 부정의한 법률에 대해 불복종해야 한다고 주장하였다.

오답 선택지 풀이 ② 드워킨의 입장이다.
③, ⑤ 롤스의 입장이다.
④ 공리주의적 관점을 지닌 싱어의 입장이다.

13 롤스의 시민 불복종

제시문의 사상가는 롤스이다. 롤스에 따르면, 시민 불복종은 법과 제도에 심각한 부정의가 있을 때 사회적 다수의 정의관에 근거하여 정당화될 수 있다. 또한 시민 불복종은 기본적으로 법을 존중하고 정당한 법체계를 세우려는 것이므로, 모든 합법적인 수단을 사용한 이후에도 효과가 없을 경우 사용하는 마지막 수단이 되어야 한다.

오답 선택지 풀이 ① 소로의 입장에서 긍정할 질문이다.
② 롤스에 따르면 시민 불복종은 비폭력적 수단을 사용해야 한다.
③ 롤스에 따르면 시민 불복종은 일부의 부정의한 법과 정책에 대한 항거이다.
④ 롤스에 따르면 시민 불복종은 타인의 기본권을 침해해서는 안 된다.

유사 선택지 문제

13 ❶ ○ ❷ ○ ❸ ○

14 시민 불복종의 사례

제시문은 시민 불복종의 정의이다. 시민 불복종의 대표 사례로는 노예 제도와 멕시코 전쟁에 반대한 소로의 납세 거부 행위, 영국의 식민 통치에 저항한 간디의 소금 법 거부 운동, 그리고 마틴 루서 킹 목사의 흑인에 대한 차별 철폐 운동 등을 들 수 있다.

오답 선택지 풀이 ㄷ. 소크라테스의 사례는 시민 불복종에 해당하지 않는다.

올쏘 만점 노트 소크라테스의 준법

소크라테스가 감옥에 갇혀 있을 때 친구들이 찾아와 탈옥을 권하자, 그는 "자신이 스스로 받아들인 법체계 아래서는 비록 법 당국의 잘못이더라도 이를 이해시키지 못하는 한, 그 결정에 따르는 것이 의무이다."라고 하면서 탈옥을 거절하였다.

15 간디의 소금 법 거부 운동

제시된 사례는 영국 정부의 소금 법을 거부한 간디의 시민 불복종에 관한 내용이다. 소금 법은 영국 정부가 인도는 소금을 반드시 영국으로부터 수입해야 한다는 내용을 규정한 법이다. 간디는 인도 국민의 권리를 침해하고 사회 정의를 훼손한 소금 법에 대해 비폭력적이고 평화적인 방법으로 저항하였다. 또한 소금 법 폐지를 위한 합법적인 요구들이 실패하자 마지막 수단으로서 시위행진을 전개하다가 결국 체포되어 투옥되는 처벌을 받았다.

⑤ 간디의 소금 법 거부 운동은 부정의한 법에 저항하고 있으므로 시민 불복종의 사례에 해당한다.

16 소크라테스의 준법

제시문은 플라톤의 "크리톤"에 나오는 소크라테스의 주장이다. 소크라테스는 사형 선고를 받고 감옥에 갇힌 채, 친구들의 탈옥 권유를 받았지만 이에 응하지 않았다. 그는 법을 따르지 않는다면 나라의 질서를 유지할 수 없고, 법 아래에서 살기로 약속했을 뿐만 아니라 국가로부터 각종 혜택을 받았기 때문에 법을 준수하고 국가의 뜻에 따라야 한다고 주장하였다.

오답 선택지 풀이 두 번째 관점: 왕도 정치를 주장한 사상가는 맹자이다. 맹자는 힘에 의한 정치인 패도를 비판하며 민본주의를 바탕으로 한 왕도 정치를 주장하였다.
세 번째 관점: 시민 불복종에 대한 설명이다. 소크라테스는 개인의 유불리에 따라 법을 어겨서는 안 된다는 입장이다.

17 롤스의 시민 불복종

제시문의 사상가는 롤스이다. 롤스에 따르면, 시민 불복종은 사회 정의 실현을 위해 의도적으로 법률을 위반하는 행위로, 사회적 다수의 정의관에 근거해야 한다. 또한 시민 불복종은 법체계에 대한 존중을 보여 주기 위해 위법적 행위에 대한 처벌을 기꺼이 감수해야 한다.

오답 선택지 풀이 ㄴ. 롤스는 개인의 양심이 아닌 사회적 다수의 정의관에 근거하여 정의의 원칙에 어긋나는 법이나 정책에 대해 저항할 수 있다고 본다.

18 시민의 정치 참여

아리스토텔레스는 사적 영역의 행복 추구를 넘어서 공적 영역에서의 정치 참여를 중시하였으며, 민주주의의 발전을 위해 시민의 정치 참여는 매우 중요하다고 보았다. ㄱ. 공청회나 자문위원회 등 공적 담론의 장에 참여, ㄷ. 의사 결정 과정에서 투표권 행사, ㄹ. 시민 단체 활동을 통해 권력에 대한 적극적인 감시와 견제 등은 아리스토텔레스가 중시한 정치 참여에 해당한다.

오답 선택지 풀이 ㄴ. 아리스토텔레스는 공동체의 구성원으로서 시민들이 공적 영역에 직접 참여할 것을 강조하였다.

19 민본주의 사상

(1) 민본주의
(2) | 모범 답안 | 국가는 백성을 아끼고 돌보아야 한다

채점 기준	배점
국가와 백성의 관계를 설정하고, 백성을 아끼고 돌본다는 의미를 서술한 경우	상
국가와 백성의 관계를 설정하였으나, 의미가 모호한 경우	중
국가와 백성의 관계가 설정되지 않았고, 의미도 모호한 경우	하

20 시민 불복종의 정당화 조건

(1) 시민 불복종
(2) | 모범 답안 | 시민 불복종은 목적이 정당해야 하고, 비폭력적인 수단을 사용해야 하며, 최후의 수단으로 공개적으로 행해져야 하고, 위법 행위에 대한 처벌을 감수해야 한다.

채점 기준	배점
'목적의 정당성', '비폭력성', '최후의 수단', '처벌 감수', '공개성', '공공성' 중에서 3개 이상을 포함하여 서술한 경우	상
'목적의 정당성', '비폭력성', '최후의 수단', '처벌 감수', '공개성', '공공성' 중에서 2개만 포함하여 서술한 경우	중
'목적의 정당성', '비폭력성', '최후의 수단', '처벌 감수', '공개성', '공공성' 중에서 1개만 포함하여 서술한 경우	하

올쏘 상위 4% 문제

본문 69쪽

01 ④ 02 ② 03 ② 04 ③

01 롤스와 소로의 시민 불복종

자료 분석

갑: 시민들의 부정의한 법에 대한 불복종은 공유된 정의관에 의해 정당화된다. (다수의 공유된 정의관에 근거=롤스) 이러한 불복종은 거의 정의로운 국가에서 체제의 합법성을 인정하는 시민들에 의해서만 생긴다. 특히 기본적인 평등한 자유의 침해는 굴종이 아니면 반항을 부른다.

을: 시민은 한 순간이라도 자신의 양심을 입법자에게 맡겨야 하는가? (법에 대한 존경심보다 양심이 우선=소로) 우리는 먼저 인간이어야 하고 그다음에 국민이어야 한다. 단 한 명의 사람이라도 부당하게 가두는 정부 밑에서 의로운 사람이 있을 곳은 감옥이다.

- 갑: 롤스는 사회적 다수의 공유된 정의관에 근거하여 정의의 원칙에 위배되는 법이나 정책에 대해 저항해야 한다고 보았다.
- 을: 소로는 국민으로서 법에 대한 존경심보다는 인간으로서의 양심을 우선해야 한다고 보고, 정의롭지 못한 정부에 세금을 내느니 차라리 감옥에 가겠다고 주장하였다.

롤스는 시민 불복종의 대상이 일부 부정의한 법에 한정된다고 보며, 소로는 개인이 법에 우선하여 양심과 정의에 따라 행동해야 한다고 주장하였다.

오답 선택지 풀이 ㄱ. 롤스와 소로 모두 시민 불복종을 신중하고 양심적인 신념의 표현으로 본다.
ㄷ. 롤스에 따르면, 시민 불복종은 법에 대한 충실성의 한계 내에서 행해지는 일부의 부정의한 법과 정책에 대한 저항이다.

02 롤스의 시민 불복종의 정당화 조건

자료 분석

시민 불복종은 법이나 정부의 정책에 변혁을 가져올 목적으로 (시민 불복종의 목적) 행해지는, 공공적이고 비폭력적이며 (시민 불복종의 정당화 조건 : 공공성, 비폭력성) 양심적이긴 하지만 법에 반하는 정치적 행위이다. (위법 행위로서의 시민 불복종) 이러한 행위를 통해서 우리는 공동 사회의 다수자가 갖고 있는 정의감을 드러내고, (다수의 정의감에 근거한 시민 불복종 주장) 자유롭고 평등한 개인들 사이에서 정의의 원칙이 존중되고 있지 않음을 보여 준다. (시민 불복종은 정의의 원칙을 위배하는 법에 대한 저항)

롤스는 부정의한 법이 어떤 일정한 한계를 넘으면 시민 불복종이 인정될 수 있다고 주장하면서, 시민 불복종이 정당화되기 위한 조건을 몇 가지 제시하였다. 대표적인 것으로 시민 불복종은 정의에 관한 중대하고 명백한 침해에 국한되어 인정된다고 하였다. 즉, 롤스는 정의의 제1원칙인 '평등한 자유의 원칙'을 침해할 때 시민 불복종을 할 수 있다고 보았다.

제시문은 롤스의 주장으로, 롤스는 시민 불복종이 다수의 정의관에 근거하여 행해지는 위법 행위로서, 목적의 정당성, 공개성, 비폭력성, 최후의 수단, 처벌 감수 등의 정당화 조건을 충족해야 한다고 본다.

오답 선택지 풀이 ① 롤스는 시민 불복종을 다수의 정의관에 근거한 행위로 본다.
③ 롤스는 시민 불복종의 목적은 일부 부정의한 법이나 정책의 변화에 있다고 본다.
④ 롤스는 시민 불복종은 법체계에 대한 존중으로서 위법 행위에 대한 처벌을 기꺼이 감수해야 한다고 본다.
⑤ 롤스는 부정의한 법이나 정책이 시민 불복종의 대상이 되며, 사익이 아닌 공익을 목적으로 해야 한다고 본다.

03 롤스의 시민 불복종

자료 분석

거의 정의롭지만 정의에 대한 심각한 위반이 발생하기도 하는 사회에서 시민 불복종이 성립한다. (정의에 대한 심각한 위반 → 시민 불복종 성립=롤스) 시민 불복종은 신중하고 양심적인 정치적 신념을 표현하는 청원의 한 형태이므로 공개 석상에서 이루어지며, 어떤 개인적 도덕 원칙이나 종교적 교설이 아닌 공유된 정의관에 의거해야 한다. 정당한 시민 불복종이 시민 화합을 해치는 것으로 보이면, 그 책임은 불복종하는 자들이 아니라 권위와 권력을 남용한 자들에게 있는 것이다.

롤스는 시민 불복종이 개인의 도덕적 원칙이나 종교적 판단이 아닌 실제 시행되고 있는 법률이나 제도가 한 사회 내에서 공유된 정의의 가치를 위배하여 사람들에게 해악을 끼칠 때 이루어질 수 있다고 보았다. 이렇게 볼 때 시민 불복종은 기본 체제를 후퇴시키려는 권력자들에 대항하여 여러 사람이 함께 공개적으로 부정의의 문제를 제기하며 집단적으로 하는 행위라고 볼 수 있다.

롤스는 정의의 원칙을 위반하는 부정의한 법에 대해 불복종해야 한다고 보며, 정의로운 사회에서 심각하게 부정의한 법이나 정책이 시민 불복종의 대상이 되며, 지나치게 부정의하지 않은 법은 준수해야 한다고 본다. 또한 정치적 절차는 완전히 정의로운 법의 제정을 보장할 수 없기 때문에 정의로운 사회에서 시민 불복종이 발생한다고 본다.

오답 선택지 풀이 ㄴ. 롤스에 따르면 시민 불복종은 공동체의 정의감에 호소하는 정치 행위이다.
ㄷ. 롤스에 따르면 심각하지 않은 부정의한 법은 시민 불복종의 대상이 되지 않는다.

04 국가 권위의 정당화 근거에 대한 관점

자료 분석

시민이 국가에 복종하기로 동의하였기 때문에 국가에 마땅히 복종해야 한다.	국가가 제공하는 여러 가지 혜택 때문에 국가에 복종해야 한다.	국가의 명령과 법이 정의로울 경우, 그것을 따라야 하는 것은 이성적으로 정당화될 수 있다.
└ 동의의 관점	└ 혜택의 관점	└ 정의의 관점

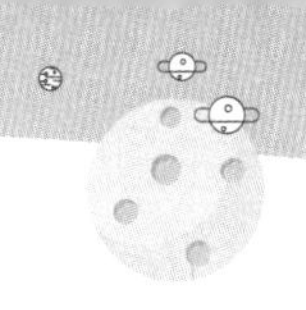

국가 권위의 정당화 근거로는 동의의 관점, 혜택의 관점, 정의의 관점, 공리주의의 관점, 인간 본성의 관점 등을 들 수 있으며, 제시된 그림의 첫 번째는 동의, 두 번째는 혜택, 세 번째는 정의의 관점에 해당한다. 혜택의 관점에서는 공공재 제공, 사회적 관행 제정과 교정, 그리고 공동체 시민들 간의 소속감 및 유대감도 혜택에 포함되며, 정의 관점에서는 선의 이데아를 통찰한 통치자에 대한 복종을 주장한 플라톤, 덕을 갖춘 군주에 대해 충성을 강조하는 유교를 예로 들 수 있다.

오답 선택지 풀이 ㄱ. 국가를 본질적으로 인간의 사회적·정치적 본성에 의해 형성되는 것으로 보는 시각은 인간 본성의 관점이다. 이와 관련하여 아리스토텔레스는 "국가는 자연적으로 존재하는 것들에 속하며, 인간은 본질적으로 국가에서 살게 되어 있는 동물이다."라고 하였다.

ㄴ. 동의의 관점에서 볼 때, 한 국가의 시민으로 산다는 것은 명시적인 것은 아닐지라도 묵시적으로 그 국가의 구성원이 되는데 동의한 것이므로, 명시적 동의가 필수적인 것은 아니다.

IV. 과학과 윤리

09 과학 기술과 윤리

개념 확인 문제 본문 72쪽

01 과학 기술 02 (1) ○ (2) × (3) ○ (4) × 03 ㄱ, ㄹ, ㅁ
04 (1) 미래 세대 (2) 예견적 책임

시험에 꼭 나오는 문제 본문 72~74쪽

01 ③ 02 ③ 03 ③ 04 ① 05 ⑤ 06 ④ 07 ①
08 ④ 09 ④ 10 ① 11~12 해설 참조

01 과학 기술의 본질

인간은 과학 기술 문명의 혜택 없이 살 수 없는 동시에 과학 기술로 인해 핵무기, 환경 오염 등과 같은 심각한 위협을 받고 있다. 그러므로 과학 기술의 본질은 단순히 진리의 발견과 활용에 그치지 않고 궁극적으로 ㄴ. 인간의 존엄성 구현과, ㄷ. 삶의 질 향상이라는 윤리적 목적과 연결되어야 한다.

오답 선택지 풀이 ㄱ. 과학 기술은 인간의 삶과 연결되어야 한다.

ㄹ. 과학 기술의 본질은 자연 현상에 대한 이론 법칙의 발견이라는 목적을 넘어 궁극적으로 인간의 존엄성 구현과 삶의 질 향상이라는 윤리적 목적과 연결되어야 한다.

02 과학 기술에 관한 입장

갑은 야스퍼스로, 과학 기술 자체의 선악 중립성을 주장하는 입장이고, 을은 과학 기술에 대한 가치 개입을 강조하는 입장이다. ③ 을은 과학 기술이 가지는 문제점을 제대로 파악하고, 이로 인한 현대 사회의 위기를 극복하기 위해 과학 기술에 대한 반성적 성찰이 필요하다고 주장하였다.

오답 선택지 풀이 ① 야스퍼스는 과학이 도덕적 가치와 연관되기에 과학 기술이 악으로 사용되지 않고 선으로 사용되도록 인간이 잘 지도해야 한다고 보았다.

② 야스퍼스는 과학이 인간과 사회에 미치는 영향을 고려하여 과학 기술이 인간 생활의 영위를 목적으로 해야 한다고 보았다.

④ 과학 기술은 객관적인 기준에 의해서만 평가되어야 한다고 보는 입장은 과학 기술의 가치 중립성을 주장하는 입장이다.

⑤ 갑, 을은 모두 과학 기술의 성과를 인정하는 입장이다.

유사 선택지 문제

02 ❶ ○ ❷ × ❸ ×

올쏘 만점 노트 과학 기술의 가치 중립성에 대한 입장

과학 기술을 가치 중립적으로 보는 입장	과학 기술을 가치 중립적이지 않다고 보는 입장
• 과학 기술은 주관적 가치가 개입될 수 없는 '사실의 영역'임 • 과학 기술의 본질은 진리의 발견과 활용임 • 과학 기술의 연구가 사회적으로 어떤 결과를 초래하든 과학자는 책임질 이유가 없음 • 과학 기술에 대한 도덕적 평가와 비판을 유보해야 함	• 연구 목적을 설정하거나 연구 결과를 현실에 적용할 때에는 가치 판단이 개입함 • 과학 기술자는 자신이 연구 대상을 통제 · 조작할 수 있다는 전제하에 연구를 진행해야 함 • 과학 기술자는 연구 내용에 관한 흥미, 지원과 보상, 실제에의 응용 가능성 등을 고려함 • 과학 기술도 윤리적 검토나 통제를 통해 윤리적 목적에 기여해야 함

03 전자 판옵티콘 사회의 윤리적 문제

판옵티콘은 '모두를 본다.'라는 뜻으로, 영국의 철학자 벤담이 죄수를 감시할 목적으로 1791년 처음으로 설계한 원형 감옥이다. 이 감옥은 중앙의 원형 공간에 높은 감시탑을 세우고, 감시탑 바깥의 원둘레를 따라 죄수의 방을 만들도록 설계되어 간수는 모든 죄수들을 볼 수 있으나, 죄수들은 간수를 볼 수 없도록 되어 있다. 이로 인해 죄수들은 스스로 감시받고 있다는 느낌을 갖게 되고, 결국 규율과 감시를 내면화하게 됨으로써 항구적인 자기 감시 효과가 발생한다. 전자 판옵티콘 사회는 ㄴ. 개인들의 사생활과 인권을 침해하고, ㄹ. 정보 통신 체계를 대중들을 통제하고 감시하는 도구로 이용할 수 있는 문제점이 있다.

오답 선택지 풀이 ㄱ. 전자 판옵티콘 사회의 문제점은 정보 통신 체계를 대중들을 통제하고 감시하는 도구로 사용될 수 있다는 것이지, 인간의 노동 소외 현상과는 거리가 멀다.

ㄷ. 자원 고갈과 생태계 파괴는 전자 판옵티콘 사회의 문제점과 관련이 없다.

04 과학 기술의 가치 중립성을 주장하는 입장

제시문은 과학 기술의 가치 중립성을 주장하는 관점이다. 이러한 관점에서는 과학 기술의 진리와 사실은 가치 판단의 개입 대상이 아니라고 본다.

오답 선택지 풀이 세 번째 관점: 과학 기술은 윤리적 가치에 따라 규제되어야 한다는 관점은 과학 기술의 가치 중립성을 부정하는 입장이다. 과학 기술의 가치 중립성을 주장하는 입장에서는 과학 기술은 가치와 무관한 사실의 영역에 속하기 때문에 윤리적 규제나 평가의 대상이 아니라고 본다.
네 번째 관점: 과학 기술의 가치 중립성을 주장하는 입장에서는 과학 기술은 객관적인 관찰과 실험에 근거하기 때문에 주관적 가치가 개입될 수 없다고 본다.

유사 선택지 문제

04 ❶ ○ ❷ ○ ❸ ○

05 과학 기술의 성과와 부작용

과학 기술의 성과로는 물질적 풍요와 안락한 삶, 생명 과학과 의료 기술의 발달, 질병 극복, 인간의 수명 증진, 교통과 정보 통신 기술의 발달, 정보의 자유로운 교환 · 수집 · 전달 기능, 지식의 축적으로 인한 인류 문화의 발전, 새로운 인간관계 및 공동체 형성, 텔레비전 · 인터넷 · 스마트폰 등 다양한 매체의 등장과 대중문화의 발달 등이 있다. 윤리적 문제로는 핵무기와 같은 대량 살상 무기로 인해 인류의 생존 위협, 기술 지배 현상의 발생, 인권과 사생활 침해 등 생명을 기술적으로 조작함으로써 발생하는 생명의 존엄성 및 인간의 정체성 문제, 환경 문제, 빈부 격차의 심화 등이 있다.

⑤ 과학 기술이 중요해지면서 과학 기술의 접근 가능성 차이에 따라 국가 간, 계층 간 빈부 격차가 커지는 윤리적 문제가 초래되었다.

06 과학 기술 지상주의와 과학 기술 혐오주의

㉠은 과학 기술의 성과를 지나치게 낙관적으로 보는 과학 기술 지상주의(낙관주의)이며, ㉡은 과학 기술의 부작용만을 지나치게 염려하여 모든 종류의 과학 기술을 거부하고 궁극적으로 기술이 지배하는 인간 소외 사회가 될 것으로 전망하는 과학 기술 혐오주의(비관주의)의 입장이다.

07 과학 기술자의 책임

자료 분석

갑: 오늘날의 과학 기술이 인류의 삶에 끼칠 수 있는 영향력은 매우 커.
(과학 기술자의 사회적·윤리적 책임을 인정)

을: 과학 기술자는 사회적으로 가치 있는 연구를 수행해야 하며, 과학 정책의 결정에 전문가로서 조언을 제공해야 해.
(과학 기술자의 사회적·윤리적 책임을 인정)

병: 따라서 과학 기술자는 자신이 탐구하는 사물이 진실로 어떤 상태에 있는가를 왜곡이나 조작 없이 인식하는 외적 책임에 충실해야 해.
(외적 책임 → 내적 책임)

정: 과학 기술자가 내적 책임을 지기 위해서는 자신의 연구 활동이 인간의 존엄성을 구현하고 삶의 질을 향상시키는 것인지 항상 반성해 보아야 해.
(내적 책임 → 외적 책임)

갑, 을은 과학자의 윤리적 책임을 강조하는 입장이며, 병은 내적 책임, 정은 외적 책임에 대해 설명하고 있다.

오답 선택지 풀이 병: 자신이 탐구하는 사물이 진실로 어떤 상태에 있는가를 인식하는 것은 과학 기술자의 내적 책임이다.
정: 자신의 연구 활동이 인간의 존엄성을 구현하고 삶의 질을 향상시키는 것인지 반성하는 자세를 갖는 것은 과학 기술자의 외적 책임에 해당한다.

유사 선택지 문제

07 ❶ × ❷ × ❸ ○

올쏘 만점 노트 과학 기술자의 책임 한계에 대한 논쟁

과학 기술자의 사회적 책임을 인정하는 입장은 과학의 영역을 가치 중립적인 것이 아니라고 보고, 과학 기술자의 내적 책임과 외적 책임을 모두 인정한다. 이러한 입장에서는 과학 기술이 인간의 삶과 불가분의 관계에 있으므로 과학 기술을 연구하고 활용하는 전 과정을 독립적인 영역으로 여겨서는 안 된다고 본다. 반면, 과학 기술자의 사회적 책임을 부정하는 입장은 과학의 영역이 가치 중립적이라고 보고, 과학 기술자의 내적 책임만을 인정한다. 과학 기술자는 연구 윤리를 지키며 자신의 연구가 진리임을 밝히면 될 뿐이며, 자신의 연구 결과가 사회에 미칠 영향까지 고려할 필요는 없다는 것이다. 또한 과학 기술자의 연구가 부정적 결과를 가져온다고 하더라도 그것은 연구 결과를 실제로 이용한 사람들의 책임이라고 주장한다.

08 과학 기술자의 책임의 한계에 대한 논쟁

갑은 과학자의 사회적 책임을 부정하는 입장, 을은 과학자의 사회적 책임을 인정하는 입장이다. 과학자의 사회적 책임을 부정하는 입장에서는 과학자의 연구는 윤리적 규제로부터 자유로워야 하며, 과학자는 연구 결과의 활용에 대하여 책임을 질 필요가 없다고 본다.

올쏘 만점 노트 과학 기술자의 사회적 책임 한계에 대한 견해 차이

과학 기술자의 사회적 책임 인정	과학 기술자의 사회적 책임 부정
• 과학의 영역은 가치 중립적인 영역이 아님 • 과학 기술자는 연구 대상을 설정할 때 가치 중립적으로 선택하지 않음. 연구 내용에 대한 흥미, 연구에 대한 지원과 보상, 실제의 응용 가능성을 고려해 선정함 • 과학 기술자는 자신의 연구 결과가 미칠 사회적 영향을 인식하여 연구 및 개발과 그 활용에 관해 사회적 책임을 다해야 함	• 과학의 연구 결과는 객관적이며 가치 중립적인 것임 • 과학 기술자는 연구 결과가 사회에 미칠 영향에 대해 고려할 필요가 없음 • 과학 기술자의 연구가 부정적 결과를 낳았다고 하더라도 그것은 연구 결과를 실제로 이용한 사람들의 책임일 뿐임

09 요나스의 책임 윤리

자료 분석

인류는 지구상에 계속 존재해야 한다. 이를 위해서는 사고의 전환이 요청된다. 전통적 윤리는 인간적 삶의 전 지구적 조건과 종(種)의 먼 미래와 실존을 고려할 필요가 없었다.
(인간 중심적 전통 윤리는 도덕적 통제력을 상실해 '윤리적 공백(진공) 상태'를 초래했다고 봄)
그러나 이제 우리는 자연에 대한 책임, 미래 지향적 책임, 미래 세대의 삶의 조건에 대한 책임까지 숙고해야 한다.
(윤리적 책임의 범위를 확대해 인간뿐만 아니라 자연, 그리고 미래 세대에 대한 책임까지 고려해야 함)
이러한 책임은 단순히 상호적 권리와 의무로만 설명될 수 없다. 우리에게 요청되는 책임은 자녀에 대한 부모의 책임처럼 일방적이고 절대적인 책임이다.
(인류 존속이라는 무조건적인 명령을 이행해야 함)

제시문은 요나스의 주장이다. 요나스는 과학 기술 문명이 인간을 포함한 생태계를 위험에 빠뜨리게 되었으며, 인간 중심적 전통 윤리는 과학 기술 시대에 발생하는 문제를 해결하는 데 한계가 있다고 지적하였다. 그는 현세대의 인간은 인류가 지구상에 영원히 존재하기 위해서 미래 세대와 자연에 대해 책임지는 자세를 지녀야 한다고 주장하였다.

오답 선택지 풀이 ㄴ. 요나스는 인간과 생태계를 함께 고려하는 새로운 윤리를 정립해야 한다고 주장하였다.

유사 선택지 문제

09 ❶ × ❷ ○ ❸ ○

10 요나스의 책임 윤리

제시문은 요나스의 주장이다. 그는 윤리적 책임의 범위를 확대해 자연 전체와 미래 세대에 대한 책임을 중시하는 새로운 윤리가 필요하다고 주장하였다. 요나스의 책임의 원칙은 칸트의 정언 명법을 수정하여 "너의 행위의 결과가 지상에서의 진정한 인간적 삶의 지속과 조화를 이루도록 행위하라."와 "너의 행위의 결과가 인간 생명의 미래 가능성에 대해 파괴적이지 않도록 행위하라."라는 생태학적 정언 명법으로 정식화할 수 있다.

오답 선택지 풀이 ㄷ. 요나스는 생태학적 정언 명령의 이행을 과학 연구의 목적으로 설정해야 한다고 본다.
ㄹ. 요나스는 윤리적 책임의 범위를 인간뿐만 아니라 생태계 전체와 미래 세대로 확장해야 한다고 본다.

11 과학 기술의 가치 중립성에 관한 입장

(1) 과학 기술의 가치 중립성을 부정하는 입장

(2) | 모범 답안 | 과학 기술은 객관적인 관찰과 실험 및 논리적 사고를 통해 지식을 얻기 때문에 주관적 가치가 개입될 수 없다. 사실을 다루는 과학 기술과 가치 판단은 엄격하게 구분되므로 과학 기술은 가치의 간섭이나 규제로부터 자유로워야 한다.

채점 기준	배점
과학 기술의 가치 중립성을 부정하는 입장을 비판하고 그에 대한 반론의 근거를 구체적이고 명확하게 서술한 경우	상
과학 기술의 가치 중립성을 부정하는 입장을 비판하고 그에 대한 반론의 근거를 추상적으로 서술한 경우	중
과학 기술은 가치 중립적이지 않다고만 서술한 경우	하

12 과학 기술 지상주의와 과학 기술 혐오주의

(1) ㉠ 과학 기술 지상주의(낙관주의), ㉡ 과학 기술 혐오주의(비관주의)

(2) | 모범 답안 | ㉠ 과학 기술 지상주의는 과학 기술이 갖는 부정적 측면을 간과하고, 인간의 반성적 사고 능력을 훼손할 수 있다는 문제점이 있다. ㉡ 과학 기술 혐오주의는 과학 기술의 가치를 인정하지 않고 과학 기술이 인류에게 가져다준 여러 가지 혜택과 성과를 부정한다는 측면에서 현실을 반영하지 못한다는 문제점이 있다.

채점 기준	배점
과학 기술 지상주의와 과학 기술 혐오주의의 문제점을 모두 서술한 경우	상
과학 기술 지상주의와 과학 기술 혐오주의의 문제점 중 하나만 서술한 경우	하

올쏘 상위 4% 문제

본문 75쪽

01 ⑤ 02 ⑤ 03 ⑤ 04 ②

01 과학 기술의 가치 중립성에 대한 입장

자료 분석

(가) 과학 기술은 객관적 지식, 즉 객관적인 방법으로 발견한 자연 현상에 대한 체계적인 지식과 그 지식을 활용하여 무엇인가를 만들어 내는 과정입니다. 따라서 과학 기술은 가치 중립적이기 때문에 윤리가 개입되어서는 안 됩니다.
과학 기술의 가치 중립성을 긍정하는 입장

⑤ ㉠에 들어갈 문장은 '과학 기술은 가치 중립적인 것이다.'이다. 따라서 ㉠에 대한 반론은 '과학 기술은 가치 중립적인 것이 아니다.'이다. 이러한 주장의 근거는 과학 연구는 사회적 필요에 의해 이루어지므로 가치가 개입될 수 있으며 윤리적 평가 또한 가능하다고 보는 것이다.

오답 선택지 풀이 ① 과학 기술의 가치 중립성을 긍정하는 입장으로, 과학 기술의 연구에 윤리가 개입되면 과학 연구는 더 이상 객관적일 수 없다고 본다.
② 과학 기술의 가치 중립성을 긍정하는 입장으로, 과학적 진리를 추구하는 것과 윤리와 같은 주관적 가치는 별개의 영역에 속한다고 본다.
③ 과학 기술의 가치 중립성을 긍정하는 입장으로, 모든 지식을 객관적인 진위 판별이 가능한 대상이라고 간주한다.
④ 과학 기술의 가치 중립성을 긍정하는 입장으로, 과학 기술의 연구는 사실 그 자체에 대한 기술과 설명으로만 이루어져야 한다고 본다. 따라서 그 외의 다른 요소가 개입해서는 안 된다고 본다.

02 과학 기술의 가치 중립성에 대한 논쟁

자료 분석

(가) 과학 기술을 가치 중립적인 것으로 간주해서는 안 된다.
과학 기술의 가치 중립성 부정
과학 기술 연구 및 그 결과 활용에 대한 과학자의 공적인 책임 의식과 외부 규제가 없다면, 인류는 과학 기술에 종속당하여 제어할 수도 없고 돌이킬 수도 없는 불행한 미래에 봉착하게 된다.

(나) 과학 기술 자체에 선악의 잣대를 적용할 수 없으며, 연구 성과의 활용과 초래되는 결과에 대해 과학자에게 어떠한 책임도 물어서는 안 된다.
과학 기술의 가치 중립성 긍정
외부 간섭에서 벗어나 연구에만 전념할 때 과학 기술은 발전 가능하며, 그 결과 인류는 지속적으로 번영하게 된다.

- (가): 과학 기술 연구 및 그 결과의 활용에 대한 과학자의 공적인 책임과 외적 규제를 강조하는 입장이다.
- (나): 과학자가 자신이 연구한 것에 대한 활용과 그 결과에 대해 완전히 자유로울 때 과학 기술이 발전할 수 있다는 입장이다.

과학 기술을 인식론적 대상으로 파악한다는 것은, 과학 기술에 대해 진위(眞僞)와 같은 사실 판단만을 하고 선악(善惡)과 같은 가치 판단을 하지 않는다는 뜻이다.

⑤ (가)에 비해 (나)는 과학 기술을 인식론적 대상으로만 파악하는 정도(X)와 연구 성과에 대한 가치 판단에 있어 자유로운 정도(Y)는 높으며, 과학 기술 연구 결과의 활용에 대한 과학자의 사회적 책임을 강조하는 정도(Z)는 낮다.

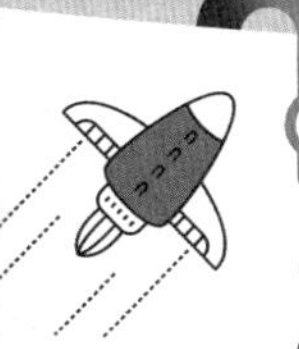

03 요나스의 책임 윤리

자료 분석

인간은 행위하는 존재이므로 윤리는 반드시 있어야 한다. 행위는 인과적 파급 효과를 산출하기 때문에 행위의 힘이 커질수록 윤리적 책임은 더욱 강조되어야 한다.(윤리적 책임 강조) 따라서 과학 기술로 인해 인간이 갖게 되는 새로운 행위 능력을 규제할 새로운 윤리가 요청되는 것이다.(새로운 윤리 요청) 이러한 새로운 윤리 없이는 기술 능력을 실현시키고자 하는 압력으로 인해 심각한 윤리적 문제가 발생하게 될 것이다.

제시문은 요나스의 '책임 윤리'의 일부 내용이다. 요나스는 현대 과학 기술이 지닌 지배 권력의 힘이 커질수록 이에 비례해 이를 제어할 수 있는 윤리적 책임 또한 더욱 강조되어야 한다고 주장한다.

⑤ 요나스는 기존의 윤리가 인류의 존속이라는 문제를 고려하지 못한다고 비판하며, 과학 기술의 발달로 인한 윤리적 공백을 해결하기 위해 책임 윤리가 요청된다고 하였다.

오답 선택지 풀이 ① 부정의 답을 할 질문이다. 요나스는 기술의 발달로 인해 인간의 윤리적 책임이 더 요구된다고 하였다.

② 부정의 답을 할 질문이다. 요나스는 책임의 주체를 이성을 가진 존재로 한정하였지만, 책임의 대상은 현세대와 미래 세대의 생존 및 생태계 전체로 확장시켰다.

③ 부정의 답을 할 질문이다. 요나스는 기술 발전으로 생기는 문제를 새로운 윤리(책임 윤리)로 해결해야 한다고 주장하였다.

④ 부정의 답을 할 질문이다. 요나스는 예견할 수 있는 모든 결과에 대한 책임 및 미래 지향적 당위를 강조하였다.

04 요나스의 책임 윤리

자료 분석

갑: '해야 하기 때문에 할 수 있다.'(칸트의 정언 명령)라는 것은 의무를 의식하기 때문에 정언 명령을 따라 행위할 수 있음을 의미한다.(의무론 주장) 이러한 정언 명령은 보편화 정식으로 표현된다.

을: 인간 행위의 새로운 유형에 적합하고 새로운 유형의 행위 주체를 지향하는 명법은 다음과 같다. "너의 행위의 결과가 지상에서의 진정한 인간적 삶의 지속과 조화를 이루도록 행위하라."(요나스의 정언 명령)

• 갑: 칸트는 의무론의 대표적 사상가로, 행위의 옳고 그름을 결정하는 것은 행위의 결과가 아니라 오직 그 행위를 낳는 의지일 뿐이라고 하였다. 그는 실천 이성의 명령에 따르는 행위, 정언 명령의 형식으로 제시되는 도덕 법칙에 따르는 행위, 의무 의식에서 비롯된 행위를 바람직한 행위로 보았다.

• 을: 요나스는 전통적인 윤리학과 달리 새로운 윤리학은 이제 인간적 삶의 전 지구적 조건과 종의 먼 미래와 실존을 고려해야만 한다고 주장하였다. 그는 윤리의 토대에서 인간의 선(善)뿐만 아니라 인간 이외의 존재 및 자연의 선을 탐구해야 하며, 동료 인간에 대한 책임만이 아니라 자연에 대한 책임을 심사숙고해야 하고, 아직 태어나지 않은 미래 세대의 삶의 조건에 대해서도 책임져야 한다고 하였다.

ㄱ. 칸트는 인간에게는 실천 이성이 있어서 스스로 보편타당한 도덕 법칙을 세우고 이에 따라 자율적으로 행위하도록 명령한다고 주장하였다.

ㄹ. 칸트는 이성적 존재인 인간은 고유한 도덕 법칙을 가지고 있는 존엄한 존재라는 점을 강조하였다. 그가 말하는 도덕 법칙이란 실천 이성이 우리 자신에게 부과한 자율적인 명령이다. 이러한 도덕 법칙은 인간에게는 '의무'의 법칙으로 다가온다. 요나스는 "너의 행위의 결과가 지상에서의 진정한 인간적 삶의 지속과 조화를 이루도록 행위하라."라는 책임의 명법을 제시한다.

오답 선택지 풀이 ㄴ. 칸트는 행위의 결과보다 동기를 중시하면서 오로지 의무 의식에서 나온 행위만이 도덕적 가치를 지닌다고 보는 의무론의 입장이다.

ㄷ. 요나스는 칸트의 정언 명법을 수정하여 "너의 행위의 결과가 지상에서의 진정한 인간적 삶의 지속과 조화를 이루도록 행위하라."와 "너의 행위의 결과가 인간 생명의 미래 가능성에 대해 파괴적이지 않도록 행위하라."와 같은 생태학적 정언 명법을 강조하였다. 'A이면 B하라.'는 가언 명령이므로 새로운 윤리학이 지향하는 명법으로 옳지 않다.

10 정보 사회와 윤리

개념 확인 문제 본문 78쪽

01 (1) ㉠ (2) ㉠ (3) ㉠ (4) ㉡ 02 (1) 공 (2) 공 (3) 사 (4) 사
03 (1) ㉡ (2) ㉣ (3) ㉢ (4) ㉠

시험에 꼭 나오는 문제 본문 78~80쪽

01 ② 02 ④ 03 ③ 04 ⑤ 05 ④ 06 ⑤ 07 ⑤
08 ⑤ 09 ③ 10 ① 11~12 해설 참조

01 정보 통신 기술의 발달과 사회의 변화

㉠은 정보 통신 기술이다. 현대 사회는 정보 통신 기술의 발달에 따라 정보의 생산과 소비가 사회적 활동의 중심이 되는 정보 사회가 되었으며, 이로 인해 생활의 편리성이 향상되고, 전문적 지식 습득이 용이해졌으며, 다양한 문화에 관한 이해의 폭이 확대되었다.

② 정보 통신 기술의 발달로 수평적 · 쌍방향 의사소통이 가능해지고 다원적인 사회 분위기가 형성되었다.

02 정보 통신 기술의 발전에 따른 윤리적 문제

정보 통신 기술의 발전에 따른 윤리적 문제로는 지식 재산권 침해, 정보 격차, 사생활 침해, 사이버 폭력, 사이버 테러, 자아 정체성 혼란, 게임 및 인터넷 중독, 감시와 통제의 가능성 증가 등을 들 수 있다.

오답 선택지 풀이 ㄷ. 사이버 공간에서의 익명성은 표현의 자유를 보장하지만 익명성을 이용하여 타인과 사회에 해를 끼치거나 무책임한 행동을 할 수 있다.

03 정보 공유론과 정보 사유론

자료 분석

갑: 모든 지식은 공동의 재산이며 공적인 영역에 속한다.(정보 공유론) 그 공적인 영역에서 정보는 새로운 정보를 창조하여 많은 당사

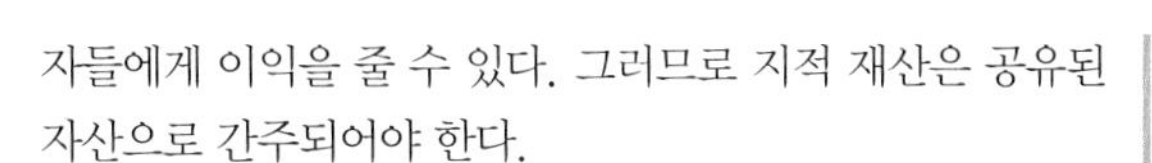

자들에게 이익을 줄 수 있다. 그러므로 지적 재산은 공유된 자산으로 간주되어야 한다.

을: 정보가 비약적으로 발전하기 위해서는 지적 재산의 권리를 존중해야 한다. 혁신적인 소프트웨어 상품들이 개발되려면 이에 대한 독점권을 보호하는 환경이 마련되어야 한다. 지적 재산은 개발한 당사자나 조직체에 배타적으로 속하는 것으로 보아야 한다. 정보 사유론

③ 정보 생산자의 지식 재산권의 보장이 필요하다고 보는 입장은 정보 사유론이다. 그러므로 갑은 부정, 을은 긍정의 대답을 할 질문이다.

오답 선택지 풀이 ① 정보가 지니는 공유재적 성격을 강조하는 것은 정보 공유론의 입장이다. 그러므로 갑은 긍정, 을은 부정의 답을 할 질문이다.

② 정보 공유를 통해 정보 격차의 문제를 해결할 수 있다고 보는 입장은 정보 공유론의 입장이다. 그러므로 갑은 긍정, 을은 부정의 답을 할 질문이다.

④ 정보를 공유하면 새로운 정보를 창출하기 쉽다고 보는 입장은 정보 공유론이다. 그러므로 갑은 긍정, 을은 부정의 답을 할 질문이다.

⑤ 혁신적인 정보 창작을 위해 정보에 대한 사적 소유 금지가 필요하다고 보는 입장은 정보 공유론의 입장이다. 그러므로 갑은 긍정, 을은 부정의 답을 할 질문이다.

유사 선택지 문제

03 ❶ × ❷ × ❸ ○

올쏘 만점 노트 정보 사유론과 정보 공유론

정보 사유론(copyright)은 정보와 정보를 통해서 나온 것들을 개인의 재산으로 인정하고 보호해야 한다고 보는 입장이다. 카피라이트 제도에서는 창작자의 동의 없이 창작물을 복제하거나 이용할 수 없다. 이 입장에서는 창작자의 노력에 대한 경제적 이익을 보장함으로써 창작 의욕과 창작되는 정보의 수준을 높이고 더 많은 지적 산물을 창조하는 데 기여할 수 있다고 주장한다. 하지만 창작자에게 배타적 독점권을 부여함으로써 부작용을 초래한다는 비판도 있다. 반면 정보 공유론(copyleft)은 지식 재산권에 반대해 지적 창작물에 대한 권리를 모든 사람이 공유할 수 있도록 하는 것을 말한다. 모든 저작물이 인류가 생산한 정보와 지식을 활용한 공공재로서, 저작물에 대한 과도한 권리 행사는 새로운 창작을 방해할 수 있고, 정보 격차에 따른 불평등을 발생시킨다고 본다. 또한 이 입장에서는 정보를 공유할 때 정보의 질적 발전이 가능하다고 주장한다. 그러나 지적 재산에 대한 침해, 창조 의욕 저하, 품질 하락 등의 문제를 발생시킨다는 비판도 있다.

04 정보 공유론의 입장

정보 공유론은 ㄷ. 정보의 가치 증대를 위해 정보에 대한 독점을 허용하지 않고 정보에 대한 배타적 권리를 인정하지 않으며, ㄹ. 정보 창작자에게 감사의 마음을 갖는 것으로 충분하다고 본다.

오답 선택지 풀이 ㄱ. 정보 생산자의 독점적인 판권 소유를 인정하는 입장은 정보 사유론이다.

ㄴ. 정보의 질적 향상을 위해 정보 생산에 대한 대가를 보장해야 한다고 보는 입장은 정보 사유론이다.

유사 선택지 문제

04 ❶ ○ ❷ × ❸ ×

05 정보 윤리

정보 윤리의 내용으로는 첫째, 인간 존중의 태도를 지녀야 한다. 정보의 이용 가치만을 중시하지 않고 정보가 인간다움을 유지하고 인간의 삶에 이바지하도록 해야 한다. 둘째, 사회적 책임을 져야 한다. 익명성을 이용하여 타인과 사회에 해를 끼치거나 무책임한 행동을 하지 않으며, 보편적인 윤리 규범에 근거하여 책임있게 행동해야 한다. 셋째, 공동체 의식을 가져야 한다. 사이버 공간에서 고립주의나 이기주의를 넘어 타인과 건전하게 교류하는 가운데 공동체의 조화로운 삶과 복지를 증진할 수 있도록 해야 한다.

오답 선택지 풀이 ㄴ. 정보의 이용 가치만을 중시하지 않고 정보가 인간다움을 유지하고 인간의 삶에 이바지할 것을 중시해야 한다.

06 뉴 미디어의 특징

뉴 미디어는 전자 공학 기술이나 통신 기술이 발달하면서 등장한 새로운 전달 매체이다. 뉴 미디어의 가장 큰 특징은 대중 매체가 일방적으로 정보를 전달하고 대중은 수동적으로 수용하던 의사소통 방식에서 벗어나 쌍방향 소통이 가능해졌다는 데 있다. ⑤ 뉴 미디어를 통해 사용자는 정보를 직접 생산, 유통, 소비할 수 있음으로써 정보를 더욱 능동적으로 활용할 수 있게 되었다.

오답 선택지 풀이 ① 뉴 미디어는 인간 행동의 시공간적 제약을 극복하고 광범위한 사회적 연결망 형성을 가능하게 하였다.

② 뉴 미디어는 기존의 대중 매체가 지닌 일방향성을 극복하고 송·수신자 간의 쌍방향 의사소통을 증진하였다.

③ 뉴 미디어의 발달로 정보의 공급자와 소비자 간의 경계가 허물어졌다. 정보를 소비할 뿐만 아니라 직접 생산하고 유통하는 생산적 소비자(prosumer)의 시대가 가능해졌다.

④ 뉴 미디어를 통해 다수의 정보 이용자들이 정보의 제공 및 감시의 역할을 수행한다.

07 알 권리의 보장

제시문은 개인의 인격권과 정보의 자기 결정권을 보장받기 위하여 사생활 침해 가능성이 있는 검색 결과에 대해 삭제를 요구한 사례이다. 이에 대한 반론으로 알 권리를 강조하는 사람들은 정보 사회에서는 누구나 자유롭게 정보에 접근할 수 있어야 하며 사람들이 알아야 할 정보라면 삭제를 금지할 수 있는 권리가 보장되어야 한다고 주장할 수 있다.

오답 선택지 풀이 ① 표현의 자유에 대한 강조는 인격권 보장에 대한 반론으로 적절하지 않다.

②, ③, ④ 인격권 보장에 대한 근거이다.

유사 선택지 문제

07 ❶ ○ ❷ ○ ❸ ×

올쏘 만점 노트 알 권리와 인격권이 대립하는 문제

알 권리는 국민 개개인이 처한 사회적 현실과 이해관계에 있는 정치적·사회적 사실을 알기 위해 공공 기관이나 민간 기업에 관한 정보를 요구하고 접근할 수 있는 권리를 말한다. 인격권은 권리의 주체와 분리하여 생각할 수 없는 인격적 이익을 내용으로 하는 권리로, 개인의 존엄성과 사적 권리를 보호하기 위한 것이다. 사생활을 침해당하지 않을 사생활권, 자신의 성명을 사용하는 것에 관한 성명권, 자신의 초상에 대한 초상권, 자신의 저작물에 대해 정신적·인격적 이익을 갖는 지적 인격권 등이 있다.

알 권리를 강조하는 사람들은 인간의 존엄성 실현, 행복 추구권 보장을 위해 필요하다고 주장하지만, 알 권리를 지나치게 강조하다 보면 개인의 인격권 침해, 공익 증진 방해 등의 문제를 초래할 수 있다. 따라서 매체는 정보를 전달할 때 국민의 알 권리를 보장하려고 노력하되, 그 정보가 개인의 인격권을 침해하고 공익 증진을 해치지는 않는지 검토해야 한다.

08 사이버 공간에서 표현의 자유와 한계

현실 세계에서와 마찬가지로 표현의 자유는 다른 사람에게 지켜야 할 예의와 규칙, 책임을 다하는 한에서 누릴 수 있는 권리여야 한다. 다만, 표현의 자유가 무제한적인 것이 아님을 인식하고 ㄷ. 사회 질서를 훼손하지 않으며, ㄹ. 타인의 인권을 침해하지 않는 범위 내에서 표현의 자유를 허용해야 한다.

오답 선택지 풀이 ㄱ. 사이버상에서의 표현의 자유는 다수가 옳다고 하더라도 타인의 자유와 인권을 침해하는 경우에는 허용되지 않는다.
ㄴ. 표현의 자유를 제한할 것을 주장하는 입장에서는 사적 이익보다 공공의 이익을 더 중시한다.

09 미디어 리터러시

미디어 리터러시는 단순히 매체를 사용할 수 있는 능력이 아니라, 자신이 찾아낸 정보의 가치를 제대로 평가하기 위해 모든 사용자에게 필요한 비판적 사고 능력이다. 또한 자신의 목적에 맞게 기존의 정보를 새로운 정보로 조합하는 능력과 매체를 사용하고 바람직하게 표현하는 능력을 포함한다.

오답 선택지 풀이 ㄱ. 미디어 리터러시는 인간 존중, 해악 금지, 정의 등의 윤리적 원칙을 지키면서 정보를 바르게 표현하는 능력을 의미한다.
ㄹ. 미디어 리터러시는 정보의 경제적 가치보다 윤리적 가치를 우선적으로 고려한다.

유사 선택지 문제

09 ❶ × ❷ ○ ❸ ○

올쏘 만점 노트 미디어 리터러시의 구성 요소

- 매체를 사용하고 이해하는 데 필요한 기본적인 읽기, 쓰기 능력
- 자신이 찾아낸 정보의 가치를 평가하기 위해 모든 사용자에게 필요한 비판적 사고 능력
- 자신의 목적에 맞게 기존의 정보를 새로운 정보로 조합하는 능력
- 다양한 커뮤니케이션에 접근하고 분석하고 평가하고 발산하는 능력
- 인터넷 매체를 통해 사회적 책임을 실천할 수 있는 능력

10 사이버 공간에서의 윤리적 원칙

사이버 공간에서의 윤리적 원칙에는 인간 존중의 원칙, 책임의 원칙, 해악 금지의 원칙, 정의의 원칙이 있다. 제시문의 내용은 정의의 원칙에 해당한다.

오답 선택지 풀이 ② 책임의 원칙: 익명성으로 인해 나타나는 사이버 공간에서의 비윤리적인 행동을 막기 위해 책임 의식을 지녀야 한다.
③ 자율성의 원칙: 인간은 스스로 도덕 원칙을 수립하여 그것을 따를 수 있는 능력이 있으며, 타인도 역시 그러한 자기 능력이 있음을 존중해야 한다.
④ 인간 존중의 원칙: 사이버 공간에서 타인도 인간으로서의 존엄성과 권리를 지니므로 타인의 인격, 사생활, 명예, 지식 재산권 등을 존중해야 한다.
⑤ 해악 금지의 원칙: 언어폭력, 사이버 성폭력, 개인 정보 유출, 유언비어 또는 해킹이나 바이러스 유포 등으로 타인에게 해를 끼치지 않아야 한다.

올쏘 만점 노트 세버슨과 스피넬로의 정보 윤리의 원리

세버슨의 '정보 윤리의 기본 원리'	스피넬로의 '사이버 윤리'
• 지식 재산권의 존중: "창의적인 노동에는 보상이 따른다."라는 문화적 신념에 기반을 두고 인정되는 것이다. • 사생활 존중의 원리: 개인의 정보에 대하여 합당한 비밀이 유지되어야 한다. • 공정한 표시의 원리: 주로 제품의 판매자가 그들의 제품과 제공할 서비스를 고객들에게 알리는 일과 관련된다. • 해악 금지의 원리: 해킹, 사이버 범죄, 불공정 경쟁 등을 규제하는 것으로 타인에게 피해를 주지 말 것을 요구한다.	• 자율성의 원리: 인간은 스스로 도덕 원칙을 수립하여 그것을 따를 수 있는 능력이 있으며, 타인도 역시 그러한 자기 능력이 있음을 존중해야 한다. • 해악 금지의 원리: 남에게 해악을 끼치거나 상해를 입히는 일을 피해야 한다. • 선행의 원리: 타인의 복지를 증진하는 방향으로 행동해야 한다. • 정의의 원리: 공정한 기준에 따라 혜택이나 부담을 공정하게 배분해야 한다.

11 정보 사유론과 정보 공유론

(1) 정보 사유론(카피라이트)

(2) **| 모범 답안 |** 경제적 측면에서는 저작자의 권리와 이익을 중시하고 이를 보장해 주는 '저작권 보호'의 입장이 우세하지만, 최근에는 문화 발전을 위해 저작물을 사회가 공유해야 한다는 '저작권 공유'의 주장이 대두되고 있다. 그 근거로 첫째, 저작물은 수천 년 동안 인류가 쌓아 온 지적 성과물을 토대로 만들어진 것이다. 둘째, 정보를 공유하여 자유롭게 활용할 수 있어야 사회의 지적 창조 작업도 활발해진다. 셋째, 정보는 공유해도 소모되지 않기 때문에 저작물을 공유하여 최대한 활용해야 한다는 점을 들 수 있다.

채점 기준	배점
정보 공유론의 근거를 세 가지 들어 옳게 서술한 경우	상
정보 공유론의 근거를 두 가지만 들어 옳게 서술한 경우	중
정보 공유론의 근거를 한 가지만 들어 옳게 서술한 경우	하

12 사이버 공간에서의 표현의 자유

(1) 현실 공간과 마찬가지로 사이버 공간에서도 표현의 자유는 기본적 권리이기 때문이다. 민주주의 사회에서 사상과 표현의 자유를 강조하듯이 사이버 공간에서도 표현의 자유를 보장해야 한다. 사이버 공간에서 특정한 사상을 강요하거나 표현의 자유를 억압하는 것은 사이버 공간에서 누려야 할 기본권을 침해하는 것이다. 또한 사이버 공간에서 확보된 표현의 자유는 참여와 연대로 이어지기 때문이다. 민주주의가 발전하려면 참여와 연대가 필요하다.

채점 기준	배점
사이버 공간에서 표현의 자유가 보장되어야 하는 이유를 두 가지 모두 옳게 서술한 경우	상
사이버 공간에서 표현의 자유가 보장되어야 하는 이유를 한 가지만 옳게 서술한 경우	하

(2) 타인의 인권을 침해하는 경우와 사회 질서를 훼손하는 경우에는 표현의 자유를 제한할 수 있다.

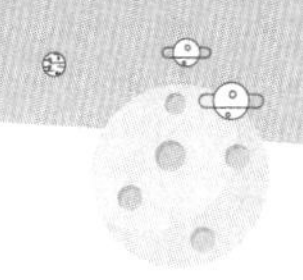

채점 기준	배점
사이버 공간에서 표현의 자유를 제한할 수 있는 경우를 두 가지 모두 옳게 서술한 경우	상
사이버 공간에서 표현의 자유를 제한할 수 있는 경우를 한 가지만 옳게 서술한 경우	하

올쏘 상위 4% 문제

본문 81쪽

01 ① 02 ① 03 ④ 04 ②

01 정보 사유론과 정보 공유론

① (가)는 정보 사유론, (나)는 정보 공유론이다. 정보 공유론은 저작권의 배타적 권리를 인정하지 않으며, 정보는 사회에서 창작된 공공재이기 때문에 공동체 전체의 이익 신장을 위해 사용되어야 한다고 주장한다. 또한 정보가 공유될수록 정보의 가치가 증대된다고 본다. 따라서 (나)는 (가)에 비해 저작권을 배타적 권리로 인정하는 정도(X)는 낮고, 정보의 공공재적 성격을 인정하는 정도(Y)는 높으며, 정보의 공유와 가치의 비례성을 인정하는 정도(Z)도 높다.

오답 선택지 풀이 ② ㉡은 저작권을 배타적 권리로 인정하는 정도(X)는 높고, 정보의 공공재적 성격을 인정하는 정도(Y)도 높으며, 정보의 공유와 가치의 비례성을 인정하는 정도(Z)도 높으므로 정답이 아니다.
③ ㉢은 저작권을 배타적 권리로 인정하는 정도(X)는 낮고, 정보의 공공재적 성격을 인정하는 정도(Y)도 낮으며, 정보의 공유와 가치의 비례성을 인정하는 정도(Z)는 높으므로 정답이 아니다.
④ ㉣은 저작권을 배타적 권리로 인정하는 정도(X)는 낮고, 정보의 공공재적 성격을 인정하는 정도(Y)는 높으며, 정보의 공유와 가치의 비례성을 인정하는 정도(Z)는 낮으므로 정답이 아니다.
⑤ ㉤은 저작권을 배타적 권리로 인정하는 정도(X)는 높고, 정보의 공공재적 성격을 인정하는 정도(Y)도 높으며, 정보의 공유와 가치의 비례성을 인정하는 정도(Z)는 낮으므로 정답이 아니다.

02 정보 공유론과 정보 사유론

자료 분석

갑: 모든 구성원은 자신의 이익이 아니라 모두의 공동선을 위해 그들의 자연적 자질을 이용하고 사회적 여건을 활용해야 한다. 새로운 정보도 역사적으로 내려온 정보에 기반하고 있으므로 그 정보도 전적으로 개인의 것이라기보다는 사회적 자산으로 보아야 한다.
정보 공유론의 입장

을: 나의 몸과 마음은 마땅히 내 것이므로 그것을 이용하여 생산한 결과물도 내 것이다. 다른 사람에게 아무런 피해가 가지 않는 상황에서 쓸모없는 땅을 비옥한 땅으로 만든 것처럼 새로운 정보가 부가 가치를 창출했다면 그 정보에 대한 소유권을 인정해야 한다.
창작물은 노력의 산물이므로 저작권에 대한 창작자의 배타적, 독점적 권리를 인정해야 함 = 정보 사유론의 입장

ㄱ. 정보 공유론은 저작권의 공공재 개념을 적용해야 한다고 보는 입장이다.
ㄴ. 정보 사유론은 정보의 배타적인 사유권을 인정해야 한다고 보는 입장이다. 배타적 사유권은 타인의 권리를 인정하지 않고 자신의 권리만 인정하는 것이다.

오답 선택지 풀이 ㄷ. 갑은 정보가 자유롭게 유통되어야 한다고 본다.
ㄹ. 갑, 을 모두 정보의 부가 가치 창출을 인정한다.

03 사이버 불링에 대한 배려 윤리적 관점

자료 분석

(가) 도덕적 딜레마를 설명하는 여성들의 방식을 살펴보면 남성과는 다른 도덕 언어를 사용한다는 것을 알 수 있다. 이러한 도덕 언어가 존재한다는 것은 남성의 도덕 발달 과정과는 다른 또 하나의 도덕 발달 과정이 있다는 것을 암시한다. 여성들에게 도덕적으로 가장 중요하다고 규정되는 것은 남을 해하지 말고 보살펴야 한다는 윤리 의식이다.
여성의 도덕성은 남성의 도덕성과 다름 / 배려 윤리

④ (가)는 배려 윤리에 대한 내용이다. 배려 윤리는 남성 중심의 정의 윤리를 비판하면서 이성보다 감정을 중시하며 배려, 사랑, 공감, 보살핌 등의 여성적 특성을 강조한다. (나)의 A는 같은 반의 B와 말다툼을 하고 난 후에 B를 상대로 사이버 불링을 할지 말지를 망설이고 있다. 따라서 배려 윤리의 입장에서는 A에게 사이버 불링이 모성적 배려와 사랑을 실천하는 길인지 고려해 보아야 한다고 조언할 수 있다.

오답 선택지 풀이 ① 공리주의 입장에서 조언할 수 있는 내용이다.
② 자연법 윤리의 입장에서 조언할 수 있는 내용이다.
③ 덕 윤리의 입장에서 조언할 수 있는 내용이다.
⑤ 칸트의 의무론적 입장에서 조언할 수 있는 내용이다. 칸트의 도덕 법칙은 무조건적 명령인 정언 명령의 형식으로 제시되며, 그중 인간성 정식의 내용은 "너 자신과 다른 모든 사람의 인격을 결코 단순히 수단으로만 취급하지 말고 언제나 동시에 목적으로 대우하도록 행위하라."이다.

04 잊힐 권리와 알 권리 논쟁

② 갑은 개인의 인격권을 중시하는 입장인 반면, 이에 대해 을은 비판하는 입장이다. 을은 갑에게 ㄱ. 사생활 보호가 공익을 위해 제한될 수 있음을 간과하고 있다는 점과, ㄹ. 자기 정보 삭제권의 보장이 개인의 알 권리를 침해할 수 있음을 지적할 수 있다.

오답 선택지 풀이 ㄴ. 개인이 자기 정보에 대한 삭제를 요구할 수 있다는 것은 정보의 자기 결정권을 강조하는 내용이다.
ㄷ. 개인 정보 보호를 위한 최소한의 안전 장치가 필요하다는 입장은 개인의 인격권을 보장해야 한다는 입장이다.

11 자연과 윤리

개념 확인 문제 본문 86쪽

01 (1) 천인합일(天人合一) (2) 연기설, 자비 (3) 무위자연(無爲自然)
02 (1) 간접적 (2) 동물 (3) 쾌고 감수 능력 (4) 목적론적 (5) 커다란 자아 (6) 현세대 (7) 환경친화적 소비 03 (1) ㄱ (2) ㄹ 04 (1) × (2) ○ (3) ○

시험에 꼭 나오는 문제 본문 86~92쪽

01 ①	02 ①	03 ④	04 ①	05 ①	06 ⑤	07 ④
08 ①	09 ④	10 ④	11 ③	12 ⑤	13 ②	14 ③
15 ③	16 ②	17 ②	18 ②	19 ④	20 ④	21 ⑤
22 ①	23 ⑤	24 ④	25 ②	26~27 해설 참조		

01 동양의 자연관

(가)는 불교, (나)는 도가, (다)는 유교의 자연관이다. (가)~(다) 모두 자연 친화적인 삶을 바탕으로 인간과 자연의 조화를 강조한다.

오답 선택지 풀이 ㄷ. 유교의 자연관은 자연을 통제의 대상이 아닌 공존의 대상으로 본다.
ㄹ. 불교, 도가, 유교 모두 인간을 자연의 주인으로 보지 않고, 자연의 일부로 파악한다.

유사 선택지 문제

01 ❶ × ❷ ○ ❸ ○

올쏘 만점 노트 동양의 자연관

유교	• 인간이 자연을 본받아 다른 존재와 타인에게 인(仁)을 실천해야 함 • 천인합일(天人合一)의 경지: "천지는 만물을 낳는 것을 마음으로 삼으니 인간은 그 마음을 본받아 자신의 마음으로 삼는다." • 안빈낙도의 태도: 욕심을 버리고, 있는 그대로 자연을 즐겨야 함
불교	• 연기설(緣起說): 우주의 모든 현상은 독립적으로 존재할 수 없으며 서로 영향을 주고받으면서 변화와 생성을 거듭함 → 만물의 상호 의존성과 자비 강조 • 인드라망: 우주 만물이 서로 관련을 맺고 그물망을 이루는 세계 • 불살생(不殺生): 살아 있는 것을 죽이지 않는 생명 존중 사상
도가	• 자연은 무위의 체계로서 '무목적의 질서'를 담고 있음 • 무위자연(無爲自然)의 삶을 지향하여 자연의 한 부분인 인간이 자연에 조작과 통제를 가하는 것을 반대함 • 장자의 제물론: 천하 만물이 서로 의존하여 존재하는 것이므로, 하늘의 입장에서 보면 만물은 절대적으로 평등하여 일체가 됨

02 불교의 자연관

불교에서는 '이것이 있으므로 저것이 있고, 이것이 발생하므로 저것이 발생한다. 이것이 없으므로 저것이 없고, 이것이 사라지므로 저것이 사라진다.'라는 연기설에 따라 자연 만물이 독립적으로 존재하는 것이 아니라 서로 밀접하게 관계를 맺고 상호 의존하여 존재한다고 본다.
① 불교에서는 만물이 원인과 조건에 의해 생멸(生滅)한다고 주장한다.

오답 선택지 풀이 ② 불교에서는 만물의 변화를 단순히 물질적 요소의 이합집산으로 보지 않는다.
③ 불교에서는 인간의 본성을 선하게 본다.
④ 불교에서는 자연의 가치를 인간의 삶의 질 향상에 기여하느냐에 달려 있다고 보지 않는다. 불교에서 자연은 내재적 가치를 지닌 존재이다.
⑤ 도가 사상의 자연관이다.

03 동서양의 자연관

자료 분석

(가)	갑: 지식은 힘이다. 진정한 지식이란 자연을 정복하여 인간의 현실 생활에 실익을 거두게 하는 것이다. 베이컨(인간 중심주의): 인간을 자연의 주인이자 정복자로 생각함 을: 천지는 만물을 낳는 것을 마음으로 삼으니, 인간은 그 마음을 본받아 자신의 마음으로 삼고 인(仁)을 실천해야 한다. 유교의 자연관
(나)	A국의 ○○ 기업은 수도권에 대규모 골프장을 건설하여 빈축을 사고 있다. 골프장을 짓는 과정에서 각종 보호 종들이 사는 습지대가 사라져 생태계에 심각한 피해를 주었으며, 잔디 관리를 위한 엄청난 농약 살포로 인해 마을 상수원이 심각하게 오염되었기 때문이다. ─• 인간의 욕심으로 인한 환경 파괴의 사례이다.

갑은 인간 중심주의 사상가인 베이컨의 입장으로, 자연을 물질적 대상이자 지배와 착취의 대상으로 판단한다. 따라서 인간을 자연 생태계의 일부로 보지 않고 자연과 분리된 존재로 여기는 이분법적 사고를 지닌다. 을은 유교 사상가로, 유교에 따르면 하늘이 사람에게 부여한 것이 본성이며, 인간이 타고난 본성에 따르는 것이 도이다. 따라서 유교에서는 인간을 포함한 만물을 상호 유기적이며 의존적인 관계로 파악한다.

오답 선택지 풀이 ① 인간 중심주의자인 갑은 인간에게 모든 생명체를 배려할 도덕적 의무는 없다고 본다.
② 갑은 인간과 자연을 분리하여 생각한다.
③ 도구적 자연관에 대한 설명으로 인간 중심주의에 해당한다.
⑤ 갑만 해당한다.

유사 선택지 문제

03 ❶ × ❷ ○ ❸ ×

04 불교의 자연관

불교의 연기설에 기초한 자연관이다. 불교에서는 모든 존재가 원인과 조건으로 서로 관계하여 성립한다는 연기(緣起)의 원리에 따라 생겨난다고 본다.
① 불교에서는 만물의 상호 의존성을 자각하고 모든 만물을 소중히 여길 것을 강조한다.

오답 선택지 풀이 ② 불교는 유기체적 자연관의 입장으로서, 모든 생명에 대해 자비를 베풀 것을 강조한다. 자연을 생명이 없는 물질적 존재로 파악하는 것은 서구의 인간 중심주의적 자연관이다.
③, ④ 자연은 인간을 위한 수단적 가치를 지니므로 최대한 활용해야 한다고 보는 것은 서구의 인간 중심주의적 자연관이다.
⑤ 불교에서는 모든 존재가 서로 관계를 맺으며 존재한다고 본다.

05 가이아 이론과 유교 자연관의 공통점

(가)는 가이아 이론으로, 지구 전체를 하나의 생명체로 여기는 유기체적 자연관을 담고 있다. 가이아 이론은 지구를 환경과 생물로 구성된 하나의 유기체, 즉 스스로 조절되는 하나의 생명체

로 본다. (나)는 유교 사상이다. 유교에서는 인간을 포함한 모든 만물이 본래적 가치를 지니고 있다고 본다.

오답 선택지 풀이 ㄷ. 과학 기술 지상주의의 입장이다.
ㄹ. 가이아 이론과 유교의 자연관은 인류의 행복을 위한 자연의 개발이 윤리적으로 타당하지 않다고 본다.

06 동양의 자연관

(가)는 유교, (나)는 불교, (다)는 도가의 자연관이다.
⑤ 동양의 자연관은 인간과 자연을 상호 의존적이고 유기적 관계로 본다.

오답 선택지 풀이 ① 인간 중심주의자인 데카르트의 주장이다.
② 온건한 인간 중심주의의 입장이다.
③ 인간 중심주의자인 베이컨의 주장이다.
④ 도구적 자연관에 대한 설명으로 인간 중심주의의 입장이다.

07 인간 중심주의 자연관

갑은 베이컨, 을은 데카르트이다. 인간 중심주의는 ㄴ. 도구적 자연관과, ㄹ. 인간과 자연을 둘로 나누는 이분법적 세계관을 갖는다. 베이컨은 인간에게는 자연을 이용할 수 있는 권한과 능력이 있으며, 과학의 목적은 자연을 정복해 인간의 물질적 생활을 향상시키는 데 있다고 보았다. 데카르트는 "나는 생각한다. 그러므로 나는 존재한다."라는 주장을 통해 인식의 주체와 인식 대상을 구분함으로써 인간이 자연을 이용하고 정복하는 이분법적 사유의 출발점이 되었다.

오답 선택지 풀이 ㄱ. 인간 중심주의 자연관은 자연을 도구적 가치로 인식한다.
ㄷ. 인간 중심주의 자연관은 오직 인간만을 도덕적 고려의 대상으로 본다.

08 인간 중심주의 자연관

갑은 아리스토텔레스, 을은 아퀴나스, 병은 칸트이다. 아리스토텔레스는 이성을 지닌 인간이 이성이 없는 자연을 지배할 수 있다고 본다. 아퀴나스는 신의 섭리에 의해 동물은 인간이 사용하도록 운명지어져 있다고 본다. 칸트는 인간이 동물에 대해 간접적인 의무만을 지닌다고 본다.

오답 선택지 풀이 ② 아퀴나스는 동식물을 도구적 가치로 간주하였다.
③ 칸트는 동식물을 보존하는 것을 인간의 간접적인 의무로 보았다.
④ 갑, 을, 병은 모두 인간이 자연보다 우위에 있다고 보았다.
⑤ 갑, 을, 병은 모두 도덕적 고려의 대상은 오직 인간뿐이라고 하였다.

09 칸트의 인간 중심주의 관점

제시문은 칸트의 인간 중심주의 입장에 대한 내용이다. 칸트는 인간의 행복이나 이익을 우선 고려하였고, 동식물과 같은 존재에 대해서는 인간과 관련된 경우에만 간접적으로 고려할 의무가 있다고 보았다.

오답 선택지 풀이 ㄹ. 동물 중심주의자인 싱어의 입장이다. 칸트는 동물들이 그 자체로 도덕적 존중을 받을 만한 가치를 지니기 때문이 아니라 동물들을 함부로 다루는 행위가 인간성을 해치기 때문에 동물에 대한 간접적 의무를 지닌다고 보았다.

유사 선택지 문제

09 ❶ ○ ❷ ○ ❸ ×

10 온건한 인간 중심주의 자연관

제시문은 온건한 인간 중심주의 입장이다. 온건한 인간 중심주의는 인간의 장기적인 생존과 복지를 위해서는 자연 보호를 통해 미래 세대에 대해 책임질 줄 알아야 한다고 주장한다.

오답 선택지 풀이 ㄱ. 온건한 인간 중심주의는 미래 세대에 대해 책임질 줄 아는 사람은 미래 세대의 생존 근거인 환경을 보호하려고 한다고 주장한다.
ㄷ. 온건한 인간 중심주의는 인간 이외의 존재를 인간의 번영과 행복을 위한 수단으로 본다.

올쏘 만점 노트 온건한 인간 중심주의

입장	인류의 장기적 이익을 위해 자연을 세심하게 보전하고, 인간의 생활 근거지인 환경을 보호해야 함
근거	• 영리함의 논증: 인간이 진정으로 영리하다면 자원을 가능한 한 장기간 이용할 수 있도록 인간의 생활 근거지인 환경을 보호할 것임 • 세대 간의 분배 논증: 미래 세대에 대해 책임질 줄 아는 사람은 미래 세대의 생존 근거인 환경을 보존하려 할 것임

11 동물 중심주의 자연관

제시문의 갑은 공리주의 입장에서 동물 해방론을 주장한 싱어, 을은 의무론의 입장에서 한 살 정도 이상의 포유류도 존중받아야 할 권리가 있다고 강조한 레건이다.
③ 레건은 성장한 포유동물도 도덕적 주체로서 권리가 있다고 보았다.

오답 선택지 풀이 ① 싱어는 도덕적 고려의 대상을 고통을 느낄 수 있는 동물까지로 본다.
② 싱어는 쾌고 감수 능력을 가진 동물의 도덕적 지위를 존중하고 인간과 동물의 이익 관심을 동등하게 고려해야 한다고 본다.
④ 인간 중심주의의 입장이다.
⑤ 싱어는 공리주의 관점에서 동물 해방론을, 레건은 의무론적 관점에서 동물 권리론을 주장하였다.

유사 선택지 문제

11 ❶ ○ ❷ ○ ❸ ×

올쏘 만점 노트 동물 중심주의 사상가

벤담	동물을 대우하는 데 있어 고려해야 할 것은 이성을 지니고 있거나 말을 할 수 있는지가 아니라 고통을 느낄 수 있는가임
밀	도덕은 인간만이 아니라 쾌고(快苦)를 느낄 수 있는 존재 전체에게 영향을 미치는 인간의 행위에 관한 규칙과 계율임
싱어	• 공리주의에 근거하여 동물 해방론 주장 → 고통을 느끼는 능력을 가진 동물의 도덕적 지위를 인정하여 동등하게 고려할 것을 주장함 • 이익 평등 고려의 원칙: 어떤 결정을 내릴 때 자신만을 고려하지 말고, 그 영향을 받는 인간과 동물의 이익 관심도 동등하게 고려해야 함 • 종 차별주의 반대: 인간을 특별하게 우대하고, 고통을 싫어하고 쾌락을 좋아하는 이익 관심을 지닌 동물을 차별하는 태도는 종 차별주의(종 이기주의)임
레건	• 의무론에 근거하여 동물에 대한 인간의 의무 강조 • 동물 권리론 주장 → 동물도 삶의 주체로서 자신만의 고유한 삶을 영위할 권리를 가지므로 인간을 위한 수단이 아닌 목적인 존재로 대우해야 함

올쏘 만점 노트 동물 중심주의 사상가

벤담	동물을 대우하는 데 있어 고려해야 할 것은 이성을 지니고 있거나 말을 할 수 있는지가 아니라 고통을 느낄 수 있는가임
밀	도덕은 인간만이 아니라 쾌고(快苦)를 느낄 수 있는 존재 전체에게 영향을 미치는 인간의 행위에 관한 규칙과 계율임
싱어	• 공리주의에 근거하여 동물 해방론 주장 → 고통을 느끼는 능력을 가진 동물의 도덕적 지위를 인정하여 동등하게 고려할 것을 주장함 • 이익 평등 고려의 원칙: 어떤 결정을 내릴 때 자신만을 고려하지 말고, 그 영향을 받는 인간과 동물의 이익 관심도 동등하게 고려해야 함 • 종 차별주의 반대: 인간을 특별하게 우대하고, 고통을 싫어하고 쾌락을 좋아하는 이익 관심을 지닌 동물을 차별하는 태도는 종 차별주의(종 이기주의)임
레건	• 의무론에 근거하여 동물에 대한 인간의 의무 강조 • 동물 권리론 주장 → 동물도 삶의 주체로서 자신만의 고유한 삶을 영위할 권리를 가지므로 인간을 위한 수단이 아닌 목적인 존재로 대우해야 함

12 동물 중심주의의 자연관

동물 중심주의의 한계는 동물 개체에 관심을 집중하므로 생태계 전체에 대한 고려가 미흡하다는 점과 동물 이외의 환경 문제를 거의 다루지 않기 때문에 환경 문제를 해결하기 위한 대안을 제시하지 못한다는 점을 들 수 있다.

⑤ 생태 공동체의 선을 개별 생명체의 가치보다 우선시하여 환경 파시즘으로 흐를 수 있다는 한계점을 지닌 입장은 생태 중심주의이다.

13 싱어와 칸트의 자연관 비교

갑은 싱어, 을은 칸트이다. 동물 중심주의자인 싱어는 이익 평등 고려의 원칙에 따라 인간을 포함한 쾌고 감수 능력을 가진 동물들을 도덕적 고려의 대상이라고 본다. 칸트는 인간만이 도덕적 주체로서 자신에 대한 도덕적 의무를 지니고 인간 이외의 다른 존재에 대해서는 간접적 의무를 지닌다고 본다.

오답 선택지 풀이 ㄴ, ㄹ. 칸트가 싱어에게 제기할 수 있는 비판이다. 칸트는 인간을 유일한 도덕적 존재로 보았으며, 인간은 다른 동물이나 생태계가 아닌 인간에 대해서만 도덕적 책임을 지닌다고 하였다.

14 레건의 동물 중심주의 자연관

레건은 의무론적 입장에서 동물도 삶의 주체로서 자신의 삶을 영위할 권리가 있다고 주장하였다. 욕구, 지각, 기억, 감정 등을 가지고 고유한 삶을 살아가는 동물도 사람의 이익이나 욕구와 관계없이 본래적 가치를 지니는 존재라고 보았다.

오답 선택지 풀이 ㄱ. 레건은 동물의 내재적 가치를 인정하므로 '예'라고 대답할 질문이다.
ㄹ. 레건은 인간과 동물이 도덕적 지위를 지닌다고 보므로 '아니요'라고 대답할 질문이다.

15 칸트, 레건, 슈바이처의 자연관 비교

갑은 온건한 인간 중심주의 입장을 지닌 칸트, 을은 동물 중심주의 입장을 지닌 레건, 병은 생명 중심주의 입장을 지닌 슈바이처이다. 세 사상가는 모두 인간을 도덕적으로 가치 있는 존재라고 본다.

오답 선택지 풀이 ① 칸트만 지지하는 견해이다.
② 슈바이처만 지지하는 견해이다.
④ 칸트, 레건, 슈바이처 모두 반대하는 견해이다.
⑤ 칸트만 지지하는 견해이다.

16 동물 중심주의와 생명 중심주의 자연관 비교

갑은 동물 중심주의 입장인 싱어, 을은 생명 중심주의 입장인 슈바이처이다.

② 슈바이처는 생명 중심주의 입장에서 모든 생명체(인간, 동물, 식물)를 그 자체로 도덕적 고려의 대상으로 보고 신성하게 대해야 한다고 주장하였다.

오답 선택지 풀이 ① 싱어와 슈바이처 모두 부정의 답을 할 질문이다.
③ 싱어는 긍정, 슈바이처는 부정의 답을 할 질문이다.
④ 싱어와 슈바이처 모두 부정의 답을 할 질문이다.
⑤ 싱어와 슈바이처 모두 긍정의 답을 할 질문이다.

유사 선택지 문제

16 ❶ × ❷ ○ ❸ ○

17 생명 중심주의 자연관

갑은 슈바이처, 을은 테일러이다. ㄱ. 슈바이처는 "생명을 유지하고 증진하며 고양하는 것은 선(善)이고, 생명을 억압하는 것은 악(惡)이다."라고 하면서 생명 외경 사상을 주장하였다. ㄹ. 테일러에 따르면 모든 생명체는 목적론적 삶의 중심으로서 내재적 가치를 갖는다. 테일러는 이러한 생명체를 도덕적으로 고려하고 존중해야 한다고 주장하였다.

오답 선택지 풀이 ㄴ. 슈바이처는 모든 생명체는 내재적이고 본질적인 가치를 지닌다고 보았다.
ㄷ. 인간의 가장 중요한 임무를 생태계의 안정으로 보는 입장은 생태 중심주의 자연관이다.

18 테일러의 생명 중심주의 자연관

제시문은 생명 중심주의 윤리를 주장한 테일러의 입장이다. 테일러는 모든 생명체는 자기 고유의 목적에 따라 성장, 발전, 생존, 번식을 지향하는 목적론적 삶의 중심이며, 모든 생물은 자체적 선을 지니고 있으므로 도덕적 행위자는 살아 있는 존재의 선에 대해서도 관심을 가져야 한다고 주장했다. 테일러는 생명체에 대한 네 가지 의무를 제시하였는데 첫째, 다른 생명체에게 해를 끼쳐서는 안 되고(불침해의 의무), 둘째, 생명체의 자유를 보장하고 생태계를 조작하거나 통제하지 않아야 하고(불간섭의 의무), 셋째, 낚시나 덫 등으로 동물을 속이지 않아야 하고(성실의 의무), 넷째, 동식물에게 해를 입혔을 때 보상해야 한다(보상적 정의의 의무)는 의무이다.

② 생태계의 모든 대상을 배려해야 한다는 주장은 생태 중심주의의 입장이다.

19 레오폴드의 생태 중심주의 자연관

제시문은 생태 중심주의자 레오폴드의 주장이다. 그는 전일론적 관점에서 도덕적 고려의 대상을 대지까지 확대하였고, 인간은 생명 공동체의 정복자가 아니라 하나의 구성원일 뿐이라고 보았다.

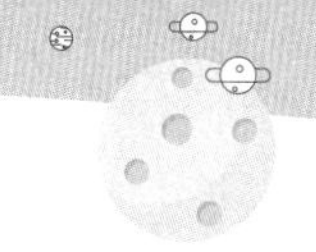

오답 선택지 풀이 두 번째 관점: '기계론적 자연관을 바탕으로 생명을 이해한다.'는 인간 중심주의 자연관의 입장이다.

20 인간 중심주의 자연관과 생태 중심주의 자연관 비교

갑은 인간 중심주의 자연관을 가진 베이컨, 을은 생태 중심주의 자연관을 가진 네스이다. 네스의 심층 생태주의에 따르면 생태적 위기를 해결하기 위해서는 개인적 · 사회적 관행을 바꾸는 정도로는 부족하고 생태 중심적 세계관으로 전환해야 한다.

오답 선택지 풀이 ① 인간 중심주의는 인간과 자연의 관계를 이분법적으로 이해한다.
② 인간 중심주의는 자연이 도구적 · 물질적 가치를 가진다고 본다.
③ 생태 중심주의는 인간은 자연의 일부로서 자연을 이용할 수 있는 우월한 가치가 있지는 않다고 본다.
⑤ 자연이 인간의 행복을 위해 존재한다고 보는 것은 갑에게만 해당하는 진술이다.

21 동물 중심주의 자연관과 생태 중심주의 자연관 비교

자료 분석

갑: 이익 평등 고려의 원칙에 따라 우리가 속한 종(種)과 다르다는 이유로 다른 종을 착취할 권리는 없다.
(이익 평등 고려의 원칙: 어떤 결정을 내릴 때 자신만을 고려하지 말고, 그 영향을 받는 인간과 동물의 이익 관심도 동등하게 고려해야 함)
→ 동물 중심주의(싱어)

을: 대지(大地)는 인간을 비롯한 자연의 모든 존재들이 서로 그물망처럼 얽혀 있는 공동체이다. 따라서 생태계 전체를 하나의 도덕 공동체로 보아 이를 존중해야 한다.
(대지 윤리)
→ 생태 중심주의(레오폴드)

갑은 동물 중심주의자인 싱어이고, 을은 생태 중심주의자인 레오폴드이다.
⑤ 생태 중심주의는 개별 생명체보다 생태계 전체를 우선적으로 고려해야 한다고 주장한다.

오답 선택지 풀이 ① 싱어와 레오폴드 모두 '예'라고 대답할 질문이다.
② 싱어는 '아니요', 레오폴드는 '예'라고 대답할 질문이다.
③ 싱어와 레오폴드 모두 '아니요'라고 대답할 질문이다.
④ 싱어와 레오폴드 모두 '예'라고 대답할 질문이다.

유사 선택지 문제

21 ❶ ○ ❷ ○ ❸ ○

22 탈인간 중심주의 자연관

갑은 생명 중심주의자인 슈바이처, 을은 생태 중심주의자인 레오폴드, 병은 동물 중심주의자인 레건이다.
① 동물 중심주의는 생태계 내의 모든 생명체가 고유한 가치를 지닌다고 보지 않는다.

오답 선택지 풀이 ②, ③, ⑤ 슈바이처, 레오폴드, 레건 모두 긍정할 질문이다.
④ 레오폴드는 긍정, 슈바이처와 레건은 부정할 질문이다.

23 환경적으로 건전하고 지속 가능한 발전

㉠에 들어갈 개념은 '환경적으로 건전하고 지속 가능한 발전'이다.
⑤ 환경적으로 건전하고 지속 가능한 발전을 실현하기 위해서는 '좀 더 빠르게, 좀 더 높게, 좀 더 강하게'와 같은 양적 성장주의를 반성하고, 진정한 행복이 무엇인지에 대한 깊은 성찰이 필요하다.

오답 선택지 풀이 ① 환경적으로 건전하고 지속 가능한 발전은 환경과 인간을 모두 중요하게 생각한다.
② 환경적으로 건전하고 지속 가능한 발전은 화석 연료의 사용을 줄이고 대체 에너지 개발에 주력한다.
③ 환경적으로 건전하고 지속 가능한 발전은 환경 보전과 경제 성장 모두를 고려한다.
④ 환경적으로 건전하고 지속 가능한 발전은 미래 세대가 자신의 욕구를 충족할 수 있는 능력을 해치지 않으면서도 현세대의 욕구를 충족하는 발전이다.

24 탄소 배출권 거래 제도

탄소 배출권 거래 제도를 반대하는 사람들은 이 제도가 지나치게 시장 논리에 의존하고 있다고 비판한다. 즉, 오염할 권리를 시장에서 사고팔 수 있게 함으로써, 경제적 능력에 따라 환경을 오염할 권리를 인정한다는 것이다.

유사 선택지 문제

24 ❶ ○ ❷ ○ ❸ ○

25 요나스의 책임 윤리

A는 책임 윤리를 강조한 요나스이다. 그는 책임의 범위를 현세대로 한정하는 기존의 전통적 윤리관으로는 과학 기술 시대에 발생하는 문제를 해결하는 데 한계가 있다고 보고, 윤리적 책임의 범위를 확대해 인간뿐만 아니라 자연, 그리고 미래 세대에 대한 책임까지 고려할 것을 강조하였다.
② 요나스는 현세대가 미래 세대를 위해 자연을 최대한 보전해야 한다고 주장한다.

26 생태 중심주의

(1) | 모범 답안 | 갑: 레오폴드, 을: 네스 / 도덕적 고려의 범위를 개별 생명체가 아닌 무생물을 포함한 생태계 전체로 보아야 한다는 관점을 취한다. 인간은 자연의 일부로서 자연에 대한 직접적인 도덕적 의무를 지니며, 자연은 인간과 평등한 존재로서 존중받을 가치가 있다고 본다.

채점 기준	배점
갑, 을이 누구인지 쓰고, 공통된 주장을 구체적으로 옳게 서술한 경우	상
갑, 을의 공통된 주장을 '생태계 존중'과 같이 단어로 제시하거나 추상적으로 서술한 경우	중
갑, 을이 누구인지만 옳게 쓴 경우	하

(2) | 모범 답안 | 생태 공동체의 선을 개별 생명체의 가치보다 우선시하기 때문에 환경 파시즘으로 흐를 수 있고, 생태계의 중요한 가치를 실현하는 데 인간의 개입을 거의 허용하지 않기 때문에 환경 보전을 위한 구체적 방안을 제시하지 못한다는 비판을 받는다.

채점 기준	배점
갑, 을의 공통된 비판점을 옳게 서술한 경우	상
갑, 을의 공통된 비판점을 서술하였으나 표현이 추상적인 경우	하

27 환경적으로 건전하고 지속 가능한 발전

(1) | 모범 답안 | 자원의 무분별한 개발과 지나친 소비로 인해 환경이 파괴되고 자원이 고갈된다.

채점 기준	배점
개발론의 문제점을 두 가지 모두 옳게 서술한 경우	상
개발론의 문제점을 한 가지만 옳게 서술한 경우	하

(2) | 모범 답안 | 미래 세대가 그들의 필요를 충족할 수 있는 가능성을 손상시키지 않는 범위에서 현세대의 필요를 충족시키는 발전이다.

채점 기준	배점
환경적으로 건전하고 지속 가능한 발전의 의미를 옳게 서술한 경우	상
미래 세대를 고려해야 한다고만 서술한 경우	하

올쏘 상위 4% 문제

본문 93쪽

01 ② 02 ① 03 ③ 04 ④

01 탈인간 중심주의 자연관

자료 분석

갑: 어떤 존재의 고통을 고려하지 않는 도덕적 논증은 있을 수 없다. 이익 평등 고려의 원리는 존재들 간의 고통을 동일하게 고려할 것을 요구한다.
(쾌고 감수 능력이 도덕적 고려의 기준 / 동물 중심주의(싱어))

을: 생명체가 목적론적 삶의 중심이라는 것은 그 활동이 목표 지향적이라는 뜻으로, 생명 활동을 성공적으로 수행하는 항상적인 경향성이 있다는 말이다.
(생명 중심주의(테일러))

병: 인류는 대지 공동체의 평범한 구성원이 되어야 한다. 이러한 인류의 역할은 동료 구성원과 대지 공동체 자체에 대한 존중을 필연적으로 수반한다. ─• 생태 중심주의(레오폴드)
(도덕 공동체의 범위를 식물, 동물, 토양, 물을 포함하는 대지로 확장함)

갑은 싱어, 을은 테일러, 병은 레오폴드이다.

② ㄴ. 테일러의 성실의 의무는 낚시나 덫으로 동물을 속이는 행위를 금지하는 것이다. ㄷ. 레오폴드는 개별 생명체보다 전체론적 입장에서 생태계 전체를 고려해야 한다고 보며, 인간 중심주의에서 벗어나야 함을 강조하였다.

오답 선택지 풀이 ㄱ. 쾌고 감수 능력을 지닌 인간과 동물이 이익 관심을 소유하고 있다는 점에서 동등하게 고려하라는 싱어의 주장이 곧 인간과 동물이 선호하는 이익 관심의 대상이 동일하다는 것은 아니다.
ㄹ. 세 사상가가 모두 동의할 내용이다.

02 칸트와 슈바이처의 자연관 비교

자료 분석

갑: 동물을 잔인하게 다루는 것은 인간 자신에 대한 의무를 훨씬 심각하게 거스르는 것이다. 그래서 인간은 이러한 것을 삼가야 할 의무를 지니고 있다. 왜냐하면 이는 인간의 고통이라는 공유된 감정을 무디게 하며, 사람 간의 관계의 도덕성에 이바지할 수 있는 자연적인 소질을 약화시키고, 점차 그 소질을 제거하기 때문이다. ─• 인간 중심주의(칸트)
(인간은 동물에 대해 간접적 의무만 지님)

을: 인간은 도와줄 수 있는 모든 생명을 도와주라는 명령에 따르고, 살아 있는 것은 어떤 것이든 해치지 않을 때에만 진정으로 윤리적이 된다. ─• 생명 중심주의(슈바이처)

갑은 칸트, 을은 슈바이처이다.

① 슈바이처는 생명은 그 자체로 선이며 내재적 가치를 지닌다고 보기 때문에 생명체 간의 차등적 위계 질서를 인정하지 않는다. 또한 생명에 대한 인간의 직접적 의무를 강조한다. 따라서 갑에 비해 을은 생명체 간의 차등적 위계 질서를 인정하는 정도(X)는 낮고, 생명에 대한 인간의 직접적 의무를 강조하는 정도(Y)와 생명에 대한 내재적 가치를 인정하는 정도(Z)는 높다.

03 인간 중심주의, 동물 중심주의, 생태 중심주의의 자연관 비교

갑은 인간 중심주의 입장을 지닌 아퀴나스, 을은 동물 중심주의 입장을 지닌 싱어, 병은 생태 중심주의 입장을 지닌 네스이다.

③ ㄴ. 싱어는 생태계 전체가 아닌 개별 생명체 중 고통을 느끼는 동물을 우선적으로 고려해야 한다고 보므로, '예', 전일(全一)론자인 네스는 '아니요'라고 대답할 질문이다. ㄷ. 싱어는 공리주의를 바탕에 두고 쾌락과 고통을 느끼는 능력을 지닌 존재는 이익 관심을 가지며, 모두 평등하게 고려될 자격과 권리를 지닌다고 보아 동물 해방론을 주장하였다. 따라서 싱어가 '예'라고 대답할 질문이다.

오답 선택지 풀이 ㄱ. 아퀴나스는 인간을 위해서 동물의 고통을 경감시킬 필요는 없다고 본다. 따라서 '아니요'라고 대답할 질문이다.
ㄹ. 네스는 무생물을 포함한 생태계 전체를 도덕적 고려의 대상으로 여기므로 '아니요'라고 대답할 질문이다.

04 불교와 유교의 자연관

(가)는 불교, (나)는 유교의 자연관이다. (가)의 인드라망은 힌두교와 불교의 사상으로, 구슬이 혼자 빛날 수 없고 반드시 다른 구슬의 빛을 받아야 하다는 말은 만물의 상호 의존성을 강조한 것이다. (나)는 "맹자"의 '진심 편'에 나오는 말로, 유교의 자연관을 나타낸다. 유교에서는 인간이 자연을 본받아 다른 존재와 타인에게 인(仁)을 실천해야 한다고 본다.

④ 무위(無爲)의 자연스러움을 강조하는 것은 도가이다.

12 예술과 대중문화 윤리

개념 확인 문제

본문 96쪽

01 플라톤 02 (1) ㉡ (2) ㉠ 03 (1) ㄱ (2) ㄴ (3) ㄷ

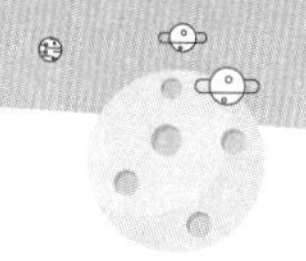

올쏘 시험에 꼭 나오는 문제 본문 96~98쪽

01 ① 02 ③ 03 ③ 04 ⑤ 05 ① 06 ③ 07 ⑤
08 ① 09 ⑤ 10 ③ 11~12 해설 참조

01 예술에 대한 플라톤의 입장

제시문의 사상가는 플라톤이다. 플라톤은 예술과 윤리가 밀접한 관련이 있다고 보았다. 그는 예술은 그 자체로 자율성을 지닐 수 없으며 도덕적 본보기가 되어야 한다고 주장하였다.

오답 선택지 풀이 ㄴ. 예술이 사회적 요구로부터 자유롭다고 주장하는 입장은 예술의 미적 가치를 강조하는 예술 지상주의이다.
ㄹ. 플라톤은 예술을 평가할 때 올바른 품성을 기르고 도덕적 교훈을 줄 수 있는지를 고려해야 한다고 보았다.

올쏘 만점 노트 도덕주의와 예술 지상주의 비교

도덕주의에 따르면 예술의 목적은 인간이 올바른 품성을 함양하는 데 본보기를 제공하는 것이다. 반면 예술 지상주의는 예술 그 자체나 아름다움을 목적으로 둔다. 도덕주의는 예술의 사회성을 강조하는 참여 예술론의 관점에 동의하는 반면, 예술 지상주의는 예술의 자율성을 강조하는 순수 예술론을 지지한다. 도덕주의의 대표 사상가로는 플라톤과 톨스토이, 예술 지상주의의 대표 사상가로는 와일드와 스핑건을 들 수 있다.

02 아도르노의 문화 산업론

제시문은 아도르노의 주장이다. 아도르노는 끊임없이 생산되는 획일화된 문화 상품으로 인해 대중의 사유 가능성이 사라지며, 예술이 다수나 강자의 목소리 혹은 정치적 이데올로기를 일방적으로 전달하는 도구가 될 수 있다고 보았다.
③ 아도르노는 대중문화가 상업화될수록 예술의 도구적 가치는 증가한다고 보았다.

03 도덕주의에 대한 예술 지상주의의 입장

제시문의 갑은 예술 지상주의, 을은 도덕주의의 입장이다. 예술 지상주의는 미적 가치와 윤리적 가치가 무관하다고 주장하며, 예술 이외의 목적을 예술보다 우위에 두는 것을 견제한다.
③ 예술 지상주의는 도덕주의에 대해 예술이 도덕이라는 다른 목적을 추구할 필요가 없다고 비판할 수 있다.

오답 선택지 풀이 ① 예술 지상주의와 도덕주의는 모두 예술 활동에서 미적 요소를 배제해야 함을 주장하지 않는다.
② 도덕주의는 예술이 공동체의 질서 유지에 기여해야 한다고 본다. 도덕주의가 예술 지상주의에게 제기할 수 있는 비판이다.
④ 도덕주의는 예술에 대한 도덕적 규제를 통해 예술의 가치가 증대될 수 있다고 본다. 도덕주의가 예술 지상주의에게 제기할 수 있는 비판이다.
⑤ 예술 지상주의는 예술의 자유가 도덕적 범위 내에서 보호되어야 한다고 보지 않는다.

유사 선택지 문제

03 ❶ ○ ❷ × ❸ ×

04 예술에 대한 순자의 입장

제시문은 순자의 도덕주의적 관점이 드러나 있다. 순자는 예(禮)와 악(樂)은 모두 사람들의 마음을 주관한다는 특징을 지녔다고 강조하였다. 순자를 비롯한 도덕주의에서는 예술이 도덕적 교화, 인격 수양, 화합에 기여해야 한다고 본다.

오답 선택지 풀이 ① 순자는 예술이 도덕적 가치를 지녀야 한다고 보았다.
② 예술을 오직 미를 기준으로만 평가해야 한다는 견해는 예술 지상주의의 입장이다.
③ 순자는 예술이 사회적 가치를 가져야 한다고 보았다.
④ 순자는 예술이 사회적 영향력을 가지고 있다고 보기 때문에 현실과 무관해야 한다고 보지 않는다.

05 대중문화의 상업화

제시문은 아도르노의 주장이다. 그는 ㄷ. 대중문화의 상업화로 인해 대중이 획일화되고, ㄱ. 사람들의 욕구 및 삶에 개입한다고 보았다. 대중문화는 이를 소비하는 사람들에게 직간접적으로 영향을 주며, 따라서 획일화된 대중문화를 소비하는 것은 창조성과 다양성을 저해하고 개인을 문화의 도구로 전락시킬 수 있다는 것이다.

오답 선택지 풀이 ㄴ. 아도르노는 대중문화가 사람들의 모든 사고를 동질적으로 반응하게 만들기에 오히려 다양성을 저해한다고 보았다.
ㄹ. 대중문화는 사이버 공간뿐만 아니라 현실 공간에서도 대중의 삶에 큰 영향을 미친다.

유사 선택지 문제

05 ❶ ○ ❷ × ❸ ×

06 참여 예술론과 순수 예술론 비교

(가)는 참여 예술론에 대한 설명이다. 이 입장에서는 예술도 하나의 사회 활동이므로 ㄹ. 예술은 사회의 모순을 지적하고, 사회의 도덕적 성숙을 위해 기여해야 한다고 본다. (나)는 순수 예술론이다. 이 입장에서는 ㄴ. 예술이 기존의 관습이나 윤리적 기준과 관련 없이 순수하게 예술에 집중할 수 있도록 자율성을 보장해야 한다고 주장한다.

오답 선택지 풀이 ㄱ. 독창성과 자율성을 배타적으로 중시하는 입장은 순수 예술론이다.
ㄷ. 사회 공공성을 강조하는 입장은 참여 예술론이다.

07 예술의 상업화에 대한 워홀과 구겐하임의 입장

갑은 예술의 상업화에 찬성하는 앤디 워홀이다. 워홀은 예술의 상업화로 인해 예술가가 경제적 여유를 누리고, 창작 의욕을 북돋아 예술 활동에 더욱 집중하게 만든다고 보았다. 을은 예술의 상업화에 반대하는 구겐하임이다. 그는 예술을 작품으로 보는 것이 아닌 부의 축적 수단으로 취급한다는 점에서 예술의 상업화를 부정적으로 보았다.

오답 선택지 풀이 ㄱ. 앤디 워홀은 예술이 거대 자본의 도움을 받는 상황에 대해 긍정적으로 볼 것이다. 예술가에게 막대한 경제적 이익을 준다는 점에서 워홀은 예술의 상업화에 찬성할 것이다.

08 외설의 검열에 대한 찬반 논의

제시문의 '나'는 예술에 대한 검열에 찬성하고 있다. 외설물의 경우 성을 상품화하여 인간의 존엄성을 해치기 때문에 윤리적 규제가 필요하다는 입장이다. 반면, 제시문의 '어떤 사람들'은 예술에 대한 검열에 대해 반대하고 있다. 예술을 창조하는 행위의 다양한 방식을 존중해야 한다는 입장이다.

오답 선택지 풀이 ㄷ, ㄹ. 외설물에 대한 검열에 반대하는 입장에서 할 수 있는 주장이다.

09 대중문화의 상업화에 대한 반대 입장

제시문은 대중문화의 상업화로 인하여 발생할 수 있는 윤리적 문제를 지적하고 있다. 대중문화가 상업화되면서 흥행이나 수익성만을 지나치게 추구하여 문화의 본래적 가치를 잃어 버리고, 이로 인해 대중문화는 물론 대중의 삶도 획일화되는 문제가 발생한다.

⑤ 이러한 문제를 해결하기 위해서는 예술 고유의 자율성과 미적 가치를 존중하고 다양한 문화가 공존할 수 있도록 해야 한다.

오답 선택지 풀이 ① 예술이 시장의 원리에 의해 지배되지 않도록 본래적 가치를 되찾기 위해 노력해야 한다.
② 선정성을 강조하는 외설에 대한 윤리적 규제가 필요하다.
③ 비슷한 대중문화의 양적 증가는 예술의 상업화로 인한 윤리적 문제의 해결 방안이 아니다.
④ 대중문화의 표준화에서 탈피하여 다양성을 지향해야 한다.

10 예술의 상업화에 대한 입장

제시문의 갑은 예술의 상업화가 가져온 긍정적인 면을 강조하면서, 일반 대중이 예술의 주체가 될 수 있고, 예술의 양적 · 질적 성장이 가능하다고 본다. 을은 예술의 상업화가 가져온 부정적 측면을 부각하면서, 예술이 자본에 종속되어 미적 가치를 경시하게 된다고 본다.

③ 을은 예술이 경제적 이익의 도구가 되는 것을 막기 위해 예술의 상업화에 반대한다.

11 예술 지상주의와 도덕주의의 입장

(1) (가) 예술 지상주의, (나) 도덕주의

(2) | 모범 답안 | (가) 예술이 미치는 사회적 영향력과 책임감을 간과할 수 있다. (나) 예술의 자율성을 침해할 수 있다.

채점 기준	배점
예술 지상주의와 도덕주의의 한계를 모두 옳게 서술한 경우	상
예술 지상주의와 도덕주의의 두 입장 중 한 가지의 한계점만 옳게 서술한 경우	하

올쏘 만점 노트 예술과 윤리의 관계에 대한 스핑건과 톨스토이의 입장

스핑건	시가 도덕적인가 비도덕적인가를 말하는 것은 정삼각형은 도덕적이고 이등변 삼각형은 비도덕적이라고 하는 것과 같이 무의미하다. → 예술 지상주의의 입장
톨스토이	미각의 만족감이 결코 음식의 가치를 판단하는 근거가 될 수 없듯이, 예술의 진정한 가치는 인류 최고의 사랑을 완성하는 데 있다. → 도덕주의의 입장

12 대중문화에 대한 올바른 자세

(1) | 모범 답안 | 대중문화를 맹목적으로 받아들이기보다 주체적으로 선별하고 비판적으로 수용해야 한다.

(2) | 모범 답안 | 지나친 이윤 추구에서 벗어나 의미 있고 유익한 문화를 생산하기 위해 노력해야 한다.

채점 기준	배점
대중문화의 생산자와 소비자의 올바른 자세를 모두 옳게 서술한 경우	상
대중문화의 생산자와 소비자의 올바른 자세 중 한 가지만 옳게 서술한 경우	하

올쏘 상위 4% 문제

본문 99쪽

01 ② 02 ④ 03 ③ 04 ⑤

01 칸트와 와일드의 예술에 대한 입장 비교

자료 분석

갑: 아름다움을 느낄 때 우리의 마음은 감각적 쾌락을 넘어 순화되고 고귀함을 얻는다. 미적 판단은 주관적 판단이지만 이해관계를 초월한 보편적 판단이라는 점에서 미(美)는 도덕적 선(善)의 상징이 된다. (칸트: 도덕주의)

을: 아름다움을 창조해 내는 예술가가 도덕에 편승하게 되면 예술은 매너리즘에 빠진다. 세상에 도덕적이거나 비도덕적인 작품은 없다. 다만 훌륭하거나 혹은 형편없는 작품이 있을 따름이다. (예술 지상주의)

- 갑: 칸트는 미의 형식과 도덕의 형식이 유사하므로 미는 선의 상징이 된다고 본다.
- 을: 와일드는 예술은 예술 그 자체만을 위해서만 존재해야 한다고 본다.

ㄱ. A는 칸트(갑)만의 주장이다. 칸트는 미적 판단이 보편적 판단으로 확장되면 도덕적 선의 상징이 된다고 주장하였다. 즉, 미(美)의 판단과 선악(善惡)의 판단 형식이 유사하다고 보았다.
ㄹ. C는 와일드(을)만의 주장이다. 예술 작품이 도덕적 평가 대상이 아니라고 보는 입장은 예술 지상주의이다. 와일드는 예술은 도덕적 기준으로 평가할 수 없다고 보았다.

오답 선택지 풀이 ㄴ. 아름다움은 도덕적 가치에 종속되지 않고 자율적이라고 보는 시각은 예술 지상주의의 입장이다. 이는 C의 영역, 즉 와일드의 입장에만 해당한다.
ㄷ. 감상자의 미적 체험이 도덕성의 실현에 기여한다는 시각은 도덕주의의 입장이다. 이는 A의 영역, 즉 칸트의 입장에만 해당한다.

02 예술 지상주의 입장에 대한 비판

ㄴ. 예술 지상주의에 따르면 예술은 예술 이외의 다른 목적을 갖지 않는다. 예술 지상주의에서는 예술 작품이 오직 예술성을 기준으로만 판단되어야 한다고 본다.
ㄹ. 예술 지상주의의 입장에서 선의 증진 여부는 고려되지 않는다. 예술 지상주의에서는 예술을 선이나 악의 기준으로 평가할 수 없다고 본다.

오답 선택지 풀이 ㄱ. 예술 지상주의적 입장이나 도덕주의 입장 모두 해당하지 않는다.
ㄷ. 예술의 사회성을 강조하는 입장은 도덕주의에 해당한다. 도덕주의는 예술이 개인과 사회에 어떤 기여를 할 것인가를 보기 때문에 예술의 자율성보다 사회성을 더 중시한다.

03 예술에 대한 정약용과 플라톤의 입장

자료 분석

갑: 세속의 음악은 음란하고 슬프고 바르지 못한 소리이다. 그러나 한창 음악을 앞에서 연주할 때는, 관장은 그 하급 관리를 용서해 주고, 가장은 자기 동복을 용서해 준다. 세속의 음악도 그러한데 더구나 옛 성인의 음악은 어떠하겠는가? 음악을 일으키지 않으면 교화도 끝내 시행할 수 없고 풍속도 끝내 변화시킬 수 없어서 천지의 화기에 끝내 이르게 할 수가 없다.
(음악 → 교화의 시행, 풍속을 변화시킴 = 도덕주의)

을: 나쁜 리듬 그리고 부조화는 나쁜 말씨와 나쁜 성격을 닮은 반면에, 그 반대의 것들은 절제 있고 좋은 성격을 닮았으며 또한 그것을 모방한 것일세. 리듬과 화음은 영혼의 내면으로 가장 깊숙이 젖어 들며, 우아함을 대동함으로써 영혼을 가장 강력하게 사로잡고, 또한 어떤 사람이 옳게 교육을 받는다면 고상한 사람으로 만들 것이기 때문이네.
(음악 → 우아함 대동, 고상한 사람으로 만듦 = 도덕주의)

- 갑: 정약용은 음악을 통해 인격을 갈고 닦아 성인이 될 수 있으므로 악(樂)을 항상 가까이 두어야 한다고 보았다.
- 을: 플라톤은 예술의 존재 이유가 선을 권장하고 덕성을 장려하는 것이라고 보았다.

정약용과 플라톤 모두 도덕주의의 입장으로, 음악과 같은 예술이 인간에게 도덕적으로 기여한다는 점에 동의할 것이다. 음악이 교화를 시행하고 풍속을 변화시킬 수 있다고 본 정약용의 주장은 예술의 사회성과 관련이 깊다. 또 음악이 우아함을 대동하고 고상한 사람으로 만들어 준다고 보는 플라톤의 주장을 통해 예술이 도덕적으로 기여하고 있음을 알 수 있다.

오답 선택지 풀이 ① 예술 지상주의의 입장에서 긍정할 질문이다.

② 예술 지상주의의 입장에서 긍정할 질문이다. 도덕주의에서는 음악이 도덕성 함양을 위한 수단이 된다고 본다.

④ 예술 지상주의의 입장에서 긍정할 질문이다. 도덕주의에서는 음악이 도덕과 독립될 수 없다고 보며, 음악이 자율적으로 존재해야 한다고 보지도 않는다.

⑤ 예술 지상주의의 입장에서 긍정할 질문이다. 도덕주의에서는 음악을 포함한 예술이 사회적 가치를 반영해야 한다고 본다.

04 대량 복제 기술의 등장과 예술의 관계

ㄷ. 벤야민은 복제 기술이 원작이 가지고 있는 고유한 아우라나 유일성의 가치를 낮춘다고 본다.

ㄹ. 벤야민은 대중 예술에 대한 복제는 대중들로 하여금 예술 작품을 더 쉽게 접할 수 있도록 만든다고 본다.

오답 선택지 풀이 ㄱ. 벤야민은 표준화된 생산 양식이 예술 작품의 존속에 손상을 입히지 않을 수 있음을 주장한다.

ㄴ. 벤야민은 대중 예술이 예술 작품에 대한 신비감을 축소시킨다고 본다.

13 의식주 윤리와 윤리적 소비

개념 확인 문제 본문 102쪽

01 명품, 고통, 유대감 02 (1) ㄱ (2) ㄹ 03 (1) ㉠ (2) ㉡

시험에 꼭 나오는 문제 본문 102~104쪽

01 ② 02 ① 03 ② 04 ⑤ 05 ② 06 ① 07 ⑤
08 ② 09 ④ 10 ④ 11~12 해설 참조

01 먹을거리의 윤리적 문제

제시문은 경제적 능력이나 사회적 지위에 따른 먹을거리의 불평등한 분배에 대한 내용이다. 저소득층은 건강한 음식을 접할 기회가 적어 그 대안으로 정크 푸드를 택하고 있다. 즉, 경제력과 사회적 위치로 인해 먹는 음식의 질이 달라지는 차별이 발생하고 있다는 것이다.

오답 선택지 풀이 ㄱ. 제시문은 먹을거리 선택이 경제적 능력이나 사회적 지위에 의해 이루어진다고 본다.

ㄷ. 제시문에서 강조하는 것은 먹는 행위를 통해 경제적 지위를 과시하는 것이 아니라 저소득층에게 양질의 먹거리를 분배하기 위한 사회적 책임이다.

02 주거 문화에 대한 볼노브의 입장

제시문은 볼노브의 관점이다. 볼노브에 따르면 집은 삶의 중심이며, 인간의 전 생애에 걸쳐 삶의 터전인 동시에 확고한 중심으로 작용한다. 특히 집은 그곳에 거주하는 인간의 체험으로 구성되었으므로 자기 세계의 중심점이며, 자기 존재의 뿌리로서의 가치를 갖는다고 주장한다.

오답 선택지 풀이 ② 볼노브는 집이 사회 구성원으로서의 자아 정체성 형성을 방해한다고 보지 않는다.

③ 볼노브는 집이 인간을 내부에 가두어 놓는 역할을 한다고 보지 않는다.

④ 볼노브는 집을 사회적 존재로서의 인간이 생활하기 위한 공적 영역이 아닌 사적 영역이라고 본다.

⑤ 볼노브는 집을 인간이 생활하는 공간이자 휴식 공간이라고 하면서, 외부와 관계를 맺고 넓은 사회로 나아가는 발판이라고 본다.

03 합리적 소비와 윤리적 소비

제시문의 갑은 합리적 소비를 강조하고 있다. 합리적 소비는 자신의 소득 범위에서 자기 욕구를 이해하고 상품 정보를 파악하여 가장 좋은 재화를 선택하는 소비이다. 을은 윤리적 소비를 강조하고 있다. 윤리적 소비는 재화나 서비스를 만들고 유통하는 전체 과정을 윤리적 가치에 따라 판단하여 소비하는 것이다.

오답 선택지 풀이 ① 경제적 수준을 반영한 소비를 강조하는 것은 합리적 소비이다. 따라서 갑이 을에게 제기할 수 있는 비판이다.

③ 개성의 표현을 강조한 소비는 합리적 소비와 윤리적 소비의 입장 모두 해당하지 않는다.

④ 과시 소비에 대한 비판으로 합리적 소비와 윤리적 소비의 입장 모두 해당하지 않는다.

⑤ 구매할 물품의 실질적인 유용성을 중시하는 것은 합리적 소비이다. 따라서 갑이 을에게 제기할 수 있는 비판이다.

유사 선택지 문제

03 ❶ × ❷ ○

올쏘 만점 노트 윤리적 소비와 합리적 소비

합리적 소비	자본주의 사회에서 경제적으로 최소의 비용으로 최대의 만족을 추구하는 소비
윤리적 소비	환경, 인권, 정의와 같은 윤리적 가치에 따라 상품이나 서비스를 선택하는 소비

04 공정 무역에 대한 긍정적 입장

제시문에서는 공정 무역이 아동 노동 문제를 해결하고, 후진국의 경제적 빈곤의 악순환을 끊는 데 도움을 줄 것이라고 주장한다. ⑤ 공정 무역이 실현되면 열악한 생산자들에게 합당한 이윤이 돌아가 선진국과 후진국 간의 분배 정의 실현에 기여할 수 있다.

오답 선택지 풀이 ① 공정 무역은 거대 국제 기업의 이윤 극대화로 인해 피해를 보는 생산자와 노동자를 보호하기 위한 목적을 띤다.
② 공정 무역은 소비자들에게 인권 보호와 사회 정의를 강조한다.
③ 공정 무역은 합리적인 소비문화의 정착과 큰 연관이 없다.
④ 공정 무역은 생산자의 합당한 이윤 보장과 공정한 가격 지불을 목적으로 한다.

올쏘 만점 노트 공정 무역의 목표

공정 무역의 목적은 우선 공정한 가격을 지불하여 생산자가 합당한 이윤을 받도록 하는 것이다. 또한 아동 노동 착취와 같은 문제를 해결하여 건강한 노동 환경을 추구한다. 생산자와의 직거래를 장기 계약함으로써 안정적인 노동 환경에 일조하며, 환경 보호를 위해 노력하는 것 역시 공정 무역의 목표에 해당한다.

05 주거 공간의 의미

제시문에서 갑은 인간의 행복한 삶을 위한 기본 터전으로서의 집의 기능을 강조하고 있다. 문제 상황에서는 집에 대한 경제적 가치만을 강조하여, 집의 본질적 의미를 잃은 상황이 나타나 있다.

오답 선택지 풀이 ㄴ. 갑은 주거 공간을 투자의 수단으로 보지 않았다. 경제적 가치의 강조로 인해 주거 공간이 불안정하고 불평등해지는 점에 대해 우려할 것이다.
ㄷ. 갑은 집을 공동체의 유대감을 형성하고 관계성을 회복하는 공간으로 보았다.

유사 선택지 문제

05 ❶ × ❷ ○

06 명품 선호 현상에 대한 비판

제시문은 정체성의 혼란을 예로 들어 명품 선호 현상의 문제점을 이야기하고 있다. 따라서 ㉠에는 명품 선호 현상의 부정적 측면이 들어가야 한다. 명품 선호 현상은 ㄱ. 과소비와 사치 풍조를 조장하고, ㄴ. 값비싼 재화만을 명품으로 여기는 왜곡 현상을 가져올 수 있으며, 상대적 박탈감을 느끼게 만들어 사회 계층 간의 분열을 촉진시킨다는 문제점이 있다.

오답 선택지 풀이 ㄷ. 명품 선호 현상은 사회 계층 간의 위화감을 높여서 사회 질서를 위협한다.
ㄹ. 제시문에서 '명품이 곧 나'라는 잘못된 정체성을 소유하게 된다고 지적하였다.

올쏘 만점 노트 명품 선호 현상에 대한 입장 비교

긍정적 입장	• 자본주의 사회에서 개인의 자유로운 소비는 정당함 • 우수한 품질과 희소성은 만족감과 소유자의 품격을 높임
부정적 입장	• 과시적 소비라는 그릇된 욕망의 표출에 불과함 • 사회적 위화감을 조성하여 상대적 박탈감과 사회 계층 분열을 촉진시킴

07 과식에 대한 아리스토텔레스와 에피쿠로스의 입장

갑은 아리스토텔레스, 을은 에피쿠로스이다. 아리스토텔레스는 음식을 먹을 때 중용을 지켜야 한다고 보며, ㄴ. 생존을 위한 음식 섭취는 자연적인 것으로 보았다. 에피쿠로스는 ㄷ. 과식 이후에 오는 고통을 고려하여 소박한 식습관을 가져야 한다고 주장하였다. 아리스토텔레스와 에피쿠로스는 모두 ㄹ. 지나친 음식 섭취나 음식에 대한 과욕을 조절하여 삶의 건강을 유지해야 한다고 보았다.

오답 선택지 풀이 ㄱ. 아리스토텔레스는 음식에 대한 욕망을 제거할 것이 아니라 결핍되거나 지나치지 않도록 적절하게 충족해야 한다고 보았다.

08 로컬 푸드 운동에 대한 개념

제시문은 로컬 푸드 운동과 비슷한 개념인 푸드 마일리지에 대한 설명이다. 푸드 마일리지는 식품이 생산자에서 소비자의 식탁에 오르기까지 이동 거리를 의미한다. 로컬 푸드 운동은 음식 재료의 이동 거리를 최소화하여 생산자와 소비자뿐만 아니라, 자연환경에도 이익이 돌아가도록 하는 것이다.

오답 선택지 풀이 ㄴ, ㄹ. 로컬 푸드 운동과는 관련이 없다.

09 미식가와 윤리적 소비의 관계

제시문에 따르면 '진정한 미식가'는 자신은 물론이고 타인이나 환경까지 고려하는 윤리적 소비를 실천하여 먹을거리를 구하는 사람이다.
② 윤리적 소비를 실천하는 미식가는 아동의 노동력을 착취하여 생산한 음식 재료의 거래를 반대할 것이다.

10 패스트 패션의 부정적 관점

제시문은 패스트 패션이 일으키고 있는 환경 오염의 문제에 대한 내용이다. 패스트 패션은 최신 유행과 변화하는 소비자의 취향에 즉각적으로 대응하여 생산과 소비가 빠르게 이루어질 수 있도록 하는 것을 말한다.

오답 선택지 풀이 ①, ② 제시문은 의복의 기능에 대한 내용이 아니라 패스트 패션이 야기한 환경 문제에 대한 내용이다.
③ 명품 선호 현상과 관련된 내용이다.
⑤ 제시문은 의복의 사회적 기능에 관한 내용이 아니다.

11 합리적 소비와 윤리적 소비의 특징

(1) 갑: 합리적 소비, 을: 윤리적 소비
(2) | 모범 답안 | 합리적 소비는 소비자의 자율적 선택권과 효용을 중시하고, 윤리적 소비는 환경, 인권, 정의 등의 보편적 가치를 고려한다.

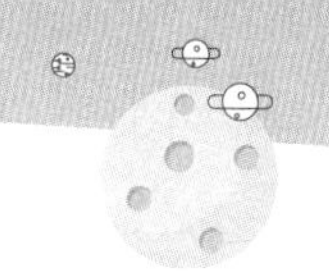

채점 기준	배점
합리적 소비와 윤리적 소비의 특징을 모두 옳게 서술한 경우	상
합리적 소비와 윤리적 소비 중 한 가지 특징만을 옳게 서술한 경우	하

12 주거의 윤리적 의미

| 모범 답안 | 집을 삶의 기본 터전으로 인식하고, 사람이 휴식과 평화로운 삶을 영위하기 위한 필수 요소라는 집의 본래적 의미를 상기해야 한다.

채점 기준	배점
현대 주거 문화의 문제점에 관한 해결책 두 가지를 옳게 서술한 경우	상
현대 주거 문화의 문제점에 관한 해결책을 한 가지만 옳게 서술한 경우	하

올쏘 상위 4% 문제

본문 105쪽

01 ③ 02 ① 03 ③ 04 ③

01 주거 공간에 대한 볼노브와 페스코트의 입장

자료 분석

갑: 집은 위험과 희생의 공간인 외부 공간과 구분되는 안정과 평화의 공간이다. 인간은 자신의 중심점인 집을 스스로 만들어 그곳에 뿌리내리고 살 때 진정한 거주를 실현한다. 인간은 이러한 거주의 실현을 통해 단순히 공간을 점유하는 것이 아닌 거주자가 됨으로써 자신의 본질을 실현하고 온전한 의미에서 인간이 될 수 있다.
집은 자신의 본질을 실현하는 공간=볼노브

을: 집은 거주자의 정체성을 드러낸다. 집안에 있는 각각의 공간을 합치면 집주인의 삶의 방식이 지도처럼 그려진다. 여행자가 어느 곳을 돌아다녔는지 보여 주는 여권 도장처럼, 거주자가 어떤 생활을 하는지 어떤 취향인지 고스란히 드러난다. 인간이 집과 맺고 있는 결속 방식은 특별한 것이다. 집은 그 집과 시공간으로 관련된 모든 이의 영혼과 그 집에 대한 모든 기억, 그 집을 향한 모든 그리움을 품고 있다.
집은 거주자의 정체성이 드러나고 삶의 방식을 담은 공간=페스코트

- 갑: 볼노브는 집을 삶의 안정과 여유를 통해 자신의 존재를 발견하는 공간이라고 본다.
- 을: 에드윈 페스코트는 집은 거주자의 정체성과 사고방식을 담고 있다고 본다.

ㄷ, ㄹ. 페스코트는 거주 공간이 거주자의 취향과 기호가 반영되어 있으며 거주자의 삶의 방식이나 기억을 담고 있다고 보았다.

오답 선택지 풀이 ㄱ. 볼노브와 페스코트는 모두 집은 거주자의 특성을 반영하고 있는 공간이라는 점에 동의할 것이다.

ㄴ. 볼노브와 페스코트 모두 '아니요'라고 대답할 진술이다.

02 먹을거리에 대한 자기 조절의 필요성

ㄱ. 제시문에서는 식욕을 자연스러운 욕망의 하나로 인정하고 있다.

ㄴ. 제시문에서는 인간이 자신의 먹는 행위를 마땅한 정도로 조절해야 한다고 강조한다.

오답 선택지 풀이 ㄷ. 먹을거리에 대한 개인의 취향을 전적으로 존중할 경우 음식에 대한 지나친 섭취로 이어질 수 있으므로 제시문에서 강조하는 내용으로 보기 어렵다.

ㄹ. 제시문에서는 먹을거리에 대한 조절을 강조하고 있으므로 동물성 단백질에 대한 지나친 섭취를 경계할 것이다.

03 유행에 대한 복합적 관점

제시문은 유행이 모방과 동조 현상, 상류 계층의 차별화 현상 등이 복합적으로 작용한 결과라고 설명한다.

③ 제시문에 따르면 유행은 상류 계층에 대한 모방의 욕구와 하류 계층에 대한 차별화 전략으로 인해 발생한다.

오답 선택지 풀이 ① 제시문은 유행이 개인의 기호만을 반영한 것이 아니라 모방과 동조 현상 등이 복합적으로 얽혀 작용한 결과라고 보기 때문에 부정의 대답을 할 질문이다.

② 제시문에서는 기업의 명품 판매 전략과 그 극복에 대해서는 이야기하고 있지 않다.

④ 제시문에 따르면 유행은 오히려 과소비와 사치 풍조를 조장할 수 있다.

⑤ 제시문은 유행이 우수 품질의 제품이 생산되었을 때만 발생한다고 보지 않기 때문에 부정의 대답을 할 질문이다.

04 과시적 소비의 특징

자료 분석

고도로 산업화된 사회에서 명성을 획득할 수 있는 근거는 재력이다. 재력을 과시하는 방편인 동시에 명성을 획득하고 유지하는 방편은 과시적 여가와 과시적 소비이다. 두 가지 방편은 모두 그런 여가나 소비의 가능성을 지닌 중하류 계급에서도 유행하기에 이른다. 과시적 여가와 과시적 소비의 발달 과정을 탐색해 보면 공통으로 낭비라는 요소가 작용했음을 알 수 있다. 그것은 한편으로는 시간과 노력의 낭비이고, 다른 한편으로는 재화의 낭비이다. 명성 획득을 위한 수단으로 유용할 뿐만 아니라 체면 유지를 위한 요소로도 강조되는 과시적 소비는 개인의 인간적인 접촉이 가장 광범위하게 이루어지고 인구 이동이 가장 심한 사회의 구성원들에게는 최선의 소비로 여겨진다.
과시적 소비는 부유층을 모방하려는 계층에 의해서도 주도될 수 있다.
과시적 소비는 사치품 시장에서 일반 사람들과 신분이 다르다는 것을 과시하려는 부유층에 의해 주도된다.

제시문은 '베블런 효과'에 관한 내용으로, 이는 가격이 올라도 과시욕 때문에 수요가 증가하는 현상을 일컫는다. 부유층의 소비가 중하류 계층에서도 나타나는 것은 물건의 가격이 중하류 계층이 감당하기에는 비싸더라도 중하류층이 부유층의 소비 행태를 모방하려는 습성 때문이며, 더 많은 사람들이 물건을 사고자 하여 수요가 증가하게 된다.

ㄴ. 제시문에서 과시적 소비는 부유층을 모방하려는 일반 대중에 의해서도 이루어질 수 있다고 본다.

ㄷ. 가격이 상승해도 과시욕으로 인해 수요가 증가하는 것을 베블런 효과라고도 한다.

오답 선택지 풀이 ㄱ. 과시적 소비는 생필품이 아닌 가격이 높은 사치품 시장에서 발생한다.

ㄹ. 과시적 소비는 인간 접촉이 광범위하고 인구 이동이 심한 사회의 사람들이 주도한다.

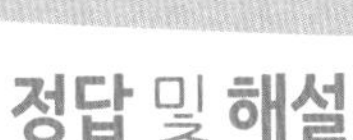

14 다문화 사회의 윤리

개념 확인 문제 본문 108쪽

01 용광로 이론, 국수 대접 이론, 샐러드 볼 이론 02 (1) ㄹ (2) ㄴ (3) ㄷ 03 (1) ㉡ (2) ㉠

올쏘 시험에 꼭 나오는 문제 본문 108~110쪽

01 ② 02 ① 03 ① 04 ⑤ 05 ② 06 ① 07 ② 08 ② 09 ① 10 ⑤ 11~12 해설 참조

01 동화주의와 문화 다원주의

제시문의 갑은 동화주의, 을은 문화 다원주의의 입장이다. 동화주의는 이민자를 주류 사회의 언어나 문화에 동화시켜 이들에게 새로운 정체성을 부여하는 정책이다. 문화 다원주의는 문화의 다양성을 인정하지만, 주류 사회의 문화를 기본 바탕으로 하여 문화적 다원성을 용인해 준다.

오답 선택지 풀이 ㄱ. 문화의 특수성을 유지하도록 인정해 주는 것은 문화 다원주의이다.

ㄹ. 동화주의는 각 문화의 다양성을 존중하는 것과 거리가 멀다.

올쏘 만점 노트 동화주의와 문화 다원주의 특징

동화주의	• 다양한 문화를 섞어 주류 문화 중심의 통합을 함 • 하나의 새로운 문화를 창출할 수 있음 • 소수 문화를 무시하여 문화 다양성을 훼손할 수 있음
문화 다원주의	• 주류 문화를 바탕으로 하지만 비주류 문화도 허용함 • 소수 문화의 정체성을 존중하고 문화 다양성을 인정함 • 주류 문화가 주체로서 존재해야 하는 점을 강조함

02 종교에 대한 엘리아데의 입장

제시문은 엘리아데의 관점이다. 엘리아데는 우주는 신의 창조물이고 성스러움으로 가득 차 있다고 주장한다. 그는 일상에서 성스러움은 그 자체로 드러나지는 않지만 속된 세계와 더불어 나타난다는 점을 강조한다.

오답 선택지 풀이 ② 엘리아데는 일상적인 대상 속에서도 성스러운 것이 흐르고 있다고 본다.

③ 엘리아데는 신념이나 믿음을 버리라고 하지 않는다.

④ 엘리아데는 속된 세계에서 여러 사물을 통해 성현이 이루어진다고 주장한다.

⑤ 엘리아데는 자연적인 것과 초자연적인 것의 밀접한 상호 관련성을 주장한다.

03 종교에 대한 다양한 입장

제시문의 갑은 마르크스, 을은 프로이트, 병은 엘리아데이다. 마르크스와 프로이트는 종교는 인간이 필요에 의해 만들어 낸 산물이라고 파악한다. 엘리아데는 비종교적인 인간의 대부분은 의식하지 못해도 여전히 종교적으로 행동하고 있다고 주장한다. 즉, 종교는 인간에게 선천적으로 존재한다고 본다.

오답 선택지 풀이 ② 갑, 을, 병이 모두 부정할 질문이다.

③ 갑, 을은 부정, 병은 긍정할 질문이다. 엘리아데는 유한성을 인식하는 인간은 초월적이고 절대적인 존재와 세계를 향한 믿음을 가지고 이상적 경지에 이르고자 한다고 보았다. 이는 초월적이고 영원불변하는 신의 존재를 전제로 한 것이다.

④, ⑤ 갑, 을은 부정, 병은 긍정할 질문이다.

04 종교 갈등에 대한 큉의 입장

제시문은 큉의 관점이다. 큉은 종교 간의 이해와 대화를 통해 종교 간의 갈등을 줄여야 한다고 강조하였다. 그는 종교 간의 대화는 무지와 오해로 인한 편견을 제거하고 다른 종교를 올바르게 이해할 수 있도록 도와주며, 이러한 대화 역량이 곧 종교 간의 평화를 가능케 한다고 보았다.

오답 선택지 풀이 ① 큉은 단일 종교로의 통합을 주장하지 않는다.

② 큉은 자신의 종교의 절대성을 고수하려는 태도는 바람직하지 않다고 본다.

③ 큉은 대화를 통해 불신이나 비판적 의식을 해소할 수 있다고 본다.

④ 큉은 대화가 중단되는 곳에서 전쟁이 일어났다고 보기 때문에 비판도 대화로서 중요시 여겨야 한다고 본다.

올쏘 만점 노트 큉의 대화 역량을 통한 평화

큉은 대화 역량이 평화 역량과 연결된다고 보았다. 대화는 정신적인 생존과 윤리적인 생존을 좌우한다는 그의 주장은 인간이 대화로 인해 이론과 실천에 변화가 생길 수 있음을 보여 준다. 따라서 큉은 신학적인 연구를 바탕으로 한 종교 대화로 상대방을 합리적으로 설득하여 종교 평화를 이루어야 한다고 하였다. 즉, 종교 대화가 종교 평화로, 종교 평화가 세계 평화로 연결된다고 보았다.

05 자문화 중심주의와 문화 사대주의

ㄱ. ㉠은 자문화 중심주의, ㉡은 문화 사대주의이다. ㄹ. 자문화 중심주의와 문화 사대주의는 모두 문화적 편견에서 비롯된 문제로 극복되어야 한다.

오답 선택지 풀이 ㄴ. 자문화 중심주의는 타국에 대한 자국의 문화적 지배와 종속의 질서를 정당화한다.

ㄷ. 문화 사대주의는 다른 나라의 문화를 우위로 보기 때문에 모든 문화를 평등하게 인정하는 태도와 거리가 멀다.

06 샐러드 볼 이론의 사례

제시문의 갑은 다문화주의의 관점으로 개별 문화들을 대등하게 존중할 것을 강조한다. 갑은 샐러드 볼 이론을 통해 여러 민족의 문화가 평등함을 설명하고 있다. 즉, 각기 다른 재료가 섞여 고유의 맛을 지키면서 샐러드가 되듯이, 다양성이 공존하는 사회를 추구한다.

오답 선택지 풀이 ㄴ. 다문화주의가 아닌 동화주의의 관점에서 할 수 있는 조언이다.

ㄹ. 샐러드 볼 이론에서는 주류와 비주류를 구분하지 않고 평등하게 고려할 것을 주장한다.

유사 선택지 문제

06 ❶ ○ ❷ ×

07 다문화 사회에 대한 부정적 관점

㉠에는 다문화 사회에서 발생할 수 있는 부정적 측면이 들어가야 한다. 다문화 사회에서는 ㄴ. 문화 충돌 현상이나 ㄷ. 문화적 편견, 차별 등으로 인한 다양한 사회 문제가 나타날 수 있다.

오답 선택지 풀이 ㄱ. 다문화 사회에서는 여러 문화를 접할 수 있는 기회가 증가한다는 긍정적 측면이 있다.
ㄹ. 다문화 사회는 수평적 문화로 문화 역동성이 크다.

08 문화 상대주의와 윤리적 상대주의

제시문은 다른 나라의 문화를 인정해 주는 문화 상대주의가 윤리적 상대주의로 흐르는 것을 경계하고 있다. ㉠에는 윤리적 상대주의가 지니는 위험이 들어가야 한다. 윤리적 상대주의는 인간 존엄성과 같은 보편적 가치를 훼손하거나 사회 정의를 해치는 행위에 대해서까지 인정하게 된다는 위험이 있다.

오답 선택지 풀이 ㄴ. 문화 상대주의를 인정하지 않을 경우의 문제점에 해당한다.
ㄹ. 윤리적 상대주의는 시대와 장소에 따라 다른 도덕을 너무 인정하기 때문에 문제가 발생한다.

09 종교의 다양한 특징

제시문은 종교의 내용적 측면과 형식적 측면을 구분하여 설명하고 있다. 인간은 종교의 두 측면을 통해 초월적이고 절대적인 존재와 세계를 향한 믿음으로 유한성을 극복하고 이상적인 경지에 도달할 수 있다고 본다.

① 종교의 교리나 경전에는 합리적, 과학적으로도 설명할 수 없는 성스럽고 비이성적인 내용이 존재한다.

10 종교 갈등의 해결 방안

제시문은 다양한 종교 갈등 사례에 대해 설명하고 있다.

⑤ 종교 간의 갈등을 극복하기 위해서는 종교의 자유를 인정하고 타 종교에 대해 관용의 태도를 가져야 한다.

오답 선택지 풀이 ① 종교의 갈등을 해결하기 위해서는 무력이 아니라 대화를 통해 종교 간의 갈등을 줄여야 한다.
② 종교를 강제로 권하는 것은 종교 갈등의 바람직한 해결 방안이 아니다.
③ 과학과 종교의 영역을 서로 존중하는 것이 갈등을 피하는 방법이다.
④ 종교의 자유는 존중되어야 하지만 인간의 보편적 가치를 위반한다면 종교로서 인정될 수 없다.

11 관용의 한계

(1) | 모범 답안 | 관용을 무제한으로 허용한 결과 관용 자체를 부정하는 사상이나 태도까지 인정하게 되는 것

(2) | 모범 답안 | 타인의 인권과 자유를 침해하지 않는 범위, 사회 질서를 훼손하지 않는 범위

채점 기준	배점
관용의 개념을 정확히 알고, 관용에 대한 한계 범위를 두 가지 모두 옳게 서술한 경우	상
관용의 개념을 정확히 알고, 관용에 대한 한계 범위 중 한 가지만 옳게 서술한 경우	중
관용의 개념을 정확히 알고, 관용에 대한 한계 범위를 추상적으로 서술한 경우	하

12 종교와 윤리의 관계

(1) | 모범 답안 | 인간의 존엄성을 실현하는 윤리적 계율과 덕목을 중시한다.

(2) | 모범 답안 | 다른 종교에 대한 배타적인 태도나 다른 종교에 대한 무지와 편견으로 인하여 발생하는 경우가 많다.

채점 기준	배점
종교의 공통된 특징과 종교 갈등의 원인을 모두 옳게 서술한 경우	상
종교의 공통된 특징을 서술하였으나 종교 갈등의 원인을 명확하게 서술하지 못한 경우	중
종교의 공통된 특징을 제대로 파악하지 못하고 추상적으로 서술한 경우	하

올쏘 상위 4% 문제

본문 111쪽

01 ③ 02 ② 03 ⑤ 04 ③

01 종교와 과학의 입장 비교하기

자료 분석

갑: 종교는 신앙을 통해 진리로 나아갈 수 있도록 하는 매혹적이고 신비한 감정의 체험이다. 세계는 신비로 가득하므로 인간 이성이 과학적으로 인식하는 틀 속에 가둘 수 없다. 방향을 잡기 어려운 현실에서 종교를 통해 삶의 의미와 목적을 추구해야 한다.
→ 직관적이고 신비한 감정의 체험으로서 종교적 진리를 인정한다.

을: 과학은 사실에 토대하며 현상이 어떻게 일어나는지 그 원인을 찾고 반증 가능성에 대해 열린 자세를 취해야 한다. 물리적인 것 외에는 실재성이 이성적으로 증명될 수 없으므로, 객관적으로 입증 가능한 사실에 근거하여 진리를 추구해야 한다.
→ 과학적이고 객관적으로 입증 가능한 사실에 근거하여 진리를 추구해야 한다.

ㄴ. 종교적 체험을 인정하는 갑이 긍정할 내용이다.
ㄹ. 객관적으로 입증 가능한 사실만을 진리로 인정하는 을이 긍정할 내용이다.

오답 선택지 풀이 ㄱ. 을이 긍정할 질문이므로 C에 해당하는 진술이다. 을은 객관적으로 입증 가능한 사실을 바탕으로 진리를 추구해야 한다고 본다.
ㄷ. 갑은 종교적 진리를 절대적으로 보므로 부정의 대답을 할 것이다.

02 종교에 대한 엘리아데의 입장

제시문은 엘리아데의 주장이다. 엘리아데는 모든 것은 성을 부분적으로라도 구현할 수 있다고 보고, 성과 속의 이분법은 불가능하며 불필요하다고 본다.

ㄱ. 엘리아데는 현실 세계에 성과 속이 공존한다고 주장하였다.
ㄷ. 엘리아데는 나무와 같은 일상적 대상에서도 성스러운 것이 나타날 수 있다고 보았다.

오답 선택지 풀이 ㄴ. 엘리아데는 우리가 사는 일상에 성스러움이 공존하기에 초자연적인 것과 자연적인 것을 구분할 필요가 없다고 보았다.
ㄹ. 엘리아데는 과학적 탐구 방법을 강조하지 않는다.

03 동화주의와 다문화주의

자료 분석

갑: 이민자들이 기존에 자신들이 가지고 있는 언어, 문화, 사회적 특성을 완전히 포기할 때에만 주류 사회의 일원으로 수용해야 한다. (이민자들이 자신의 문화적 정체성을 포기해야 한다는 입장이다.) 주류 사회는 자국의 구성원이 될 준비가 끝나고, 기존의 문화적 정체성을 포기한 사람에 한하여 부분적으로 구성원으로서의 자격을 부여해야 한다.

을: 이민자들은 자신들만의 문화적 정체성을 유지할 수 있어야 한다. (이민자들의 문화를 기존 사회의 문화와 동등하게 취급해야 한다는 입장이다.) 어느 나라라도 소수 민족의 문화를 자국의 문화와 대등하게 공존할 수 있도록 정책적으로 도와주어야 한다. 이민자들은 누구든지 자신의 언어와 습관, 종교 등을 부정하지 않고 기존의 사람들과 공존할 수 있어야 한다.

⑤ 이민자의 고유 문화와 기존 문화가 동등하게 공존해야 한다는 질문에 갑은 부정, 을은 긍정할 것이다.

오답 선택지 풀이 ①, ② 갑은 긍정, 을은 부정의 대답을 할 질문이다.
③, ④ 갑과 을이 모두 부정할 질문이다.

04 종교와 윤리의 관계

ㄴ. 갑은 신의 명령에서 도덕 판단의 근거를 찾고 있다.
ㄷ. 을은 인간의 이성에서 도덕 판단의 근거를 찾고 있다.

오답 선택지 풀이 ㄱ. 갑은 보편적인 도덕 판단의 기준을 신에게서 찾고 있기 때문에 보편적 도덕 판단의 기준이 없다고 보는 것은 아니다.
ㄹ. 을은 인간의 이성적 판단에 오류가 없다고 주장하는 것은 아니다.

VI. 평화와 공존의 윤리

15 갈등 해결과 소통의 윤리 & 민족 통합의 윤리

개념 확인 문제 본문 114쪽

01 (1) ○ (2) ○ (3) × (4) × 02 (1) 지역 갈등 (2) 화쟁 (3) 대화
03 (1) ㄴ (2) ㄹ

시험에 꼭 나오는 문제 본문 114~116쪽

01 ⑤ 02 ④ 03 ① 04 ② 05 ② 06 ⑤ 07 ②
08 ② 09 ① 10 ② 11~12 해설 참조

01 사회 갈등 해결의 자세

사진은 우리 사회의 갈등 중 노사 갈등을 다룬 공익 광고로, 노사가 서로 자기 주장만 하면 갈등을 해결하기 어렵다는 점을 의미한다. 이러한 갈등을 해결하기 위해서는 상호 존중과 신뢰에 바탕을 둔 소통을 해야 한다. 또한 서로를 존중하는 관용과 역지사지의 자세로 소통하고 조화를 이루기 위해 노력해야 한다.

오답 선택지 풀이 ① 갈등 해결을 위해 상대방의 의견을 무조건 수용하는 것은 오히려 근원적 해결을 어렵게 한다. 상대방의 입장에서 생각하고 조금씩 양보하여 서로 이해를 절충하는 것이 바람직하다.
② 갈등은 사회 통합을 어렵게 하지만 그 자체로 나쁜 것만은 아니다. 갈등을 통해 사회에 내재된 문제를 명확히 인식함으로써 발전의 계기로 삼을 수 있기 때문이다.
③ 노사의 협상도 중요하다.
④ 노사 갈등의 문제가 해결이 어려울 때는 정부의 중재가 필요할 수 있으나, 그전에 서로 이해와 양보로 타협하는 것이 우선이다.

02 사회 갈등의 원인

갑과 을은 원하지 않는 시설을 자신이 사는 지역에 설치하지 않으려고 다투고 있다. 이러한 갈등은 ㄷ. 자신의 생각만을 절대시한 나머지 다른 사람의 생각을 무시할 경우에 심화된다. 또한 ㄱ. 이해관계의 대립이나 첨예하게 의견이 대립하는 주제를 두고 ㄷ. 소통이 부족하거나 한쪽에게만 유리하게 결론이 나는 경우에도 갈등이 발생할 수 있다.

오답 선택지 풀이 ㄴ. 사회 현상에 대한 생각이나 가치 판단은 개인과 집단에 따라 다양하다.

03 사회 윤리의 기본 원리

사회 통합을 위한 사회 윤리의 기본 원리는 연대성, 공익성, 보조성이다. 인간은 고립되어 살아가지 않으며 사회의 일부로서 공동체의 일에 참여하고 서로 긴밀하게 연결되어 있다. 따라서 사회 구성원들 간에는 연대 의식이 필요하다(연대성). 또한 사회 구성원들은 사익뿐만 아니라 공익을 존중할 때 자신의 인간 존엄성 역시 보장받을 수 있다(공익성). 만약 개인이나 소규모 공동체가 제대로 기능을 못하여 국가의 도움을 받아야 할 경우, 국가는 개인이나 공동체의 권리를 침해하지 않으면서 보조적으로 이들을 도와주어야 한다(보조성).

오답 선택지 풀이 ②, ③, ④, ⑤ 사회 윤리의 기본 원리와 거리가 멀다.

04 사회 통합을 위한 동양 사상

제시문은 공자가 제시한 화이부동(和而不同)이다. 화이부동이란 남과 조화롭게 지내되 의(義)를 굽혀 좇지는 아니한다는 뜻으로, 남과 화목하게 지내지만 자기의 중심과 원칙을 잃지 않는다는 의미이다. 이는 오늘날 다양한 사회 갈등을 극복하기 위한 교훈이 될 수 있다.

오답 선택지 풀이 ① 동이불화(同而不和)는 겉으로는 동의(同意)를 표시하면서 속마음은 그렇지 않다는 뜻이다. 부화뇌동(附和雷同)할 뿐 진정으로 화합(和合)하고 있는 것이 아님을 의미한다.
③ 온고지신(溫故知新)은 옛것을 익히고 새것을 안다는 뜻으로, 과거 전통과 역사를 바탕으로 새로운 지식을 습득해야 제대로 된 앎이 될 수 있다는 말이다.
④ 동도서기(東道西器)는 동양의 도덕, 윤리, 지배 질서를 그대로 유지한 채 서양의 발달한 기술, 기계를 받아들여 부국강병을 이룩한다는 의미이다.
⑤ 근묵자흑(近墨者黑)은 먹을 가까이하다 보면 자신도 모르게 검어진다는 뜻으로, 사람은 주위 환경에 따라 변할 수 있다는 것을 의미한다.

05 원효의 화쟁 사상

원효는 화쟁(和諍) 사상을 통해 내가 지금 바라보는 것이 부분에 지나지 않음을 인정하고, 다른 사람들이 바라보는 부분과의

조합을 통해 더욱 타당한 견해에 이를 수 있음을 강조하였다. 이러한 입장에서 문제 상황의 사회 갈등을 극복하기 위해서는 ㄱ. 자신에 대한 집착과 상대방에 대한 편견을 버리고, ㄹ. 특수하고 상대적인 각자의 입장에서 벗어나 대승적 차원에서의 융합이 필요하다.

오답 선택지 풀이 ㄴ. 원효는 이것 아니면 저것이라는 흑백의 논리에서 벗어나 대승적 차원에서 융합할 것을 강조하였다.

ㄷ. 원효는 자신의 생각이나 판단이 절대적 진리라고 믿는 것에서 벗어나야 한다고 강조하였다.

유사 선택지 문제

05 ❶ ○ ❷ × ❸ ○

올쏘 만점 노트 원효의 일심(一心) 사상

여러 교리와 사상이 있다고 하더라도 그것은 모두 중생(衆生)을 대상으로 하는 부처의 가르침이며, 그것이 목적으로 하는 바는 모두 깨달음이라는 점에서 한마음[一心]이라는 사상이다. 이처럼 원효는 특수하고 상대적인 각자의 입장에서 벗어나 대승적으로 융합해야 함을 강조하였다.

06 하버마스의 담론 윤리

자료 분석

우리가 사는 생활 속에는 의사소통의 합리성이 작용하고 있다. 의사소통의 합리성이란 상호 간의 논증적인 토론 과정을 거쳐 보편적인 합의에 도달하는 것을 말한다. 인간은 사회적 존재로서 자신을 비롯한 다른 구성원들 모두 의사소통의 합리성을 지니고 있고, 다른 사람의 주장을 수용하거나 거부할 수 있으며, 자신의 의사 표현에 대해 책임을 질 수 있는 존재이다.

—• 하버마스의 담론 윤리

제시문은 하버마스의 주장이다. 하버마스는 가치의 충돌을 합리적으로 조정하여 도덕적 갈등을 공정하게 해결하는 것이 중요하다고 보고, 도덕 판단의 정당성을 공적 담론에서 찾았다. 그는 의사소통의 합리성을 실현해야 서로 갈등하는 다양한 의견을 합리적으로 논의하여 합의에 도달할 수 있고, 대화에 참여한 모든 사람이 합의 결과를 수용할 수 있다고 주장하였다.

오답 선택지 풀이 첫 번째 관점: 의사소통의 합리성이 작용할 때에는 다른 사람의 주장을 거부할 수도 있다.

유사 선택지 문제

06 ❶ ○ ❷ ○ ❸ ○

07 하버마스의 이상적 담화 조건

하버마스는 의사소통 과정에서도 지켜야 할 규범이 있다고 주장하였다. 그는 누구나 평등하게 의사소통 과정에 참여할 수 있어야 하고, 어떤 주장이든 자유롭게 개진할 수 있어야 하며, 의사소통 과정에 참여한 사람은 참되고 옳고 진실하며 이해할 수 있는 말을 해야 한다고 보았다.

② 하버마스는 합리적 의사소통을 위한 이상적 대화 상황의 조건을 제시하면서 누구나 다른 사람의 주장에 대하여 의문을 제기하거나 비판할 수 있다고 하였다.

올쏘 만점 노트 의사소통 과정에서 지켜야 할 규범

- 대화 상대를 동등한 인격의 소유자로 대하고 판단력과 지각이 있는 주체로 대한다.
- 어떤 상황에서든 본인이나 다른 대화 상대자를 기만하거나 속일 의도를 가져서는 안 된다.
- 모든 대화 참가자는 타인의 의견을 경청하고, 이들의 물음에 개방적으로 답변하고 토론에 임한다.
- 인종 또는 계급적 편견이나 지위가 대화 상대의 의견을 막기 위한 억압적 수단으로 사용되어서는 안 된다.
- 대화 중에 제기된 물음이나 질문에는 그 어떤 금기도 적용되지 않으며, 누구도 질문에서 벗어나는 특권을 누릴 수 없다.

– 하버마스, "의사소통 행위 이론"

08 남북통일을 위한 자세

제시문은 남북한의 진정한 통합을 위해 신뢰의 자세가 필요함을 서술하고 있다. 따라서 적절한 제목은 '남북한 문화적 갈등을 줄이기 위해 필요한 자세'가 될 것이다.

오답 선택지 풀이 ① 국제 사회에 보이기 위한 외형적 통일은 진정한 의미의 통일이 아니다.

③ 제시문의 내용은 북한 사회에 대한 원조와 거리가 멀다.

④ 진정한 남북의 통일을 위해서는 남한과 북한이 서로의 문화를 이해하고 존중하는 자세가 필요하다.

⑤ 남북의 정치 · 경제의 발전을 통한 통합도 중요하지만 제시문의 내용과는 직접적인 관련이 없다.

09 통일 비용, 분단 비용, 통일 편익

㉠은 통일 비용, ㉡은 분단 비용, ㉢은 통일 편익이다. 통일 비용은 통일 과정과 통일 이후에 우리 민족이 남북한 간의 격차를 해소하고 이질적인 요소를 통합하는 데 부담해야 할 정치, 경제, 사회, 문화의 비용을 말한다. 분단 비용은 남북한 분단의 결과인 대결과 갈등 때문에 지출되는 유 · 무형의 비용으로, 소모성 지출 비용이다. 분단 비용은 군사 대결 비용인 국방비, 외교적 경쟁 비용, 이산가족과 국군 포로 및 납북자 가족의 슬픔과 고통, 남남 갈등 등과 같은 문제를 해결하는 데 지불하는 비용으로 통일이 되면 소멸한다. 통일 편익은 통일로 얻게 되는 경제적 · 경제 외적 보상과 혜택으로, 분단 비용 해소, 규모의 경제 실현, 시장 확대, 산업 및 생산 요소의 보완성 증대 등의 경제적 편익과 이산가족 문제 해결, 국제 사회에서의 위상 제고, 전쟁 위험의 해소 등의 경제 외적 편익이 있다.

오답 선택지 풀이 ② 통일 편익에 대한 설명이다.

③, ④ 통일 비용에 대한 설명이다.

⑤ 분단 비용에 대한 설명이다.

유사 선택지 문제

09 ❶ × ❷ ○ ❸ ○

10 통일 한국의 미래상

통일 한국의 미래상은 수준 높은 문화 국가, 자주적인 민족 국가, 정의로운 복지 국가, 자유로운 민주 국가이다.

② 외세에 의존하는 통일이 아니라 우리의 힘으로 통일 국가를 만들어야 하며, 통일 후 자주적인 민족 국가로서의 역할을 수행

해야 한다. 이를 위해서 정치, 군사적 측면뿐만 아니라 경제, 문화적 측면에서도 자주성을 실현하기 위해 노력해야 한다.

올쏘 만점 노트 **통일 한국의 미래상**

통일 한국은 사회 발전과 국가 경쟁력의 원동력인 문화 자원을 발굴 · 육성하고, 동서양의 우수한 문화를 수용하여 세계적인 문화 국가를 이룩할 수 있도록 노력해야 한다. 또한 외세 의존적인 통일이 아니라 우리의 힘으로 통일 국가를 만들어야 하며, 통일 후 자주적인 민족 국가로서의 역할을 수행해야 한다. 이를 위해서 정치 · 군사적 측면뿐만 아니라 경제 · 문화적 측면에서도 자주성을 실현하기 위해 노력해야 한다.
통일 한국은 사회 구성원들의 삶의 질을 향상하고 풍요로운 복지 국가를 지향해야 한다. 따라서 사회 구성원들의 삶의 질을 풍요롭게 만들 수 있는 방안을 모색해야 한다. 특히 통일 한국은 불공정한 부의 분배나 집단과 계층 간의 사회적 갈등을 해소하기 위해 노력해야 한다.
통일 한국은 정치적으로 자유로운 민주 국가를 지향해야 한다. 자유로운 민주 국가란 특정 계급이나 정파가 아닌 국민의 의사에 따라 국가의 정책을 결정하고, 국민을 위한 정치가 이루어지는 국가이다. 자유로운 민주 국가를 이룩하기 위해서 남북한은 통일의 과정에서 비민주적인 사회 구조나 제도를 개선하려는 노력이 필요하다.

11 사회 통합을 위한 노력

| 모범 답안 | (가): 사회의 가치를 배분하는 과정에서 공정하고 투명한 절차와 기준을 확립하여 소외받는 사람이 생기지 않도록 해야 한다. 이를 위해서는 절차와 과정의 정당성과 신뢰를 통해 법치주의를 확립하고 공정 사회를 구현해야 한다.
(나): 다양성을 인정하면서 대화와 토론으로 의사 결정을 하는 성숙한 민주 시민의 자세가 필요하다. 다른 사람의 가치관과 신념이 나와 다를 수 있음을 이해하고, 양보와 관용의 정신을 발휘함으로써 사회 통합으로 가는 초석을 다질 수 있다.

채점 기준	배점
제도적 차원의 노력과 의식적 차원의 노력을 각각 옳게 서술한 경우	상
제도적 차원의 노력과 의식적 차원의 노력 중 하나만 옳게 서술한 경우	하

12 평화 비용의 의미와 특징

(1) 평화 비용
(2) | 모범 답안 | 분단으로 인한 대립과 갈등으로 발생하는 비용인 분단 비용과 통일 이후에 남북한의 경제 격차를 해소하고 이질적인 요소들을 통합하는 데 소요되는 유형 · 무형의 비용인 통일 비용을 절감할 수 있다.

채점 기준	배점
평화 비용의 혜택에 대해 옳게 서술한 경우	상
평화 비용의 혜택에 대해 옳게 서술하지 못한 경우	하

올쏘 상위 4% 문제 본문 117쪽

01 ① 02 ② 03 ④ 04 ⑤

01 하버마스의 담론 윤리

자료 분석

오늘날 시민들은 공적 장소에서 토론할 기회를 제대로 가질 수 없을 뿐만 아니라, 그러한 공적 토론이 시민들에게 권장되지도 않는다. 시민들 간의 합리적 의사소통이 없으면 건강한 민주 사회를 유지할 수 없게 된다. 이러한 문제를 극복하기 위해서는 자유롭고 평등한 시민들에 의해 공적 문제에 대한 문제 제기와 토론이 활성화되어야 한다. 민주적 공론장에서 이성적인 시민들이 모두가 합의할 수 있는 논증의 형태로 대화에 참가하고, 그 토론의 결과가 법체계에 반영된다면 현대 사회의 다양한 정치적 · 윤리적 문제를 해결할 수 있을 것이다.
옳고 그름에 대한 판단의 정당성을 공적 담론에서 찾음
→ 하버마스의 담론 윤리

제시문은 하버마스의 담론 윤리이다. 담론 윤리는 옳고 그름에 대한 판단의 정당성을 공적 담론에서 찾는다.
① 담론 윤리는 현대 사회의 다양한 문제를 해결하는 데 특정한 관점을 제시하기보다는 공정한 담론의 절차를 강조한다.

오답 선택지 풀이 ② 하버마스가 부정의 답을 할 질문이다. 도덕 행위의 토대가 타인에 대한 배려의 감정에서 비롯된다는 입장은 배려 윤리이다.
③ 하버마스가 부정의 답을 할 질문이다. 하버마스는 도덕 판단의 정당성을 공적 담론에서 찾아야 한다고 본다.
④ 하버마스가 부정의 답을 할 질문이다. 도덕 판단에서 유덕한 성품을 지닌 사람의 실천적 지혜를 중시하는 입장은 덕 윤리이다.
⑤ 하버마스가 부정의 답을 할 질문이다. 도덕 문제 해결을 위해 가장 큰 효용을 가져오는 결과가 무엇인지 생각해야 한다고 보는 입장은 공리주의이다.

02 하버마스의 담론 윤리

자료 분석

행정 체계, 경제 체계, 생활 세계의 힘의 균형을 통해 사회 통합을 이룰 수 있습니다. 그런데 오늘날 행정 및 경제 체계의 영향력이 과도해져서 시민의 의사가 공적 결정에 올바르게 반영되지 못하고 있습니다. 돈과 권력의 힘이 생활 세계에서 진리, 올바름, 진실성이라는 의사소통적 합리성의 조건이 작동하는 것을 방해하기 때문입니다. 이를 해소하려면 의사소통적 합리성이 공론장에서 작동해야 합니다.
(하버마스의 이상적 담화 조건)
(하버마스의 담론 윤리)

그림의 강연자는 하버마스이다. 하버마스는 담론 윤리를 주장하면서 현대 사회에 이르러 사회적 행위를 조정하는 행정적 · 경제적 체계의 영향력이 과도하게 강화되면서 시민의 의사를 공적 결정에 올바르게 반영하지 못하는 문제가 발생한다고 지적한다. 그는 이러한 문제를 해결하기 위해서 이성적 존재들 간의 의사소통적 합리성을 실현해야 하며, 공정한 담론 절차에 의한 합의 결과를 공적 결정 과정에 올바르게 반영할 것을 주장한다.
② 하버마스는 공론장에서의 효율성보다는 정당성을 중시한다.

03 통일을 위한 남남 갈등의 극복

제시문은 우리 사회 내에서 통일에 대한 회의론이 증가하고 통일의 필요성에 대한 논란이 커지면서 남남 갈등이 발생하는 문제점을 이야기하고 있다. 남남 갈등을 극복하고 통일을 이루기 위해서는 ㄴ. 통일에 대한 국민적 공감대를 형성하고, ㄹ. 통일의 필요성에 대한 국민적 이해와 합의가 우선되어야 한다.

오답 선택지 풀이 ㄱ. ㄷ. 남남 갈등을 극복하기 위한 노력과 거리가 멀다.

04 통일을 위한 준비

제시문의 사례는 독일의 통일 이후의 상황을 보여 준다. 동서독 주민들은 각자 다른 체제에서 생활하였으므로 사고방식이나 정서가 달라 통일 이후에 서로를 비하하는 등의 갈등을 겪었다. 이를 통해 남한과 북한은 분단 상황에서 교류의 확대를 통해 사회적 · 문화적 차이를 줄여 나가면서 통일을 한다면 통일 이후의 갈등을 줄일 수 있음을 시사점으로 얻을 수 있다.

오답 선택지 풀이 ㄱ. 이데올로기적 편향성에 기초하면 서로 다른 정치 체제와 경제 체제 하에 있는 남북한 중 어느 한쪽에 치우치게 되고, 통일은 요원해진다.
ㄴ. 남북한의 진정한 통합을 위해서는 외형적 통일보다 교류의 확대를 통해 신뢰를 만들어 나가는 과정이 필요하다.

16 지구촌 평화의 윤리

개념 확인 문제 본문 120쪽

01 (1) ㄱ (2) ㄴ 02 (1) 적극적 평화 (2) 세계화 (3) 공적 개발 원조 (4) 정의 전쟁론 03 (1) × (2) ○ (3) ○

시험에 꼭 나오는 문제 본문 120~126쪽

01 ⑤ 02 ① 03 ① 04 ④ 05 ⑤ 06 ③ 07 ③
08 ② 09 ① 10 ③ 11 ① 12 ③ 13 ② 14 ⑤
15 ④ 16 ⑤ 17 ② 18 ⑤ 19 ② 20 ③ 21 ③
22 ④ 23 ① 24 ④ 25 ② 26 ④
27~28 해설 참조

01 국제 분쟁의 종류

(가)는 자원 분쟁, (나)는 종교 분쟁, (다)는 인종 · 민족 간의 분쟁의 사례이다. 국제 분쟁은 중국과 인도의 국경 분쟁처럼 국가 간에 더 넓은 영토를 확보하려는 영토 분쟁, 보스니아 민족 분쟁처럼 한 민족이 다른 민족을 억압하면서 발생하는 인종 · 민족 분쟁, 이스라엘과 팔레스타인의 분쟁처럼 다른 종교에 대한 불관용에서 발생하는 종교 분쟁, 북극해를 둘러싼 갈등처럼 석유나 천연가스 등 자원을 둘러싼 자원 분쟁 등 다양한 형태로 일어난다.

02 국제 분쟁으로 인한 결과

제시문은 종교로부터 비롯된 분쟁의 사례이다. 이러한 국제 분쟁은 여러 가지 윤리적 문제를 낳는다. 먼저 ㄴ. 지구촌의 평화를 위협한다. 국제 분쟁은 국제 사회의 분열과 갈등을 초래하며, 경쟁국에 대한 군사적 우위를 확보하려는 과정에서 핵무기나 생화학 무기 등을 개발하여 지구촌 전체의 불안을 가중하고 평화를 위협한다. 또한 ㄱ. 인간의 존엄성과 정의를 훼손한다. 이처럼 국제 분쟁이 종교나 민족 갈등과 결부되면 상호 간 적대감을 증폭하여 집단 살해, 인종 청소와 같은 반인도적 범죄가 자행되기도 하는데, 문제는 이러한 범죄의 가해자를 처벌하기가 어렵다는 점이다. 이처럼 국제 분쟁은 평화, 인권, 정의 등의 인류가 지향하는 보편적 가치를 훼손하는 윤리적 문제를 일으킨다.

오답 선택지 풀이 ㄷ. 국제 분쟁은 종교나 민족 갈등과 결부되면 상호 간 적대감을 증폭하여 집단 살해, 인종 청소와 같은 반인도적 범죄가 자행되기도 하는데, 문제는 이러한 범죄의 가해자를 처벌하기 어렵다는 것이다.
ㄹ. 국제 분쟁은 세계 시민으로서의 결합과 단결을 어렵게 한다.

03 지구촌 평화 실현을 위한 노력

(가)는 묵자의 겸애설이다. 묵자는 "자국을 사랑하듯이 타국을 사랑하라."라는 겸애(兼愛) 사상을 주장하였다. 따라서 (나)의 전쟁을 방지하기 위해서는 차별 없이 사랑해야 함을 강조할 것이다.

오답 선택지 풀이 ②, ③, ⑤ 국제 사회의 노력에 해당한다.
④ 자국의 이익을 우선하는 것은 국제 평화 유지에 걸림돌이 된다.

04 칸트의 환대권

제시문은 칸트의 주장이다. 칸트는 평화를 실현하는 방안으로 환대권을 강조하였다. 다양한 문화가 공존하고 이해관계가 상충하는 지구촌의 현실을 고려할 때 상호 존중과 관용의 자세는 분쟁의 예방과 평화의 실현을 위한 출발점이다.

오답 선택지 풀이 ① 자국의 이익을 가장 중시하는 것은 세계 평화를 위한 노력에 해당하지 않는다.
② 칸트는 영토 확장을 위한 전쟁에 반대한다.
③ 칸트는 자신의 이익을 위해 타인을 해쳐서는 안 된다고 주장한다.
⑤ 칸트는 평화를 실현하기 위해서는 군사력의 강화가 아닌 상호 존중과 관용의 자세가 필요하다고 본다.

05 국제 관계에 대한 현실주의와 이상주의 비교

현실주의 입장은 국제 관계에서 국가는 자국의 이익만을 추구한다고 보고, 국가 간 힘의 논리를 강조한다. 이러한 입장에서는 국제 분쟁을 해결하려면 국가 간에 세력 균형을 이루어야 한다고 주장한다. 이상주의적 관점에서는 인간이 이성적 존재이듯이 국가도 이성적이고 합리적이라고 보고 도덕과 규범을 강조한다. 그래서 잘못된 제도, 상대방에 대한 무지나 오해로 국제 분쟁이 발생한다고 본다. 현실주의적 관점에서 강조하는 국제 관계에서의 세력 균형은 언제든지 무너질 수 있으므로 평화를 보장하지 못한다는 한계점을 갖는다. 반면, 이상주의적 관점은 자국의 이익을 중시하는 현실적인 국제 관계를 설명하기 어렵다는 한계점을 지닌다.

06 국제 정의 실현을 위한 국제적 노력

국제 형사 재판소는 인간의 존엄과 가치 및 국제 사회의 정의를 실현하기 위해 설립된 상설 국제 재판소로 집단 살해죄 등 반인도적 범죄를 저지른 가해자의 처벌을 주로 담당하며, 국제 사법

재판소는 국제법을 통한 국가 간 분쟁 해결을 목적으로 설립된 국제 사법 기관이다.

오답 선택지 풀이 ② 국제 해양법 재판소는 대륙붕 경계, 어업권, 해양 환경 보호, 배타적 경제 수역 등 국가 간 해양 관련 분쟁을 도맡아 국제 해양법 협약을 통해 분쟁을 중재한다.
④ 국제 연합 평화 유지군은 국제 연합의 평화 유지 활동을 위해 안전 보장 이사회가 각 분쟁 지역에 파견하는 군대이다.

07 국제 관계에 대한 현실주의 입장

제시문은 국제 관계에 대한 현실주의의 입장이다. 현실주의는 국가 간의 전쟁은 국가들이 자국의 이익을 추구하기 때문이며, 손익 계산에서 이익이 될 것이라고 판단될 때 전쟁이 발생한다고 본다. 즉, 국제 사회를 자국의 이익을 추구하는 국가들의 무정부 상태로 파악한다.

오답 선택지 풀이 ①, ②, ④, ⑤ 현실주의에서는 부정의 답을 할 질문들이다. 국제 관계에 대한 이상주의의 입장에서 긍정의 답을 할 질문들이다.

08 국제 관계에 대한 구성주의 입장

제시문은 구성주의적 입장으로, 상대국과 어떤 관계를 맺고 어떻게 상호 작용을 하느냐에 따라서 국익이 좌우된다고 본다.

오답 선택지 풀이 ① 이상주의의 입장이다. 이상주의에서는 국가 간의 도덕성을 확보함으로써 국제 분쟁을 해결할 수 있다고 본다.
③ 현실주의의 입장이다. 현실주의에서는 국제 정치가 국가 간 이익의 투쟁으로 이루어진다고 본다.
④ 이상주의의 입장이다. 이상주의에서는 국가의 이익보다 인류의 보편적 가치를 통해 분쟁을 해결할 수 있다고 본다.
⑤ 현실주의의 입장이다. 현실주의에서는 국제 분쟁이 각 국가의 세력이 균형을 이룸으로써 해소된다고 본다.

올쏘 만점 노트 국제 관계를 바라보는 입장

현실주의	모겐소는 국가의 이익이 도덕성과 충돌할 때 도덕성보다 국가의 이익을 우선시한다고 주장한다. 왜냐하면 국민의 안녕과 국익을 지키는 것이 국가의 의무라고 생각하기 때문이다. 따라서 그는 국가의 힘을 키워서 세력 균형을 유지해야 분쟁을 해결할 수 있다고 본다.
구성주의	웬트에 의하면 국가는 상대국과의 상호 작용을 통해서 정체성을 형성하고 관계를 정립한다. 즉, 자국과 상대국이 적, 친구 혹은 경쟁자 중 어떤 관계인지, 어떻게 상호 작용할 것인지에 따라서 국익이 좌우된다. 따라서 자국과 상대국의 긍정적인 상호 작용을 통해 분쟁을 해결할 수 있다고 본다.
이상주의	칸트는 분쟁 관계에서 국가는 도덕성을 고려해야 하며, 국가의 이익보다 인간의 존엄성, 자유, 평등 등 보편적인 가치를 우선하여 달성해야 한다고 주장한다. 그는 국제기구, 국제법, 국제 규범 등 제도의 개선으로 집단 안보가 형성되면 국제 분쟁을 해결할 수 있다고 본다.

09 전쟁에 대한 다양한 관점

자료 분석

갑: 전쟁이 끝난 후 잠시 평화가 찾아와도 국가들은 더욱 강화된 재무장과 적대 정책을 세운다. 이런 악순환을 막기 위해 국가 간의 항구적인 평화 조약이 요구된다.
이상주의 (칸트의 영구 평화론)
을: 전쟁은 국가가 자기의 이익을 실현하기 위해 취하는 행동
현실주의
병: 전쟁의 목적이 침략에 대한 방어와 같이 정당하고, 수행 과정에서 지켜야 할 도덕적 원칙을 위반하지 않는다면, 그 전쟁은 도덕적으로 정당화될 수 있다.
정의 전쟁론

갑은 영구 평화론을 주장하는 칸트, 을은 전쟁에 대한 현실주의적 입장, 병은 정의 전쟁론의 입장이다. 현실주의 입장에서는 평화가 국가 간 세력 균형으로 실현되어야 한다고 본다.

유사 선택지 문제

09 ❶ ○ ❷ × ❸ ○

10 왈처의 정의 전쟁론

오른쪽 사람은 왈처이다. 왈처는 정의로운 전쟁을 크게 세 가지로 구분하였다. 첫째, 전쟁을 시작함에 있어서의 정의의 영역이다. 둘째, 전쟁 수행 과정에서의 정의의 영역이며, 마지막은 전쟁 종식 이후의 정의의 영역이다. 그는 첫째와 둘째를 서로 독립적인 것으로 보아 개전에 있어서는 정당화될 수 없는 전쟁을 수행하는 경우라도 전쟁 수행의 과정은 정의롭게 이끌어야 한다고 주장하였다.

오답 선택지 풀이 ㄱ. 공리주의의 입장이다.
ㄹ. 왈처는 전쟁은 시작과 수행 과정, 종식 이후에도 정의로워야 한다고 주장하였다.

11 칸트의 영구 평화론

칸트는 모든 국가가 법치 국가가 되고 국제적인 연맹을 만드는 것이 영구 평화를 실현하기 위한 유일한 방법이라고 보았다. 이러한 칸트의 시각은 국제 연합(UN)의 창설에 영향을 주었다.

12 정의 전쟁론

갑은 아퀴나스, 을은 왈처이다. 아퀴나스는 전쟁의 조건으로 합법적 권위에 의한 명령, 정당한 근거, 정당한 의도를 제시하였다. 한편 왈처는 국제적인 경계를 넘는 무력 사용이 정당화되려면 계기가 극단적이어야 한다고 주장하였다. 따라서 모든 형태의 폭력이 전쟁의 명분이 되는 것은 아니라고 보았다.

오답 선택지 풀이 ㄱ. 갑, 을 모두 부정의 답을 할 질문이다. 아퀴나스와 왈처는 모두 국가 간의 전쟁은 도덕적 제약을 받아야 한다고 본다.
ㄹ. 갑과 을 모두 부정의 답을 할 질문이다. 아퀴나스에 의하면, 개별 국가에서 모든 형태의 폭력이 전쟁 선포의 정당한 명분이 될 수 있는 것은 아니다. 그 개별 국가가 백성들에게 가한 나쁜 짓을 바로 잡길 거부하거나 부당하게 차지한 것을 돌려주길 거부하는 경우 그 악을 징벌하기 위해 선포할 수 있는 것이지, '모든 형태의 폭력'이 전쟁 선포의 정당한 명분이 될 수 있는 것은 아니다. 또 왈처의 경우 전쟁은 개별 국가에서의 모든 형태의 폭력이 아니라 도저히 용인할 수 없는 잔학 행위가 일어날 경우에만 인도주의적 차원에서 필요하다고 본다.

13 칸트의 영구 평화론

A는 칸트이다. 칸트는 영구적인 평화로 나아가기 위해서는 국가 간의 주권을 보장하고 타국에 대해 내정 간섭을 하지 말아야 한다고 주장하였다.
② 칸트는 연방 체제를 주장한 것이지, 세계 정부의 수립을 주장한 것은 아니다.

14 칸트의 영구 평화론

국가 간의 영구 평화를 위한 확정 조항을 제시한 사상가는 칸트이다. 그는 영구적인 평화 상태로 나아가기 위해 국내적으로는 모든 국가가 시민의 정책 결정이 가능한 민주적 법치 국가인 공화제가 도입되어야 하고, 국제적으로는 보편적 우호 관계에 기반한 국제법이 적용되는 국제 연맹을 창설해야 한다고 보았다.

오답 선택지 풀이 ① 칸트는 영구적인 평화로 나아가기 위해서는 국가 간의 주권을 보장하고 내정 간섭을 하지 말아야 한다고 보았다.

② 현실주의의 입장이다.

③ 칸트는 연방 체제를 주장한 것이지, 세계 공화국의 수립을 주장한 것은 아니다.

④ 칸트는 영구 평화가 어렵기는 하지만 국제법과 국제기구를 통해 세계 평화가 가능하다고 보는 이상주의의 입장이다.

올쏘 만점 노트 칸트의 영구 평화를 위한 확정 조항과 예비 조항

- 확정 조항
  제1항 모든 국가의 시민적 정치 체제는 공화 정체(共和政體)이어야 한다.
  제2항 국제법은 자유로운 여러 국가의 연맹 조직을 토대로 해야 한다.
  제3항 세계 시민법은 보편적인 우호를 위한 제반 조건에 국한되어야 한다.
- 예비 조항
  1. 장차 전쟁의 화근이 될 수 있는 내용을 암암리에 유보한 채 맺은 어떠한 평화 조약도 결코 평화 조약으로 간주되어서는 안 된다.
  2. 어떠한 독립 국가도 상속, 교환, 매매 혹은 증여에 의해 다른 국가의 소유로 전락할 수 없다.
  3. 상비군은 조만간 완전히 폐지되어야 한다.
  4. 국가 간의 대외적 분쟁과 관련하여 어떠한 국채도 발행되어서는 안 된다.
  5. 어떠한 국가도 다른 국가의 체제와 통치에 폭력으로 간섭해서는 안 된다.
  6. 어떠한 국가도 다른 나라와의 전쟁 동안에 장래의 평화 시기에 상호 신뢰를 불가능하게 할 것이 틀림없는 다음과 같은 적대 행위, 예컨대 암살자나 독살자의 고용, 항복, 조약의 파기, 적국에서의 반역 선동 등을 해서는 안 된다.

15 갈퉁의 적극적 평화

제시문은 갈퉁의 입장이다. 갈퉁은 소극적 평화뿐만 아니라 적극적 평화를 강조하면서 눈에 보이는 폭력보다 더 무서운 구조적 폭력이나 문화적 폭력을 인식하고 이를 해결하는 것이 평화 실현의 중요한 과제라고 보았다.

오답 선택지 풀이 ① 갈퉁은 모든 전쟁의 종식이 적극적 평화의 실현을 보장한다고 보지 않는다.

② 소극적 평화의 입장에서는 폭력을 전쟁이나 테러와 같은 직접적인 무력 사용과 공인되지 않은 비합법적인 무력의 사용으로 본다.

③ 소극적 평화는 간접적인 폭력보다 직접적인 폭력의 제거를 중요시한다.

⑤ 소극적 평화는 전쟁이나 테러와 같이 물리적이고 직접적인 폭력이 없는 상태만을 강조한다.

올쏘 만점 노트 폭력의 구분

직접적 폭력	범죄, 테러, 전쟁 등과 같은 물리적 폭력
간접적 폭력	• 구조적 폭력: 사회 제도나 관습 또는 의식이 폭력을 용인하거나 정당화하는 형태의 폭력 예 억압, 빈곤 • 문화적 폭력: 문화적 측면인 종교, 이념, 언어, 예술 등의 이면에 내재해 있는 직접적 혹은 구조적 폭력을 정당화하고 합법화하는 폭력

16 소극적 평화와 적극적 평화

갑은 소극적 평화의 입장, 을은 적극적 평화의 입장이다. 적극적 평화는 직접적인 폭력뿐만 아니라 빈곤, 정치적 억압, 종교적 차별과 같은 사회의 구조적 · 문화적 폭력이 제거되어 인간답게 살아갈 수 있는 삶의 조건이 갖추어진 상태를 평화라고 본다.

오답 선택지 풀이 ㄱ. 갑은 평화를 전쟁이나 테러와 같은 물리적이고 직접적인 폭력이 없는 상태라고 본다.

유사 선택지 문제

16 ❶ ○ ❷ ○ ❸ ×

17 세계화에 따른 사회의 변화

제시문은 세계화에 대한 설명이다. 세계화는 정치, 경제, 문화, 교육 등 다양한 분야에서 나타나기 때문에 국제 사회의 상호 의존성이 더욱 심화되고 있다.

18 세계화로 인한 문제점 해결 방안

제시문은 선진국 주도의 세계화가 진행되면서 나타나는 여러 가지 문제들을 비판하고 있다. 세계화로 인한 문제점을 해결하기 위해서는 ㄹ. 지역의 고유문화와 전통을 소중히 여기면서 세계 시민 의식을 바탕으로 인류의 공존과 화합을 모색해야 하며, ㄷ. 인간적인 정이 넘치는 작은 공동체를 지원해야 한다.

오답 선택지 풀이 ㄱ. 세계화로 인한 문제점을 해결하기 위해서는 국민 국가의 권한과 기능을 유지하면서 세계 시민 의식을 바탕으로 인류의 화합을 위해 노력해야 한다.

ㄴ. 자유 경쟁과 자유 무역을 계속 확대하다 보면 저개발국들의 상대적 빈곤이 더욱 가중된다.

19 세계화의 특징과 문제점

세계화의 부정적 측면은 다양한 지역 문화가 사라져 문화의 획일화가 진행될 수 있고, 시장 경제의 논리에 따라 문화의 상품화 현상도 심화될 수 있다는 점이다. 또한, 일부 강대국이 시장과 자본을 독점하여 국가 간의 빈부 격차를 심화할 수 있다는 점도 들 수 있다.

오답 선택지 풀이 ① 세계화는 이데올로기로적 대립이 퇴조하면서 세계가 밀접하게 연결되는 현상이다.

③ 세계화로 인한 시장의 개방은 자국 내 계층 간의 갈등을 심화하였다.

④ 세계화가 진행되면서 다양한 문화의 교류를 통해 전 지구적 차원에서 문화 간 공존을 기대할 수 있는 여건이 조성되었다.

⑤ 세계화로 인해 전 지구적 문제에 대해 공동 대응하고 상호 협력하는 체계가 확장되고 있다.

20 해외 원조에 대한 싱어의 입장

제시문은 해외 원조에 대한 싱어의 입장이다. 싱어는 이익 평등 고려의 원칙에 따라 부유한 국가와 가난한 국가의 이익을 모두 평등하게 고려해야 한다고 본다. 또한 자신과 가족의 기본적인 욕구를 충족하고도 남는 소득이 있는 모든 사람들은 자기 소득의 1% 이상을 무조건적으로 기부하여 지구촌 빈곤 문제 해결에 앞장서야 한다고 주장한다.

오답 선택지 풀이 첫번째 관점: 싱어는 국가에 상관없이 전 지구적 차원에서 가난한 사람들을 동등하게 고려해야 한다고 보았다.

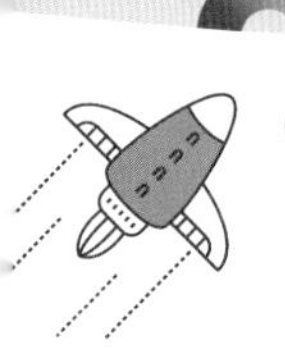

세번째 관점: 싱어는 해외 원조가 의무의 차원에서 이루어져야 한다고 보았다.

유사 선택지 문제

20 ❶ × ❷ × ❸ ○

21 해외 원조에 대한 롤스의 입장

제시문은 해외 원조에 대한 롤스의 입장이다. 롤스는 '질서 정연한 사회'에 살고 있는 국민들이 불리한 여건으로 고통받는 사회의 국민들을 도와주어야 한다고 주장한다. 그는 원조의 목적을 고통받는 사회가 자신들의 문제를 합리적으로 관리할 수 있도록 도와 질서 정연한 사회가 되도록 하는 것이라고 하였다. 따라서 롤스는 질서 정연한 사회로 진입한 이후에는 그 사회가 여전히 상대적으로 빈곤할지라도 해외 원조를 중단해야 한다고 주장한다.

오답 선택지 풀이 ㄱ. 롤스는 모든 국가의 복지 및 부의 차이를 좁힐 필요는 없다고 본다.

ㄹ. 롤스는 해외 원조의 목적을 부유한 사회 건설에 두지 않는다.

22 해외 원조에 대한 롤스와 싱어의 입장

자료 분석

사회의 기본 제도가 공정으로서의 정의의 원칙에 따라 편성·운영되며, 이러한 사실을 사회 구성원이 알고 있는 사회

갑: 시민들의 기본적인 정치적 권리가 보장되는 '질서 정연한 사회'에 살고 있는 국민들이 불리한 여건으로 고통받는 다른 국가의 국민들을 돕는 것은 윤리적 의무이다. → 롤스

을: 해외 원조를 통해 얻을 수 있는 이익이 비용보다 클 경우, 원조를 할 수 있는 사람은 원조를 받는 사람이 어느 공동체에 속해 있든 상관없이 도움을 주어야 한다. → 싱어

국적에 상관없이 도와야 함 – 이익 평등 고려의 원칙

갑은 롤스, 을은 싱어이다. 롤스는 사회 중심의 원조를 강조하였다. 그는 불리한 여건의 사회 체제나 구조를 개선하도록 도움으로써 질서 정연한 사회가 될 수 있게 하는 것을 원조의 목적으로 보았다. 싱어는 공리주의적 관점에서 민족, 국가, 인종을 초월하여 약자의 고통을 줄이고 전 인류의 행복 증진을 위해 노력하는 것을 원조의 목적으로 보았다.

오답 선택지 풀이 ㄱ. 롤스는 고통을 겪고 있는 사회가 자신들의 문제들을 합당하게 합리적으로 관리할 수 있는 질서 정연한 사회가 되었다면, 빈곤한 상태에 있을지라도 더 이상 원조를 할 필요가 없다고 주장한다.

ㄷ. 롤스와 싱어는 모두 해외 원조보다 자국의 약자를 배려해야 한다고 주장하지 않는다. 두 사람은 해외 원조를 의무의 차원에서 이루어져야 한다고 본다.

유사 선택지 문제

22 ❶ ○ ❷ ○ ❸ ○

23 원조에 대한 싱어의 입장

싱어는 공리주의에 입각해 전 인류의 행복을 증진시키고 모든 사람의 복지를 고르게 고려해야 한다고 주장하면서 빈곤으로 고통받는 사람을 돕는 것이 의무라고 보았다.

오답 선택지 풀이 ② 싱어는 원조의 최종 목표를 절대 빈곤에 빠진 사람의 구제에 두었다.

③ 롤스의 입장에 가깝다.

④ 싱어가 원조를 통해 모든 사회의 복지 수준을 일치시킬 것을 주장한 것은 아니다.

⑤ 싱어는 풍요로운 사회의 시민들은 가난으로 고통받는 사람들을 원조해야 한다고 보았다.

24 해외 원조에 대한 칸트의 입장

제시문은 칸트의 사상이다. 칸트는 의무론의 관점에서 타인의 고통에 대한 무관심은 보편적 윤리 기준에 어긋나며, 선(善)의 실천은 곧 도덕적 의무임을 강조하였다.

오답 선택지 풀이 ㄱ. 칸트가 '예'라고 대답할 질문이다. 칸트는 타인의 곤경에 무관심한 것은 도덕 법칙에 어긋난다고 보았다.

ㄷ. 칸트가 '아니요'라고 대답할 질문이다. 칸트는 원조의 대상을 자국민뿐만 아니라 어려움을 겪는 모든 사람으로 생각하였다.

25 국제 정의

국제 정의는 형사적 정의와 분배적 정의로 구분할 수 있다. ㉠ 형사적 정의는 범죄 가해자를 정당하게 처벌하는 정의이며, ㉡ 분배적 정의는 재화 등의 사회적 가치를 공정하게 분배하는 것이다. ㉢ 공적 개발 원조는 선진국 정부 또는 공공 기관이 개발도상국에 자금을 지원하거나 기술 원조를 하는 것으로, 공공 개발 원조 또는 정부 개발 원조라고도 한다.

오답 선택지 풀이 ① 국제 연합은 전쟁 방지와 평화 유지를 위해 설립된 국제기구이다.

③ 절차적 정의는 어떤 것을 결정하고 판단하기 위해 필요한 정보를 모으는 방법이 공정했는지, 결정과 판단의 과정이 공정했는지와 관련한 정의이다. 국제 사법 재판소는 국가 간의 분쟁을 국제법을 적용하여 해결하는 국제 연합의 사법 기관이다.

④ 국제 사면 위원회는 국가 권력에 의해 처벌 당하고 억압받는 각국 정치범들을 구제하기 위하여 설치된 국제기구이다.

⑤ 교정적 정의는 어떤 잘못이나 피해에 대한 대응이 공정한가와 관련된 정의이다.

26 해외 원조의 바람직한 방향

제시문은 단순히 물질적 원조를 통해서 원조 수혜국의 빈곤 상태를 개선할 수 없음을 깨닫고, 빈곤 국가가 스스로 자립할 수 있도록 많은 원조 공여국이 공적 개발 원조에 동참해야 한다는 주장이다.

27 국제 분쟁 해결에 대한 입장

㉠ 국가의 힘을 키우고, 이를 통해 세력 균형을 유지해야 한다.

㉡ 구성주의

㉢ 제도의 개선으로 국제 분쟁을 해결한다.

채점 기준	배점
㉠~㉢에 들어갈 내용을 세 가지 모두 옳게 서술한 경우	상
㉠~㉢에 들어갈 내용 중 두 가지만 옳게 서술한 경우	중
㉠~㉢에 들어갈 내용 중 한 가지만 옳게 서술한 경우	하

28 해외 원조에 대한 노직의 입장

(1) 노직

(2) | 모범 답안 | 모든 사람의 소유권은 절대적이기 때문에 원조나 기부를 해야 할 윤리적 의무는 존재하지 않으며, 원조나 기부는 개인의 자발적인 선택의 영역이다.

채점 기준	배점
해외 원조에 대한 노직의 입장을 옳게 서술한 경우	상
해외 원조는 의무가 아니라고만 서술한 경우	하

올쏘 상위 4% 문제

본문 127쪽

01 ④ 02 ④ 03 ④ 04 ①

01 전쟁에 대한 다양한 입장

자료 분석

갑: 무고한 사람을 죽이는 것은 옳지 않다. 그런데 전쟁은 전쟁에 대한 책임이 없는 무고한 인간들을 살상하지 않을 수 없다. 그러므로 모든 전쟁은 부도덕한 것이다. —• 평화주의

을: 전쟁은 정치적 목적을 위한 여러 수단 중 하나이며, 다른 수단에 의한 정책의 연속일 뿐이다. 불가능한 평화를 얻으려고 지금 얻을 수 있는 승리를 놓치는 것은 어리석다. —• 현실주의

병: 전쟁은 찬양되어서는 안 되지만, 도덕적 제약을 전제로 최고의 합법적 권위에 의해 선포되는 경우와 나를 지키기 위해 적을 죽이지 않으면 안 되는 경우에는 허용될 수 있다. —• 정의 전쟁론

갑은 전쟁에 대한 평화주의, 을은 현실주의, 병은 정의 전쟁론의 입장이다. 평화주의는 무력은 어떤 형태이든 도덕적으로 정당화될 수 없으며, 모든 형태의 전쟁은 절대 불가라는 입장이다. 또 현실주의는 국제 관계에서 평화의 실현은 세력 균형을 통해 달성될 수 있으며, 국가 간에 도덕적 관계는 존재하지 않는다고 본다. 이 입장에서는 자국의 이익을 위해서 전쟁은 하나의 수단으로 사용 가능하다고 본다. 정의 전쟁론은 전쟁이 도덕적 제약을 받아야 하지만 정의 실현을 위한 수단이 될 수 있으며, 극단적 상황에서 최후의 수단으로 정당화될 수 있다고 본다.

오답 선택지 풀이 ㄱ. 갑이 '아니요'라고 대답할 질문이다. 국제 평화가 국가 간의 세력 균형으로 실현된다고 보는 입장은 현실주의(을)이다.

ㄷ. 을이 '아니요'라고 대답할 질문이다. 자국의 이익을 침해받았을 경우, 국제기구나 국제법에 의존해야 한다는 입장은 이상주의(을)이다.

02 해외 원조에 대한 롤스와 싱어의 입장 비교

갑은 롤스, 을은 싱어이다. 싱어는 모든 사람의 고통을 감소시키고 쾌락을 증진시키는 것이 인류의 의무이며 따라서 부유한 나라는 윤리적 의무 차원에서 약소국을 지원해야 한다는 입장이다.

오답 선택지 풀이 ① 롤스에 따르면 원조의 목표는 '고통받는 사회'가 '질서 정연한 사회'가 되도록 돕는 것이다.

② 롤스는 원조를 윤리적 의무로 본다.

③ 싱어는 전 인류의 행복을 증진시켜야 한다는 공리주의에 입각해 모든 사람의 복지를 고르게 고려해야 한다고 주장하면서 빈곤으로 고통받는 사람들을 돕는 것이 의무라고 본다.

⑤ 롤스는 해외 원조 시 국가적 차원의 제도적 · 정치적 지원을 강조하고, 싱어는 개인적 차원의 원조를 중요시한다.

03 왈처의 정의 전쟁론

왈처는 모든 국가가 평화 유지를 위해 힘써야 하지만 최후의 수단으로 전쟁이 정당화될 수 있음을 인정한다. 왈처는 '내정 불간섭'이라는 원칙은 절대적일 수 없다고 보고 사람들에게 가해지는 잔악성과 고통의 정도가 극심하고, 그 지역의 어떠한 세력도 문제 해결 능력이 없는 것처럼 보일 때 내전 개입은 도덕적으로 필요하다고 보았다.

오답 선택지 풀이 ㄷ. 왈처에 따르면 전쟁은 도덕적 제약을 받아야지만 정의 실현을 위한 수단이 될 수 있다. 즉, 무고한 사람의 보호, 부당하게 침해된 권리 회복, 적국의 침입을 방어하기 위한 경우 전쟁은 허용될 수 있다고 본다. 그러므로 적국의 침입을 방어하기 위한 경우 전쟁은 허용될 수 있다고 본다.

04 해외 원조에 대한 다양한 입장

자료 분석

갑: 약소국에 대한 원조는 쾌락의 증진과 고통의 감소를 추구하는 공리주의 이론에 근거하여 판단해야 한다. 따라서 빈곤으로 고통받는 사람들을 돕는 것은 도덕적 의무이다.
세계 시민주의, 공리주의 입장에서 개인들이 세계 시민 정신에 따라 약소국을 도와주어야 한다고 주장 —• 싱어

을: 해외 원조를 하려고 개인에게 세금을 부과하는 것은 국가가 개인의 자유와 권리를 침해하는 것이다. 그러므로 약소국에 대한 해외 원조는 개인의 자유에 맡겨야 한다.
개인은 정당하게 취득한 재산에 대해 국가가 결코 침해할 수 없는 배타적 소유권을 지님 —• 노직

병: 불리한 여건으로 인해 '고통받는 사회'를 '질서 정연한 사회'가 되도록 돕는 것은 인류의 도덕적 의무이다. 따라서 우리는 약소국에 대한 원조를 의무로 받아들여야 한다.
빈곤의 문제가 물질적 자원의 부족 때문이 아니라 정치적·사회적 제도의 결함 때문이라고 봄 —• 롤스

갑은 싱어, 을은 노직, 병은 롤스이다. 싱어는 인류 전체의 행복을 증진시켜야 한다는 공리주의에 입각하여 빈곤으로 고통받는 사람들을 돕는 것을 인류의 의무로 보는 입장이며, 노직은 개인이 정당하게 취득한 재산에 대해 다른 개인이나 국가가 결코 침해할 수 없는 배타적 소유권이 있음을 강조하였고, 롤스는 원조를 개개인에 대한 의무가 아니라 '고통받는 사회'에 대한 의무로 보았다.

오답 선택지 풀이 ㄷ. C에는 롤스의 입장만이 들어가야 한다. 롤스는 질서 정연한 사회는 가난하더라도 원조의 대상이 아니라고 하였다. 그는 원조 후 여전히 가난하더라도 질서 정연한 사회가 되었다면 원조를 중단해야 한다고 본다.

ㄹ. D에는 싱어와 롤스만의 공통 입장이 들어가야 한다. 싱어에게 원조의 목표는 국가의 경계를 뛰어넘는 인류 전체의 행복 증진이고, 롤스에게 원조의 목표는 고통받는 사회를 질서 정연한 사회로 만드는 데 있다. 따라서 싱어와 롤스는 모두 원조의 최종 목표를 국가 간의 경제적 불평등 해소라고 보지 않는다.

Memo